Dochter van het Woud

Van Juliet Marillier zijn verschenen:

Dochter van het Woud*

Trilogie van de Zeven Wateren – Boek 1

Zoon van de Schaduwen*

Trilogie van de Zeven Wateren – Boek 2

Kind van de Profetie*

Trilogie van de Zeven Wateren – Boek 3

Drager van de Wolvenvacht

De Saga van de Eilanden van het Licht – Deel 1

Drager van het Vossenmasker

De Saga van de Eilanden van het Licht – Deel 2

Des magiërs leerling

De Kronieken van Bridei – Eerste boek

Het Zwaard van Fortriu

De Kronieken van Bridei – Tweede boek

De Schaduwbron

De Kronieken van Bridei – Derde boek

Wildewoud

Cybele's geheim

*In POEMA-POCKET verschenen

TRILOGIE VAN DE ZEVEN WATEREN

BOEK I

Dochter van het Woud

JULIET MARILLIER

POEMA POCKET

POEMA-POCKET is een onderdeel van Luitingh ~ Sijthoff

Zesde druk

Oorspronkelijke titel: *Daughter of the Forest*
Vertaling: Pauline Moody
Omslagontwerp: Wouter van der Struys
Omslagillustratie: Armstrong

ISBN 978 90 245 5323 5

www.boekenwereld.com & www.poemapocket.com

Voor de sterke vrouwen van mijn familie:
Dorothy, Jennifer, Elly en Bronya

OPMERKING VAN DE AUTEUR

De lezer is wellicht gebaat bij enige hulp ten aanzien van de Oud-Ierse Keltische namen die in dit verhaal voorkomen. Hier volgt een benadering van de uitspraak van sommige daarvan; de beklemtoonde lettergreep is onderstreept.

Diarmid	*Dear*-id
Eamonn	*Ay*-mon
Eilis	*Eye*-lish
Padriac	*Pad*-ric
Seamus	*Shay*-mus
Sorcha	*Sor*-ca

De indeling van een jaar wordt voor Sorcha en haar broers bepaald door de acht feestdagen van de druïdische kalender; later werden sommige christelijke feestdagen op dezelfde dag gevierd, waarschijnlijk uit praktische overwegingen, zoals bijvoorbeeld Lugnasad (het oogstfeest) en Imbolc (Maria Lichtmis). Er zijn vier grote feestdagen, ook wel de vuurfeesten genoemd, en voorts de zonnewenden en de equinoxen.

Samhain	*Sow*-an	1 november
Meán Geimhridh (winterzonnewende)	Myawn *gev*-ree	21 december
Imbolc	Imulc	1 februari
Meán Earraigh	Myawn *ah*-ree	21 maart

(voorjaarsequinox)		
Beltaine	*Bel*-te-na	1 mei
Meán Samhraidh	Myawn *sour*-ee	21 juni
(zomerzonnewende)		
Lugnasad	*Loon*asa	1 augustus
Meán Fómhair	Myawn *foh*-wer	21 september

Een paar andere gebruikte termen:

túath — een stamgemeenschap in vroeg-christelijk Ierland, geregeerd door een koning of heer. Zeven Wateren is afwijkend in dit opzicht: heer Colum heeft weinig mannelijke familieleden behalve zijn zonen, en dus regeert hij zonder de steun van een sterke, uitgebreide familie/verwantschapsgroep. Er bevindt zich maar één groot fort binnen zijn túath. Het was gebruikelijker dat een túath verscheidene ringforten bevatte, onder beheer van familieleden van de koning of van edelen die voor dit privilege betaalden in vee en met militaire of andere diensten.

brithem — (Engels: brehon) een soort rechter

finn-ghaill — letterlijk: blonde buitenlanders – de vikingen (in tegenstelling tot dubh-ghaill, donkere buitenlanders – de Denen)

Ogham — geheim alfabet van de druïden, met vijfentwintig letters, die elk tevens een bepaalde plant, boom of element aanduiden. Ogham-tekens konden in een boomstam of steen zijn gekerfd of met gebaren aangeduid; de druïden hadden verder geen geschreven taal. Ze werden meer als symbolen gebruikt dan om gesproken taal schriftelijk uit te drukken.

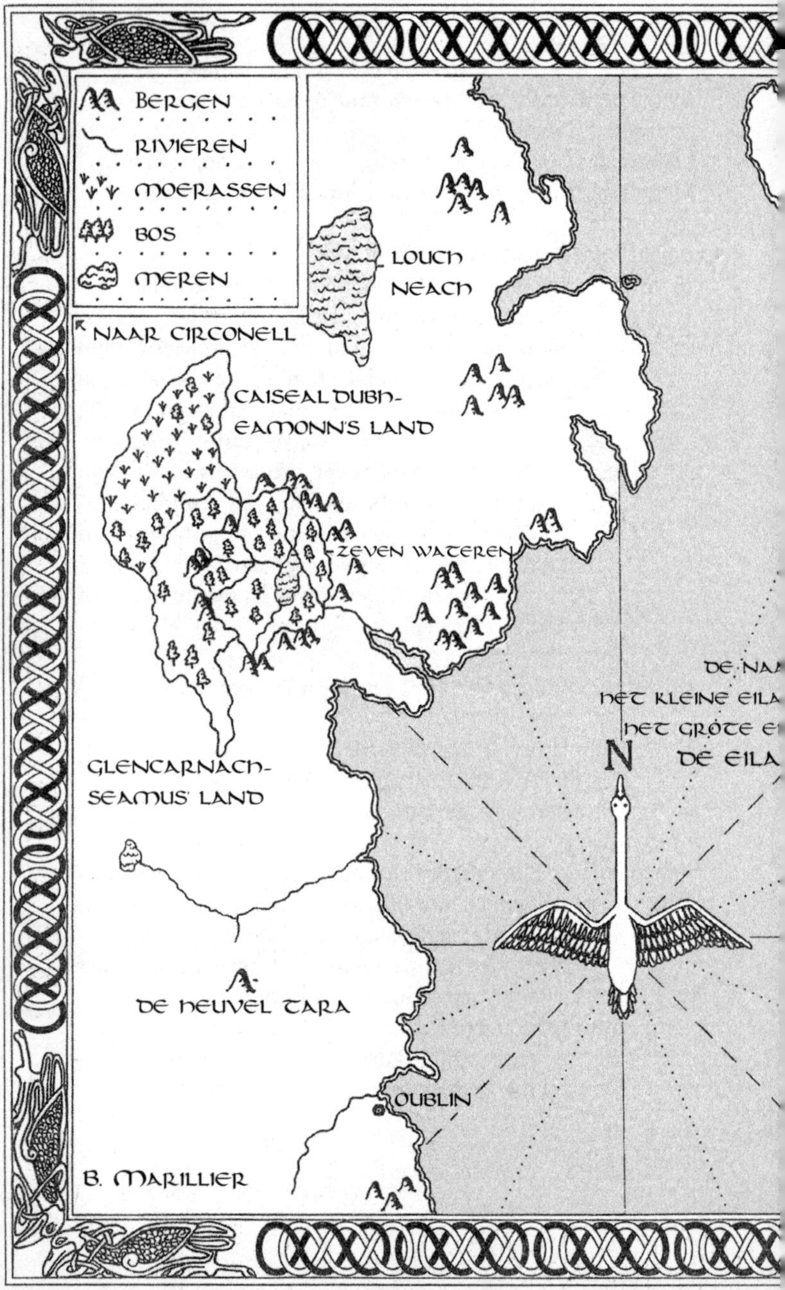
BERGEN
RIVIEREN
MOERASSEN
BOS
MEREN
NAAR CIRCONELL
LOUCH NEACH
CAISEAL DUBH-
EAMONN'S LAND
ZEVEN WATEREN
GLENCARNACH-
SEAMUS' LAND
DE HEUVEL TARA
DUBLIN
B. MARILLIER
N

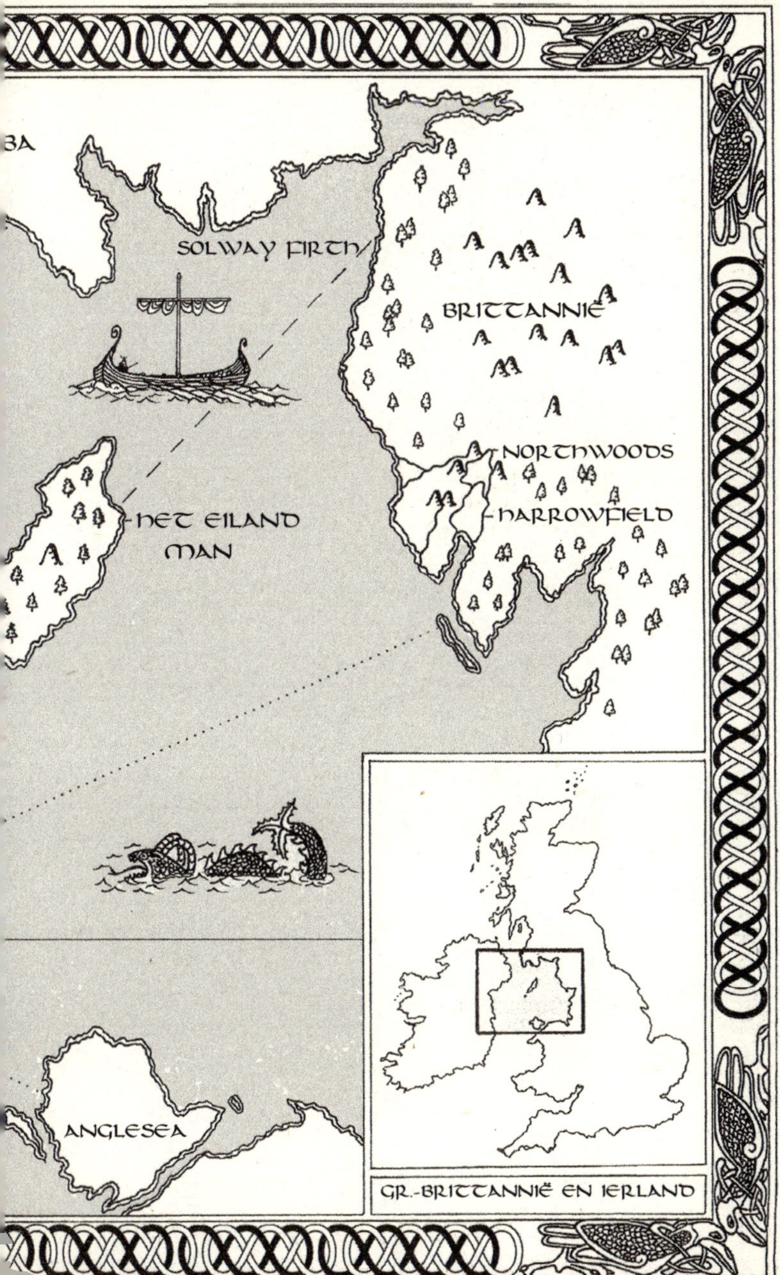

BA
SOLWAY FIRTH
BRITTANNIE
NORTHWOODS
HARROWFIELD
HET EILAND
MAN
ANGLESEA
GR.-BRITTANNIË EN IERLAND

HOOFDSTUK EEN

Drie kinderen lagen op de grote stenen langs de waterkant. Een donkerharig meisje. Twee jongens, iets ouder. Dit beeld is voorgoed in mijn geheugen vastgelegd, als een broos wezentje dat in barnsteen bewaard is gebleven. Ik en mijn broertjes. Ik herinner me hoe het water rimpelde wanneer ik mijn vingers over het glanzende oppervlak haalde.

'Niet zo ver vooroverbuigen, Sorcha,' zei Padriac. 'Anders val je er nog in.' Hij was een jaar ouder dan ik en buitte het beetje gezag dat hij daaraan ontleende ten volle uit. Dat was natuurlijk wel begrijpelijk. Er waren immers zes broers, en vijf daarvan waren ouder dan hij.

Ik deed of ik hem niet hoorde en reikte met mijn hand naar de geheimzinnige diepten.

'Ze zou er best in kunnen vallen, hè Finbar?'

Het bleef lang stil. Terwijl de stilte voortduurde, keken we allebei naar Finbar, die languit op zijn rug lag op de warme steen. Hij sliep niet; zijn ogen weerspiegelden het wijde grijs van de herfsthemel. Zijn haar lag als een woeste, zwarte warrige massa uitgespreid op de steen. Er zat een gat in de mouw van zijn jasje.

'De zwanen komen,' zei Finbar uiteindelijk. Hij ging langzaam rechtop zitten en liet zijn kin op zijn opgetrokken knieën rusten. 'Ze komen vanavond.'

Achter hem deed een windje de takken van eiken, iepen, essen en vlieren bewegen zodat een menigte blaadjes in gouden, bronzen en bruine tinten door de lucht dwarrelde. Het meer lag binnen

een ring van drie beboste heuvels, beschut als in een grote kelk.
'Hoe weet je dat nou?' vroeg Padriac. 'Hoe kun je dat zo zeker weten? Het zou ook morgen kunnen gebeuren, of overmorgen. Ze kunnen ook ergens anders naartoe gaan. Je weet alles altijd zo zeker.'
Ik herinner me niet dat Finbar antwoord gaf, maar later die dag, toen het begon te schemeren, ging hij met mij terug naar de oever van het meer. In het halve licht dat over het water hing, zagen we de zwanen thuiskomen. De laatste, lage zonnestralen vielen op een witte beweging in de verduisterende hemel. Even later waren ze zo dichtbij dat we het patroon van hun vlucht konden zien, de ordelijke formatie die bij het laatste vage licht door de koele lucht neerdaalde. Het ruisen van vleugels, het vibreren van de lucht. De laatste glijvlucht naar het water, het zilverig opflitsen van het water dat zich opende om hen te ontvangen. Terwijl ze landden, maakten ze een geluid waarin ik mijn naam hoorde, telkens weer: *Sorcha*, *Sorcha*. Mijn hand kroop in die van Finbar; we bleven onbeweeglijk staan tot het helemaal donker was, en toen ging mijn broer met me naar huis.
Als je het geluk hebt zo op te groeien als ik, heb je veel fijne dingen om aan terug te denken. En andere dingen die niet zo fijn zijn. Een keer in het voorjaar waren mijn broers en ik op zoek naar de groene kikkertjes die te voorschijn kwamen zodra de eerste warmte in de lucht was. We plasten tot onze knieën door de beek en maakten met zijn allen genoeg lawaai om elk beest op de vlucht te jagen. Drie van mijn zes broers waren erbij: Conor, die een oud wijsje floot; Cormack, zijn tweelingbroer, die hem van achteren besloop om een handvol waterplanten in zijn halsopening te laten glijden. Die twee jongens, rollend over de oever, worstelend en lachend. En Finbar. Finbar stond een eindje verderop langs de beek stil te wachten bij een poel tussen de rotsen. Hij tilde nooit stenen op om kikkers te zoeken; hij wachtte, en lokte ze te voorschijn door zijn stilzwijgen.
Ik had een handvol wilde bloemen verzameld, viooltjes, geitenbaard en die roze bloempjes die we pinksterbloemen noemden. Onderaan bij de rand van het water zag ik een nieuwe plant met mooie, heel lichtgroene, stervormige bloemen, en bladeren als grijze veren. Ik klauterde erheen en stak mijn hand uit om er een te plukken.

'Sorcha! Niet aanraken!' snauwde Finbar.
Ik keek geschrokken op. Finbar commandeerde me nooit. Als het Liam was geweest, mijn oudste broer, of Diarmid, die op hem volgde, had ik het wel kunnen verwachten. Finbar kwam snel naar me toe, zonder nog aan de kikkers te denken. Maar waarom zou ik naar hem luisteren? Zoveel ouder was hij niet, en het was gewoon een bloem. Ik hoorde hem nog zeggen: 'Sorcha, niet doen,' – maar mijn kleine vingers plukten al een van de zacht uitziende stengels af.
De pijn in mijn hand was als vuur – een witgloeiende pijn, waardoor ik met vertrokken gezicht en brullend langs het pad wegrende, terwijl ik mijn gevallen bloemen vertrapte. Finbar hield me tamelijk hardhandig tegen door zijn handen op mijn schouders te leggen.
'Sterrenkruid,' zei hij, terwijl hij mijn hand bekeek, die begon op te zwellen en akelig rood te worden. Intussen waren de tweelingen aan komen hollen door mijn gekrijs. Cormack hield me vast, want hij was sterk, en ik huilde en sloeg wild om me heen van de pijn. Conor scheurde een reep van zijn vuile hemd. Finbar had twee puntige takjes gevonden en hiermee begon hij een voor een de kleine, naaldachtige stekels uit te trekken die in mijn zachte huid waren blijven zitten. Ik herinner me de druk van Cormacks handen op mijn armen, terwijl ik tussen de snikken door hijgend ademhaalde, en ik kan Conor nog horen praten; hij praatte op rustige toon terwijl Finbars lange, behendige vingers hun werk deden.
'... en haar naam was Deirdre, Vrouwe van het Woud, maar niemand kreeg haar ooit te zien; maar als je 's avonds laat over de paden onder de berken liep, kreeg je soms een glimp te zien van haar lange gestalte in een donkerblauwe mantel, en haar lange haar, wild en donker, dat achter haar aan zwierde, en haar kroontje van sterren...'
Toen het gebeurd was, verbonden ze mijn hand met Conors geïmproviseerde verband en wat gekneusde bloemblaadjes van goudsbloemen, en de volgende morgen was het over. En ze zeiden er niets over tegen mijn oudste broers, toen die thuiskwamen; ze zeiden niet hoe dom ik was geweest.
Van dat moment af wist ik wat sterrenkruid was, en ik begon me-

zelf te leren welke andere planten er waren, die pijn konden doen of juist konden genezen. Een kind dat half wild in het bos opgroeit, leert de geheime dingen die daar groeien op een vanzelfsprekende manier kennen. Paddestoelen en boleten. Korstmos, mos en klimplant. Blad, bloem, wortel en bast. In het oneindige domein van het bos groeiden verscholen onder de grote eik, de sterke es en de soepele berk duizenden kleine dingen. Ik leerde waar ik ze kon vinden, wanneer ik ze moest plukken, hoe ik ze kon gebruiken in zalven, balsems of dranken. Daar was ik nog niet tevreden mee. Ik praatte met de oude vrouwen in hun huisjes tot het hun ging vervelen, en ik las alle handgeschreven documenten die ik kon vinden, en probeerde ook zelf dingen uit. Er viel altijd meer te leren, en er was altijd genoeg te doen.

Wanneer was dit begonnen? Toen mijn vader mijn moeder leerde kennen, zijn hart verloor en voor een huwelijk uit liefde koos? Of begon het toen ik geboren werd? Ik had de zevende zoon van een zevende zoon moeten zijn, maar de godin haalde een grapje uit, en ik was een meisje. En nadat ze mij op de wereld had gezet, stierf mijn moeder.

Het was niet zo dat mijn vader zich aan zijn verdriet overgaf. Daar was hij te sterk voor, maar toen hij haar verloor, ging er in hem een licht uit. Hij hield zich alleen nog bezig met raadsvergaderingen en machtsspelen, en dingen regelen achter gesloten deuren. Dat was alles wat hem interesseerde, meer zag hij niet. En zo groeiden mijn broers verwaarloosd op, zwervend door de bossen rond de burcht van Zeven Wateren. Ik was dan misschien niet de zevende zoon uit de oude verhalen, degene die magische krachten zou bezitten en in de gunst zou staan bij het Feeënvolk, maar ik sloot me toch maar aan bij de jongens, en ze waren lief voor me en voedden me zo goed op als een stel jongens een meisje kunnen opvoeden.

Ons huis dankte zijn naam aan de zeven beken die van de heuvels in het grote, met bomen omringde meer stroomden. Het was een afgelegen, stil en vreemd kasteel, goed bewaakt door zwijgende mannen die in grijze kleding door de bossen slopen, en die zorgden dat hun wapens scherp geslepen waren. Mijn vader nam geen enkel risico. Mijn vader was heer Colum van Zeven Wateren, en zijn túath was de sterkste, en de meest geheime aan deze

kant van Tara. Allen respecteerden hem. Velen vreesden hem. Buiten het bos was het nergens echt veilig. Stamhoofd voerde oorlog tegen stamhoofd, koning tegen koning. Ook werden er invallen gedaan vanaf de overzijde van het water. Christelijke oorden van geleerdheid en contemplatie werden geplunderd, en hun vreedzame bewoners werden gedood of verjaagd. Soms namen de heilige broeders uit wanhoop zelf de wapenen op. Het oude geloof ging ondergronds. De Noormannen kwamen onze kusten opeisen, en in Dublin vestigden ze een scheepskamp waar ze begonnen te overwinteren, zodat het het hele jaar rond onveilig bleef. Zelfs ik had gezien wat ze gedaan hadden, want er was een ruïne bij Killevy, waar plunderaars de heilige vrouwen hadden gedood en hun heiligdom hadden verwoest. Ik ben er maar een keer heen gegaan. Er hing een donkere schaduw over die plaats. Als je tussen de gevallen stenen doorliep, kon je de echo van hun gegil nog horen.
Maar mijn vader was anders. Het gezag van heer Colum was onaantastbaar. Binnen de ring van heuvels, bedekt met oeroude bossen, waren zijn grenzen ongeveer zo veilig als grenzen in deze woelige tijden maar konden zijn. Voor wie het bos niet respecteerde, en het niet begreep, was het ondoordringbaar. Een man, of een groep mannen die de weg niet kende, zou er hopeloos verdwalen; ten prooi vallen aan plotselinge mist, de zich splitsende, bedrieglijke paden, en aan andere, oudere dingen, dingen die een viking of een Brit vanzelfsprekend niet begreep. Het bos beschermde ons. Ons gebied was gevrijwaard voor plunderaars, of dit nu invallers van overzee waren of buren die graag een paar bunders grasland of een paar stuks mooi vee aan hun bezittingen wilden toevoegen. Ze vreesden Zeven Wateren, en gingen ons uit de weg.
Maar we hoorden vader zelden praten over de Noormannen of de Picten, want wij hadden onze eigen oorlog. Wij waren in oorlog met de Britten. We waren met name in oorlog met één Britse familie, die bekend was als de Northwoods. Deze vete ging ver terug. Ik had er weinig belangstelling voor. Ik was tenslotte een meisje, en ik kon mijn tijd wel beter gebruiken. Bovendien had ik nog nooit een Brit, een Noorman of een Pict gezien. Ze waren minder reëel voor mij dan schepsels uit een oud verhaal, draken of reuzen.
Vader was meestentijds weg; hij sloot bondgenootschappen met

buren, controleerde zijn buitenposten en wachttorens, en wierf mannen. Ik vond het wel zo prettig als hij er niet was; dan konden we onze dagen zo doorbrengen als we wilden, door de bossen rondzwerven, in de hoge eiken klimmen, tochten over het meer maken en als we wilden de hele nacht wegblijven. Ik leerde waar bramen, hazelnoten en wilde appeltjes te vinden waren. Ik leerde hoe je een vuur maakte, ook met vochtig hout, en hoe je pompoenen of uien in de houtskool gaar maakte. Ik kon een waterdichte hut maken van varens, en een vlot recht door het water sturen.

Ik vond het heerlijk om buiten te zijn en de wind in mijn gezicht te voelen. Toch bleef ik mezelf de kunst van het genezen aanleren, want ik wist vanbinnen dat dit mijn eigenlijke werk zou zijn. We konden allemaal lezen, hoewel Conor daar verreweg het beste in was, en er waren oude manuscripten en beschreven rollen die ergens op een bovenverdieping van het stenen fort dat ons huis was, waren weggestopt. Ik verslond ze in mijn dorst naar kennis en vond het helemaal niet vreemd, want dit was de enige wereld die ik ooit gekend had. Ik wist niet dat andere meisjes van twaalf mooi borduurwerk leerden maken, en dat ze leerden elkanders haar tot ingewikkelde kroontjes te vlechten, en dat ze dansles en zangles kregen. Ik had ook niet door dat maar weinig mensen konden lezen, en dat de boeken en papierrollen die de stille kamer boven vulden, een oneindig kostbare schat vormden in een tijd van verwoesting en plundering. Veilig ingebed tussen de bomen die het bewaakten en afgeschermd van de wereld door krachten, ouder dan de tijd, was ons huis beslist iets heel bijzonders.

Wanneer mijn vader thuis was, ging het anders toe. Niet dat hij veel belangstelling voor ons toonde; hij was maar kort thuis, en zijn tijd werd besteed aan besprekingen en vergaderingen. Maar hij ging wel kijken naar de jongens, als ze oefenden met zwaard of staf of bijlwerpen terwijl ze te paard galoppeerden en wendden. Je wist nooit wat vader dacht, want zijn blik verried niets. Hij was een stevig gebouwde man met een streng uiterlijk, en alles aan hem straalde discipline uit. Hij kleedde zich eenvoudig, maar er was toch iets aan hem waaraan je onmiddellijk zag dat hij een leider was. Hij droeg zijn bruine haar strak bijeengebonden in een staart. Waar hij ook ging, van zaal tot binnenplaats, van slaapvertrekken tot stallen, stapten zijn twee grote wolfshonden zwijgend achter hem aan. Dat was zijn enige zwak, denk ik. Maar zelfs die honden dienden een doel.

Elke keer dat hij thuiskwam, maakte hij er een ware ceremonie van ons allemaal te begroeten en te informeren naar onze vorderingen, alsof we een of ander gewas waren dat uiteindelijk geschikt zou zijn om geoogst te worden. Wij hadden een gruwelijke hekel aan dit rituele vertoon van familie-identiteit, hoewel het voor de jongens gemakkelijker werd toen ze de jongelingsleeftijd hadden bereikt en vader hen begon te zien als mannen die hem van nut konden zijn. We werden altijd bijeengeroepen in de grote zaal, nadat we eerst snel toonbaar waren gemaakt door de bediende die op dat moment belast was met de ondankbare taak, toezicht op ons te houden. Vader zat dan in zijn grote, eikenhouten zetel, zijn mannen op eerbiedige afstand om hem heen, en de honden aan zijn voeten, ontspannen maar waakzaam.

Dan riep hij de jongens een voor een naar voren en begroette hen tamelijk vriendelijk, waarbij hij begon met Liam en vervolgens de rij afwerkte. Hij ondervroeg elk van hen kort over zijn vorderingen en activiteiten sinds de vorige keer. Dit kon vrij lang duren; er waren immers zes jongens, en dan kwam ik nog. Omdat ik niets wist van andere vormen van ouderlijke begeleiding, accepteerde ik dit als de manier waarop het nu eenmaal ging. Als mijn broers zich al een tijd herinnerden dat alles anders was, praatten ze daar niet over.

De jongens groeiden snel op. Tegen de tijd dat Liam twaalf jaar was, werd hij al intensief opgeleid in de vele vormen van krijgskunst, en had hij steeds minder tijd om met ons anderen mee te doen in onze vrolijke, ongedisciplineerde wereld. Niet lang daarna mocht Diarmid, vanwege zijn uitzonderlijke vaardigheid met de speer, zijn plaats naast zijn broer innemen, en het duurde niet lang of beiden reden mee uit in vaders krijgsbende. Cormack zag reikhalzend uit naar de dag dat hij oud genoeg zou zijn om in ernst aan deze ondernemingen mee te doen; de training die alle jongens van vaders meester in de krijgskunst ontvingen was niet genoeg om zijn zucht naar uitblinken te bevredigen. Padriac, de jongste van de jongens, kon goed met dieren omgaan en had er slag van kapotte dingen te repareren. Ook hij leerde paardrijden en het zwaard hanteren, maar vaak was hij te vinden bij een koe die moest kalveren, of verzorgde hij een prijsstier die door een rivaal was verwond.

De rest van ons kinderen was anders. Conor was de tweelingbroer van Cormack, maar het verschil in temperament tussen die twee was enorm. Conor had altijd van leren gehouden, en had al op heel jonge leeftijd een overeenkomst gesloten met een christelijke kluizenaar die in een grot leefde in de helling van de zuidelijke meeroever. Mijn broer bracht pater Brien verse vis en kruiden uit de tuin, en soms ook een paar broden die hij bij de keuken had afgetroggeld, en in ruil werd hem lezen geleerd. Ik herinner me dat heel duidelijk. Conor zat op een houten bank naast de kluizenaar heftig te debatteren over een of ander taalkundig of filosofisch detail, terwijl Finbar en ikzelf muisstil in kleermakerszit in een hoek op de aarden vloer zaten. Alle drie namen we als kleine sponzen de kennis in ons op, en door onze geïsoleerde toestand dachten we dat dit heel gewoon was. We leerden bijvoorbeeld de taal van de Britten, een scherp, afgebeten soort taal zonder muziek erin. En terwijl we de taal van onze vijanden leerden, kregen we ook hun geschiedenis te horen.

Eens waren zij een volk geweest zoals wij, woest, trots en rijk aan liederen en verhalen, maar hun land was open en kwetsbaar, en was keer op keer onder de voet gelopen, tot hun bloed vermengd raakte met dat van de Romeinen en de Saksen, en toen er uiteindelijk een soort vrede tot stand was gekomen, was de oude bevolking van dat land verdwenen, en woonde er in plaats daarvan een nieuw volk aan de overkant van het water. Dit vertelde ons de heilige kluizenaar.

Iedereen had wel een verhaal over de Britten. Ze waren te herkennen aan hun blonde haar en hun lichaamslengte, en ze waren de vete begonnen door zich meester te maken van iets dat voor ons volk zo onaantastbaar, zo heilig was, dat de diefstal hiervan betekende dat we het gevoel hadden dat het hart uit ons lichaam was gerukt. Dat was de oorzaak van onze oorlog. Het Kleine Eiland, het Grote Eiland en de Naald. Plaatsen van het opperste mysterie. Plaatsen van het diepste geheim; het hart van het oude geloof. Geen Brit had ooit op de Eilanden voet aan wal mogen zetten. Het zou nooit meer goed komen tot we hen verdreven. Zo werd het door iedereen verteld.

Het was duidelijk dat Conor niet bestemd was voor het krijgerschap. Mijn vader, die genoeg zonen had, moest dit tandenknarsend aanvaarden. Hij zag misschien ook in dat een geleerde in de familie zijn nut zou kunnen hebben. Er moesten altijd verslagen worden geschreven, berekeningen worden gemaakt en kaarten worden getekend, en de schrijver die mijn vader in dienst had, begon oud te worden. Zo vond Conor dus een plaats in het huishouden die hem tevreden stemde. Zijn dagen waren druk bezet, maar hij had altijd tijd voor Finbar en mij, en wij drieën raakten erg verknocht aan elkaar, en voelden ons verbonden door onze dorst naar kennis en doordat we elkaar op een diepe, onuitgesproken manier begrepen.

Wat Padriac betreft, hij kon eigenlijk alles, maar hij hield er vooral van dingen te bestuderen en uit te zoeken hoe ze werkten; hij kon vragen stellen tot je er dol van werd. Padriac was de enige die vaders pantser kon doorbreken; wanneer hij naar zijn jongste zoon keek, zag je soms op Colums sombere trekken een vaag lachje doorbreken. Naar mij lachte hij niet. En naar Finbar ook niet. Finbar zei dat dat kwam doordat wij vader aan onze gestorven moeder deden denken. Wij hadden allebei haar krullende, wilde haardos geërfd. Ik had haar groene ogen, en Finbar haar vermogen tot zwijgen. Verder had ik haar door mijn geboorte gedood. Geen wonder dat vader er moeite mee had, naar mij te kijken. Maar wanneer hij het woord tot Finbar richtte, waren zijn ogen ijzig koud. Ik herinner me vooral een bepaalde keer. Dat was niet lang voordat *zij* bij ons kwam en ons leven voorgoed veranderde. Finbar was vijftien; hij was nog geen man, maar beslist ook geen kind meer.

Vader had ons bijeengeroepen, en we waren verzameld in de grote zaal. Finbar stond met een kaarsrechte rug voor de zetel van heer Colum, in afwachting van de rituele ondervraging. Liam en Diarmid waren nu jonge mannen, en hoefden deze beproeving niet meer te ondergaan. Maar ze stonden langs de zijlijnen, want ze wisten dat we ons daardoor rustiger voelden.

'Finbar. Ik heb met je leermeesters gesproken.'

Stilte. Finbars grote grijze ogen leken dwars door die van vader heen te kijken.
'Ik hoor dat je vaardigheden goed vooruitgaan. Dat doet me genoegen.' Ondanks deze lovende woorden was vaders blik koud, zijn stem afstandelijk. Liam wisselde een blik met Diarmid en Diarmid trok als antwoord een gezicht, alsof hij wilde zeggen: nu komt het.
'Maar het schijnt dat je instelling veel te wensen overlaat. Ik hoor dat je deze resultaten hebt bereikt zonder er veel moeite voor te doen, en zonder er veel belangstelling voor op te brengen, en met name hoor ik dat je vaak zonder reden van de les wegblijft.'
Weer stilte. Op dit punt zou het waarschijnlijk verstandig zijn geweest om iets te zeggen, alleen om problemen voor te zijn; 'Ja, vader' zou al genoeg zijn geweest. Het feit dat Finbar helemaal niets zei, was op zichzelf al een belediging.
'Heb je daar een verklaring voor, jongen? En je hoeft niet zo brutaal naar me te kijken; ik wil een antwoord!'
Vader boog zich naar voren zodat zijn gezicht vlak bij dat van Finbar was, en de uitdrukking op zijn gezicht was zo dreigend dat ik huiverde en wat dichter bij Conor ging staan. Het was een gelaatsuitdrukking die een volwassen man angst zou aanjagen. 'Je bent nu op een leeftijd dat je je naast me bij je broers kunt scharen, in elk geval zolang als ik hier ben; en binnenkort ook te velde. Maar bij een veldtocht is zwijgende brutaliteit niet gewenst. Een man moet leren om te gehoorzamen zonder vragen te stellen. Nou, zeg eens wat! Hoe verklaar je je gedrag?'
Maar Finbar was niet van plan om antwoord te geven. *Als ik u niets te zeggen heb, zeg ik niets.* Ik wist dat deze woorden in zijn hoofd waren. Ik kneep in Conors hand. We hadden de woede van vader eerder gezien. Het zou dom zijn, die op te roepen.
'Vader.' Liam deed diplomatiek een stap naar voren. 'Misschien...'
'Genoeg!' zei vader gebiedend. 'Je broer heeft jou niet nodig om het woord voor je te voeren. Hij heeft een tong in zijn mond, en hersens in zijn hoofd; laat hij beide gebruiken.'
Finbar maakte een volkomen beheerste indruk. Aan de buitenkant leek hij volstrekt kalm. Alleen ik, die elke ademtocht van hem deelde, die zijn pijn en vreugde voelde alsof het de mijne waren,

ik voelde de spanning in hem en begreep hoeveel moed hij moest opbrengen om te spreken.

'Ik zal u een antwoord geven,' zei hij. Zijn stem klonk rustig. 'Te leren met een paard om te gaan, en het zwaard en de boog te hanteren, dat is niet onwaardig. Ik ben bereid deze vaardigheden te gebruiken om mezelf of mijn zuster te verdedigen, of om mijn broers bij te staan wanneer er gevaar dreigt. Maar u moet me uw veldtochten besparen. Daar wens ik niet aan mee te doen.'

Mijn vader geloofde zijn oren niet; hij was te onthutst om al boos te worden, maar zijn ogen werden ijskoud. Hij had nooit verwacht dat hij op deze manier zou worden aangevallen. Liam deed zijn mond open om weer iets te zeggen, maar vader legde hem met een woeste blik het zwijgen op.

'Vertel eens verder,' zei hij beleefd uitnodigend, als een roofdier dat zijn prooi in een suikerzoete val lokt. 'Heb je zo weinig besef van het gevaar dat onze streken bedreigt, dat ons leven hier tot in zijn wortels dreigt aan te tasten? Je bent over al deze dingen onderricht; je hebt mijn mannen bebloed uit de strijd zien terugkomen, je hebt gezien hoe de Britten levens en land verwoesten. Je eigen broers vinden het een eer om aan de zijde van hun vader te strijden, zodat de overigen van jullie in vrede en welvaart kunnen leven. Zij wagen hun leven om onze kostbare Eilanden terug te winnen die lang geleden door dat gespuis aan ons volk zijn ontroofd. Heb je zo weinig vertrouwen in hun oordeel? Waar heb je deze belachelijke onzin geleerd? Veldtochten?'

'Van wat ik met eigen ogen heb gezien,' zei Finbar eenvoudig. 'Terwijl u jaar na jaar bezig bent deze zogenaamde vijand te land en ter zee te vervolgen, worden de mensen in uw dorpen ziek en ze sterven omdat er geen meester is tot wie ze zich kunnen wenden om hulp te krijgen. De gewetenlozen buiten de zwakken uit. De akkers worden slecht verzorgd, het vee wordt verwaarloosd. Het bos beschermt ons. En dat is maar goed ook, want anders zou u uw huis en uw volk allang aan de Finghaill verloren hebben.'

Vader haalde diep adem. Zijn mannen deden een stap naar achteren. 'Ga door alsjeblieft,' zei hij met een doodse stem. 'Je schijnt alles af te weten van de Noormannen.'

'Misschien...' zei Liam.

'Zwijg!' Het werd ditmaal gebruld, zodat Liam bijna ophield voor hij een woord kon uitbrengen. 'Dit is een zaak tussen je broer en mij. Spreek, jongen! Welke andere aspecten van mijn beheer heb je, in je wijsheid, onvoldoende bevonden? Hou je vooral niet in, want je schijnt het hart op de tong te hebben!'

'Is dat nog niet genoeg dan?'

Eindelijk bespeurde ik een spoortje onzekerheid in Finbars stem. Hij was tenslotte nog maar een jongen.

'U hecht er meer waarde aan een verre vijand te achtervolgen dan orde op zaken te stellen op uw eigen terrein. U spreekt over de Britten alsof het monsters zijn. Maar het zijn toch mannen zoals wij?'

'Je kunt die lieden nauwelijks de eer aandoen hen als mannen te betitelen,' zei onze vader, eindelijk voldoende geprikkeld om te antwoorden. Zijn stem was schel van opkomende woede. 'Ze komen hier met boze gedachten en barbaarse manieren om te grijpen wat ons rechtens toebehoort. Zou je willen dat je zuster aan hun wandaden werd onderworpen? Dat je huis door hun vuiligheid werd overstroomd? Uit je woorden blijkt dat je niet op de hoogte bent van de feiten, en dat er in je opvoeding droevige leemten zijn. Wat heb je aan je mooie filosofie wanneer je met een blank zwaard in je hand staat, en de vijand voor je klaar staat om toe te slaan? Word wakker, jongen. Daarginds is een wereld die echt bestaat, en daar staan de Britten met het bloed van onze verwanten aan hun handen. Het is mijn plicht, en de jouwe, om ons te wreken, en terug te eisen wat ons rechtens toebehoort.'

Finbars vaste blik liet vaders gezicht niet los.

'Ik ben niet onwetend van deze dingen,' zei hij, nog steeds heel kalm. 'De Picten en de vikingen hebben onze kusten geteisterd. Ze hebben hun stempel op onze geest gezet, al konden ze ons niet vernietigen. Dat erken ik allemaal. Maar de Britten hebben ook onder deze invallen geleden, en land, lijf en goederen verloren. We begrijpen niet goed wat ze ermee beogen, onze Eilanden in te nemen en deze vete voort te zetten. Het zou misschien beter zijn als we ons met hen verenigden om tegen onze gemeenschappelijke vijand te strijden. Maar nee: uw strategie is net als die van hen, te doden en te verminken, zonder naar antwoorden te zoeken. Op den duur zult u uw zonen verliezen, zoals u ook uw broers hebt verloren in het blindelings nastreven van een onduidelijk afgebakend doel. Om deze oorlog te winnen moet u met uw vijand in gesprek komen. Leren hem te begrijpen. Als u hem buitensluit, zal hij u altijd te slim af zijn. De toekomst zal u dood en lijden en langdurige spijt brengen, als u op deze weg doorgaat. Velen zullen u volgen, maar ik zal daar niet bij zijn.'

Zijn woorden waren vreemd; ik werd koud van de toon waarop hij ze uitsprak. Ik wist dat hij de waarheid sprak.

'Ik wens dit niet meer te horen!' riep vader met donderende stem en hij stond op. 'Je spreekt als een dwaas, over zaken waarvan je geen begrip hebt. Het is een huiveringwekkende gedachte dat een zoon van mij zo slecht op de hoogte kan zijn, en zo aanmatigend. Liam!'

'Ja, vader?'

'Ik wil dat deze broer van je wordt uitgerust om met ons mee te rijden op onze volgende reis naar het noorden. Zorg dat het gebeurt. Hij zegt dat hij wenst de vijand te begrijpen. Misschien zal hij hem begrijpen wanneer hij zelf getuige kan zijn van het bloedvergieten.'

'Ja, vader.' Het lukte Liam dankzij zijn langdurige training een neutrale gelaatsuitdrukking en stem te behouden. Maar uit de blik die hij Finbar toewierp, sprak medeleven. Hij zorgde er alleen voor dat vader het niet zag.

'En nu, waar is mijn dochter?'

Ik deed met tegenzin een stap naar voren. Daarbij passeerde ik Finbar, zodat mijn hand langs de zijne streek. Zijn ogen stonden fel in een gezicht waaruit alle kleur weggetrokken was. Ik ging voor vader staan, heen en weer geslingerd tussen gevoelens die ik nauwelijks begreep. Hoorde een vader niet van zijn kinderen te houden? Wist hij niet hoeveel moed Finbar ervoor nodig had gehad om zich zo uit te spreken? Finbar zag dingen anders dan wij anderen ze konden zien. Dat had vader moeten weten, want de mensen zeiden dat onze moeder die gave ook had bezeten. Als hij er maar even de tijd voor had genomen, zou hij het hebben geweten. Finbar kon in de toekomst zien, en waarschuwingen geven; het was gevaarlijk ze in de wind te slaan. Het was een zeldzaam vermogen, dat gevaarlijk en belastend was. Sommigen noemden het Zienerschap.

'Kom naar voren, Sorcha.'
Ik was boos op vader. Toch wilde ik dat hij me zag. Ik wilde door hem geprezen worden. Ondanks alles kon ik dat verlangen diep vanbinnen niet uitschakelen. Mijn broers hielden van me. Waarom kon vader dat niet? Dat dacht ik toen ik naar hem opkeek. Van hem uit gezien was ik vermoedelijk een zielig figuurtje, mager en slodderig, met krullen die ordeloos voor mijn ogen hingen.
'Waar zijn je schoenen, kind?' vroeg vader vermoeid. Hij begon onrustig te worden.
'Ik heb geen schoenen nodig, vader,' zei ik, bijna zonder na te denken. 'Mijn voeten zijn hard, kijk maar,' en ik stak een smalle, vuile voet omhoog om het hem te laten zien. 'Het is niet nodig dat er een dier sterft om mij van schoenen te voorzien.' Dit argument had ik tegen mijn broers gebruikt, tot ze er genoeg van hadden en het goedvonden dat ik op blote voeten rondliep, als ik dat zo graag wilde.
'Welke bediende heeft de zorg voor dit kind?' snauwde vader kribbig. 'Ze is langzamerhand te oud om los rond te lopen als... als een zigeunerkind. Hoe oud ben je, Sorcha; negen, tien?'
Hoe was het mogelijk dat hij dat niet wist? Had hij tegelijkertijd met mijn geboorte niet alles verloren wat hem het liefste was op de wereld? Want mijn moeder was gestorven op de midwinterdag, toen ik nog amper een dag oud was, en de mensen zeiden dat ik geluk had gehad dat dikke Janis, onze keukenmeid, een kind aan de borst had en genoeg melk voor twee, want anders zou ik waarschijnlijk ook gestorven zijn. Het was misschien een manier om te meten hoe volledig vader zich voor zijn vroegere leven had afgesloten, dat hij niet meer alle eenzame nachten en alle lege dagen aftelde, die sinds haar dood verlopen waren.
'Ik word de dag voor midwinter dertien, vader,' zei ik, en ik maakte me zo lang mogelijk. Als hij me volwassen genoeg vond, zou hij misschien echt tegen me praten, zoals hij tegen Liam en Diarmid praatte. Of naar me kijken met dat vage lachje dat hij soms voor Padriac over had, mijn jongste broer. Heel even keken zijn donkere, diepliggende ogen me recht aan, en ik keek terug met grote, groene ogen, die sprekend op die van mijn moeder leken, maar dat wist ik niet.
'Genoeg,' zei hij opeens, en zijn stem klonk beslist. 'Haal die kinderen hier weg, want er is werk aan de winkel.'

Hij draaide ons zijn rug toe en was even later verdiept in een grote landkaart die over de eiken tafel werd uitgerold. Alleen Liam en Diarmid mochten er natuurlijk bij blijven; zij waren nu mannen en hadden deel aan het strategisch overleg van mijn vader. Voor de overigen was het nu afgelopen. Ik stapte terug uit het licht.

Waarom herinner ik me dit zo goed? Misschien bracht zijn ongenoegen over de wijze waarop wij ons ontwikkelden, vader ertoe de keuze te maken die hij maakte, en zodoende een reeks gebeurtenissen in gang te zetten, verschrikkelijker dan we ooit hadden kunnen denken. Het staat vast dat hij ons welzijn aanvoerde als een van de argumenten om haar naar Zeven Wateren te halen. Dat deze redenering niet klopte, deed er eigenlijk niet toe – hij moet in zijn hart geweten hebben dat Finbar en ik van sterk materiaal gemaakt waren, dat we naar geest en temperament al gevormd waren, al waren we nog niet volledig uitgegroeid, en dat verwachten dat wij zouden buigen voor de wil van een ander, net zoiets was als proberen de loop van het tij te veranderen of het bos te doen ophouden met groeien. Maar hij werd beïnvloed door krachten die hij zelf niet kon begrijpen. Mijn moeder zou ze herkend hebben. Ik heb me later vaak afgevraagd in hoeverre zij onze toekomst kende. Het Zienerschap toont niet altijd wat iemand wil zien, maar ik denk dat toen ze ons vaarwel zei, ze geweten moet hebben welke vreemde kronkelwegen de voeten van haar kinderen zouden volgen.

Zodra vader ons wegstuurde uit de zaal, was Finbar weg, als een schim die over de stenen trap naar de toren verdween. Toen ik me omdraaide om hem te volgen, zag ik dat Liam naar mij knipoogde. Hij mocht dan een krijger in de dop zijn, maar hij was toch mijn broer. En Diarmid grijnsde even naar me, maar zijn gezicht had weer een uitgestreken, eerbiedige uitdrukking toen hij zich naar vader wendde.

Padriac was waarschijnlijk naar buiten gegaan; hij had een gewonde uil in de stal die hij verzorgde tot het dier weer gezond zou zijn. Het was verbluffend, zei hij, hoeveel hij van deze taak geleerd had over de beginselen van het vliegen. Conor was aan het werk met de schrijver van mijn vader, die hij hielp met berekeningen; we zouden hem voorlopig niet veel zien. Cormack ging natuurlijk oefenen met zwaard of staf. Ik was alleen toen ik op blote voeten de stenen treden opliep naar de torenkamer. Hiervandaan kon je nog verder naar boven komen; dan kwam je op een stuk leien dak met een lage muur met kantelen erlangs, dat waarschijnlijk niet voldoende was om je tegen te houden als je eraf viel, maar dat weerhield ons toch niet om erop te klimmen. Het was een plek voor verhalen, voor geheimen; een plek om samen zwijgend alleen te zijn.

Zoals ik al had verwacht, zat hij op het steilste deel van het dak, met zijn armen om zijn opgetrokken knieën. Op zijn gezicht was niets te lezen; hij keek in de verte uit over de met stenen wallen omheinde weiden, de schuren, stallen en huisjes, naar het rokerig grijs, fluwelig groen en nevelig blauw van het bos. Niet heel ver weg glinsterde het zilverkleurige water van de meren. Er stond een behoorlijk koude wind, die aan mijn rokken trok terwijl ik over de leien naar boven klauterde en naast hem ging zitten. Finbar zei helemaal niets. Ik hoefde niet naar hem te kijken om te weten in welke stemming hij verkeerde, want ik was op de geest van mijn broer afgestemd als de strijkstok op de snaar.

We zwegen lange tijd, terwijl de wind ons haar in de war bracht, en er een troep meeuwen overvloog, elkaar toeroepend. Af en toe kwamen er stemmen naar boven drijven, en hoorden we metaal op metaal kletteren. Vaders mannen hielden gevechten op het erf, en Cormack was bij hen. Daar zou vader tevreden over zijn.

Langzamerhand kwam Finbar terug uit de verre uithoeken van zijn geest. Zijn lange vingers speelden met een streng van zijn haar. 'Wat weet jij van de landen aan de overkant van het water, Sorcha?' vroeg hij heel kalm.

'Niet veel,' zei ik, een beetje verbaasd. 'Liam zegt dat niet alles op de kaarten staat; er zijn plaatsen waar zelfs hij weinig van afweet. Vader zegt dat we de Britten moeten vrezen.'

'Hij vreest wat hij niet begrijpt,' zei Finbar. 'Neem nou pater Brien en mensen van zijn slag. Zij zijn uit het oosten gekomen, over zee, en daar was veel moed voor nodig. Op den duur zijn ze hier geaccepteerd, en ze hebben ons veel gegeven. Vader streeft er niet naar zijn vijanden te leren kennen, of te begrijpen wat zij willen. Hij ziet alleen de dreiging, de aantasting, en daarom is hij zijn hele leven bezig hen te achtervolgen, te doden en te verminken, zonder vragen te stellen. En waartoe?'

Ik dacht hier een tijdje over na.
'Maar jij kent ze ook niet,' probeerde ik; het leek een redelijke opmerking. 'En het is niet alleen vader die denkt dat ze gevaarlijk zijn. Liam zei dat als de veldtochten niet helemaal tot in het noorden, en tot de kust van de oostelijke zee worden uitgevoerd, we op een kwade dag onder de voet gelopen zullen worden, en dan zullen we alles verliezen wat we hebben. Misschien niet alleen de Eilanden, maar ook Zeven Wateren. Dan zouden de oude gewoonten voorgoed verdwenen zijn. Dat zegt hij.'
'In zekere zin is dat waar,' zei Finbar tot mijn verbazing. 'Maar elk gevecht heeft twee kanten. Het begint vanwege een kleinigheid, een toevallige opmerking, een ondoordacht gebaar. En dan groeit het verder uit. Beide kanten kunnen onrechtvaardig zijn. Beide kunnen wreed zijn.'
'Hoe weet je dat?'
Finbar antwoordde niet. Zijn geest was afgesloten voor de mijne; op dit moment was er geen samenkomen van gedachten, geen stilzwijgend uitwisselen van beelden dat zo vaak tussen ons plaatsvond, en dat zoveel gemakkelijker was dan praten. Finbar kauwde op de punt van zijn haar, dat hij in een staart achter in zijn nek droeg, en dat heel lang was. Zijn donkere krullen waren net zo eigenzinnig als de mijne.
'Volgens mij heeft onze moeder ons iets nagelaten,' zei hij na enige tijd. 'Ze heeft in ons allen een klein stukje van haarzelf achtergelaten. En voor Liam en Diarmid is het maar goed ook dat ze dat hebben. Dan worden ze tenminste niet helemaal hetzelfde als hij.'
Ik wist wat hij bedoelde, zonder zijn woorden helemaal te begrijpen.
'Liam is een leider,' vervolgde Finbar, 'net als vader, maar niet helemaal hetzelfde. Liam heeft evenwicht. Hij kan een probleem afwegen. Mannen zijn bereid voor hem te sterven. Op een dag zullen ze dat waarschijnlijk ook doen. Diarmid is anders. Hem zouden de mensen naar de uithoeken van de aarde willen volgen, alleen omdat ze het leuk vinden.'
Ik dacht hierover na; ik zag Liam voor me, die me verdedigde tegenover vader, en Diarmid die me leerde kikkers te vangen en ze ook weer los te laten.

'Cormack is een krijger,' deed ik ook een duit in het zakje. 'Maar hij is gulhartig. Vriendelijk.' Hij had bijvoorbeeld die hond. Een van de wolfshonden had een mesalliance gehad, en bastaardpups geworpen; vader wilde ze allemaal laten verdrinken, maar Cormack redde er een en hield haar, een mager, getijgerd beestje dat hij Linn noemde. Zijn goede daad werd beloond door de diepe, onwankelbare toewijding die alleen een trouwe hond kan opbrengen. 'En dan hebben we Padriac.'
Finbar leunde achterover tegen de leien en sloot zijn ogen.
'Padriac zal ver komen,' zei hij. 'Hij zal verder komen dan de rest.'
'Conor is anders,' zei ik, maar ik kon het verschil niet goed onder woorden brengen. Het had iets ongrijpbaars.
'Conor is een geleerde,' zei Finbar. 'We houden allemaal van verhalen, maar hij is dol op kennis. Moeder kon prachtige oude verhalen vertellen, en raadsels, en ze kon met vreemde ideeën komen waar ze zelf om lachte, zodat je nooit wist of ze het meende. Conor heeft zijn liefde voor ideeën van haar. Conor is... hij is zichzelf.'
'Hoe kan het dat je dat nog weet?' zei ik; misschien verzon hij het maar om mij een plezier te doen. 'Je was pas drie jaar toen ze stierf. Een peuter.'
'Ik weet het nog,' zei Finbar, en wendde zijn hoofd af. Ik wilde dat hij doorging, want ik vond het altijd fascinerend als er over mijn moeder werd gepraat, die ik nooit had gekend. Maar hij was weer in stilzwijgen vervallen. Het begon al laat te worden; de lange schaduwen van bomen strekten hun toppen al uit over het gras ver onder ons.
De stilte duurde weer erg lang, tot ik dacht dat hij misschien in slaap was gevallen. Ik wiebelde met mijn tenen, het begon koud te worden. Misschien had ik inderdaad schoenen nodig.
'En jij, Finbar?' Dat hoefde ik eigenlijk niet te vragen. Hij was echt anders. Hij was anders dan wij allemaal. 'Wat heeft ze jou gegeven?'
Hij keek me aan en lachte, zodat de buiging van zijn brede mond hem een heel ander gezicht gaf.
'Geloof in mezelf,' zei hij eenvoudig. 'Om datgene te doen wat juist is, en niet te wankelen, hoe moeilijk het ook wordt.'
'Het was vandaag al best moeilijk,' zei ik, denkend aan de koude ogen van vader, en hoe Finbar daardoor had gekeken.

Het zal later nog veel moeilijker worden. Ik wist niet of deze gedachte in mijn eigen geest opkwam, of in die van mijn broer. Ik voelde een koude rilling over mijn rug gaan.
Toen zei hij hardop: 'Ik wil dat je dit altijd weet, Sorcha. Weet dat ik er altijd voor jou zal zijn, wat er ook gebeurt. Het is belangrijk. Kom, we gaan weer naar beneden.'

Wanneer ik terugdenk aan de jaren waarin we opgroeiden, is het belangrijkste ding de boom. We gingen er vaak heen, met ons zevenen, in zuidelijke richting door het bos boven de oever van het meer. Toen ik nog heel klein was, droeg Liam of Diarmid me op zijn rug; toen ik eenmaal kon lopen, namen twee broers me bij de hand zodat ik snel meekwam, en soms zwaaiden ze me met een één, twee, drie tussen zich in terwijl de anderen al vooruit renden naar het meer. Wanneer we dichterbij kwamen, werden we allemaal stil. De oever waar de berk op stond, was een magische plek, en onze stemmen waren gedempt terwijl we ons op het omringende grasveld verzamelden.
We accepteerden allemaal dat dit land een toegangspoort was naar de andere wereld, het rijk van geesten en dromen en het Feeënvolk; we twijfelden geen moment aan het bestaan ervan. De streek waar we opgroeiden was zo vol van toverij dat het bijna tot het dagelijks leven behoorde; ik bedoel niet dat je er elke keer een tegenkwam als je bessen ging plukken of water ging putten uit de bron, maar iedereen die we kenden, had wel een vriend van een vriend die zich te ver in het bos had begeven en spoorloos was verdwenen, of die zich binnen een heksenkring had gewaagd, en een tijdje weg was geweest, en dan bij zijn terugkomst haast onmerkbaar veranderd was. Er konden op die plaatsen vreemde dingen gebeuren. Je kon bijvoorbeeld vijftig jaar weg zijn geweest, en toch nog terugkomen als een jong meisje; of naar sterfelijke tijdsrekening maar heel even zijn weggeweest, maar gerimpeld en krom van ouderdom terugkomen. Deze verhalen boeiden ons enorm, maar we werden er niet voorzichtiger door. Als het jou zou overkomen, gebeurde dat gewoon, of je het leuk vond of niet.
Maar de berk was een ander verhaal. Die bevatte haar geest, de geest van onze moeder, want hij was daar op haar eigen verzoek op de dag van haar dood door de jongens geplant. Toen ze hun

had verteld wat ze moesten doen gingen Liam en Diarmid, zes en vijf jaar oud, met hun spade naar de door haar beschreven plek, groeven een gat in de zachte aarde en legden het zaad erin, daar op de vlakke, met gras begroeide oever boven het meer. De kleintjes hielpen met kleine, vuile handen de aarde vlak te maken en water te halen. Toen ze mij later mee mochten nemen uit het huis, gingen we er allemaal samen heen. Dat was de eerste keer voor mij; en daarna kwamen we er twee keer per jaar, met midzomer en midwinter, bij elkaar.
Het boompje had kunnen worden afgebeten door grazende dieren, de koude herfstwinden hadden het dunne stammetje kunnen knakken, maar het was betoverd; en binnen enkele jaren begon het omhoog te schieten, sierlijk zowel in zijn winterse strengheid als in zijn zilverige, ritselende zomerpracht. Ik zie de plek nu duidelijk voor me, en ons zevenen, in kleermakerszit op het gras rond de berk, zonder elkaar aan te raken, maar even zeker met elkaar verbonden alsof we elkaar stevig bij de hand hielden. We waren toen ouder, maar toch nog kinderen. Ik was misschien vijf, Finbar acht. Liam had gewacht tot we groot genoeg waren om het te begrijpen, en toen vertelde hij ons dit verhaal.

... nu had de kamer iets angstaanjagends. Het rook er anders, vreemd. Ons nieuwe zusje was meegenomen, en er was bloed, en mensen met angstige gezichten die in en uit renden. Moeder lag in het bed en haar gezicht was heel erg bleek, met het donkere haar rondom uitgespreid. Maar ze gaf ons het zaad, en ze zei tegen ons, tegen Diarmid en mij: 'Ik wil dat jullie dit meenemen en bij het meer in de aarde leggen, en op het moment dat ik heenga, zal het zaad beginnen te groeien van nieuw leven. En dan, mijn zonen, zal ik altijd bij jullie zijn, en wanneer jullie daar zijn, zullen jullie weten dat jullie deel uitmaken van de grote toverkracht die ons allen samenbindt. Onze kracht komt uit die magie voort, uit de aarde en de hemel, het vuur en het water. Vlieg hoog, zwem diep, en geef terug aan de aarde wat zij jullie geeft...'
Ze werd moe, ze verloor haar levensbloed, maar ze had een glimlach voor ons beiden en wij probeerden door onze tranen heen terug te lachen, al begrepen we nauwelijks wat ze zei, maar we wisten dat het belangrijk was. 'Diarmid,' zei ze, 'zorg goed voor je

kleine broers. Deel je lach met hen.' Haar stem werd al zwakker. 'Liam, zoon. Ik ben bang dat het een tijdlang zwaar voor jou zal zijn. Jij zult hun leider en hun gids zijn, en je bent nog erg jong voor zo'n zware taak.'
'Het zal me lukken,' zei ik, terwijl ik mijn tranen wegslikte. Er liepen mensen door de kamer, een arts mompelde voor zich heen en schudde zijn hoofd, vrouwen namen de bebloede doeken weg en brachten schone, en nu kwam er iemand zeggen dat we weg moesten. Maar moeder zei nee, nog niet, en ze vroeg iedereen de kamer uit te gaan, even maar. Toen vroeg ze ons om rond haar bed te komen staan, om afscheid te nemen. Vader was buiten. Hij hield zijn verdriet voor zich, ook toen al.
Toen sprak ze zacht tegen elk van ons, terwijl haar stem steeds zwakker werd. De tweelingen stonden aan weerskanten, naar haar toe gebogen; ze waren elkaars spiegelbeeld, met ogen zo grijs als de winterhemel, en haar diepbruin en glanzend als een rijpe kastanje.
'Conor, lieverd,' zei ze. 'Herinner je je het gedicht over het hert en de adelaar?' Conor knikte; zijn gezichtje stond heel ernstig. 'Zeg me hoe het gaat,' fluisterde ze.
'*Mijn voeten zullen zacht treden zoals een hert in het bos*,' zei Conor met een gefronst voorhoofd van concentratie. '*Mijn geest zal helder zijn zoals het water uit de heilige bron. Mijn hart zal sterk zijn zoals de grote eik. Mijn ziel zal adelaarsvleugels spreiden en wegvliegen. Zo luidt de waarheid.*'
'Goed zo,' zei ze. 'Onthou het, en leer het je zusje wanneer ze ouder is. Kun je dat?'
Hij knikte weer plechtig.
'Het is gemeen!' barstte Cormack uit, overmand door boze tranen. Hij sloeg zijn armen om haar hals en hield haar stevig vast. 'U mag niet doodgaan! Ik wil niet dat u doodgaat!'
Ze streelde zijn haar, en suste hem met zachte woorden, en Conor liep om het bed heen om de hand van zijn tweelingbroer te pakken, en toen werd Cormack rustig. Toen tilde Diarmid Padriac op zodat moeder hen beiden even kon omarmen. Finbar, die naast haar hoofdkussen stond, was zo stil dat je had kunnen denken dat hij er niet was, en keek zwijgend toe terwijl zij haar zonen een voor een liet gaan. Ze wendde zich tot hem als laatste van

ons jongens, en ditmaal zei ze niets, maar gebaarde dat hij de gesneden steen die ze om haar hals droeg, moest afnemen, en hem om zijn eigen hals moest hangen. Hij was niet veel meer dan een peuter – het koord reikte tot onder zijn middel. Hij pakte de amulet en sloot er zijn kleine vuist omheen. Bij hem had ze geen woorden nodig.
'Mijn dochter,' fluisterde ze ten slotte. 'Waar is mijn Sorcha?' Ik liep naar buiten om het te vragen, en dikke Janis kwam binnen en legde de pasgeboren baby in de armen van onze moeder, die nu bijna te zwak waren om zich om het bundeltje wollen dekentjes te buigen. Finbar kwam dichterbij, en hielp met zijn handjes de broze vracht te ondersteunen. 'Mijn dochter zal sterk zijn,' zei moeder. 'De toverkracht is sterk in haar, en ook in jullie allemaal. Wees trouw aan jezelf en aan elkaar, mijn kinderen.' Toen ging ze achterover liggen, met gesloten ogen, en wij gingen stil de kamer uit, en waren dus geen getuige van het ogenblik van haar overgang. We legden het zaad in de grond en de boom vormde zich erin en begon te groeien. Zij is weg, maar de boom leeft, en hierdoor geeft zij ons haar kracht, de kracht van alle levende wezens.

Mijn vader had niet alleen vijanden, maar ook vazallen. Het hele noordland was verdeeld in túaths zoals de zijne; sommige waren groter, de meeste een stuk kleiner, en elk werd bestuurd door zijn heer, in een wankele wapenstilstand met een paar buren. Ver naar het zuiden, in Tara, zetelde de Hoge Koning met zijn gemalin, maar door de geïsoleerde ligging van Zeven Wateren merkten we niets van hun gezag, en zij hadden ook geen belangstelling voor onze plaatselijke vetes. Vazalschappen ontstonden aan de vergadertafel en werden versterkt door huwelijken, maar weer vaak verbroken door onenigheid over vee of grenzen. Veldtochten en strooftochten kwamen vaak voor, maar niet tegen onze buren, die veel ontzag hadden voor mijn vader. Tussen hen bestond dus een onofficiële overeenkomst om gezamenlijk op te treden tegen Britten, Picten en Noormannen, want zij bedreigden allen onze kusten met hun vreemde talen en barbaarse gewoonten. Maar vooral tegen de Britten, die iets onvoorstelbaars hadden gedaan en er niet voor gestraft waren.

Het ontging me natuurlijk niet dat er soms krijgsgevangenen werden gemaakt, maar die werden bij elkaar in een kerker gestopt en met grimmige nauwgezetheid bewaakt, en mijn broers wilden er nooit over praten. Zelfs Finbar niet. Dat was vreemd, want meestal had ik vrij toegang tot zijn geest, en mijn eigen gedachten waren voor hem nooit afgesloten. Ik kende zijn angsten en zijn vreugden; ik voelde met hem de zonverlichte ruimtes en de duistere, mystieke diepten van ons bos, de hartslag van de godin in de met zonlicht bespikkelde paden en de frisheid van het voorjaar. Maar er was ook toen al een stuk van hem dat hij verborgen hield. Misschien probeerde hij me ook in die prille tijd te beschermen. Daarom bleven de gevangenen een geheim voor mij. Ons huishouden was vol lange, geharnaste gestalten, die kortaf met elkaar spraken, die haastig aankwamen en gehaast vertrokken. Zelfs wanneer mijn vader weg was, wat het grootste deel van het jaar het geval was, liet hij een sterk garnizoen achter, onder het ijzeren toezicht van zijn wapenmeester, Donal.

Dat was de ene kant van het huishouden; de andere, meer huiselijke kant was daaraan ondergeschikt. De paar bedienden die we hadden, deden hun werk natuurlijk, en de mensen van het gehucht deden het hunne, want er waren stenen wallen te onderhouden, en er moesten daken gedekt worden, en er was werk te doen aan de molen en de bereiding van zuivel. In de zomer moesten de kudden naar de hoge weiden worden gedreven, om daar te profiteren van wat er groeide, varkenshoeders moesten hun best doen om hun lastige dieren in de bossen op te sporen, en de vrouwen moesten spinnen en weven. Onze hofmeester kreeg koude koorts en stierf; daarna nam Conor het beheer van de geldbuidel over en hield de boeken bij terwijl vader weg was. Geleidelijk begon hij een zeker gezag te verwerven in huis; al was hij pas zestien, hij bezat al een slimme nuchterheid die in tegenspraak was met zijn leeftijd en zelfs de geharde soldaten vertrouwen scheen in te boezemen. Het werd iedereen duidelijk dat Conor niet zomaar een schrijvertje was. In vaders afwezigheid werden er onopgemerkt kleine veranderingen ingevoerd: de bewoners van de huisjes werden op ordelijke wijze op tijd voor de winter van droge zoden voorzien, en ten behoeve van mij werd een distilleerkamer ingericht, met een vrouw om me te helpen en drankjes en medicijnen naar de zieken te brengen. Toen het kleine volk de man van Madge Smallfoot in de war bracht, en hij zich verdronk door vanaf de hoge rotsen in het meer te springen (aan dit voorval dankt Smallfoot's Leap zijn naam) wist Conor het zo te regelen dat Madge voor ons kwam werken, en in onze keukens deeg uitrolde en kippen plukte. Het waren maar kleine dingen, natuurlijk, maar het was een begin.

Finbar ging in de herfst van dat jaar niet mee op de veldtocht. Ondanks vaders bevelen waren het Liam en Diarmid en, tot zijn grote vreugde, de jonge Cormack die plotseling, op een stralende, frisse morgen, vertrokken. Ze waren vroeg en onverwacht onder de wapenen geroepen. Bij wijze van uitzondering hadden we gasten in huis: onze naaste buurman, Seamus Roodbaard van Glencarnagh, en enkele leden van zijn huishouden. Seamus was een van de vertrouwelingen, de beste vazal van mijn vader. Maar zelfs hij was niet door het bos getrokken zonder een escorte van de mannen van mijn vader, die hem tegenmoetkwamen bij de grens van zijn eigen gebied, en hem veilig naar de burcht van Zeven Wateren brachten.

Seamus had zijn dochter meegebracht; ze was vijftien jaar oud en had een haardos van dezelfde opzienbarende kleur als haar vader. Maar al had ze dan vurige lokken, Eilis was een stil meisje, mollig en met roze wangen; ik vond haar eigenlijk nogal saai in vergelijking met mijn broers. Onze gasten hadden al een dag of tien bij ons gelogeerd, en omdat Eilis nooit zin had om in bomen te klimmen, of in het meer te zwemmen, of me zelfs maar te helpen met bierbrouwen en jam maken, kreeg ik gauw genoeg van haar gezelschap en liet ik haar aan haar lot over. Het verbaasde me dat de jongens zoveel belangstelling voor haar toonden, want als ze een keer iets zei, was het meestal erg voor de hand liggend en oppervlakkig. Dat kon hun toch niet interesseren. Maar toch zag je afwisselend Liam, Diarmid en Cormack geduldig met haar om de burcht en door de tuinen lopen, en zich kennelijk geboeid naar haar overbuigen om elk woord dat ze uitsprak op te vangen, en haar hand pakken om haar trappen af te helpen waar ik met een paar keurig uitgevoerde sprongen zo af zou zijn geweest.

Het was vreemd en het werd nog vreemder – maar het vreemdste was natuurlijk dat het zo lang duurde voor ik besefte wat er gebeurde. Na de eerste paar dagen toonde ze haar voorkeur en hechtte ze zich stevig aan Liam. Hij, die het volgens mij het drukst had, scheen voor Eilis altijd tijd te hebben. Ik bespeurde iets nieuws in zijn gezicht, dat nu de hardheid en de lange benige trekken van een man had. Het was een aan zijn broers gerichte waarschuwing om uit de buurt te blijven, en zij namen de waarschuwing ter harte. Eilis ging met Liam in het bos wandelen, wat ze met mij niet wilde. Eilis zat heel ingetogen aan tafel, maar ze kon voelen wanneer de donkere ogen van Liam aan de andere kant van de rumoerige zaal op haar gericht waren; dan keek ze schuchter op, ontmoette even zijn blik, en bloosde bekoorlijk, voor haar lange wimpers haar blauwe ogen weer afschermden. Nog altijd wist ik van niets, tot de avond dat mijn vader op de tafel tikte om stilte te vragen.

'Vrienden! Goede buren!'

Er viel een gespannen stilte over de verzamelde gasten; bokalen bleven halverwege wachtende lippen in de lucht hangen en ik voelde een verwachtingsvolle sfeer, alsof iedereen wist wat vader ging zeggen, behalve ik.

'Het is in deze woelige tijden goed, samen plezier te maken, te drinken en te lachen en de vruchten van onze akkers te delen. Binnenkort, bij volle maan, moeten we er weer op uittrekken, om ditmaal misschien onze kusten voor eens en voor altijd veilig te maken.'

Hier werd gefloten en luidkeels bijval betuigd, maar ze verwachtten kennelijk nog iets. 'Intussen zijn jullie welkom in mijn zaal. Het is lang geleden dat hier een dergelijk feestmaal is gehouden.'

Hij zweeg een ogenblik met een somber gezicht. Seamus Roodbaard leunde naar voren; zijn gezicht was rood aangelopen.

'Zeker, en je bent een geweldige gastheer, Colum, daar gaat niets vanaf,' sprak hij, al waren de woorden iets minder goed verstaanbaar dankzij de kwaliteit van ons bier. Eilis zat blozend naar haar bord te kijken. Vanuit mijn ooghoek zag ik dat Cormack flinters vlees aan zijn hond Linn voerde, die met haar lange lijf en lange poten onder de tafel was geschoven. Hij hield steeds achteloos een stukje rundvlees of kip tussen duim en wijsvinger, en een ogenblik later kwam de lange, besnorde snuit te voorschijn en verdween meteen weer, en dan legde Cormack zijn lege hand op de rand van de tafel met zijn ogen op heel iets anders gericht; je zag even de kuiltjes in zijn wangen verschijnen.

'En daarom zeg ik u: drink op het gelukkige paar! Moge hun verbintenis lang en vruchtbaar zijn, en een teken van vriendschap en vrede tussen buren.'

Ik had iets gemist; Liam was opgestaan; hij zag bleek maar kon niet verhinderen dat er een glimlach op zijn meestal zo ernstige gezicht was verschenen, en toen pakte hij Eilis' hand, en nu zag ik eindelijk hoe ze elkaar aankeken en wist ik wat dit betekende. 'Trouwen? Liam?' zei ik tegen niemand in het bijzonder. 'Met háár?' Maar iedereen lachte en juichte, en zelfs mijn vader keek bijna tevreden. Ik zag de oude kluizenaar, pater Brien, temidden van de menigte kalm tegen Liam en Eilis spreken. Ik verbeet mijn pijn en sloop stilletjes de zaal uit, weg van de flambouwen en kaarsen en het lawaai, naar de distilleerkamer die mijn eigen domein was. Maar ik ging niet werken; ik ging in de diepe vensterbank zitten met een stompje kaars als gezelschap, en staarde naar buiten in de donkere kruidentuin. Er was een schijfje maan, en er schitterden een paar sterren in het zwart; langzamerhand werden de vertrouwde gezichten van de tuin zichtbaar, hoewel ik ze zo goed kende dat ik ze in het pikdonker had kunnen zien: de zacht blauwgroene alsem, die insecten verdreef; de gele topjes van het woekerende boerenwormkruid, de fijne, grijze lavendel met zijn mooie paarse en blauwe aartjes, de ruwe stenen muren bedekt met een zachte groene sluier waar een oude bosrank zich had gevestigd. Er waren nog veel meer soorten planten, en op planken achter me stonden de eruit gewonnen oliën en aftreksels in glimmende flessen, potten of kroezen, om als geneesmiddel of pijnstillend middel gebruikt te worden; hun gedroogde blaadjes en bloemen hingen in geordende bundels boven me. Er hing een subtiele, geneeskrachtige geur in de stille lucht. Ik ademde een paar keer diep in. Het was erg koud; de oude mantel die ik hier aan een haak achter de deur had hangen, hielp wel een beetje, maar de kou drong door tot in je botten. We hadden het beste deel van de zomer gehad.

Ik moet daar een hele tijd gezeten hebben, koud zelfs temidden van de troost van mijn eigen spulletjes. Er was een eind gekomen aan iets, en ik wilde niet dat het eindigde. Maar er was niets aan te doen. Het was onmogelijk om niet te huilen. Tranen liepen stilletjes over mijn wangen naar beneden en ik deed geen moeite om ze weg te vegen. Na enige tijd klonken er voetstappen op de stenen vloer buiten en er werd zacht op de deur geklopt. Natuurlijk kwam een van de jongens naar me toe. We stonden elkaar als kind zo na, dat het nooit onopgemerkt bleef als iemand zich bezeerde, dat iemand zich nooit terecht of ten onrechte gekrenkt voelde zonder dat erop werd gereageerd, dat niemand pijn leed zonder dat een ander hem zou troosten.

'Sorcha? Mag ik binnenkomen?'

Ik had gedacht dat het Conor zou zijn; maar het was mijn tweede broer, Diarmid, die zich bukte om onder de lateibalk door te komen en binnenkwam, en met zijn lange lijf op een houten bank bij mijn raam ging zitten. In de flakkerende kaarsvlam zag ik zijn gezicht in extreme contrasten van donker en licht; mager, met een rechte neus, als een jongere versie van Liams gezicht, behalve de volle mond die altijd zo graag ondeugend lachte. Maar nu was hij heel ernstig.

'Je moet weer binnenkomen,' zei hij op een toon waaruit ik afleidde dat het hem zelf niet uitmaakte of ik onbeleefd was. 'Je afwezigheid is opgemerkt.'

Ik slikte en wreef met een punt van de oude mantel over mijn natte wangen. Het leek nu eerder boosheid dan verdriet, wat ik voelde.

'Waarom moet alles veranderen?' zei ik boos. 'Waarom kunnen we niet zo doorgaan als we zijn? Liam was toch altijd heel gelukkig – daar heeft hij háár toch niet voor nodig?'

Het sierde Diarmid dat hij me niet uitlachte. Hij strekte zijn benen uit op de vloer, en dacht blijkbaar diep na.

'Liam is nu een man,' zei hij na een tijdje. 'Mannen trouwen nu eenmaal, Sorcha. Hij zal hier verantwoordelijkheden krijgen; een echtgenote kan ze met hem delen.'

'Hij heeft ons toch,' zei ik woest. Toen lachte Diarmid toch, zodat hij kuiltjes in zijn wangen kreeg die in charme niet onderdeden voor die van Cormack. Hierdoor vroeg ik me af waarom Eilis hem niet had gekozen, in plaats van de ernstige Liam.

'Luister nou eens, Sorcha. Ongeacht waar we zijn of wat we doen,

wij zevenen zullen nooit echt gescheiden zijn. We zullen voor elkaar altijd hetzelfde zijn. Maar we worden volwassen, en volwassen mensen trouwen, en gaan ergens anders wonen, en laten andere mensen in hun leven toe. Zelfs jij zult dat een keer doen.'
'Ik!' Ik was verbijsterd.
'Dat moet je toch weten.' Hij kwam dichter naar me toe en pakte mijn hand, en ik zag opeens dat zijn handen groot en ruw waren, mannenhanden. Hij was nu zeventien. 'Vader is al bezig een huwelijk voor jou te regelen, over een paar jaar, en dan zul je vast en zeker weggaan om bij de familie van je man te gaan wonen. We zullen niet allemaal hier blijven.'
'Weggaan? Ik zou nooit weggaan van Zeven Wateren! Hier hoor ik thuis! Ik ga liever dood, dan dat ik wegga!'
De tranen sprongen me weer in de ogen. Ik wist dat ik dom deed; ik was niet zo onwetend dat ik geen begrip had van huwelijken en verbintenissen en van wat er van me verwacht werd. Het kwam alleen doordat de plotselinge slag van Liams verloving een schok voor me was geweest; mijn wereld was aan het veranderen en ik was daar nog niet aan toe.
'Alles verandert nu eenmaal, Sorcha,' zei Diarmid somber. 'En niet altijd zoals we willen. We hadden niet allemaal gewild dat Eilis voor Liam zou zijn; maar zo is het nu, en dat moeten we aanvaarden.'
'Maar waarom wil hij met háár trouwen?' wilde ik kinderachtig weten. 'Ze is zo vreselijk saai!'
'Liam is een man,' zei Diarmid streng; het was duidelijk dat hij zijn eigen spijt opzij moest zetten. 'En zij is een vrouw. Hun huwelijk is al een tijd geleden geregeld. Ze treffen het dat ze elkaar willen hebben, want ze zitten aan elkaar vast, ongeacht wat ze zelf willen. Ze zal een goede echtgenote voor hem zijn.'
'Ik wil nooit uitgehuwelijkt worden,' zei ik fel. 'Nooit. Hoe kun je nou je hele leven doorbrengen bij iemand aan wie je een hekel hebt, of met wie je niet kunt praten? Dan trouw ik net zo lief helemaal niet.'
'En dan word je zeker een wijze oude vrouw tussen je drankjes en kruiden?' grijnsde mijn broer. 'Nou, daar ben je in elk geval lelijk genoeg voor. Volgens mij zie ik al rimpels verschijnen, omaatje!'
Ik gaf hem een stomp tegen zijn arm, maar merkte dat ik terug-

lachte. Hij drukte me even tegen zich aan, stevig genoeg om te voorkomen dat ik weer begon te huilen.

'Kom op,' zei hij. 'Was je gezicht, kam je haar en laten we ons weer in het feestgewoel wagen. Liam maakt zich vast zorgen als je de hele avond wegblijft. Hij heeft behoefte aan jouw goedkeuring, dus je kunt je beter vermannen.'

Ik danste niet op het verlovingsfeest, maar ik liep tussen de mensen door en kuste Eilis' roze wang en zei tegen Liam dat ik het fijn vond voor hem. Mijn rode ogen moeten mijn werkelijke gevoelens verraden hebben, maar in de rook en het licht van de toortsen, en na wat meer bier dan hij gewoonlijk dronk, scheen Liam het niet te zien. De anderen keken naar me; Diarmid keek vriendelijk en kwam me wat mede brengen, om te zorgen dat ik niet te lang alleen was; Conor keek een tikje streng, alsof hij maar al te goed begreep dat ik eigenlijk alleen aan mezelf dacht. Padriac en Cormack genoten met volle teugen van de zeldzame gelegenheid dat er een paar vrouwen op bezoek waren en dansten met de mooisten van Eilis' damesgevolg; te oordelen naar het gegiechel en de vele knipoogjes over en weer stond de jeugdige leeftijd van mijn broers hun populariteit niet in de weg. Finbar was diep in gesprek met een grijze, oude krijger, een man uit het huishouden van Roodbaard.

Mijn vader zat er ontspannen bij; het was lang geleden sinds ik hem zo had gezien. Zijn huis openstellen voor gasten was een beproeving voor hem geweest, maar een noodzakelijke beproeving, in het belang van het strategische verbond met zijn buurman. Vader had gezien dat ik terug was gekomen, en toen ik me nuttig maakte door een praatje te maken met Eilis' bejaarde chaperonne, beloonde hij me zelfs met een goedkeurend knikje. Ja, dacht ik verbitterd, zo'n dochter als Eilis, dat was wat hij wilde – een meegaand, zacht en lief kind zonder eigen ideeën. Goed, ik wilde die rol vanavond wel spelen, omwille van Liam, maar hij moest niet denken dat ik hiermee door zou gaan.

De avond vorderde; mede en bier vloeiden rijkelijk, schotels vol spijzen werden aan- en afgedragen. Alles was het beste van het beste: geroosterd speenvarken, zacht tarwebrood, gekruide vruchten en een zachte kaas van schapenmelk. Er werd weer muziek gespeeld en gedanst – de muzikanten behoorden tot Seamus' huis-

houden en compenseerden hun gebrek aan verfijning met een overmaat aan kracht. De man die de bodhran bespeelde had armen als die van een smid, en de pijper was verzot op mede. De stampende voeten, het gefluit en gejoel maakten zo'n lawaai dat het enkele minuten duurde voordat onze gasten iets bemerkten van de opschudding, het kletteren van metaal en het geschreeuw bij de grote deur. Langzaam stierf het feestgedruis weg, en ging de menigte uiteen om een groepje mannen door te laten. Het waren krijgers van mijn vader, nog in wapenrusting en met het blanke zwaard in de hand. Ze kwamen naar de zetel van mijn vader toe en tussen hen in sleurden ze een gevangene mee, van wie ik het gezicht niet kon zien, maar wiens haar, dat aan de achterkant werd omklemd door een grote, met maliën bedekte vuist, het licht van de toortsen ving en glansde als golvend goud.
'Heer Colum!' baste de aanvoerder. 'Ik betreur het dat ik uw feestelijkheden moet verstoren.'
'Werkelijk,' antwoordde mijn vader met zijn koelste stem. 'Het moet wel een dringende kwestie zijn, om zo'n inbreuk te rechtvaardigen. Waar komen jullie voor? Ik heb hier gasten.'
Hij was ontstemd over de verstoring, maar tegelijkertijd bewoog zijn hand al naar de gordel waar zijn zwaard aan hing. Heer Colum kende zijn mannen goed; ze zouden zijn woede niet zomaar riskeren. Uit zijn onmiddellijk waakzame houding bleek zijn krijgsmanschap. Naast hem zat Seamus Roodbaard onderuitgezakt in zijn stoel, met een verzaligde, ongerichte glimlach op zijn gezicht. Hij mocht zich dan wat te veel hebben laten gaan, maar zijn gastheer was broodnuchter.
'We hebben een gevangene, heer, zoals u ziet. We troffen hem aan op de noordkust van het meer, alleen; maar er zullen zeker meer van zijn slag in de buurt zijn. Dit is geen huurling, heer Colum.'
Er volgde een heftige beweging, en de stem van de soldaat stokte toen zijn gevangene probeerde zich los te rukken. De mensen drongen op om het beter te kunnen zien, maar het enige wat ik tussen de drom lichamen kon zien was het stralende, gloeiende goud van zijn haar, en de grote vuist van de man die het vast had, en de kaarsrechte houding van de gevangene, alsof hij de enige op de wereld was die telde.
Ik dook onder een paar armen door, drong me langs een groepje

fluisterende meisjes en klom op de brede, stenen bank die langs de muur van de grote zaal stond. Vandaar kon ik met enige moeite op de rand van een pilaar gaan staan, zodat ik een ongehinderd uitzicht had over de hoofden van de mompelende, reikhalzende menigte heen. Het eerste wat ik zag, was Finbar, die aan de andere kant van de zaal op dezelfde plek balanceerde. Zijn blik gleed langs me heen en richtte zich op de gevangene.
Het gezicht van de gevangene was deerlijk toegetakeld; hij had een bloedneus gehad en de glanzende krullen bleken als je beter keek, als een met zweet en bloed verkleefde massa over zijn voorhoofd te hangen. Daaronder brandden zijn ogen als kooltjes vuur, terwijl ze zich op mijn vader richtten. Hij was jong, en gewond, en vol van wanhopige haat. Hij was de eerste Brit die ik ooit had gezien.
'Wie ben je, en wat heb je hier te zoeken?' vroeg mijn vader. 'Spreek op, want zwijgen zal je geen goed doen, dat beloof ik je. We ontvangen jouw soort hier niet anders dan met de dood, want we weten dat er maar één doel is dat jullie in ons land kan brengen. Wie heeft je hierheen gestuurd?'
De jongeman richtte zich hoog op, waarbij hij verachtelijk aan de touwen rukte waarmee zijn handen op zijn rug gebonden waren. Hij spuwde precies voor vaders voeten. Ogenblikkelijk trok een van de soldaten het touw strakker aan, zodat zijn armen nog meer verdraaid werden, en de ander sloeg de gevangene met alle kracht van zijn gehandschoende vuist in het gezicht, zodat er een rode striem over zijn mond en wang achterbleef. De ogen van de jongeman bliksemden haat en woede, maar hij perste zijn lippen stijf op elkaar en bleef zwijgen. Vader stond op.
'Deze vertoning is ongeschikt voor dames, en hoort niet in deze feestzaal thuis,' zei hij. 'Het is misschien tijd om ons terug te trekken.' Hij wierp een blik door de zaal waarmee hij zijn gasten tegelijkertijd bedankte en vaarwel zei. 'Mannen, maak je klaar voor een vroeg vertrek. Het ziet ernaar uit dat onze tocht niet meer kan wachten tot de maan vol is. Intussen zullen we nagaan wat deze onwelkome bezoeker ons heeft te vertellen; laten mijn aanvoerders bij me komen, en laten alle anderen weggaan. Gasten, ik betreur dit overhaaste einde van ons feestmaal.'
In een oogwenk was het huis overgegaan in een toestand van voor-

bereiding voor een veldtocht. Er verschenen bedienden; flessen, bokalen en schotels verdwenen. Eilis en haar gezellinnen vertrokken snel naar hun vertrekken, even later gevolgd door Seamus, en het duurde niet lang of alleen vader en een handvol vertrouwelingen waren nog in de zaal. Ergens in de tussentijd was de gevangene weggesleept, nog steeds in woedend stilzwijgen. Als zijn bewakers een bepaalde opdracht kregen, hoorde ik dat niet.
En in de nu duistere zaal stonden Finbar en ik, aan weerskanten, en maakten ons onzichtbaar in de schaduwen, een kunst die we allebei verstonden. Ik kon niet verklaren waarom ik erbij wilde blijven, maar het patroon dat ons lot zou vormen, vormde zich reeds, zonder dat ik het wist.
'... al zo dichtbij; dat betekent dat ze genoeg van onze posities afweten om een reële bedreiging te vormen voor...'
'... hen elimineren, maar wel snel, voordat de informatie...'
'Het is absoluut noodzakelijk dat hij zijn mond opendoet.' Dit was vader; in zijn stem klonk gezag. 'Zeg dat tegen hen. En dat moet vannacht nog, want snelheid is hier van wezenlijk belang. We vertrekken bij zonsopgang. Zeg jullie mannen dat ze tot zolang kunnen slapen, maar controleer eerst of alles gereed is.' Hij wendde zich tot een van de oudere mannen. 'Jij houdt toezicht op het verhoor. Zorg wel dat hij in leven blijft. Zo'n gevangene kan waardevol zijn als gijzelaar, nadat hij zijn nut heeft gehad. Deze man behoort kennelijk niet tot het gewone voetvolk. Misschien is hij zelfs familie van Northwoods. Zeg dat ze een beetje voorzichtig moeten doen.'
De man knikte instemmend en verliet de zaal, en de overigen gingen verder met het uitzetten van hun veldtocht. Ik had een beetje medelijden met Liam – hij was amper verloofd, en nu moest hij al op veldtocht. Misschien was het leven zo als je een man was, maar het leek niet erg eerlijk.
'Sorcha!' Ik schrok van de fluisterende stem achter me, zodat ik bijna een gil gaf en mijn schuilplaats verried. Finbar trok aan mijn mouw en trok me zwijgend mee naar buiten op de binnenplaats.
'Wil je me niet zo besluipen!' siste ik. Hij legde zijn vingers op mijn lippen om me tot zwijgen te brengen, en pas toen we de hoek om waren en hij had gekeken of er niemand binnen gehoorsafstand was, zei hij iets.

'Ik heb je nodig om me te helpen,' fluisterde hij. 'Ik wilde het je niet vragen, maar ik kan dit niet alleen af.'
'Wat kun je niet alleen af?' Mijn belangstelling was meteen gewekt, al had ik geen flauw idee waar hij het over had.
'We kunnen nu weinig doen,' zei hij, 'maar we kunnen hem morgenochtend weg krijgen, als jij me kunt geven wat ik nodig heb.'
'Wat?' zei ik. 'Wat bedoel je?'
'Vergif,' zei Finbar. Hij nam me snel via de poort mee naar de tuin. We konden ons allebei snel en geluidloos verplaatsen door allerlei soorten terrein. Dat dankten we aan het feit dat we half wild waren opgegroeid. We bezaten allerlei ongewone vaardigheden.
Zodra we in de distilleerkamer waren, en zowel de buitenste als de binnenste deur vergrendeld waren, zei ik tegen Finbar dat hij moest gaan zitten om me uit te leggen wat hij van plan was. Dat wilde hij niet; zijn gezicht had de koppige uitdrukking die er soms op kwam wanneer de waarheid pijnlijk of kwetsend was, maar toch gezegd moest worden. Een kunst die we geen van tweeën ooit hadden kunnen leren, was liegen.
'Je moet het toch uitleggen,' zei ik. 'Je kunt niet domweg zeggen dat je vergif moet hebben, en het daarbij laten. Ik weet trouwens wat je denkt. Maar ik ben nu twaalfeneenhalf, Finbar; ik ben oud genoeg om me te kunnen vertrouwen.'
'Ik vertrouw je heus wel, Sorcha. Daar gaat het niet om. Het is alleen zo dat als je me nu helpt, je gevaar loopt, en bovendien is het...' Hij draaide weer met zijn vingers aan een punt van zijn haar. Hij zei verder niets, maar ik was afgestemd op zijn gedachten, en hij vergat even ze af te schermen. In het donker van de stille kamer verscheen me even een gruwelijk beeld van een gloeiend komfoor, en van gehavend, verbrand vlees, en ik hoorde een man schreeuwen. Ik rukte me er bevend uit los. Onze ogen ontmoetten elkaar in afgrijzen over het visioen dat we beiden hadden gehad.
'Wat voor vergif?' vroeg ik onvast, terwijl mijn handen bevend naar tondel zochten om een kaars aan te steken.
'Geen dodelijk gif. Een drank die sterk genoeg is om iemand de hele ochtend te laten slapen. Er moet genoeg van zijn om vier mannen te bedwelmen, en hij moet niet slecht smaken, zodat ze hem

in een pul bier kunnen innemen zonder er iets van te merken. En ik heb hem voor zonsopgang nodig, Sorcha. Ze ontbijten vroeg, en de wacht wisselt halverwege de ochtend. We hebben dus erg weinig tijd. Kun je zo'n drank maken?'

In het donker knikte ik onwillig. We hoefden elkaar niet te zien, behalve voor ons geestesoog, om tot overeenstemming te komen.

'Je zult het me toch moeten vertellen,' zei ik langzaam. 'Zeg me waar dit voor dient. Het is voor hem, hè? Die gevangene?'

De kaars vlamde op en ik schermde hem af met mijn hand. Het was nu heel laat, een eind na middernacht, maar buiten hoorde ik gedempte geluiden van activiteit; er werden paarden verplaatst en wapens geslepen, er werd proviand ingeladen; ze waren al bezig met de voorbereidingen voor het vertrek bij zonsopgang.

'Je hebt hem toch gezien,' zei Finbar kalm maar dringend. 'Het is nog maar een jongen.'

'Hij was ouder dan jij,' kon ik niet laten op te merken. 'Zeker zestien, dacht ik.'

'Oud genoeg om voor een zaak te sterven,' zei mijn broer, en ik kon voelen hoe gespannen hij was, hoe hij gedreven werd door zijn vaste voornemen alles goed te maken. Als Finbar de wereld door pure wilsinspanning had kunnen veranderen, zou hij het gedaan hebben.

'Wat wil je dat ik doe? Moet ik die Brit laten slapen?' Bij het zwakke licht van de kaars keek ik in mijn kast; het pakje dat ik zocht was goed verborgen.

'Hij heeft zijn mond gehouden. En dat zal hij blijven doen, als ik hem goed heb beoordeeld. Dat zal hem duur te staan komen. Brit of geen Brit, hij verdient zijn kans op vrijheid,' zei Finbar nuchter. 'Jouw drank kan hem die verschaffen. Er is geen mogelijkheid hem de pijn te besparen; daar is het al te laat voor.'

'Welke pijn?' Ik wist het antwoord op mijn eigen vraag misschien al, maar mijn geest weigerde de aanwijzingen die ik had gekregen te combineren, weigerde het onaanvaardbare te aanvaarden.

'De drank is voor zijn bewakers bedoeld.' Finbar zei het met tegenzin. Het was duidelijk dat hij wilde dat ik zo weinig mogelijk wist. 'Maak hem nou maar, dan doe ik de rest.'

Mijn handen vonden het pakje vrijwel automatisch: nachtschade, met mate gebruikt en goed vermengd met bepaalde andere krui-

den, zou een diepe slaap geven met weinig nadelige gevolgen. Het was de kunst het precies goed te doseren; gaf je te veel, dan werd je slachtoffer nooit meer wakker. Ik wachtte, met de gedroogde bessen op de stenen plaat voor me.
'Wat is er?' vroeg Finbar. 'Waarom aarzel je nog? Sorcha, ik moet er zeker van zijn dat je dit zult doen. En ik moet weg. Er zijn nog andere dingen waar ik voor moet zorgen.'
Hij was al opgestaan en wilde weg; zijn geest was begonnen de volgende etappe van zijn plan uit te zetten.
'Wat zullen ze met hem doen, Finbar?' Toch niet... toch niet dat wat ik had gezien, in dat vluchtige visioen dat me zo misselijk had gemaakt.
'Je hebt vader gehoord. Hij zei: zorg dat hij in leven blijft. Laat mij daar nou maar over piekeren, Sorcha. Maak jij de drank klaar. Alsjeblieft.'
'Maar hoe kan vader zoiets...'
'Dat wordt gemakkelijk,' zei Finbar. 'Het hoort bij de training; het vermogen om in je vijand iets anders te zien dan een gewoon mens. Hij is van een minderwaardig ras, zijn overtuiging tekent hem; je leert dat je met hem kunt doen wat je wilt, en hem voor je eigen doeleinden kunt gebruiken.' Hij voelde mijn afgrijzen. 'Het is goed, Sorcha,' zei hij. 'Deze man kunnen we redden, jij en ik. Doe gewoon wat ik je vraag, en laat de rest aan mij over.'
'Wat ga je doen? En wat gebeurt er als vader erachter komt?'
'Te veel vragen! We hebben niet veel tijd meer; kun je niet gewoon doen wat ik je vraag?'
Ik draaide me om en keek hem aan, met mijn armen om mezelf heengeslagen. Ik moet bekennen dat ik huiverde, en niet alleen van de kou.
'Ik weet dat je niet liegt, Finbar. Ik moet wel geloven wat je me hebt verteld. Maar ik heb nog nooit iemand vergiftigd. Ik ben genezeres.'
Ik keek op naar zijn zwijgende gezicht, de brede, beweeglijke mond, de heldere, grijze ogen die altijd gericht leken op een toekomstige weg waar geen onzekerheid was.
'Het gebeurt,' zei hij kalm. 'Het hoort bij de oorlog. Soms gaan ze praten. Soms houden ze hun mond. Vaak eindigt het met hun dood. Een enkele keer weten ze te ontsnappen.'

'Dan moet je maar aan het werk gaan,' zei ik en het leek alsof mijn stem van iemand anders was. Mijn handen zochten een scherp mes en begonnen automatisch de ingrediënten voor mijn slaapdrank te snijden en te hakken. Bilzekruid. Vingerhoedskruid. De kleine blauwe paddestoelen die ze wel duivelszaad noemen. Nachtschade, niet te veel. 'Ga maar, Finbar.'
'Bedankt.' Even een flits van die lach, de brede lach die zijn hele gezicht deed oplichten. 'Wij vormen een goed span. Een ijzersterk span. Het kan niet mislukken.'
Hij omhelsde me kort, maar toch zo lang dat ik de spanning in zijn lichaam kon voelen, het snelle kloppen van zijn hart. Toen was hij weg, stil als een kat weggeslopen in het donker.
Het werd een lange nacht. Het besef dat het minste foutje me tot moordenares kon maken hield me wakker, en voor het ochtendgloren was de slaapdrank klaar, veilig onder een kurk in een kleine, stenen kruik die handig in de handpalm verborgen kon worden, en de distilleerkamer was vlekkeloos schoon en ontdaan van elk spoor van mijn werkzaamheden. Finbar kwam weer bij me toen buiten het geluid van rammelende harnassen en haastige, gelaarsde voeten toenam.
'Ik denk dat je dit beter zelf kunt doen,' fluisterde hij. 'Jij zult minder opvallen.' Ik herinnerde me vagelijk dat het de bedoeling was dat hij dit keer ook meeging op de veldtocht; had vader dat niet bepaald? Daarna had ik het te druk om te denken; volgens de gefluisterde instructies van mijn broer sloop ik stilletjes naar de keukens, waar ik me ophield achter en tussen bedienden en krijgers die nog een laatste hap eten meegristen, pakketten met eten samenstelden en flessen vulden met wijn en water. Dikke Janis, had Finbar gezegd; ga naar de plaats waar dikke Janis haar ijzeren pot op het fornuis heeft staan. Ze hebben de hele nacht gewerkt, dus dan komt ze hun de volgende morgen verwarmd bier brengen. Haar speciale recept. Ze zeggen dat het interessante bijwerkingen heeft. Ze brengt het hun zelf, en krijgt er misschien bepaalde gunsten voor terug. Wat voor gunsten? had ik gevraagd. Dat doet er niet toe, zei Finbar. Zorg alleen dat ze jou niet ziet.
Er waren sommige dingen waar ik goed in was. Een ervan was het maken van drankjes en vergiften, en een ander was, stil zijn en ongezien blijven wanneer dat me beter uitkwam. Het was niet

moeilijk om de drank bij het warme bier te gieten; Janis stond heel even met haar rug naar me toe te lachen om een paar leuke opmerkingen die de grootste krijger maakte terwijl hij een laatste stuk worst in zijn mond propte en naar de deur liep, en intussen zijn zwaardgordel omgespte. Ik was ermee klaar voor ze zich omdraaide, en ze zag me niet eens. Makkelijk zat, dacht ik terwijl ik naar de deur sloop. Er waren misschien wel vijftien mensen in de keuken, en geen van hen zag me. Ik was al bijna buiten toen iets me deed omkijken. Precies aan de andere kant van de keuken stond mijn broer Conor, die me tot mijn schrik recht aankeek. Hij stond in de verre hoek van de ruimte, half in het donker, met de een of andere lijst in zijn hand en een ganzenveer gereed in zijn andere hand. Zijn helper stond met de rug naar hem toe proviand in een zadeltas te pakken. Verstard van schrik bleef ik staan: vanaf de plaats waar hij stond had mijn broer ongetwijfeld alles gezien. Waarom had ik hem niet eerder opgemerkt? Verlamd, in tweestrijd tussen het instinct om weg te rennen en de verwachting dat hij me zou vragen mijn aanwezigheid te verklaren weifelde ik op de drempel. En Conor richtte zijn blik op zijn schrijfwerk en ging door met zijn lijst alsof ik onzichtbaar was. Mijn opluchting was te groot om me het hoofd te breken over een verklaring hiervoor, en ik ging ervandoor als een geschrokken konijn, bibberend van de zenuwen. Finbar was nergens te bekennen. Ik rende naar de veiligste schuilplaats die ik kon bedenken, de oude stal waar mijn jongste broer, Padriac, zijn menagerie van verweesde en verdwaalde dieren had ondergebracht. Daar vond ik een warm hoekje in het vuile stro, en de bejaarde ezelin die er de oudste rechten op had ging een eindje opzij en maakte ruimte voor me tegen haar brede rug. Hongerig, verkleumd, verward en uitgeput wist ik, voor zolang het duurde, te ontsnappen in de slaap.

HOOFDSTUK TWEE

Ons verhaal kan niet verteld worden zonder iets te zeggen over pater Brien. Ik heb gezegd dat hij een kluizenaar was, en dat hij je in ruil voor een brood of een zak appels wat kennis bijbracht. Dat was waar, maar er stak meer achter pater Brien dan je op het eerste gezicht zou denken. Men zei dat hij vroeger een krijger was geweest, en dat hij meer dan één viking een kopje kleiner had gemaakt; men zei ook dat hij van over het water was gekomen, helemaal uit Armorica, om zijn vaardigheden met pen en inkt aan te wenden in het christelijke gebedshuis in Kells; maar hij woonde al heel lang alleen, en hij was oud, minstens vijftig jaar, een kleine, magere, grijsharige man wiens gezicht de kalme aanvaarding vertoonde van iemand wiens geest gedurende een leven vol beproevingen overeind is gebleven.

Een tocht naar het hutje van pater Brien was al een heel avontuur. Hij woonde ergens op de heuvel ten zuiden van het meer, en we deden er altijd lang over om er te komen, want dat was de helft van de pret. Er was een plek waar je aan een touw over de rivier zwaaide, woest slingerend tussen de grote eiken. Cormack is er een keer in gevallen; gelukkig was het toen zomer. Er was ook een plek waar je je in een nauwe rotsspleet omhoog moest werken, wat schaafplekken op knieën en ellebogen opleverde, om maar te zwijgen van de gaten die in je kleding kwamen. Je kon er ook prachtig verstoppertje spelen. Eigenlijk kon je er in de helft van de tijd komen via een karrenspoor, maar onze route was beter. Soms was pater Brien niet thuis; dan was zijn haard koud, en zijn kale vloer keurig aangeveegd. Volgens Finbar, die dit soort dingen op de een of andere manier wist, klom de pater regelrecht naar de top van Ogma's Peak, een heel eind voor een oude man, waar hij dan roerloos als een steen ging staan en uitkeek over de zee in het oosten en naar de overkant, het land van de Britten; of naar de Eilanden. Je kon de Eilanden van daaraf niet zien, maar je hoefde maar aan iemand te vragen waar ze lagen, en je zag hun vinger met grote zekerheid naar het oosten wijzen, en ietsje naar het zuiden. Het was alsof er in hun hoofd een landkaart was afgedrukt, die door tijd noch afstand kon worden uitgewist.

Wanneer de kluizenaar thuis was, was hij graag bereid op zijn kalme, beheerste manier met ons te praten, en hij ruilde kennis uit voor eerste levensbehoeften. Hij kende vele verschillende talen; hij had ook een gedegen kennis van de kruidenkunde, en kon gebroken botten zetten. Van hem leerde ik veel van de elementaire beginselen van mijn ambacht, maar mijn obsessie voor de geneeskrachtige eigenschappen van planten dreef me verder, zodat ik hem op dit punt al gauw voorbijstreefde.

Soms gebeurde het dat we elkaar hielpen bij de zorg voor zieken; hij had de kracht om een gewricht weer op zijn plaats te wrikken, of een gebroken ledemaat te spalken; ik had het vermogen een drank te brouwen of een balsem te bereiden die precies op zijn doel was afgestemd. Samen konden we zo veel mensen helpen, en de mensen raakten eraan gewend dat ik, een kind nog, in hun ogen of hun keel tuurde, en een of ander middeltje voorschreef. Mijn medicijnen werkten, en dat was het enige wat de mensen eigenlijk interesseerde.

Er waren ook mensen geweest die moeilijk te helpen waren. Wanneer het Feeënvolk je te pakken kreeg, was er weinig hoop. Er was een keer een meisje dat haar geliefde had verloren aan de koningin onder de heuvel. Ze waren 's nachts verliefd het bos ingegaan, heel dom, en waren in een heksenkring beland terwijl hun gedachten ergens anders waren. De koningin nam hem mee, maar haar niet. Ze zag alleen nog de rode pluim van zijn muts in een rotsspleet verdwijnen, en hoorde hun hoge stemmen lachen. Toen het meisje bij ons kwam, was haar geest half aangetast, en noch de gebeden van pater Brien, noch mijn slaapdrankjes konden haar veel rust geven. Hij deed zijn best, en behandelde betoverde minnaars en in de war gebrachte zwervers met evenveel zorg als de snijwonden en brandwonden van boer en smid. Zijn handen waren sterk, zijn stem was zacht, en zijn optreden was praktisch en nuchter. Hij luisterde veel en zei weinig.

Hij deed geen pogingen ons zijn geloof op te dringen, al was daar vaak genoeg gelegenheid voor. Hij begreep dat ons huishouden de oude gewoonten in ere hield, ook al werd er sinds de dood van onze moeder niet meer zoveel aan gedaan. Van tijd tot tijd hoorde ik hem met Conor praten over de verschillen tussen de beide geloven, en over wat ze misschien gemeenschappelijk hadden, want hij was net als Conor dol op debatteren. Soms vroeg ik me af of de verdraagzame opvattingen van pater Brien misschien de oorzaak waren geweest van zijn vertrek bij het gebedshuis in Kells, want men zei dat de verspreiding van het christelijk geloof in andere delen van Ierland te vuur en te zwaard was bevorderd, en dat de oude overtuigingen daar nu alleen nog in de herinnering bestonden. Pater Brien had er in elk geval nooit naar gestreefd ons te bekeren, maar hij stelde er wel prijs op elke keer dat de mannen op veldtocht vertrokken, enkele gebeden te zeggen, want wat hij ook van het streven van mijn vader vond, het kon nooit kwaad de mannen te zegenen voor ze op weg gingen.

Ik werd wakker van het kletteren van metaal. Ik krabbelde slaperig overeind en plukte strootjes uit mijn haar. De ezelin stond met haar neus diep in de voedseltrog.

'Je hebt alles gemist,' zei Padriac, die druk bezig was met een hooivork vers stro in de stal uit te spreiden. 'Voor Finbar zwaait er weer wat. Hij was nergens te vinden vanmorgen. Vader was erg ontstemd. Nu heeft hij in zijn plaats Cormack meegenomen. Je had hem moeten zien grijnzen. Cormack natuurlijk, vader niet. Ik mag doodvallen als ik hém ooit heb zien lachen. Maar goed, ze zijn dus vertrokken, nadat de oude man zijn onzevaders en amens had gezegd, en nu kunnen we weer gewoon doen. Tot de volgende keer. Ik zou niet graag in Finbars schoenen staan, als vader hem te pakken krijgt.'

Hij zette zijn hooivork weg en ging naar de uil kijken, die met een touwtje om haar poot vastzat aan een stok in een donkere hoek van de schuur. Haar vleugel was bijna geheeld en hij hoopte haar binnenkort weer in het wild los te laten. Ik had bewondering voor

zijn doorzettingsvermogen en geduld, al kon ik niet goed kijken naar de levende muizen die hij als voer voor haar bewaarde.
Finbar was verdwenen. Maar het was niet ongewoon dat hij het bos in ging, of naar het meer, en niemand zei er iets over dat hij er niet was. Ik had geen idee waar hij heen was, en begon er niet over uit angst de aandacht op mezelf te vestigen, of op hem en onze nachtelijke activiteiten. Ik maakte me ook zorgen over mijn vergif, en ik was behoorlijk opgelucht toen ik de vier bewakers die eerste middag naar buiten zag komen om op de binnenplaats te gaan zitten. Ze hielden hun hoofd vast, geeuwden enorm en leken veel medelijden met zichzelf te hebben. Tegen het avondeten was bekend geworden dat de gevangene ontsnapt was, dat hij tussen de tijd van Colums vertrek en de wisseling van de wacht op de een of andere manier was weggeglipt, en er werden allerlei theorieën ontvouwd hoe zoiets onvoorstelbaars gebeurd had kunnen zijn. Er werd een man achter heer Colum aan gestuurd, om hem het slechte nieuws te brengen.
'De Brit zal niet ver komen,' zei Donal zuur. 'Vooral niet in de toestand waarin hij verkeerde. En in dit bos. Het is eigenlijk niet de moeite achter hem aan te gaan.'

Op de tweede dag vertrokken Eilis en haar gevolg om naar huis te gaan, met hun eigen zes mannen en twee van de onze als escorte. Het weer was omgeslagen; de rokken van de dames en de mantels van hun bewapende mannen wapperden in de koude wind, en wolkenflarden bewogen snel langs de zon. Conor, als de oudste zoon die nog thuis was, en zodoende feitelijk heer des huizes, nam formeel afscheid van Eilis en nodigde haar uit om terug te komen wanneer alles weer rustig was. Eilis bedankte hem op bevallige wijze voor de gastvrijheid, al had daar in mijn ogen nogal wat aan ontbroken. Ik vroeg me af hoe lang ze zou moeten wachten voor ze Liam terugzag, en of ze dat heel erg vond. Daarna vergat ik haar, want de volgende avond verscheen Finbar aan het avondeten, alsof hij nooit weg was geweest. Padric, die met zijn eigen dingen bezig was, had de afwezigheid van zijn broer nauwelijks opgemerkt; Conor zei er niets over. Ik staarde Finbar over de tafel aan, maar zijn gedachten waren voor mij verborgen en zijn ogen waren strak op zijn bord gericht. Zijn handen die

brood braken of een bokaal opnamen, waren vast en beheerst. Ik wachtte rusteloos tot de maaltijd afgelopen was en Conor opstond, waarmee hij het sein gaf dat we van tafel mochten. Ik volgde Finbar naar buiten, achter hem aan sluipend als een kleinere schaduw, en kwam op het lange pad onder de wilgen voor hem staan.
'Wat is er gebeurd? Waar was je?'
'Waar denk je?'
'Je hebt die jongen ergens heen gebracht, dat denk ik. Maar waar?'
Hij zei een tijdlang niets, waarschijnlijk probeerde hij te bedenken hoe weinig hij me kon vertellen zonder dat ik protesteerde.
'Ergens waar hij veilig is. Het is beter als je niet weet waar.'
'Wat bedoel je?'
'Denk even na, Sorcha. Zelfs jij hebt jezelf al in gevaar gebracht. Als vader of Liam erachter kwamen wat we gedaan hebben, zouden ze... nou, boos worden is zwak uitgedrukt.'
'We hebben niets anders gedaan dan iemand redden die ze anders kwaad zouden hebben gedaan,' zei ik, maar ik wist ook wel dat er veel meer aan vastzat.
'Zij zouden het zien als verraad. Een messteek in de rug van je eigen familie. Een spion bevrijden. Zij zien het allemaal zwart-wit, Sorcha.'
'Aan wiens kant sta jij eigenlijk?'
'Er zijn geen kanten, niet echt. Het is meer een kwestie van waar je vandaan komt. De Britten komen hier immers om ons land af te pakken, onze geheimen te weten te komen en onze manier van leven te vernietigen? Hen helpen is tegen je familie en je broederschap ingaan, en tegen alles wat heilig is. Zo zien de meeste mensen het. Misschien zouden wij het ook zo moeten zien.'
Na een lange tussenpoos zei ik: 'Maar het leven is toch ook heilig?'
Finbar grinnikte. 'Je had een brithem moeten zijn, Sorcha. Je vindt altijd een argument waar ik geen antwoord op heb.'
Ik trok mijn wenkbrauwen op. Ik, met mijn blote voeten en verwarde bos haar, moest een oordeel vormen? Ik vond het soms al moeilijk genoeg om het verschil te zien tussen goed en kwaad.
Hierna zwegen we beiden. Finbar leunde tegen een boom en liet zijn hoofd tegen de ruwe schors rusten, met gesloten ogen. Zijn

donkere gestalte vermengde zich met de schaduwen alsof hij er deel van uitmaakte.
'Waarom heb je het dan eigenlijk gedaan?' vroeg ik na enige tijd. Hij wachtte even voor hij antwoord gaf. Het begon koud te worden, en de avondlucht was vochtig. Ik huiverde.
'Hier,' zei Finbar, terwijl hij zijn ogen opende en zijn oude jasje om mijn schouders hing. Hij had nog hetzelfde hemd aan dat hij die nacht had gedragen. Was het werkelijk pas drie dagen geleden?
'Het lijkt wel of alles deel uitmaakt van een patroon,' zei hij ten slotte. 'Bijna alsof ik geen keus had, alsof het zo voor me uitgezet was, op een soort landkaart van mijn leven. Volgens mij heeft moeder gezien wat er voor ons allemaal in de toekomst lag, misschien niet helemaal precies, maar ze had een idee van waar we heen gingen.' Hij raakte de amulet aan die altijd om zijn hals hing. 'Maar toch gaat het daarnaast ook over keuzes. Zou het voor mij niet gemakkelijker zijn om mee te doen met de jongens, om vaders liefde te verdienen met mijn zwaard en boog – ik zou het zeker kunnen; mijn plaats aan zijn zijde in te nemen en ons gebied en onze eer te verdedigen? Het zou fijn zijn die erkenning, die kameraadschap te hebben, en een soort trots. Maar in plaats daarvan kies ik deze weg. Of hij is voor me gekozen.'
'Maar waar is die jongen dan? Is hij weggekomen?'
Zoals ik al zei kunnen Finbar en ik op twee manieren met elkaar praten. De ene manier was met woorden, net als iedereen. De tweede was alleen voor ons weggelegd; het was een stilzwijgende kunst, het rechtstreeks van de ene geest op de andere overbrengen van beelden, gedachten of gevoelens. Hij gebruikte deze kunst nu om me de wagen van pater Brien te laten zien, die volgeladen met bundels en kisten langzaam over het uitgeholde karrenspoor naar de grot van de kluizenaar hobbelde. Elke keer dat de kar door een kuil hotste, voelde ik een scherpe pijn door me heen gaan, hoewel pater Brien het oude paard bij de teugel hield om het stapvoets te laten gaan. Een velg van een wiel bleef steken; de jonge helper van de brave pater sprong van de kar af om het wiel weer op het spoor te krikken. Aan de verende passen van deze jonge man zag ik dat het mijn broer was, ook al bleef zijn gezicht verborgen door de kap van zijn mantel, want Finbar liep altijd op

die manier, met verende tred en zijn tenen buitenwaarts gericht. Toen kwam er een beeld van het tweetal, buiten de grot, terwijl ze een bepaalde bundel met speciale zorg uit de wagen tilden. Tussen de bevlekte lappen zag ik iets goudachtigs glanzen. Dat was alles; de luiken sloten zich.

'Zijn toestand liet niet toe dat hij verder ging,' zei Finbar toonloos. 'Maar hij is in goede handen. Dat is alles wat je behoeft te weten. Nee,' want ik wilde hem in de rede vallen, 'ik wil niet dat je er nog verder bij betrokken raakt. Ik heb al genoeg mensen in gevaar gebracht. De klus is geklaard, tenminste wat jou betreft.' En dat was inderdaad alles wat ik die nacht uit hem kon krijgen. Hij begon er akelig bedreven in te worden zijn geest voor me af te sluiten, en ik kwam niet meer te weten, niet door erom te vragen en ook niet door te proberen op een onbewaakt ogenblik in zijn geest te kijken. Maar zijn voorspelling bleek er helemaal naast te zijn.

Er volgde een tijd van betrekkelijke rust. Nu vader en de oudere jongens weg waren, hervatten we onze oude levenswijze, hoewel de bewaking rondom het bolwerk en het binnenplein verscherpt was. Conor hield kalm en bekwaam toezicht op de huishoudelijke zaken; hij trad bemiddelend op wanneer twee dorpelingen slaags raakten over een rondzwervende troep ganzen, hield toezicht op najaarswerkzaamheden zoals brouwen en bakken, het slachten van eenjarige kalveren, het pekelen van vlees voor de winter. Voor Finbar, Padriac en mij was het een prettige tijd. Donal liet de jongens nog dagelijks oefenen met zwaard en boog, en ze brachten nog steeds een deel van hun tijd bij Conor door, om zich verder te ontwikkelen. Meestal ging ik er ongemerkt bij zitten als ze les hadden, want ik vond dat een beetje kennis me geen kwaad zou doen, en dacht dat ik misschien iets interessants zou horen. We konden allemaal lezen en schrijven. We kenden de runen, en we konden rekenen, en een landkaart maken, en we hadden een mooi repertoire aan verhalen, zowel oude als nieuwe. Verder konden we nog zingen en fluitspelen, en sommigen bespeelden de kleine harp. We hadden een keer een bard op bezoek gehad, die een hele winter bij ons had doorgebracht; dat was al een tijd geleden, maar hij had ons de eerste beginselen geleerd, en we bezaten een instrument dat van moeder was geweest, een mooie kleine harp, met vogels erin uitgesneden. Padriac, die er goed in was uit te zoeken hoe dingen werkten, en ze te repareren, had de kapotte sleutels vervangen en er nieuwe snaren op gezet, en we bespeelden hem in een bovenkamer, waar vader ons niet kon horen. Zonder het te vragen wisten we dat hij het niet prettig zou vinden op deze manier aan haar herinnerd te worden.

Padriacs uil werd beter en wilde graag weg. Padriac had gewacht tot de vleugel goed geheeld was, en toen gingen we op een dag bij avondschemer het bos in om haar vrij te laten. Mijn broer had een brede lach van plezier op zijn gezicht toen hij haar voor het laatst van zijn handschoen liet opvliegen, en zag hoe ze die grote, grijswitte vleugels breed spreidde en spiraalsgewijs omhoogvloog, steeds verder omhoog naar de toppen van de bomen. Ik zei niet tegen hem dat ik de tranen in zijn ogen had gezien.

Finbar was erg stil. Ik voelde dat hij plannen had, maar hij gaf er de voorkeur aan ze niet met mij te delen. In plaats daarvan maakte hij, wanneer hij niet bezig was met boogschieten en paardrijden, schrijven en rekenen, lange wandelingen in zijn eentje, of was hij te vinden in zijn geliefde boom, of hoog op het dak, verzonken in ontoegankelijke gedachten. Ik liet hem met rust; wanneer hij wilde praten, zou ik er zijn. Ik hield me bezig met het verzamelen van bessen en bladeren, met distilleren en aftrekken, drogen, fijnmaken en opbergen, allemaal ter voorbereiding op de kwalen van de winter.

Ik heb gesproken over het bolwerk waar mijn familie woonde, een kale, stenen toren midden in het bos, met hier en daar smalle raamspleten in de muren. De binnenplaats, de hagen, de moestuin deden weinig om het sombere aanzicht te verzachten. Maar Zeven Wateren hield meer in dan het kasteel. Zonder onze ommuurde velden, onze met plaggen gedekte schuren om het vee in de winter onder te brengen, onze groentetuinen met hun rijen wortelen, pastinaken en bonen, onze molen en onze graanschuren hadden we niet zo afgezonderd in leven kunnen blijven. En hoewel we zo weinig mogelijk bomen velden, en dat alleen met diepe eerbied, was er achter het bolwerk en een eindweegs naar het noorden een stuk bos gerooid om ruimte te maken voor de boerderij en een klein gehucht. Er was hier geen gracht of muur nodig om plunderaars buiten te houden. Er was geen ontsnappingstunnel of geheime kamer nodig, al gebruikten we wel kelders om onze boter en kaas op te slaan voor de winter, wanneer de koeien geen melk zouden geven. Op andere plaatsen in de geweldige uitgestrektheid van de bossen waren hier en daar enkele kleine gehuchten, die alle tot mijn vaders túath behoorden. Ze betaalden schatting, en ontvingen bescherming. Het waren allemaal mensen van Zeven Wateren, en hun vaders en grootvaders hadden daar voor hen gewoond. Soms waagden ze zich weleens buiten de grenzen van het gebied, bijvoorbeeld om naar een markt te gaan of om mee te rijden in een veldtocht van mijn vader, wanneer er behoefte bestond aan de diensten van een goede smid of hoefsmid. Dat kon heel goed, want ze waren bosmensen die de weg kenden. Maar vreemdelingen kwamen nooit binnen zonder escorte en blinddoek. Degenen die zo dom waren om het toch te proberen, verdwenen gewoon. Het bos beschermde haar eigen terrein beter dan een vestingmuur.

De mensen van ons eigen dorp, degenen die op de boerderij van heer Colum werkten en voor zijn vee zorgden, hadden hun hutjes aan de rand van het open veld, waar een beek omlaag klaterde om het molenwiel te laten draaien. Ik liep dagelijks over het pad naar deze huisjes om zieken te verzorgen. De bastaardwolfshond, Linn, vergezelde me altijd, want sinds Cormacks vertrek had ze zich aan mij gehecht, en overal waar ik ging, liep ze stil achter me aan. Bij elke mogelijke dreiging, iemand die boos zijn stem verhief of een varken dat ons pad kruiste op zoek naar eikels, plaatste ze zich ogenblikkelijk woest grommend tussen mij en het gevaar in.

De herfst vorderde snel, en het was somber weer geworden. De regen stroomde van de plaggendaken af en veranderde het pad in een moeras. Conor had toezicht gehouden bij de herstelwerkzaamheden aan de oudste hutten, gammele bouwsels van stro en leem, en oude Tom, die daar woonde met zijn stoet kinderen en kleinkinderen, was naar buiten gekomen om me dankbaar de hand te schudden toen ik een tijd tevoren was langsgekomen.

‘Uw broer is vast en zeker een echte heilige,’ snikte hij bijna, ‘en u ook, meisje. Een van de wijzen, zoals zijn vader ook had kunnen zijn, dat is die jonge Conor. Nergens lekt er ook maar een

druppel, en de turf is keurig gedroogd en gesneden voor de winterdag.'
'Wat bedoelt u?' vroeg ik geïntrigeerd. 'De wijzen? Welke wijzen?'
Maar hij slofte alweer naar binnen, want hij wilde zeker zijn stramme gewrichten warmen bij het kleine turfvuurtje waarvan de rook omhoog kringelde door het schoorsteengat.
Ik ging langs bij een jonge vrouw die kort geleden, met veel moeite, bevallen was van een meisjestweeling. Ik had de vrouwen van het dorp in de lange nacht van deze bevalling geholpen, en nu hield ik de moeder goed in de gaten, en zorgde ervoor dat ze de kruidenthee dronk die ik haar had gegeven om de baarmoeder te laten samentrekken en de melk te laten toestromen. Ik koos een ongelukkig moment om naar huis te gaan, want toen ik halverwege was, kwam ik in een wolkbreuk terecht zodat ik tot op mijn huid doorweekt werd en mijn voeten algauw bedekt raakten met een laagje vloeibare modder. Ik ploeterde voort; het gerommel van de donder maakte me doof voor het knarsen van naderende wagenwielen, en plotseling zag ik pater Brien naast me, met een oude zak over zijn hoofd en schouders. Het paard bleef onverstoorbaar in de regen staan, met zijn oren naar achteren.
'Spring er maar op,' riep de pater door het kabaal van het onweer heen, en hij stak zijn hand uit om me naast hem op de bok te trekken.
'Bedankt,' kon ik hem nog toeroepen. Het had weinig zin om te proberen tegen het brullen van de elementen in te praten, dus ik ging stil zitten en trok mijn mantel stevig om me heen. Er kwam een punt waar het pad even door een bos van oude sparren ging, waarvan de onderste takken waren weggezaagd. Zodra we deze plek, die enige beschutting bood, bereikt hadden, hield pater Brien het paard in; via het naaldendak werd de meeste regen afgevoerd, en het lawaai veranderde in een dof, ver gerommel.
'Ik heb je hulp nodig, Sorcha,' zei pater Brien; hij liet de teugels los zodat het oude paard zijn hoofd kon laten zakken om te kijken of er iets te grazen viel.
Ik keek hem onthutst aan. 'Bent u helemaal hierheen gekomen om mij te zoeken?'
'Inderdaad, en ik moet vandaag weer terugreizen. Zonder goede reden zou ik me in zulk weer niet naar buiten wagen. Ik heb een

patiënt die ik niet bij machte ben te genezen; God weet dat ik het heb geprobeerd, en ik heb wel iets bereikt. Maar nu heeft hij iets nodig dat ik hem niet kan geven.'

'Wilt u dat ik u help? Moet ik een aftreksel of een extract maken?'

Pater Brien zuchtte en keek neer op zijn handen.

'Was het maar zo eenvoudig,' zei hij. 'Ik heb brouwsels en dranken geprobeerd, en sommige werkten goed. Ik heb veel van de dingen geprobeerd die jij me hebt geleerd, en nog een paar van mijn eigen middelen. Ik heb gebeden, en gepraat, en begeleid. Ik kan verder niets doen, en hij ontglipt me.'

Ik hoefde niet te vragen wie deze patiënt was.

'Natuurlijk kom ik u helpen. Maar ik weet niet of ik van veel nut zal zijn. Ik ben voornamelijk goed in het voorschrijven van medicijnen. Zoals ik u hoor praten, lijkt het of er iets meer nodig is?'

Ik zou hem voor geen prijs rechtstreeks vragen wat de jongen mankeerde; dit was gevaarlijk terrein. Ik had geen idee hoeveel hij wist, of wat ik geacht werd tegen hem te zeggen.

'Je zult het zelf wel zien,' zei hij, terwijl hij de teugels opnam. 'In elk geval moeten we dadelijk terug, nadat jij je spullen hebt opgehaald. Ik heb hem een slaapdrank gegeven, en die zal hem het grootste deel van de dag rustig houden, maar we moeten erbij zijn wanneer hij wakker wordt, anders zou hij zichzelf iets kunnen aandoen.'

'Ik weet niet zeker of Conor me zal laten gaan,' zei ik.

'Laten we het hem meteen gaan vragen,' zei pater Brien.

We troffen Conor alleen aan; hij zat te schrijven. Er werd niet over Britten gesproken, of over ontsnapte gevangenen; pater Brien legde alleen uit dat hij me moest raadplegen over een patiënt, en Conor toonde zich opvallend weinig nieuwsgierig naar de bijzonderheden. Het leek wel alsof hij dit verzoek had verwacht, en hij vond het goed, op voorwaarde dat ik maar een paar dagen weg zou blijven, en dat ik naar huis zou komen zodra hij Finbar stuurde om me te halen. Ik liet hen beiden in gesprek achter en ging een kleine bundel inpakken. Terwijl ik de planken van de distilleerkamer overzag, vroeg ik me af waar we mee te maken hadden: brandwonden, kneuzingen, koorts, shock? Pater Brien had er eigenlijk niets over gezegd. Ik nam wat kleding voor mezelf mee

en enkele kleine levensbehoeften, voldoende voor een paar dagen. Ik liet mijn natte mantel zacht uitdampen voor de keukenvuren. Ik nam een grotere mantel mee, die van een van de jongens was. Ik moest met spijt toegeven dat het invallen van de herfst me noodzaakte om schoenen aan te trekken als ik naar buiten ging, en ik stak mijn koude voeten in een paar laarzen die me iets te groot waren. Het kwam goed uit dat ik de jongste en de kleinste was.
'Een paar dagen maar, dus,' hoorde ik Conor zeggen terwijl ik terugliep naar de wagen. 'Ik stuur Finbar om haar te halen. En past u op onderweg; het pad zal behoorlijk glad zijn als u die laatste helling oprijdt.'
Pater Brien zat al op de bok, en al was het oponthoud maar kort geweest, er stond een mand uit onze keukens achter hem in de wagen, met brood, kaas en groenten. Hij knikte mijn broer ernstig toe. Conor tilde me tamelijk hardhandig op en we reden al voor ik een woord kon zeggen.
De regen nam geleidelijk af tot een motregentje. We reden onder wilgen door, die al kale takken hadden, we reden tussen de eerste rotspunten door, en langs het sombergrijze water van het meer, waar geen vogel te zien was.
'Je weet zeker wel wie deze jongen is?' zei pater Brien achteloos, zonder zijn blik van de weg af te wenden.
'Ik weet wat hij is,' verbeterde ik hem voorzichtig. 'Niet wie. Ik heb enig idee van wat er met hem gebeurd is. Ik weet alleen niet wat ik geacht word voor hem te doen. Als ik van enig nut wil zijn, kunt u me dat beter vertellen voor we er zijn.'
Hij wierp me van opzij een kennelijk geamuseerde blik toe.
'Daarin heb je wel gelijk,' zei hij. 'De jongen had verwondingen. Ernstige verwondingen. Hij zou waarschijnlijk gestorven zijn, als je broer hem niet had weggehaald.'
'Met een beetje hulp van mij,' zei ik, ietwat gepikeerd omdat mijn aandeel in de redding nu al vergeten was.
'Ja, dat heb ik gehoord,' zei de geleerde pater. 'Je hebt wel een risico genomen, hè?'
'Ik weet hoeveel ik kan geven,' zei ik.
'Dat is waar, dat weet je beter dan de meesten, Sorcha. Maar zoals ik al zei heeft deze patiënt medicijnen gekregen, en hij is met zalven behandeld, en er is voor hem gebeden. Hij was... hij had

een aantal verwondingen, en die heb ik zo goed mogelijk verzorgd. Hoewel hij nooit helemaal de oude zal worden, geneest zijn lichaam redelijk goed. Maar zijn geest is een andere kwestie.'

'U bedoelt... dat hij gek is geworden door wat ze met hem hebben gedaan? Zoals die man die vroeger bij de molen werkte, Fergal heette hij – die ging heel raar doen nadat het kleine volk hem 's nachts te pakken had genomen. Bedoelt u dat?' Ik herinnerde me de molenaar; met openhangende mond had hij bevend ineengedoken bij de haard gezeten, helemaal onder de as.

Pater Brien zuchtte. 'Gek... nee, dat niet helemaal. Deze jongen is van een sterker slag dan de Fergals van deze wereld. Hij mag dan jong zijn, maar hij is een krijger; het ligt in zijn aard om terug te vechten. Hij heeft die hele lange nacht weerstand geboden aan zijn beulen, en ik weet zeker dat er niet één woord over zijn lippen is gekomen. Hij is erg ziek geweest. Hij heeft hoge koorts gehad, en sommige van zijn verwondingen waren voor een zwakker iemand al dodelijk geweest. Hij heeft dapper tegen de dood gestreden, en ik heb een tijd gedacht dat hij de strijd gewonnen had. Maar zijn volgende gevecht is het moeilijkst: het gevecht tegen zichzelf. Hij is tenslotte nog maar weinig meer dan een jongen, en ook de sterkste man komt er niet onbeschadigd af wanneer zijn eigen soort zich kwaadaardig tegen hem keert. De jongen wil niet toegeven dat hij pijn heeft en bang is; in plaats daarvan keert hij zijn angst naar binnen en kwelt hij zichzelf.'

Ik probeerde dit te begrijpen.

'Bedoelt u dat hij wil sterven?'

'Ik geloof dat hij niet weet wat hij wil. Wat hij nodig heeft is innerlijke rust, en een spanne tijds zonder haat, om lichaam en geest weer te verenigen. Ik heb erover gedacht hem naar de broeders in het westen te sturen; maar hij is te zwak om verplaatst te worden, en kan nog niet aan andere handen worden toevertrouwd.'

Het bleef een tijdlang stil, afgezien van het zachte trappelen van de hoeven en een zuchtje wind tussen de rotsen. We begonnen dichterbij te komen. Het pad werd smal en steil, en de bomen stonden er nu vlak langs. Er groeiden hier grote eiken, waarvan de kruinen geen blad meer droegen, maar begroeid waren met maretak, en in de diepten van het bos was het donker van oeroude struiken. Het oude paard kende de weg en sjokte gestaag voort.

'Vader, als u deze jongen niet hebt kunnen genezen, kan ik het zeker niet. Zoals mijn broers altijd zeggen, ik ben nog maar een kind. Ik kan misschien iets doen aan een piepende borst, of een geval van netelroos, maar dit... ik zou niet weten waar ik moest beginnen.'
De kar schokte omdat hij over een steen reed, en pater Briens stak snel zijn hand uit om me tegen te houden.
'Toch is het zo,' zei hij op zijn rustige manier, 'dat als jij het niet kunt, niemand het kan. Conor wist zeker dat jij degene was die me kon helpen. Ik ben ervan overtuigd dat je zult weten wat je moet doen wanneer je hem ziet. Ik ben er ook van overtuigd dat hij voor jou niet bang zal zijn zoals hij voor mij is. En angst staat genezing in de weg.'
'Dat wist Conor zeker?' zei ik verbaasd. 'Wist Conor dan van de jongen af? Maar...'
'Je hoeft je over Conor geen zorgen te maken,' zei pater Brien. 'Hij zal je geheim niet verraden.'
We maakten een bocht onder een rotswand en hij hield het paard plotseling in. Hij sprong van zijn paard af en stak mij zijn handen toe om me te helpen.
'Ik hoop dat we terwijl je hier bent, over een aantal dingen kunnen praten. Maar laten we allereerst voor deze jongen zorgen. Dan kun je zelf beslissen wat je denkt te kunnen doen, en wat niet.'
De lucht in de grot geurde sterk naar geneeskrachtige kruiden. Mijn neus vertelde me dat hij een mengsel had gebrand om de jongen langer in de rust en vergetelheid van de slaap te houden; met steentijm voor bescherming en moed, en tijm om nachtelijke angsten te verdrijven. Verder, minder duidelijk herkenbaar, de sporen van een plant die we wolfsklauw noemden, en ik vroeg me af hoe hij had geweten dat hij die moest nemen, want het gebruik ervan was buitengewoon gevaarlijk. Iemand mocht niet te lang onder de invloed ervan blijven. De slaper moest wakker worden en zijn angsten onder ogen zien, anders liep hij gevaar voorgoed te verdwalen in de donkere oorden van de geest.
De buitenste grot was koel en droog, met openingen hoog in de rotswanden. Dit was de plek waar pater Brien de geneeskunst beoefende. Er waren tal van planken, vol met gedroogde kruiden en specerijen, kommen en potten en keurige stapeltjes gevouwen doe-

ken. Twee reusachtige eiken planken, gesteund door grote stenen, dienden als werktafel. Deze ordelijke ruimte gaf toegang tot een binnenste kamer, en daar was een stromatras neergelegd waarop zijn patiënt lag, diep in een deken gewikkeld en in een beschermende, opgerolde houding. Pater Brien zelf at en sliep in een klein stenen huisje, niet veel meer dan een cel, dat niet ver van de grotopening onder een paar lijsterbessen stond. Hij zag eruit alsof hij de laatste tijd weinig slaap had gehad; er stonden donkere kringen onder zijn ogen.

'De brandwonden genezen goed,' zei pater Brien zacht. 'Hij had ook inwendige verwondingen; daar heb ik aan gedaan wat ik kon. Die zullen op den duur ook goed genoeg genezen. De koorts was hoog, maar die heb ik teruggebracht door hem af te sponzen en hem een aftreksel van het blad van de witte eik te geven. Toen de koorts op zijn hoogst was, praatte hij veel, en liet meer van zichzelf zien dan hij misschien had gewild. Maar nu weet hij waar hij is, en houdt hij zijn mond meestal stijf dicht, ook al praat ik in zijn eigen taal tegen hem. Hij is niet erg te spreken over mijn gebeden, of over mijn raadgevingen. En ik heb hem twee keer moeten verhinderen een of ander werktuig te pakken om zichzelf of mij te doden. Hij is nog erg zwak, maar niet zo zwak dat hij niet iemand kwaad zou kunnen doen als hij de kans kreeg.' Hij onderdrukte een machtige geeuw. 'Misschien wil je rusten tot hij wakker wordt; dan zien we wel verder.'

Ik keek aandachtig naar het kalme gelaat van de kluizenaar, dat nu bleek was van moeheid.

'Hij wordt voorlopig nog niet wakker,' zei ik, met een blik op de in zijn deken gerolde figuur. 'Laat mij hier bij hem zitten, dan kunt u even slapen.'

'Het is niet goed als je alleen met hem bent,' zei hij. 'Hij is onvoorspelbaar, en ik heb weliswaar je hulp nodig, maar ik heb strenge orders gekregen dat ik jou niet aan gevaar mag blootstellen, Sorcha.'

'Onzin,' antwoordde ik, terwijl ik op een driepotig krukje achter in de kamer ging zitten. 'Daar staat uw tafelbel; en ik heb een harde stem. Bovendien heb ik toch zes broers die ik in bedwang moet houden? Gaat u nou maar; u moet in elk geval even slapen, anders heeft niemand wat aan u.'

Pater Brien glimlachte spijtig, want hij viel inderdaad bijna om van vermoeidheid. 'Goed dan,' zei hij, 'maar denk erom dat je me roept zodra hij wakker wordt. Daar waren je broers heel duidelijk over.'

Hij had gezegd dat ik zou weten wat ik moest doen wanneer ik de jongen zag. Nu, daar lag hij, en het was zeker een akelig gezicht, zoals hij daar opgerold lag als een geslagen hond, en de doodse slaap sliep van iemand die bijna erger gestraft is dan te verdragen is. Zijn oogleden waren zwaar, en zijn zonnige krullen hadden weinig veerkracht meer. Ik probeerde me hem voor te stellen als hij wakker was; hij zou me misschien aanstaren met de lege ogen van een idioot, of met de woeste ogen van een in het nauw gedreven wild dier; maar het enige wat me inviel was een van de oude verhalen, en het beeld van de held, Culhan de Avonturier, die onhoorbaar als een hert door de bossen stapt. Ik leunde met mijn rug tegen de stenen wand en nam het verhaal zacht voor mezelf door. Het was een verhaal dat vaak verteld werd, een van die verhalen die de neiging hebben elke keer dat ze verteld worden, te veranderen en te groeien. Culhan beleefde talloze avonturen; hij doorstond velerlei proeven om zijn vrouwe te winnen en zijn eer terug te krijgen. Het duurde even om al die verhalen hardop te vertellen, en de jongen sliep nog steeds.

Ik kwam bij het stuk waar Culhan de brug van speren moet overgaan om op het betoverde eiland te komen waar zijn geliefde gevangenzit. Zolang hij erop vertrouwt dat hij het kan, kunnen zijn voeten ongedeerd het naaldscherpe brugdek betreden. Maar zodra zich een zaadje van twijfel in zijn hart nestelt, zullen de speren zijn voeten in tweeën snijden.

'En Culhan deed een stap, en nog een. Zijn ogen waren als blauw vuur, en hij richtte ze op de andere oever. Voor hem rees de brug op als een glinsterende boog, en zijn ogen werden verblind door de stralen van de zon die op de speerpunten vielen.'

Ik was zelf ook slaperig van de dampen die van pater Briens kleine komfoor opstegen; in het afgesloten gedeelte was de kleine voorraad slaapverwekkende kruiden waarschijnlijk bijna op, zodat de lucht helder begon te worden.

'Vanuit haar hoge raam zag vrouwe Edan toe op de passen van zijn blote voeten die met vaste en zekere gratie over de brug gin-

gen. Opeens werd de zon verduisterd doordat een reusachtige roofvogel op de held neerdook.'
Ik ging niet zo op in mijn verhaal dat het me ontging dat er iets bewoog op de stromatras naast me. Zijn ogen waren stijf gesloten, maar hij was wakker. Ik ging verder, maar werd me er pas op dat moment van bewust in welke taal ik had gesproken.
'Krijsend van woede hakte de tovenaar Brieden in vogelvorm telkens en telkens weer op Culhan in met zijn stalen klauwen, zijn wrede snavel en zijn giftige wilskracht. Een ogenblik wankelde onze held, en drie druppels helderrood bloed vielen van zijn voet in de golvende wateren van het meer. Ze namen onmiddellijk de vorm aan van drie rode vissen, die wegschoten tussen het riet. De vogel liet een rauwe triomfkreet horen. Maar Culhan haalde diep adem en liep zonder omlaag te kijken verder over de brug; en de grote vogel dook zelf in het water, krijsend van wanhoop. Wat er van de tovenaar Brieden is geworden, weet geen mens; maar het gerucht gaat dat er in dat water een reusachtige vis woont, met een onbeschrijflijk lelijk voorkomen en buitengewone kracht. En zo kwam Culhan over de brug van speren en nam hij vrouwe Edan mee. Maar op zijn voet bleef in lengte van jaren over de hele lengte het litteken van zijn ogenblik van twijfel zichtbaar. En ook bij zijn kinderen, en zijn kindskinderen is dit merkteken nog te vinden.'
Het verhaal was uit, tot de volgende keer dat het verteld werd. Ik stond op om de kan water van de tafel te pakken, en zag dat hij me door toegeknepen, diepblauwe en vijandige ogen gadesloeg. Er was nog een spoortje van de uitdagende woede die hij in de zaal van mijn vader had getoond, maar zijn huid was bleek en zijn ogen lagen diep in hun kassen. Het beviel me helemaal niet hoe hij eruitzag.
'Drink,' zei ik in mijn eigen taal, terwijl ik naast de strozak neerknielde en hem de beker die ik had volgeschonken voorhield. Het was ditmaal gewoon water; hij zou de gevolgen maar moeten verdragen, want ik herkende de tekenen van iemand die te lang onder de verdovende invloed van bepaalde kruiden is geweest, en ik moest in elk geval de dosering geleidelijk verminderen. Hij staarde me zwijgend aan.
'Drink ervan,' herhaalde ik. 'Je hebt een hele tijd geslapen; je lichaam heeft dit nodig. Het is water, anders niet.'

Ik nam zelf een slokje om hem gerust te stellen. Hij moest hevige dorst hebben, dat leed geen twijfel, na bijna een hele dag te hebben geslapen bij het brandende komfoor; maar de enige beweging die hij maakte, was een klein eindje van me weg te schuiven, zonder zijn ogen van mijn gezicht af te nemen. Ik bracht de beker naar zijn lippen, waarbij mijn hand langs zijn arm streek. Hij schrok hevig, trok de deken stijf om zich heen en drukte zich tegen de muur, zo ver mogelijk van mij af. Ik kon de angst ruiken en het trillen van zijn hele lichaam voelen. Het leek op het trillen van een raspaard dat slecht behandeld is.

Mijn hand was nog vast; ik had geen druppel gemorst, hoewel mijn hart bonsde. Ik zette de beker naast het bed neer en ging terug naar mijn kruk.

'Drink er dan maar van wanneer je zover bent,' zei ik, terwijl ik ging zitten en mijn handen in mijn schoot vouwde. 'Heb je het verhaal van Isha's beker weleens gehoord? Dat was wel een heel vreemde beker, want toen Bryn hem vond, nadat hij de driekoppige reus had verslagen en het kasteel van vuur was binnengegaan, en hij, verblind door de smaragden en zilveren versiersels die erop zaten, zijn hand uitstak om hem te pakken, begon de beker te spreken. *Hij die een zuiver hart heeft, mag uit mij drinken*, zei hij met een stem die zacht maar verschrikkelijk was. Toen durfde Bryn hem niet goed te pakken, maar de stem zweeg, en hij nam de beker en verborg hem diep onder zijn mantel.'

Onder het spreken bleef ik op hem letten; hij zat nog steeds in half zittende houding ineengedoken tegen de muur, en hield de deken om zich heen.

'Pas veel later kwam Bryn bij een beekje; hij herinnerde zich de beker en haalde hem te voorschijn om hem te vullen. Maar het vreemde was dat de bokaal, toen hij hem van onder zijn mantel vandaan haalde, al gevuld was met helder water. Hij zette hem op de grond, vol verbazing, en voor hij het kon tegenhouden, boog zijn paard zijn hals omlaag en nam een lange teug. Nog vreemder was het dat, hoe lang het dier ook dronk, Isha's beker tot de rand toe gevuld bleef. Het paard scheen er geen schade van te ondervinden, maar toch gebruikte Bryn zelf de beker niet, maar doopte zijn handen in de beek en leste zijn dorst op die manier. Want, zo redeneerde hij, een stom dier heeft vanzelfsprekend een

zuiver hart, omdat het niet beter weet, maar deze beker is kennelijk betoverd en is waarschijnlijk bedoeld voor de grootste man op aarde, en ik ben maar een bescheiden reiziger. Hoe zou ik waardig kunnen zijn om uit zulk betoverd drinkgerei te drinken?'
De jongen bewoog zijn ene hand; zijn vingers maakten zo'n beetje het teken dat gebruikt wordt om kwaad af te wenden. Ik had het weleens gezien wanneer er reizigers langskwamen, maar het was nog nooit tegen mijzelf gericht geweest.
'Ik ben geen tovenares,' zei ik. 'Ik ben genezeres, en ik ben hier om je te helpen beter te worden. Dat kun je misschien moeilijk geloven, maar het is de waarheid. Ik lieg niet. Er is geen reden om bang te zijn voor mij of voor pater Brien. Wij hebben het niet slecht met je voor.'
De jongen hoestte, en probeerde met een uitgedroogde tong zijn lippen te bevochtigen.
'Spelletjes spelen,' bracht hij uit, en de verbittering in de gemompelde woorden was ontstellend. 'Kat en muis. Waarom maken jullie me niet gewoon af?'
Hij kreeg de woorden met moeite over zijn lippen en ik kon hem nauwelijks verstaan. Toch was het al een heel ding dat hij nu iets zei.
'Duurt het zo lang voor het tot jullie doordringt dat ik toch niets zal zeggen? *Maak er toch een eind aan, verdomme.*'
Dit scheen hem te hebben uitgeput, en hij ging weer op het bed liggen, in het niets starend, met de deken nog om zich heen getrokken. Ik koos mijn woorden zorgvuldig.
'Mannen spelen spelletjes,' zei ik, 'en mannen hebben je dit aangedaan. Maar ik vraag je niet om geheimen te vertellen of wat dan ook te doen, behalve beter worden. Dit is niet Isha's beker; drink eruit, en je krijgt alleen wat je lichaam nodig heeft. Het was trouwens een van mijn broers die je heeft gered, en ik heb hem geholpen. Waarom zou ik je dan nog kwaad willen doen?'
Nu draaide hij zijn hoofd een weinig naar me toe, en zijn blik was afwijzend.
'Een van je broers,' zei hij. 'Hoeveel broers heb je dan?'
'Zes.'
'Zes,' herhaalde hij verachtelijk. 'Zes moordenaars. Zes demonen uit de hel. Maar hoe kun jij het ook begrijpen? Je bent een meisje.'

Zijn stem klonk tegelijkertijd giftig en angstig. Ik vroeg me af hoe pater Brien het tot nu toe had klaargespeeld; misschien hadden de kruiden de jongen meegaand en bereidwillig gemaakt, zodat hij zonder tegensputteren liet doen wat er gedaan moest worden.
'Mijn broer heeft heel wat in de waagschaal gesteld om je te helpen,' zei ik, 'en ik ook.' *Maar je bent wel in mijn huis gefolterd, door mijn mensen.* 'Mijn broer doet altijd wat goed is. Hij verraadt nooit een geheim. En je vindt mij misschien nog een kind, maar ik weet wat ik doe; daarom ben ik erbij gehaald. Ik weet niet wat ze met je voor hebben, maar je zult zeker geholpen worden een toevluchtsoord te bereiken, en van daaruit naar huis terug te keren.'
Hij lachte met een blaffend geluid, zo plotseling dat ik ervan schrok.
'Naar huis!' antwoordde hij op bittere toon. 'Dat denk ik niet.' Hij had de deken losgelaten, en draaide zijn vingers in elkaar. 'Daar is geen plaats voor mij, en ergens anders ook niet. Waarom zou je moeite voor me doen? Ga toch terug naar je poppen en je borduurwerk. Het was dom om jou hierheen te sturen. Hoeveel moeite denk je dat het me zou kosten om je te doden? Je snel bij je haar grijpen, even je nek omdraaien... ik zou het zo kunnen doen. Wat haalde hij zich in zijn hoofd, die broer van je?'
Hij bewoog met zijn vingers.
'Mooi,' zei ik goedkeurend, en probeerde mijn stem vast te laten klinken. 'Je begint tenminste na te denken en om je heen te kijken. Misschien hadden mijn broer en pater Brien het mis, door te verwachten dat een krijger zoals jij een schuld in gelijke munt zou terugbetalen. Misschien dachten ze dat er bij jullie volk een erecode geldt, zoals bij ons volk.'
'Eer? Huh!' Hij keek nu recht mijn kant op, en ik kon zien dat zijn gezicht knap kon zijn op een Britse manier, als het niet getekend zou zijn door pijn en uitputting. De neus was lang en recht, de vlakken van het gelaat goed gevormd en krachtig. 'Je weet niets, meisje. Vraag je broer je mee te nemen door een dorp, nadat hij en zijn mannen het onder handen hebben genomen. Laat hij je tonen wat ervan over is. Vraag hem of hij ooit op een zwangere vrouw heeft gespuwd alsof het een zeug was. Herinner hem aan de gewoonte van je volk, hun slachtoffers de ledematen af te hak-

ken terwijl ze smeken om een snel einde.' Zijn stem ging omhoog. 'Ondervraag hem over het creatief gebruik van het brandijzer. En kom dan nog eens praten over erecodes.'

Hij zweeg en begon te hoesten, en ik ging zonder erbij na te denken naar hem toe en hield de beker water aan zijn lippen. Door de krampachtige hoestbui, zijn pogingen adem te halen en het trillen van mijn hand ging het meeste water over het bed, maar ondanks zichzelf kreeg hij toch een paar druppels binnen. Eindelijk kon hij ademhalen, pijnlijk piepend, en hij keek me over de rand van de beker aan. Nu zag hij me voor het eerst.

'Vervloekt jij,' zei hij kalm, en hij nam de beker uit mijn hand en dronk het beetje dat er nog in zat op. 'Vervloekt jullie allemaal.'

Pater Brien koos dit moment om in de deuropening te verschijnen; hij wierp één blik op mijn gezicht en beval me naar buiten te gaan. Ik ging onder de lijsterbessen zitten, en terwijl ik luisterde naar de geluidjes van vogels en insecten die met hun dagelijkse bedrijf bezig waren, huilde ik om mijn vader en mijn broers, en om mezelf.

Pater Brien bleef lange tijd binnen. Na enige tijd nam mijn huilbui af tot zo nu en dan een snik, en ik snoot mijn neus en probeerde de pijn van wat de jongen had gezegd achter me te laten en me te concentreren op de reden van mijn komst. Maar dat was niet gemakkelijk; ik moest telkens met mezelf in discussie gaan.

Finbar is een goed mens. Ik ken hem even goed als ik mezelf ken.

Waarom deed hij zijn mond dan niet open? Waarom wachtte hij tot de schade al was aangericht, voor hij een redding op touw zette? En de anderen? Die deden helemaal niets.

Liam is mijn grote broer. Onze gids en beschermer. Onze moeder heeft hem die taak gegeven. Hij zou geen dingen doen die slecht zijn.

Liam is een doder, net als zijn vader. En Diarmid met zijn glimlach is dat ook. Hij laat je een zonnig gezicht zien, maar in werkelijkheid wil hij zijn zoals die twee.

En Conor? Die trekt niet ten strijde. Hij is rechtvaardig. Hij is een denker.

Ook hij zou zijn mond open kunnen doen, en dat doet hij niet.

Maar hij heeft ons geholpen. Dat denk ik tenminste; hij wist dat het om de jongen ging, en hij heeft me niet tegengehouden.

Conor speelt een handig spelletje.
Cormack weet nog niet wat oorlog is; voor hem is het gewoon een leuke sport, een uitdaging. Hij zou het niet goedvinden dat iemand gemarteld werd.
Dat zal hij gauw genoeg leren. Hij hunkert naar de smaak van bloed.
En Padriac? Die heeft hier toch part noch deel aan; hij is alleen maar bezig met zijn beesten en zijn experimenten?
Zeker. Maar hoelang nog? En jijzelf, Sorcha? Want jij bent niet meer zonder schuld.
Zo streed ik met mezelf, en ik kon mijn oren niet sluiten voor die tweede stem. Maar het was verschrikkelijk om te geloven wat die zei: konden de broers die mijn kapotte knieën hadden verzorgd, en me toch met een zeker geduld hadden meegenomen op allerlei kinderavonturen, werkelijk de wrede en gewetenloze wilden zijn die de jongen had beschreven? En als dat zo was, wat was dan mijn plaats, en die van Finbar? Al was ik pas twaalf, ik was niet zo naïef om te geloven dat alleen de ene kant in dit conflict in staat was tot folteren en pijnigen. Hadden we iemand gered die een echte vijand was? Was niemand te vertrouwen?
Pater Brien nam de tijd. Ik bleef waar ik was terwijl mijn innerlijk conflict langzamerhand minder hevig werd, en mijn geest onder invloed kwam van een stilte die werd uitgestraald door de oude bomen zelf, en door de grond die hen voedde. Dit was een gevoel dat ik kende, want er waren veel plekken in het grote bos waar je de energie ervan kon opnemen en waar je één kon worden met het oude hart van het bos. Wanneer je in moeilijkheden was, kon je op deze plekken je weg vinden. Ik kende ze, en Finbar kende ze; van de anderen weet ik het niet zo zeker, want vaak wanneer wij tweeën stil in de vork van een grote eik zaten, of op de stenen van de oever in het water lagen te kijken, waren zij aan het rennen, of aan het klimmen, of zwommen ze in het meer. In elk geval begon ik te merken hoe slecht ik mijn eigen broers kende.
Het was helemaal opgehouden met regenen, en in de beschutting van de bomen was de lucht vochtig en koel. Vogels kwamen uit hun schuilplaats te voorschijn; hun gefluit trok boven me voorbij, heel hoog voorbij. Op dit soort stille ogenblikken had ik vele ma-

len stemmen tegen me horen spreken, en ik had aangenomen dat dit de bosgeesten of de zielen van de bomen zelf waren. Soms meende ik dat het de stem van mijn moeder was die tot me sprak. Vandaag zwegen de bomen, en ik was in een verre uithoek van mijn geest, toen een kleine beweging aan de andere kant van de open plek me deed opschrikken uit mijn droomtoestand.

Er was in mijn geest niet de minste twijfel dat de vrouw die daar stond niet van onze wereld was; ze was uitzonderlijk lang en slank, haar gelaat was melkwit, haar zwarte haar hing tot aan haar knieën, en haar mantel had de diepblauwe kleur van de westelijke hemel tussen de schemering en het duister. Ik stond langzaam op.

'Sorcha,' zei ze, en haar stem was als verschrikkelijke muziek. 'Je hebt een lange reis voor je. Er zal geen tijd zijn om te huilen.'

Het leek van het grootste belang dat ik de goede vragen stelde, nu ik de kans had. Ik kon bijna niet spreken van ontzag, maar ik perste de woorden naar buiten.

'Zijn mijn broers slecht, zoals deze jongen zegt? Zijn we allemaal vervloekt?'

Ze lachte, met een zacht geluid dat echter een meer dan menselijke kracht in zich had.

'Geen enkel mens is puur slecht,' zei ze. 'Je zult dit zelf ontdekken. En de meeste mensen zullen tenminste af en toe liegen, of de halve waarheden vertellen die hun het beste uitkomen. Hou dit in gedachten, Sorcha de genezeres.'

'U zegt een lange reis. Wat moet ik eerst doen?'

'Een langere reis dan je je kunt voorstellen. Je hebt het pad dat voor je is uitgezet al betreden, en de jongen, Simon, is een van de mijlstenen die je de weg wijzen. Snijd vannacht maretak. Dit kruid kun je gebruiken om zijn geest te kalmeren.'

'Wat nog meer?'

'Je zult de weg vinden, dochter van het woud. Het rechte pad leidt door verdriet en pijn heen, door veel beproevingen heen, door verraad en verlies heen, en je voeten zullen het bewandelen.'

Ze begon voor mijn ogen te vervagen, zodat het diepblauw van haar mantel versmolt met het donkere gebladerte achter haar.

'Wacht...' Ik wilde over de open plek naar haar toe lopen.

'Sorcha?' Dat was de stem van pater Brien, die me vanuit de grot riep. En ogenblikkelijk was ze weg, alsof er niets anders was geweest dan de middagschaduwen die bewogen in de wind. Pater Brien kwam uit de opening van de grot naar buiten en droogde zijn handen aan een doek.

'Ik zie dat we bezoek hebben gekregen,' zei hij vriendelijk. Ik wierp een snelle blik op hem, en keek toen naar de andere kant, in de schaduwen. Langzaam, alsof ze niet zeker wist of ze welkom was, kwam daar de hond, Linn, de open plek op. Het leek erop dat ze me helemaal naar boven was gevolgd. Ik sprak haar vriendelijk toe en ze reageerde wild enthousiast door op me af te rennen, met haar hele lijf schuddend van blijdschap over de erkenning en van behoefte aan genegenheid.

'Kom binnen,' zei pater Brien. 'De hond mag mee komen, ze doet geen kwaad. We moeten over deze jongen praten, en snel ook. Mijn drank is nagenoeg uitgewerkt, en ik voel er weinig voor hem meer te geven. Maar als we hem niet kunnen overhalen om mee te werken, zal ik zijn kwetsuren niet kunnen verzorgen.' Hij draaide zich om en wilde naar binnen gaan. 'Ben jij al van de schrik bekomen?' vroeg hij zacht. 'Hij weet zijn woorden precies zo te kiezen dat ze het meeste pijn doen. Dat is misschien het enige wapen dat hij nog tot zijn beschikking heeft.'

'Het gaat wel,' zei ik; mijn hoofd was nog vol van mijn visioen. Ik bracht mijn hand omlaag om de ruwe vacht van de hond aan te raken, en het raspende gevoel van haar tong op mijn vingers verzekerde me van het feit dat de werkelijke wereld er nog steeds was, net als die andere. 'Het gaat heel goed.'

De jongen zat ineengedoken op de strozak met zijn rug naar ons toe. Ondanks zijn uitdagende woorden en boze blikken, deden zijn gebogen schouders me denken aan een klein dier dat te streng is bestraft, en dat zich verbijsterd in zichzelf terugtrekt en zich afzet tegen een wereld die zich tegen hem heeft gekeerd.

'Zijn wonden moeten schoongemaakt en verbonden worden,' zei pater Brien in onze eigen taal. 'Dat ging gemakkelijk genoeg toen hij half sliep, ook al was hij bang wanneer ik hem aanraakte. Maar nu...'

'Hij mag niet meer van die kruiden gebruiken,' zei ik, 'als u tenminste wilt dat hij goed bij zinnen is als hij naar huis terugkeert. We moeten de lucht hierbinnen zuiveren, en als het lukt, moeten we hem mee naar buiten nemen, zodat hij wat zonnewarmte krijgt. Kan hij lopen?'

Ik zag heel even een uitdrukking op het kalme gelaat van pater Brien; een beangstigende uitdrukking waarin walging samenging met medelijden.

'Ik heb hem niet durven verplaatsen, behalve om zijn verwondingen te verzorgen,' zei hij voorzichtig. 'Hij heeft nog erg veel pijn, en als we hem de slaapmiddelen te snel onthouden, zal het voor hem moeilijk te verdragen zijn. Zonder die middelen zal hij moeilijk kunnen slapen, want hij is bang dat hij zal dromen.'

Mijn visioen stond me nog stralend voor ogen en hierdoor had ik een duidelijk gevoel wat me te doen stond, al had de Vrouwe me eerlijk gezegd weinig praktische instructies gegeven. Maar iets in mij kende de weg.

'Morgen,' zei ik. 'Morgen moet hij de zon en de open hemel te zien krijgen. Van nu af krijgt hij maar één kruid, alleen maretak, die 's nachts gesneden moet worden. Dat zal ik straks doen. Zal ik nu eens naar zijn wonden gaan kijken?'

Ik liep naar de strozak toe. Linn glipte langs me en stapte vol vertrouwen naar de jongen toe op haar grote hondenpoten. Ze wist dat hij niet Cormack was; maar hij leek er toch genoeg op. Ze stapte opzij en naar voren en duwde haar koude neus in zijn hand.

'Rustig, Linn,' zei ik in de taal die de jongen kende. Nadat hij eerst instinctief zijn vuist had gebald, ontspande hij zijn vingers, en ze begon ze enthousiast te likken. Hij keek door toegeknepen ogen naar de hond, zonder te laten merken wat hij dacht.

Pater Brien had een kom warm water met kamille en maluwewortel klaarstaan, en er lagen zachte doeken. Hij had misschien een poging gedaan om ermee te beginnen toen ik buiten was, want het beddengoed was weggetrapt en er was al water gemorst. Hij liep naar het bed toe.

'Ik zei nee.' De jongen zei het heel beslist.

'Als soldaat,' antwoordde pater Brien onverstoorbaar, 'moet je weten wat er gebeurt als dergelijke wonden niet worden behandeld; dat ze kwade sappen aantrekken, en gaan stinken, en dat de man dan wordt bevangen door koortsen zodat hij verschijningen ziet, en gloeiend sterft. Zou je een dergelijk einde voor jezelf wen-

sen?' Zijn stem klonk vriendelijk terwijl hij zorgvuldig zijn handen waste en ze aan de doek afdroogde.
'Laat haar het doen.' De jongen wierp een blik op mij zonder zijn hoofd om te draaien. 'Laat haar maar eens zien wat haar mensen hebben gedaan, en er op die manier voor boeten. Ik heb de zuivere waarheid verteld. Daarvan getuigt mijn lichaam.'
'Het lijkt me beter van niet,' zei pater Brien snel, en voor het eerst had zijn stem een scherpe klank. 'Sorcha is een kind; zulke wonden zijn niet geschikt voor meisjesogen, en je moest je schamen dat je het voorstelt.'
'Als je me nog een keer aanraakt, vermoord ik jullie allebei.' Het was duidelijk dat hij dit meende, en dat hij misschien net genoeg kracht had om het te proberen. 'Laat het meisje het doen, of laat mij verrotten. Erger kan het toch niet worden.'
'Ik betwijfel of je je woorden zou kunnen waarmaken, al zou je het nog zo graag willen,' zei ik. 'Maar ik zal je wonden verzorgen, op één voorwaarde.'
'Voorwaarde?' snauwde de Brit. 'Wat voor voorwaarde?'
'Ik zal alles doen wat gedaan moet worden,' zei ik op besliste toon. 'Maar alleen als jij meewerkt. Je moet luisteren wanneer ik tegen je praat, en doen wat ik zeg, want ik heb de kracht om je te genezen.'
Hij lachte me uit. Het was geen prettig geluid.
'Jij verbeeldt je heel wat, hè, kleine heks? Misschien voel ik er meer voor om rustig te verrotten en te branden van de koorts. Maar ja, de afloop zou toch hetzelfde zijn. Wat vind jij, oude man?'
'Mij bevalt het niet, en het zou je broers ook niet aanstaan, Sorcha. Je zou dit aan mij moeten overlaten.'
'Waarom hebt u me dan hierheen gehaald?' vroeg ik domweg. En omdat hij hier geen antwoord op had, zei hij niets meer.
'Weg jij,' zei de jongen, zich bewust van deze overwinning, en pater Brien legde zich schoorvoetend neer bij het onvermijdelijke en ging naar buiten.
'Ik blijf vlakbij, buiten, Sorcha, zei hij in onze taal, die de jongen niet scheen te verstaan, 'en dit keer moet je niet zo lang wachten als je me wilt roepen. Wat je te zien krijgt, zal je aangrijpen, en daar kan ik je niet mee helpen. Behandel hem zoals je een ziek

dier zou behandelen, en probeer je niet schuldig te voelen voor wat hem is aangedaan, kind.'

'Het zal wel gaan,' zei ik, want de geest van de Vrouwe van het Woud was nog in me en ik had een duidelijk doel voor ogen.

Ik zal niet uitweiden over wat toen volgde. Het was zowel in lichamelijk als in geestelijk opzicht pijnlijk voor hem, zich voor me te ontbloten en mijn handelingen te ondergaan. Zijn verwondingen te zien, te begrijpen hoe weerzinwekkend vindingrijk mannen kunnen zijn, was een ervaring die zich even diep in mijn hart brandde als de martelwerktuigen in zijn lichaam hadden gebrand. Hij zou nooit meer ongeschonden zijn, of de achteloze vreugde in zijn mannelijkheid kennen die ik bij mijn broers had gezien, wanneer ze samen een partij worstelden, of met een aardig meisje flirtten. Dat een andere man hem dit kon aandoen was onvoorstelbaar. Terwijl ik bezig was, vertelde ik hem de rest van het verhaal van Isha, want dat leidde ons beiden enigszins af van het vreselijke werk; en Linn zat bezorgd naast het bed en likte zacht de stijf gebalde vuist van de Brit. Hij kromp nog steeds ineen onder mijn aanrakingen, maar omdat hij akkoord was gegaan met de behandeling, verdroeg hij de pijn stoïcijns, en schreeuwde hij het maar één keer uit.

Eindelijk was het verhaal bijna uit, en mijn werk gedaan. Mijn lichaam was kletsnat van het zweet en mijn gezicht was nat van tranen terwijl ik de patiënt voorzichtig in de meest gemakkelijke houding legde, en een nieuwe deken over zijn schoon verbonden lichaam legde. In de paar ogenblikken die ik nodig had om de kan water te halen, was de hond op het bed gesprongen en had zich naast hem uitgestrekt, terwijl haar staart zacht op en neer sloeg. Uit de uitdrukking op haar gezicht maakte ik op dat ze hoopte dat ik net zou doen alsof ik het niet zag.

'Kranig gedaan, Simon,' zei ik, terwijl ik een beker water aan zijn lippen hield, en ditmaal nam hij er een paar slokjes van; hij was te uitgeput om zich te verzetten, om bang te zijn. 'Misschien kun je nu slapen; een van ons beiden zal hier zijn als je ons nodig hebt. Linn!' Ik knipte met mijn vingers. 'Eraf!'

'Nee...' Zijn stem was nauwelijks hoorbaar. 'Laat haar hier.' Zijn hand woelde in de stugge vacht.

Ik wilde pater Brien gaan halen. Ik was te moe om honger te voelen, maar mijn werk voor die dag was nog niet klaar.

'Nee.'
Ik keek op hem neer.
'Blijf hier.'
'Ik ben geen hond, die je kunt commanderen,' zei ik. 'Ik moet eten, en jij ook.'
'Het verhaal,' zei hij zwakjes, tot mijn verrassing. 'Vertel het verhaal uit. Heeft Bryn ooit uit de beker gedronken, of bleef hij aan zichzelf twijfelen?'
Ik ging weer langzaam zitten.
'Hij dronk ervan,' zei ik; de wil om door te gaan kwam van ergens diep in me, maar het kostte me veel moeite. 'Het gebeurde veel, veel later, en het kwam haast ongemerkt, want na al zijn avonturen, en het kwaad dat zovele anderen trof nadat ze hadden geprobeerd uit de beker van Isha te drinken, wist hij niet beter te doen dan hem in zijn huisje in een kast te zetten, en te vergeten dat hij er was. Daar stond hij, met al die smaragden en robijnen, tussen het oude aardewerk en tin, en hij viel niemand op. Zo ging het lange tijd, want Bryn bleef in zijn huisje wonen, naast het betoverde woud dat was dichtgegroeid met doornstruiken, en werd daar oud; en nog steeds bewaakte hij de ene toegang, en liet er niemand door, mens of dier. Er waren genoeg jonge meisjes die hem hadden willen weglokken, als hij had gewild, maar hij weigerde hen allen beleefd. Ik ben maar een nederige man, zei hij altijd, niet goed genoeg voor zulke deftige dames als jullie. En bovendien behoort mijn hart aan een ander toe.
In de loop van de jaren waren er tal van gelegenheden om weg te gaan – ten strijde trekken met de soldaten, of fortuin te maken met reizigers, maar hij wilde het allemaal niet. Ik waak hier, zei hij, en ik zal hier blijven, al moet ik sterven op mijn post. En toen de zestig jaren om waren, en Bryn een stokoude man was met een witte baard tot op zijn laarzen, werd de vloek opgeheven en verdween de muur van doornstruiken; en er kwam een stokoude dame naar buiten in een verfomfaaide witte jurk, en haar gezicht was gerimpeld als een pruimedant. Maar Bryn herkende haar meteen als zijn geliefde, en viel voor haar op zijn knieën, terwijl hij de hemel dankte voor haar bevrijding.
'Ik heb dorst,' zei de oude vrouw met een krakerige stem (maar voor Bryn was het een hemels geluid, het mooiste wat hij ooit had

gehoord). 'Haal iets te drinken voor me, soldaat, alsjeblieft.' En aangezien er maar één beker in zijn nederige huisje was die paste voor zo'n edele dame, haalde de oude man de beker van Isha uit zijn stoffige keukenkast, en zie, hij was tot de rand gevuld met koel, helder water. Met bevende handen bood hij de vrouwe de beker aan.

'Jij moet eerst drinken,' zei ze, en hij was niet bij machte tegen haar wil in te gaan. En dus nam hij een slok, en zij nam een slok, en de edelstenen op de beker gloeiden stralend als sterren. En toen Bryn opkeek, zag hij zijn liefste voor zich, even jong en mooi als op de dag dat hij haar had verloren. En toen hij in de beker van Isha keek, zag hij zijn spiegelbeeld met ravenzwarte krullen en een verblindende, stralende glimlach. 'Maar... maar ik dacht...' kon hij amper stamelen, want zijn hart klopte als een grote trom. Zijn liefste glimlachte en pakte hem bij de hand. 'Je had er al die tijd uit kunnen drinken,' zei ze, 'want wie anders dan een man met een zuiver hart zou zestig jaren op zijn liefste wachten?' Ze zette de beker op een steen naast de weg, en toen gingen ze samen hun kleine huisje binnen, en leefden nog lang en gelukkig. En de beker van Isha? Die ligt daar nog tussen de varens en de margrieten te wachten op de volgende reiziger die hem vindt.'

De jongen sliep bijna; zijn gezicht leek meer in rust dan tot dusver, maar toch nog op zijn hoede. Ik hoorde hem fluisterend iets zeggen.

'Als je geen heks bent,' zei hij, 'hoe wist je mijn naam dan?'

Iemand van het Feeënvolk heeft het me verteld. Dat was de waarheid, maar ik kon moeilijk verwachten dat hij dat geloofde. Ik dacht snel na. Zoals ik al zei was liegen een kunst die ik nooit onder de knie heb gekregen, want ik was er niet beter in dan mijn broer Finbar.

'Dat zal ik zeggen wanneer je ik je weer buiten zie lopen,' was het beste wat ik kon bedenken. 'Nu moet jij rusten, terwijl ik ga kijken wat pater Brien voor ons te eten heeft. De hond heeft vast ook honger.'

Maar toen ik Linn probeerde te roepen om me te volgen, legde ze haar besnorde snuit op haar voorpoten en keek me alleen maar aan met haar vochtige hondenogen. Simons hand rustte op haar

rug en zijn vingers krauwden in haar ruige vacht. Daarom liet ik hen maar even samen alleen achter.
Nu volgde de vreemdste periode van mijn jonge leven, tot dan toe tenminste, want wat later kwam was niet alleen vreemd, maar ging alle menselijk begrip te boven. Die eerste nacht deed ik wat de Vrouwe me had bevolen; ik ging alleen naar buiten onder de grote eiken en klom naar boven, hoog tot waar het tere netwerk van de maretak als een sterrenformatie tussen de massieve takken van de woudreus was opgehangen. Ik gebruikte een kleine sikkel om de benodigde hoeveelheid af te snijden. Pater Brien was wel een beetje bang dat ik zou vallen, of in mezelf zou snijden in plaats van in de plant. Maar ik legde hem uit dat dit een heilige plant is voor de aanhangers van het oude geloof. Het is zelfs zo'n mystieke en machtige plant dat zijn werkelijke naam geheim is, en nooit hardop uitgesproken of neergeschreven mag worden. We noemden hem maretak of vogellijm, of een andere naam in plaats van zijn werkelijke benaming. Het is een vreemde plant, die zich onttrekt aan de wetten van de natuur, want hij groeit niet naar het licht toe zoals andere planten, maar in elke richting die hij wil, omhoog, omlaag of naar links of rechts, net hoe het uitkomt. Ook wortelt hij niet in de grond, maar hij groeit boven in eiken, appelbomen, sparren of populieren, waar hij zich om hun takken windt en in hun toppen rust. Hij houdt geen rekening met de seizoenen, want hij kan zowel rijpe en groene bessen dragen als bloemen, en nieuwe blaadjes, alles tegelijk. Voor het snijden ervan gelden strenge regels, en die had ik zo goed mogelijk opgevolgd, want het leek erop dat ik toestemming had gekregen.
De maretak kon op allerlei manieren worden gebruikt, en ik paste de meeste daarvan toe in mijn poging de Brit te helpen. Tot krans gevlochten en boven zijn stromatras opgehangen was hij werkzaam om zijn nachtelijke angsten te bezweren. Ik maakte er een aftreksel van, waarvan we allemaal met mate dronken. Mijn geneeswijze kwam er voor een deel op neer dat Simons lichaam moest worden gezuiverd van de invloed van de kruiden die tot nu toe zo noodzakelijk waren geweest; maar dit medicijn, het krachtigste van allemaal, had hij nog nodig. Toen ik het onder de wassende maan had geoogst, had ik een uil zien overvliegen, in golvende bewegingen in de koude stilte van de nachtelijke hemel.

Misschien was dit de vrouwe die ik kende, die nu weer deel uitmaakte van het weefsel van de donkere wereld.
De paar dagen waarvoor Conor toestemming had gegeven waren verstreken, en toen kwam Finbar. Hij kwam de heuvel oprijden op een stevige pony wier sterke rug ons beiden met gemak naar huis zou kunnen brengen. Pater Brien was in zijn huisje, waar hij met pen en inkt mooie tekeningen maakte, terwijl Simon en ik wat meer naar beneden op het gras zaten (of lagen, in zijn geval). Het was de eerste keer een nachtmerrie geweest hem te verplaatsen. Elke stap was een marteling voor hem, maar hij wilde zich beslist niet laten dragen door een oude man en een mager kind dat te veel kletste, zoals hij zei. Daarom liep hij zelf, en beet zijn lippen kapot om niet te kreunen, en ik voelde de pijnscheuten in mijn eigen lichaam terwijl ik zijn arm vasthield en naast hem liep.
'Ik hoop dat je weet wat je doet, Sorcha,' zei pater Brien. Hij keek zorgelijk, maar hij liet de behandeling aan mij over. Aan de andere kant van Simon liep de hond rustig mee; ze hield haar gebruikelijke uitgelatenheid in toom en leunde een beetje opzij om hem te helpen overeind te blijven. Met zijn hand hield hij haar halsband vast.
'Ik weet het heus,' zei ik, en pater Brien geloofde me op mijn woord.
Op de dag dat Finbar kwam, zaten we daar dus met ons drieën, Simon, ik en de hond, alleen was ze bij ons weggegaan om onder de bomen rond te snuffelen, en haar staart zwiepte heen en weer, want ze rook konijn. We hadden inmiddels al veel gepraat, of liever, ik had gepraat en Simon luisterde, omdat hij geen andere keus had. Ik vroeg hem niets, en hij vertelde niets uit zichzelf; ik verliet me dus maar op de oude verhalen, en fragmenten van balladen, en af en toe praatte ik over mijn bos en sommige van de vreemde dingen die daar gebeurden. Hij kon grof zijn, en zelfs gemeen, en hij was zowel grof als gemeen wanneer het hem uitkwam. Ik had heel wat gehoord over het karakter van mijn volk, en wat het zijn eigen mensen in de loop van de jaren had aangedaan; en hij had een rijke fantasie als het erom ging mij of pater Brien beledigingen toe te voegen. Die kon ik wel aan; de oorlogsverhalen waren moeilijker te hanteren, en dat is waarschijnlijk de reden waarom ik meestal praatte – dan kon hij tenminste

niets zeggen. Zijn stemmingen waren wisselvallig; ze konden van het ene moment op het andere omslaan, van vermoeide verdraagzaamheid tot woede of doodsangst, en de zorg voor hem vergde meer van mijn energie dan de verzorging van alle andere patiënten die ik had gehad. Twee keer per dag verzorgde ik zijn wonden, want hij wilde pater Brien niet in zijn buurt laten komen. Dit was een taak waar ik maar niet aan kon wennen.

Intussen was er een soort acceptatie tussen ons ontstaan. Hoewel hij smalend deed over de onwaarschijnlijkheid van mijn verhalen, wist ik dat hij ze graag hoorde. Door de frisse lucht en het lopen, al viel het hem nog zo zwaar, had zijn gezicht een wat betere kleur gekregen, en de korenbloemblauwe ogen waren niet zo levenloos meer. Ik borstelde zijn haar; hij protesteerde meer tegen het ontwarren van knopen en klitten dan hij ooit had geklaagd over de wrede pijn van zijn verwondingen. Ik vatte zijn over het algemeen slechte humeur op als een goed teken; alles was immers beter dan de leegogige wanhoop waarmee hij wachtte tot de eindeloze dag voorbij zou zijn, en de angstige slapeloosheid 's nachts.

Toen kwam Finbar. Zijn pony had het laatste deel van het karrenspoor stapvoets afgelegd; hij had haar een eind naar beneden laten staan en had het verdere stuk te voet beklommen. Ouder gewoonte bewoog hij zich geluidloos voort, zodat hij heel plotseling verscheen, aan de rand van het bosje. En Simon was bliksemsnel opgestaan, waarbij alleen uit zijn snelle, hese inademing bleek wat deze beweging hem kostte; opeens voelde ik dat mijn haar van achteren werd gegrepen, en voelde ik koud metaal tegen mijn hals.

'Nog één stap en ik snijd haar de strot door,' zei hij, en Finbar bleef stokstijf staan, met een bleek gezicht. Er was geen geluid, behalve een enkele noot van een verre vogel die een mededinger toeriep; en de zwoegende ademhaling van Simon achter me. Finbar stak heel langzaam zijn handen naar voren, om te tonen dat ze ontspannen en leeg waren, en toen liet hij zich op de grond zakken, met zijn rug zo recht als een jonge boom, en waakzame ogen. Zijn sproeten stonden afgetekend tegen zijn bleke huid en zijn mond was een dunne streep. Ik kon pater Brien in het huisje horen neuriën. Het mes ging een klein eindje van mijn keel af.

'Is dit je broer?'

'Een van mijn broers,' kon ik uitbrengen met een soort piepende

stem. Simon liet zijn greep een klein beetje verslappen. 'Finbar heeft je gered. Hij heeft je hier gebracht.'
'Waarom?' De stem was toonloos.
'Ik geloof in vrijheid,' zei Finbar met bewonderenswaardige vastheid. 'Ik heb altijd geprobeerd onrecht te herstellen waar ik kan. Jij bent niet de eerste die ik op die manier heb geholpen, al weet ik niet wat er naderhand van hen geworden is. Laat je mijn zusje nu los?'
'Waarom zou ik je geloven? Welke man die goed bij zijn hoofd is zou een klein meisje recht in de armen van zijn vijand laten lopen, met niemand in de buurt behalve een kindse priester? Wie zou zijn eigen familie willen verraden? Wat voor man doet zoiets? Misschien heb je wel een troep krijgers bij je, daar in het bos, die klaarstaan om mij te grijpen en het begonnen werk af te maken.' Simons stem klonk beheerst, maar ik voelde de spanning in zijn lichaam, en wist dat het voor hem een pijniging moest zijn om zo te staan en mij vast te houden. Hij zou het niet veel langer uithouden. Ik sprak rechtstreeks tegen Finbar, zonder woorden, van geest tot geest.
Laat dit aan mij over. Vertrouw me maar.
Finbar knipperde met zijn ogen naar mij, en liet even zijn waakzame houding varen. In zijn gedachten bespeurde ik een boosheid en verwarring die ik nog nooit in hem had gezien.
Jij bent niet degene die ik niet vertrouw. Ik vertrouw hem niet.
Ik ben nooit onderhevig geweest aan de zwakkere eigenschappen van een vrouw; ondanks mijn kleine gestalte en schijnbare broosheid heb ik een sterk gestel en kan ik veel verdragen. Ik zou nooit gedacht hebben dat ik tot zo'n misleidend optreden in staat was, en ik riskeerde veel door vooruit te lopen op de vermoedelijke reactie van Simon. Maar op dat moment was dit het enige wat ik kon bedenken. Daarom kreunde ik even en zakte door mijn knieën, en het pleitte voor Simon dat hij het mes liet vallen en me wist op te vangen voor ik de grond raakte. Ik hield mijn ogen stijf gesloten, en ik hoorde dat Finbar geluiden van broederlijke bezorgdheid maakte, terwijl Simon zijn wapen weer opraapte en mijn broer waarschuwde uit de buurt te blijven. Toen hoorde ik pater Briens stem; hij was op het gerucht afgekomen en was snel bij me en wiste mijn gezicht af met een vochtige doek die naar la-

vendel rook. Toen ik voorzichtig mijn ogen opsloeg, zag ik een bijzonder ironische uitdrukking op het gezicht van de brave pater. Hem ontging niet veel.
Ik draaide mijn hoofd naar de ene kant. Finbar zat daar nog precies zoals zoëven, rechtop, met zijn gezicht in de plooi. Ik draaide mijn hoofd naar de andere kant. Simon was heel dichtbij, met zijn rug tegen een grote steen en het mes losjes in zijn handen. Ik had het gevoel dat hij eerst naar mij had gekeken, maar nu waren zijn ogen op de bomen gericht. Het beviel me niet hoe zijn huid eruitzag, want die was bleek en bezweet, terwijl ik had gehoopt dat dat helemaal over was.
We schenen geen van allen te weten wat we nu moesten doen. Het probleem werd onverwacht opgelost door de wolfshond Linn, die genoeg had gekregen van de konijnenjacht en nu vanuit het bos op ons toe kwam rennen, dolblij dat er opeens zoveel vrienden tegelijk waren. Eerst sprong ze tegen Finbar op; ze zette haar poten op zijn schouders en begon ijverig zijn gezicht te likken. Daarna sprong ze naar mij toe, zonder zich te bekommeren om mijn schijnbaar precaire gezondheidstoestand, en zette in het voorbijgaan zware poten op mijn buik. Ze liep met een boog om Simon heen, trillend van voorpret, maar ze deed voorzichtig om hem niet te bezeren.
'Ziezo, kinderen,' zei pater Brien op nuchtere toon, 'ik ga een beker mede halen, want daar hebben we volgens mij allemaal behoefte aan. En dan gaan we praten. Probeer elkaar nog even niet in de haren te vliegen, alsjeblieft.'
Hij stond op, en Simon liet hem gaan. Toch was het mij kennelijk nog niet toegestaan om hetzelfde te doen, want zodra ik rechtop ging zitten, voelde ik weer zijn hand om mijn arm, en zijn greep was nog steeds heel krachtig en beslist. Hij beschikte kennelijk over reservekrachten waar zelfs ik geen vermoeden van had gehad.
We bleven in ongemakkelijk stilzwijgen zitten tot pater Brien terugkwam met een kan en een paar bekers, en toen begon Finbar in onze taal te spreken.
'Nee!' zei ik scherp, hem onderbrekend. 'Spreek zo dat Simon je kan verstaan. Er zijn al genoeg geheimen geweest. We mogen dan vijanden zijn, maar we kunnen toch op zijn minst beleefd doen.'

'Vind je?' zei Finbar met opgetrokken wenkbrauwen. 'Deze Brit heeft zich niet bepaald beleefd gedragen.'
'Kom,' zei pater Brien, terwijl hij ons elk een beker gaf, 'laten we tenminste doen of er een wapenstilstand is, en proberen dit op te lossen. Volgens mij is Finbar hier met een vreedzaam doel, jongeman; hij moest zijn zuster komen halen en haar naar huis begeleiden.'
'Zoals je ziet ben ik ongewapend,' zei Finbar, met zijn handen geopend op zijn knieën. Er hing een sliert haar over zijn ogen, maar hij deed geen poging om hem weg te vegen. Hij lette nu op mij. 'Ik ben hier om Sorcha te halen, meer niet. Ik was van plan geweest naar je gezondheid te informeren, misschien om te zien of het de moeite waard is geweest je te redden; maar daar zie ik nu maar van af.'
Hij is niet van plan mij kwaad te doen. Zie je dat dan niet?
Finbar trok zijn wenkbrauwen ongelovig op. Simon zei niets, en zijn beker stond onaangeroerd naast hem op het gras. Door de dunne stof van mijn jurk heen voelde ik zijn hand branden tegen mijn huid. De hond snuffelde aan de mede.
'Heb je al iets van je vader gehoord, Finbar?' vroeg pater Brien langs zijn neus weg.
'Nog niet. Dat zal nog wel even duren, denk ik. Uw patiënt zal hier redelijk veilig zijn tot hij kan reizen. Het zou prettig zijn als ik hetzelfde over mijn zusje zou kunnen zeggen. Voor iemand die hierheen is gehaald om genezend werk te doen, is ze blijkbaar niet erg aardig behandeld. Ik geloof dat ik precies op tijd ben gekomen.'
Simons stem klonk vals. 'Wat had je dan verwacht? Een juichend welkom? Kruiperige dankbaarheid? Noem me één reden waarom ik er dankbaar voor moet zijn dat ik het leven heb teruggekregen!'
Er viel een stilte.
'Jongen,' zei pater Brien na verloop van tijd, 'de toekomst lijkt je nu donker, en niemand kan zeggen waarheen je weg zal leiden. Maar op elk pad schijnt licht. Op den duur zul je het vinden.'
'Spaar me je huisbakken geloof,' zei Simon vermoeid. 'Ik word er niet goed van, en van jou ook niet.'
'Het past je niet bepaald om hem zijn geloof te verwijten,' zei Fin-

bar vriendelijk. 'Hij bekommert zich om jou en jouw soort, juist vanwege zijn geloof. Zonder dat zou hij een moordenaar kunnen zijn, net zoals mijn familie. En zoals de jouwe misschien.'
'Ik ben vroeger zelf ook zo'n man geweest. Ik weet hoe sterk je voor een zaak kunt voelen, en hoe je daardoor verblind kan raken en de werkelijkheid uit het oog verliest. Misschien zal het jouw levensopdracht zijn, dit te leren,' zei pater Brien nadenkend.
'Wat maal ik om levensopdrachten! Ik kan niets meer. Even hard als zij me oplapt, val ik weer uit elkaar, stinkend naar verrotting. Jullie hadden er beter aan gedaan je er niet mee te bemoeien, en me aan mijn lot over te laten. Dan zou het einde tenminste snel gekomen zijn.' Simons stem klonk nog beheerst, maar ik zag een krampachtige huivering door zijn lichaam gaan. Ik deed mijn mond open om iets te zeggen, maar Finbar was me voor.
'Ik neem mijn zusje mee naar huis,' zei hij. 'Ik vond dat ik je moest helpen, en zij ook. Maar ik wil niet hebben dat je haar kwaad doet of bedreigt. We hebben gedaan wat we kunnen, en het lijkt erop dat je onze diensten niet meer nodig hebt.'
Simon lachte spottend. 'Niet zo haastig, grote broer,' zei hij. 'Ik heb mijn mes nog, en ik ben niet totaal hulpeloos. Ons heksje blijft hier. Je hebt haar hierheen gestuurd om mij te genezen; laat haar mij dus genezen. Want zij schijnt te geloven dat het onmogelijke kan gebeuren, ook al geloven wij dat niet.'
'Je vergeet dat ze nog maar een kind is,' zei pater Brien.
'Een kind? Huh!' Simon liet een vreugdeloos gegrinnik horen. 'Aan de buitenkant misschien. Maar ze is anders dan alle kinderen die ik heb gekend. Welk kind kent de eigenschappen van kruiden, en duizend verhalen, het ene nog vreemder dan het andere, en welk kind weet...' Zijn stem haperde. Finbar keek even naar pater Brien, die zijn blik nadenkend beantwoordde. Mijn arm begon aardig pijn te doen waar Simon zijn vingers eromheen klemde.
'Het is niet aan jou om dat te beslissen,' zei ik zo beslist mogelijk. Ik keek elk van hen om beurten aan – Finbar met zijn grauwbleke gezicht en zijn heldere grijze ogen, de vriendelijke, doordringende blik van pater Brien. In Simons greep voelde ik zijn pijn en wanhoop. 'Ik heb hier een taak te vervullen, en die is nog niet klaar. Met jullie geruzie hebben jullie vanmiddag weer veel van mijn goede werk ongedaan gemaakt. Finbar, jij moet naar huis

gaan, en mij mijn werk laten doen. Je moet geloven dat ik hier veilig ben, en dat het beter is me alleen te laten. Ik zal je laten roepen als ik klaar ben.'

Hij heeft me nodig, Finbar.

Ik laat je hier niet achter. Hij probeerde me buiten zijn gedachten te houden, maar hij kon zijn schuldgevoel en verwarring niet helemaal verbergen. Dat vond ik zorgelijk. Was Finbar niet de broer die altijd zo zeker was van zijn zaak, die altijd wist wat hij moest doen?

Je moet me hier laten. Dit is mijn keuze.

En uiteindelijk deed hij dat ook. Het was maar goed dat pater Brien me vertrouwde en geloofde in wat ik deed, want hij was degene die mijn broer overreedde om naar het huisje te gaan en mij een tijdje alleen te laten met mijn patiënt. Simon liet hen gaan, zonder iets te zeggen. Pas toen ze uit het gezicht waren, en de deur van het huisje met een klap dicht was gegaan, veranderde de greep op mijn arm; eerst hield hij me tegen, nu klampte hij zich aan me vast om steun te zoeken, en hij ademde uit in een lange, bevende zucht. Samen wisten de hond en ik hem terug te krijgen in de grot en hem neer te leggen, en ik deed iets wat in strijd was met mijn eigen regels door een drankje voor hem te maken dat hem zou doen slapen. Daarna bleef ik bij hem zitten, pratend over onnozele dingen; ik zag hem worstelen met de pijn en vechten om niet te kreunen. Na een poos begon de kruidendrank langzamerhand te werken; zijn gezicht ontspande zich en zijn ogen werden troebel. Mijn arm deed flink pijn, en ik liep zachtjes naar de kast van pater Brien om een zalf te zoeken, misschien van maluwwortel of vlierbloesem. Ik vond wat ik zocht in een ondiepe kom met deksel, en ging terug naar mijn kruk om mijn gekneusde arm met zalf te masseren. Rondom mijn bovenarm was de huid rood. Door te masseren met de zalf kon ik de pijn wat verlichten.

Iets maakte dat ik opkeek toen ik de deksel weer op de kom deed. Simon was nog wakker, al sliep hij bijna, en het opvallende blauw van zijn ogen werd net niet bedekt door zijn zware oogleden. 'Je huid is te gevoelig,' zei hij mompelend. 'Ik wilde je geen pijn doen.' Toen vielen zijn oogleden toe en hij sliep. De hond kwam naderbij en kroop naast hem op de smalle stromatras.

Nu hadden we even tijd voor verklaringen en beslissingen. Ik ging

naar het huisje en daar bleven we, maar met de deur open, want, zo zei ik tegen de anderen, Linn zou me waarschuwen als Simon wakker werd. Pater Brien stond erop dat Finbar en ik aten en dronken, hoewel we geen van beiden veel trek hadden.
Het kostte tijd om Finbar te overreden naar huis te gaan. Hij dacht nog steeds dat ik in gevaar was, en wist heel zeker dat Conor het nooit goed zou vinden dat ik bleef. Ik gebruikte zijn eigen redenering tegen hem: je moest er niet van uitgaan dat een Brit slecht was, alleen vanwege zijn blonde haar, of zijn lengte, of zijn vreemde spraak. Hij was een mens met sterke en zwakke punten, net als wij. Dat had Finbar zelf toch ook zo vaak gezegd, zelfs tegen onze vader?
'Maar hij dreigde je te vermoorden,' zei Finbar getergd, 'hij hield je een mes op de keel. Betekent dat dan niets?'
'Hij is ziek,' zei ik. 'Hij is bang. En ik ben hier om hem te helpen. Bovendien is me gezegd...' Ik brak af.
Finbars blik werd scherp. 'Wat is je gezegd?'
Ik kon niet liegen. 'Mij is gezegd dat dit iets was wat ik moest doen. Dat het pas een eerste stap was op een lange en moeilijke weg. Ik weet dat ik het moet doen.'
'Wie heeft je dit gezegd, Sorcha?' vroeg pater Brien zacht. Ze staarden me nu allebei gespannen aan. Ik koos mijn woorden zorgvuldig.
'Herinneren jullie je dat oude verhaal van Conor, over Deirdre, de Vrouwe van het Woud? Zij was het, geloof ik.'
Pater Brien ademde diep in. 'Heb je Hen gezien?'
'Ik geloof het wel,' zei ik verbaasd. Welke reactie ik van hem ook had verwacht, deze niet. 'Ze zei tegen me dat dit mijn weg was, en dat ik die moest volgen. Het spijt me, Finbar.'
'Deze Brit,' zei Finbar langzaam. 'Hij is niet de eerste die ik heb ontmoet, of met wie ik heb gesproken. De anderen waren alleen wel oudere mannen, harder maar tegelijkertijd eenvoudiger. Zij vonden het best hun vrijheid te aanvaarden en weg te gaan. Deze jongen speelt spelletjes, hij speelt met ons en geniet van onze verwarring. Als het werkelijk zo is dat je zo'n opdracht hebt gekregen, heb je geen andere keus dan te gehoorzamen; toch kan ik moeilijk geloven dat deze jongen je geen kwaad wil doen. Ik vind het niet prettig je hier achter te laten, en ik denk dat Conor het

met me eens zou zijn.' Hij draaide met een lok haar tussen zijn vingers. Hij had weer kleur op zijn gezicht gekregen, maar zijn mond stond somber.

Ik keek hem verbaasd aan. 'Waarom moet Conor daarover beslissen?' vroeg ik. 'Hij heeft dan wel tijdelijk de leiding, maar hij is pas zestien.'

'Conor is ouder dan zijn leeftijd,' zei pater Brien op zijn beheerste manier. 'In dat opzicht lijkt hij op jullie beiden. Ook hij volgt een weg die voor hem is bepaald. Jullie hebben misschien altijd gedacht dat deze broer geen geheimen voor jullie had; de rustige, altijd even betrouwbaar, vriendelijk en rechtvaardig, een bron van kennis. Maar jullie kennen hem minder goed dan jullie denken.'

'Hij lijkt inderdaad een hoop vreemde dingen te weten,' zei ik. 'Dingen die je verbazen.'

'Zoals het Ogham,' zei Finbar zacht. 'De tekenen, en waar die te vinden zijn, en hoe je hun betekenis afleest. Wat we daarvan weten, hebben we van Conor geleerd.'

'Maar waar heeft hij het geleerd?' zei ik. 'Niet uit een boek, dat weet ik wel.'

'Conor is heel goed ingevoerd in een aantal zaken,' zei pater Brien, terwijl hij door zijn kleine raam naar buiten keek. De late middagzon viel op de plukjes grijzend haar die zijn kalme voorhoofd omlijstten, zodat ze een vlammend aureool vormden. 'Sommige dingen leerde hij van mij, net als jullie en de anderen. Sommige heeft hij zichzelf geleerd uit de handschriften die liggen te verstoffen in de bibliotheek van jullie vader, zoals jij ook hebt gedaan, Sorcha, met je geneeswijzen en je kruidenkunde. Wanneer jullie ouder worden, zullen jullie merken dat Conor behalve zijn kennis nog andere, subtielere vaardigheden heeft; hij beheerst oude ambachten die tot het terrein van jullie geslacht behoren, maar die in de huidige wereld grotendeels vergeten zijn. Jullie zien hoe de dorpelingen hem vereren. Het is een feit dat Conor tijdens de afwezigheid van jullie vader een goed beheer voert, en daar zijn ze uiteraard dankbaar voor. Maar hun erkenning van hem gaat veel dieper.'

Dat deed me aan iets denken. 'Die oude man in het dorp, de oude Tom die vroeger de dakdekker was, die zei een keer iets – hij zei dat Conor een van de wijzen was, net als vader, of zoals vader had moeten zijn. Ik begreep niet wat hij bedoelde.'

'De familie van Zeven Wateren is een oud geslacht, een van de oudste van dit land,' zei pater Brien. 'Dit meer en dit bos zijn plaatsen waar vreemde dingen gebeuren, waar het onverwachte heel gewoon is. De komst van mensen zoals ik, en ons geloof, heeft daar aan de oppervlakte misschien verandering in gebracht. Maar daaronder is de magie hier en daar even krachtig en diep als in de tijd waarin het Feeënvolk uit het westen is gekomen. De draden van vele geloofsovertuigingen kunnen naast elkaar liggen; van tijd tot tijd raken ze met elkaar verward, en vervlechten zich tot een sterker touw. Jij hebt dit zelf gezien, Sorcha, en jij, Finbar, voelt dat de kracht ervan je tot handelen aanzet.'
'En Conor?' vroeg Finbar.
'Jullie broer heeft een zware taak geërfd,' zei Brien. 'Die kiest zelf haar uitvoerder, en daarom is ze niet toegevallen aan de oudste, en ook niet aan de tweede zoon, maar aan degene die haar het beste kan dragen. Jullie vader had de kracht, maar hij heeft de last niet op zich genomen. Conor zal de leider zijn van het oude geloof, voor deze mensen, en dat zal hij rustig en onopvallend doen, zodat de oude manieren nog altijd kunnen gedijen en een leidraad kunnen zijn, diep verborgen in het bos.'
'Bedoelt u dat Conor... bedoelt u dat hij een druïde is? Hoe heeft hij dat uit boeken kunnen leren?' vroeg ik verward. Had ik mijn eigen broer zo slecht gekend?
Pater Brien lachte zacht. 'Hij heeft het niet uit boeken kunnen leren,' zei hij droog. 'Deze kennis wordt nooit aan het papier toevertrouwd; het boomschrift dat hij je heeft laten zien is de enige geschreven vorm ervan. Wat hij weet, heeft hij van anderen van zijn soort geleerd, en hij leert nog steeds. Ze laten zich niet zien, nog niet, want ze hebben ervoor moeten vechten om te blijven bestaan. Hun aantal neemt snel af. Jullie broer heeft nog een lange weg te gaan; hij is amper aan zijn reis begonnen. Negentien jaren, dat is de tijd die ervoor staat om deze wijsheid te leren. En het spreekt vanzelf dat hieraan geen ruchtbaarheid mag worden gegeven.'
'Ik heb het me weleens afgevraagd,' zei Finbar. 'Je kunt niet naar de mensen luisteren, als je in de dorpen komt, zonder te horen wie ze vertrouwen en waarom. Dit verklaart ook waarom hij ons onze eigen weg laat volgen.'

'Wat bedoelde u,' zei ik, nog steeds diep nadenkend, 'toen u zei dat onze vader het was, maar ervan afzag?' Want ik kon me niet voorstellen dat vader, met zijn strakke, gesloten gezicht en zijn bezetenheid van oorlogvoeren, drager kon zijn van een spirituele boodschap. Dat kon toch niet waar zijn.
'Je moet begrijpen,' zei pater Brien zacht, 'dat jullie vader niet altijd zo is geweest als hij nu is. Als jongeman was hij een totaal ander mens, knap en vrolijk, een man die even graag zong en danste en verhalen vertelde als de besten, terwijl hij hen ook overtrof in het paardrijden en boogschieten en hen in zwaardgevechten en in vuistgevechten versloeg. Hij was, zou je kunnen zeggen, iemand die door de hemel begunstigd was met alle zegeningen.'
'Waardoor is hij dan zo veranderd?' vroeg Finbar somber.
'Toen zijn vader stierf, werd heer Colum meester van Zeven Wateren. Er werd toen nog geen beroep op hem gedaan om meer te zijn dan dat, want er was een veel ouder en wijzer iemand die de oude gewoonten in deze streken in leven hield. Jullie vader leerde jullie moeder kennen, en zoals het vaak gaat bij jullie volk, hij ging onmiddellijk en hartstochtelijk van haar houden, zodanig dat het voor hem ondraaglijk was om zonder haar te zijn; het leek voor hem op dood zijn. Ze waren acht jaar lang intens gelukkig; en toen stierf zij.'
Zijn gezicht was veranderd; ik zag het licht over zijn kalme gelaatstrekken strijken, en meende daar een diep verdriet te zien, dat ergens diep in zijn binnenste verborgen was.
'Hebt u haar gekend?' vroeg ik.
Pater Brien wendde zich naar mij, maar in zijn ogen zag ik niet meer dan een vage droefheid. Misschien had ik me verbeeld dat ik iets zag.
'Ja, zeker,' zei hij. 'Ze hadden me voor een keus gesteld. Mijn vaardigheid met de pen werd op prijs gesteld, in het huis van Kells, maar mijn ideeën gaven... onrust. Voeg je in het geheel, werd me gezegd, of ga alleen leven. Ik had jullie vader gekend voor ik tot de heilige orde toetrad, lang geleden toen ik een krijger was. Toen ik het klooster verliet, bood hij me hier een plaats aan, een edelmoedig gebaar, gezien de verschillen tussen ons. Ik leerde jullie moeder kennen. Ik zag de vreugde die ze in elkaar beleefden, en ik zag hoe haar dood het licht bij hem wegnam.'

'Hij had ons toch,' zei Finbar verbitterd. 'Een andere man had misschien gevonden dat dat voldoende reden was om te leven, en om goed te leven.'
'Volgens mij oordeel je te streng,' zei pater Brien, maar hij sprak op vriendelijke toon. 'Jij kent nog niet het soort liefde dat als een bliksemflits inslaat; dat zich meester maakt van je hart, even onherroepelijk als de dood; dat de leidster wordt waarnaar je de rest van je leven richt. Ik zou niemand, man of vrouw, een dergelijke liefde toewensen, want hij kan je leven tot een paradijs maken, maar je ook volkomen vernietigen. Maar het ligt in de aard van jullie familie om op deze manier lief te hebben. Toen jullie moeder stierf, had Colum al zijn wilskracht nodig om het verlies te kunnen verdragen. Hij bracht het er levend af, maar hij heeft een hoge prijs betaald. Hij heeft weinig meer over voor jullie, of voor wie dan ook.'
'Hij had toch zeker een keus?' zei Finbar langzaam. 'Hij had een andere kant op kunnen gaan, toen zij gestorven was – een andere weg kunnen nemen, het soort leider worden dat Conor volgens u zal zijn.'
'Dat had hij kunnen doen, want de Oude was aan het einde van zijn dagen, en de wijzen kwamen bij Colum, omdat ze een man van zijn geslacht zochten om hun aantal aan te vullen. Ze moeten speciaal hem gewild hebben, om hem op die manier te benaderen. Het is veel beter de lange leerjaren te beginnen als kind, of als heel jonge man. Toch vroegen ze hem. Maar Colum was in wanhoop gedompeld. Als hij geen plicht te vervullen had gehad jegens zijn túath, en zijn kinderen, dan had hij heel waarschijnlijk een eind aan zijn eigen leven gemaakt. Dus hij weigerde.'
'En daarom kozen ze toen Conor?'
'Nog niet. Conor was nog maar een kind; ze wachtten eerst af, en keken hoe jullie opgroeiden, alle zeven. En de Oude stelde zijn heengaan uit. Ze letten op Conor terwijl hij leerde lezen en schrijven, terwijl hij zijn balladen en verhalen oefende, terwijl hij de anderen de wijsheid van bomen leerde, en hoe jullie voor elkaar moesten zorgen. Op den duur werd het duidelijk dat hij het was, en toen vertelden ze het hem.'
We zaten daar een tijdlang in stilte en lieten dit tot ons doordringen, terwijl de stralen van de zon steeds lager schuin naar bin-

nen vielen en de lucht koel werd omdat de avond begon. Er kwam geen geluid uit de grot. Ik hoopte dat Simon niet droomde in zijn slaap.

'Nu begrijpen jullie misschien,' zei pater Brien na verloop van tijd, 'wat jullie vader zo voortdrijft. Zijn gebied vasthouden, en de Eilanden terugveroveren die zo lang geleden verloren werden, dat is voor haar in de plaats gekomen als enige doel van zijn bestaan. Door alleen daaraan te denken houdt hij de wolven van de herinnering op afstand. Wanneer ze rondom opdringen, trekt hij weer ten strijde en brengt hun gehuil met bloed tot zwijgen. Deze weg vergt veel van hem. Wel heeft hij zijn gebied en dat van zijn buren heel veilig gemaakt, en met zijn veldtochten veel respect afgedwongen in het noorden van dit land. Hij heeft de Eilanden niet terugveroverd, nog niet; hij heeft zich misschien voorgenomen dat te doen wanneer al zijn zonen volwassen zijn.'

'Dat zal dan zonder mij zijn,' zei Finbar. 'Ik weet dat de geheimenissen van de Eilanden alle begrip te boven gaan, dat de geest er huist, en ik zou graag de grotten der waarheid willen bezoeken. Maar ik zou niet willen doden om dat voorrecht te genieten. Dat is het geloof tot waanzin verworden.'

'Zoals ik al zei kan een levensdoel je blind maken voor de werkelijkheid,' zei pater Brien. 'Er is om deze eilanden gevochten sinds de tijd van Colums betovergrootvader, sinds de eerste Brit er voet aan land zette zonder te weten dat daar het mystieke hart lag van het oude geloof van jullie volk. Zo is de vete ontstaan, en er zijn vele levens en fortuinen aan verloren gegaan. Waarom zou anders heer Colum, de zevende zoon van zijn vader, de erfgenaam zijn geweest? Zijn broers zijn stuk voor stuk gedood in hun strijd voor deze zaak. En hun vader heeft hen stuk voor stuk laten gaan.'

'Maar nu stuurt hij zijn eigen zonen diezelfde weg op,' voegde Finbar er somber aan toe.

'Misschien,' antwoordde Brien. 'Maar jullie broers delen niet in de obsessie van heer Colum, en bovendien is Conor er nog, en jullie zelf. Misschien is het eindelijk zover dat dit patroon doorbroken kan worden.'

Ik dacht hard na. Na een poos vroeg ik: 'U zegt dat Conor het goed zal vinden dat ik hier blijf om te proberen Simon te helpen

– dat hij begrijpt wat de Vrouwe zei, dat dit allemaal deel uitmaakt van een groot plan dat voor ons is uitgezet?'

Pater Brien glimlachte. 'Als er iemand is die kan afwijken van een vooraf bepaalde weg ben jij dat wel, kind. Maar wat Conor betreft, heb je gelijk. Hij wist heel goed waarom je hierheen bent gekomen. Het is tekenend voor zijn kracht en zijn niveau dat hij deze wetenschap weet te verzoenen met het behartigen van je vaders zaken.'

Ik fronste mijn voorhoofd. 'Uit wat u zegt, zou ik haast opmaken dat Conor eens het hoofd van de familie zal zijn,' zei ik. 'Maar Liam dan? Hij is altijd onze leider geweest, sinds moeder hem heeft gezegd dat hij dat moest zijn; en hij is de oudste.'

'Er zijn leiders en leiders. Onderschat je broers niet, geen van allen,' zei pater Brien. 'Nu moeten jullie eten, allebei, want het werk van vandaag is nog lang niet gedaan.'

Maar we hadden geen trek, en het brood en de kaas waren nog steeds bijna onaangeroerd toen Finbar afscheid van ons nam en met duidelijke tegenzin het hoofd van zijn pony huiswaarts wendde. Zijn laatste opmerking tegen mij werd niet hardop uitgesproken.

Ik vertrouw die Brit van je nog altijd niet. Ik wil dat je hem een boodschap van mij brengt. Zeg tegen hem dat als hij je nog eens met een vinger aanraakt, hij niet alleen mij, maar ons zessen tegenover zich zal vinden. Denk erom dat je dat tegen hem zegt.

Ik weigerde dit serieus te nemen. Finbar die met geweld dreigde? Dat was toch niet mogelijk.

Ik denk er niet over zoiets tegen hem te zeggen. Je begint al net zo te praten als je grote broers. Ga nu maar, en laat dit aan mij over. En maak je geen zorgen over mij, Finbar. Ik red het wel.

'Hm,' zei hij hardop als een echte broer. 'Waar heb ik dat eerder gehoord? Was het soms die keer toen je over de schutting ging klimmen om de prijsstier te aaien; of misschien de keer dat je zeker wist dat je net zo goed over de beek kon springen als Padriac, ook al waren jouw beentjes veel korter? Weet je nog wat er toen gebeurde?'

'Schiet nou maar op!' gaf ik terug, en ik gaf de pony een stevige klap op het kruis, en weg was hij. In de grot begon de hond te blaffen. Het was tijd om weer aan het werk te gaan.

HOOFDSTUK DRIE

Sommige kapotte dingen kun je niet repareren. Sommige moet je heel langzaam in elkaar zetten, heel voorzichtig, deeltje voor deeltje, en telkens wachten tot het laatste herstelde stuk sterk genoeg is om verder te gaan. Dat vergt veel geduld.

Zo was het met Simon. Finbars bezoek had een flinke terugslag veroorzaakt, en ik moest die schade eerst herstellen voor ik verder kon gaan met het langdurige genezingsproces. Simon had een overeenkomst met mij gesloten, en het zag er naar uit dat hij zijn woord hield. En hoewel hij vaak in een uiterst sombere gemoedstoestand was, met weinig overlevingsdrang in zijn gehavende lichaam, deed hij dus toch altijd knarsetandend wat ik hem zei te doen.

Er ging een zestal dagen voorbij, en we kwamen akelig langzaam vooruit. 's Nachts was het het ergste. Simon duldde niet dat pater Brien hem hielp, en daarom moest ik alles voor hem doen, al stond de brave pater me ongemerkt zo goed mogelijk bij door ervoor te zorgen dat doeken en zalven onder handbereik waren, door het beddengoed schoon te houden en als bij toverslag eten en drinken klaar te hebben wanneer ik een vrij ogenblik had om me ervan te bedienen. Toch was ik erg moe, met een tot in mijn botten reikende vermoeidheid die ik nooit eerder had gevoeld. Ik gebruikte de maretak zo spaarzaam mogelijk. Geholpen door dat kruid sliep Simon altijd even voor de nachtmerries begonnen, en ik leerde gelijk met hem in slaap te vallen, want dat was ook voor mij het enige ogenblik van rust.

Deze nachten hadden een soort patroon. Het begon ermee dat Simon een schreeuw gaf, zodat ik wakker schrok. Dan zag ik dat hij rechtop in bed zat, met zijn handen voor zijn gezicht, huiverend en hijgend. Hij vertelde me nooit wat hij zag, maar ik kon het me voorstellen. Dan stak ik altijd een kaars aan, en ik gaf hem een doek om het zweet van zijn lichaam te wissen, terwijl de hond angstig jankend bij de deur ging zitten. In die donkere tijden zong en vertelde ik vele balladen en verhalen, en mijn keel werd droog en pijnlijk van het praten. Een gedeelte ervan drong tot Simon door, een gedeelte ging aan hem voorbij als bladeren in de wind. Wanneer de angst op zijn hoogtepunt was, liet hij toe dat ik mijn armen om hem heen legde en wiegenliedjes voor hem zong, en zijn haar streelde alsof hij een angstig kind was. Ten slotte viel hij dan weer in slaap, en ik werd zittend naast zijn bed overweldigd door uitputting, zodat ik ter plekke in slaap viel, met mijn hoofd op de strozak, en mijn hand in de zijne. Dat duurde maar kort. Hij kon wel vier of vijf keer op een nacht wakker worden; ik kwam sterk in de verleiding om hem iets te geven dat sterk genoeg was om ons allemaal een hele nacht rust te geven, maar ik wist dat de weg naar herstel voor hem gelegen was in reiniging van zijn lichaam en het leren leven met de angst. Want de herinneringen zouden altijd bij hem blijven, onder welk mom ze ook kwamen.

Hij wilde niet dat pater Brien bij hem in de buurt kwam. Ik, alleen ik was degene die het allemaal moest doen: onmiddellijk wakker worden, sussen en troosten, wonden schoonhouden en verbinden, er zijn om aan elke behoefte van Simon te voldoen. Dat was zwaar, maar zo hadden we het afgesproken. Toch liet pater Brien ons 's nachts nooit alleen. Hij zat in de buitenkamer, met een kaars naast zich te wachten tot de zegen van de slaap weer zou komen. Zijn zwijgende aanwezigheid was geruststellend, want ik vond de nachtelijke demonen een enorme uitdaging.

Soms haatte ik Simon, al had ik niet kunnen zeggen waarom. Ik vermoed dat ik wist dat alles hierna voor mij nooit meer helemaal hetzelfde zou worden. En ik was tenslotte nog geen dertien, en het speelde door mijn hoofd dat het toch heerlijk zou zijn om thuis te zijn, met Padriac te kunnen paardrijden of krokusbolletjes te planten die in het voorjaar zouden bloeien. Ik verlangde ernaar in mijn kleine tuin te werken, waar alles stil en geordend was, vol frisse geuren en gezonde, groeiende dingen.

Nadat er zo een negental nachten was verlopen, zagen pater Brien en ik eruit als geesten, afgetobd en uitgeput. Toen was er een dag dat de zon vroeg begon te schijnen, en het was iets warmer, en ik liet Simon opstaan en buiten lopen, verder dan gewoonlijk, zodat we hoog genoeg kwamen om over de bomen uit te kijken en het zilverkleurige water van het meer te zien liggen, ingebed in de diepe, grijsgroene schaduwen van het bos.

'Ons huis is daar beneden,' zei ik tegen hem, 'niet ver van de oever van het meer, maar het ligt verborgen tussen de bomen. Aan deze kant gaat het bos recht naar beneden tot de rand van het water. Aan onze kant zijn er rotsen in het water, waar je op kunt liggen om naar de vissen te kijken. En er zijn paden door het bos, die allemaal weer anders zijn.'

'Je zou er gemakkelijk kunnen verdwalen.'

'Wij verdwalen nooit,' zei ik. 'Maar het gebeurt wanneer mensen de weg niet weten.' Ik dacht hier voor het eerst over na. Hoe kwam het dat wij altijd de weg wisten?

Simon leunde met zijn rug tegen de stam van een bladerloze es en sloot zijn ogen. 'Ik heb een verhaal voor je,' zei hij tot mijn grote verrassing. 'Ik kan niet zo goed vertellen als jij, maar het is ook maar een eenvoudig verhaal.'

'Goed,' zei ik voorzichtig, want ik wist niet wat ik ervan moest verwachten.

'Er waren eens twee broers,' zei Simon, en zijn stem was vlak en uitdrukkingsloos. 'Van uiterlijk, en in kracht en verstand leken ze veel op elkaar, maar de ene was een paar jaar ouder dan de ander. Grappig hoeveel verschil een paar jaar kunnen uitmaken. Hun vader stierf; en door die paar jaren erfde de oudste broer het hele bezit. En de ander? Een klein lapje grond dat niemand wilde hebben, dat is alles wat hij kreeg. De oudste was bij iedereen geliefd; hij had die paar jaren om hun harten te veroveren en hun trouw te winnen, en dat deed hij, zonder ook maar een ogenblik aan zijn broer te denken. En de jongste? Hoewel hij precies even goed, en sterk, en begaafd was als zijn broer, scheen dat om de een of andere reden niemand op te vallen.

De oudste was een leider, en zijn mannen keken met eerbied naar hem op. Hij was een man die geen fouten kon maken, en hij inspireerde iedereen tot onvoorwaardelijke trouw, waar hij maar kwam, zonder er moeite voor te doen. En de jongste? Hij deed zijn best; maar het was nooit goed genoeg.' Simon zweeg, alsof hij niet verder wilde gaan.

'En wat gebeurde er toen?' vroeg ik na een tijdje.

Simon vertrok zijn mond in de breedte; het had een lach kunnen zijn, als zijn blauwe ogen niet zo koel waren geweest. 'De jongste kreeg een kans om zich te bewijzen. Om iets te doen waar iedereen, zelfs zijn broer, van zou opkijken. Daarna, dacht hij, zal ik zijn zoals hij, even goed als hij, beter zelfs. Hij greep de kans aan, maar het mislukte.'

'En toen?'

'Dat weet ik niet, heksje. Dit verhaal lijkt geen einde te hebben. Hoe zou jij het afmaken?' Hij liet zich voorzichtig op de grond zakken.

Ik ging opzij om plaats voor hem te maken op een gevallen tak. Linn was in haar element; ze snuffelde rond tussen de herfstbladeren, rende heen en weer en kwam van tijd tot tijd terughollen om te kijken of we er nog waren; dan sprong ze weer achter een nieuw geurspoor aan.

Ik koos mijn woorden met zorg. 'Het lijkt het begin van een leerverhaal, al zijn er dan meestal drie broers, geen twee. Ik denk dat de jongste broer de wijde wereld in zou trekken om zijn fortuin te zoeken, en zijn grote broer achter zou laten. Onderweg zou hij drie mensen, of wezens ontmoeten – het zijn er meestal drie.'

'Jij hebt ook overal een antwoord op,' zei Simon somber. 'Vertel verder.'

'Tja, je zou het verhaal op verschillende manieren kunnen laten aflopen,' zei ik; ik begon er plezier in te krijgen. 'Laten we zeggen dat de jongste broer een oude vrouw tegenkomt. Hij heeft honger, en hij heeft maar één haverkoek, maar die geeft hij aan haar. Ze bedankt hem, en hij gaat verder. Misschien ziet hij dan een konijn dat vastzit in een strik; dat bevrijdt hij.'

'Ik zou eerder denken dat hij het zou villen en opeten,' zei Simon. 'Vooral omdat hij zijn haverkoek kwijt is.'

'Maar dit konijn kijkt hem smekend aan met mooie, groene ogen,' zei ik. 'Hij moet het wel laten gaan. Ten slotte komt hij een reus tegen. De reus daagt hem uit tot een gevecht met staven. De jongeman stemt toe, want hij denkt dat hij toch niets te verliezen

heeft. Ze vechten een tijdje, en hij weet hem een paar keer goed te raken, maar dan slaat de reus hem buiten westen. Wanneer hij weer bijkomt, bedankt de reus hem beleefd voor het gezellige partijtje knokken; van alle reizigers die daar langs waren gekomen, is hij de eerste die het heeft aangedurfd om stil te blijven staan en de reus een pretje te gunnen. Daarna gaat de reus met hem mee, als een soort lijfwacht.'
'Lijkt me handig,' zei Simon. 'En toen?'
'Er is natuurlijk ergens een kasteel, met een jonkvrouw erin,' zei ik, terwijl ik een handvol afgevallen bladeren en bessen opraapte en afwezig begon ze door elkaar heen te vlechten. 'Hij ziet haar van een afstand; misschien rijdt ze in haar prachtige gewaden voorbij terwijl hij en zijn vriend de reus langs de weg sjokken, en zodra hij haar ziet, is hij verliefd op haar en wil hij haar als vrouw. Maar er is een probleem. Om haar te veroveren, moet hij een taak verrichten.'
'Of drie, misschien.'
Ik knikte. 'Dat is gebruikelijker. En hier komen de goede daden die hij in het verleden heeft verricht, hem van pas. Misschien moet hij voor zonsopgang een reusachtige stal uitmesten, en de oude vrouw verschijnt met een toverbezem en doet het in een flits. Dan moet hij misschien een of ander voorwerp, een gouden bal, uit een diepe, nauwe plek halen, onder in een lange ondergrondse tunnel. Dat zou het konijn kunnen doen. De laatste opdracht zou kracht vergen, en daar kan de reus bij helpen. Dan heeft onze held de jonkvrouw veroverd, en ze leefden nog lang en gelukkig.'
'En zijn broer?'
'Die? Ach, zie je, tegen de tijd dat de jongste broer al zijn avonturen heeft beleefd, en het hart van de jonkvrouw heeft veroverd, dan is hij zijn grote broer helemaal vergeten, en hij is ook vergeten hoe jaloers hij was. Hij heeft zijn eigen leven.'
'Dit eind bevalt me niet,' zei Simon. 'Probeer een ander eind te bedenken.'
Ik dacht een poos na. 'Dit bijvoorbeeld: hij was naar de oorlog gegaan, en hij kwam terug en ontdekte dat zijn broer gestorven was, en alle landerijen waren van hem?'
Simon lachte, en de schelle klank van zijn lach beviel me niet. 'Hoe zou hij zich dan voelen, denk je?'

'Volgens mij zou hij helemaal in de war raken. Zijn hartewens gaat in vervulling, namelijk de plaats van zijn broer in te nemen. Maar hij blijft altijd denken aan al die jaren die hij heeft verdaan met zijn broer te benijden, in plaats van hem te leren kennen.'
'Daar was zijn broer niet in geïnteresseerd,' zei Simon op vlakke toon, en ik dacht dat ik te dicht bij de kern was gekomen. Ik concentreerde me op de bladerkrans die ik bezig was te vlechten. Rossige, diepbruine en goudgele bladeren. Sommige waren al broos; geleidelijk ontsnapte het laatste beetje zomer uit hun skeletachtige lichaam. Bloedrode bessen. Hij keek naar me.
'Sorcha,' zei hij na een tijd, en het was de eerste keer dat hij mijn naam gebruikte in plaats van 'heks' of 'meisje' of iets ergers. 'Hoe kun je in deze verhalen geloven? Reuzen en feeën en monsters. Dat zijn toch kinderfantasieën.'
'Sommige zijn misschien waar, andere misschien niet,' zei ik, terwijl ik een lang, spits blad onder zichzelf doorstak, doorhaalde en eromheen legde. 'Is dat van belang?'
Hij stond op, en ik hoorde zijn ademhaling veranderen terwijl hij zijn pijn verbeet en wegslikte; geen geluid maken betekende beheersing.
'Niets in het leven gaat zoals jouw verhalen,' zei hij. 'Jij woont hier in je eigen kleine wereldje; je hebt gewoon geen idee van wat erbuiten bestaat. Ik zou willen...' Hij zweeg.
'Wat zou je willen?' vroeg ik toen hij niet verder ging.
'Ik zou bijna willen dat je het nooit zult ontdekken,' zei hij met zijn rug naar me toegewend.
'Denk je niet dat ik daar al mee begonnen ben?' Ik stond op met de kleine krans in mijn hand. 'Ik heb gezien wat ze met jou hebben gedaan. Ik heb je om hulp horen roepen. En zelf heb je me zulke verhalen over wreedheden verteld dat ik wel moet geloven dat ze waar zijn. Je bent er niet bepaald op uit geweest me te sparen.'
'Jij sluit die wereld buiten, met je verhalen.'
'Niet helemaal,' zei ik terwijl we aan de trage wandeling terug begonnen. 'Niet voor jou, of voor mezelf. De verhalen maken het alleen iets gemakkelijker. Toch zul je er op den duur over moeten praten, als je wilt genezen en naar huis terugkeren.'
Pater Brien had hem een stevige stok van essenhout gegeven, die

hij gebruikte als hulp bij het lopen; hij liep nog erg moeilijk, maar kwam nu toch vooruit zonder steun van mij. Het pad was hier bedekt met een dikke laag gevallen bladeren, en door het verwarde netwerk van kale takken viel een koud licht dat er toetsen van goud en zilver op aanbracht. Linn was uitgelaten vrolijk, en begon telkens ergens te graven of te snuffelen. Een vogel riep; een andere vogel antwoordde.

'Zal ik ooit weer kunnen slapen?' vroeg hij plotseling. De vraag overviel me en ik antwoordde terughoudend. Ik had mensen gezien die door het Feeënvolk waren aangetast; hun waanzin ging nooit helemaal weg, overdag of 's nachts; de kolkende herinneringen in hun hoofd gaven hun nooit rust.

'Het zou best heel lang kunnen duren,' zei ik voorzichtig. 'Je bent al een stuk vooruitgegaan, maar ik kan niet tegen je liegen. Zo'n beschadiging geneest niet gemakkelijk. Je zou zelf je beste helper kunnen zijn, als je de goede weg kiest.'

Simons lichaam genas wel. Hij was jong, sterk en taai geweest, en hij was aan de winnende hand in de strijd tegen de verwondingen en schendingen van die nacht en de kwade sappen die erop waren gevolgd. Na enige tijd begon hij zonder stok te lopen, en hij wisselde voor het eerst een paar woorden met pater Brien, bijna zonder het te merken. Ik begroette elke kleine overwinning met vreugde. Een vriendelijk woord, een poging om iets nieuws voor zichzelf te doen, een spontane glimlach, dat waren stuk voor stuk kostbare geschenken. Toen het genezingsproces eenmaal op gang was gekomen, ging het steeds sneller, zodat ik begon te geloven dat we hem uiteindelijk naar zijn eigen volk terug zouden kunnen sturen.

Het was evenwel duidelijk dat hij nog niet van ons weg kon gaan. Het weer begon zo laat in de herfst slecht te worden en de nachten waren langer en kouder. En Simon kon de demonen die hem in het donker belaagden nog niet van zich afschudden. Telkens weer kwamen zijn beulen hem bezoeken en martelen, en hij vocht tegen ze, of vluchtte voor ze, of gaf zich aan hun genade over. Op een nacht leverde dat mij een blauw oog op, toen hij half slapend uit bed kwam en probeerde naar buiten te ontsnappen, de nacht in. Met vereende krachten konden pater Brien en ik hem tegenhouden, maar een armzwaai trof me met volle kracht in het gezicht. Hij kon de volgende morgen niet geloven dat hij dat had gedaan. Een andere keer, in een onbewaakt ogenblik, werd hij, plotseling en in doodsangst, maar zonder te schreeuwen eerder wakker dan ik, en hij had het mes in zijn hand en wilde zichzelf ermee steken voor ik het in de gaten had. Hoe ik zo snel in actie kwam, weet ik niet, maar ik greep zijn pols en hield vast, en gilde naar pater Brien, en samen probeerden we hem te kalmeren, terwijl hij huilde en tierde en ons smeekte hem te doden, om er een eind aan te maken. En langzaam, langzaam praatte ik op hem in en zong voor hem tot hij rustig werd en bijna in slaap viel, maar niet helemaal. Hij praatte niet meer, maar zijn ogen spraken tot me en het was duidelijk wat ze zeiden. Hij begreep maar al te goed hoe de toekomst er voor hem uit zou zien, en hij vroeg aan mij waarom ik geen eind wilde maken aan zijn ellende. Welk recht had ik om dit te weigeren?

Ik had hem vele verhalen verteld. Maar ik kon hem niet vertellen waarom ik geloofde dat hij moest blijven leven, beter worden en verder gaan. Hij deed de verhalen over Culhan en de oude helden, de sagen over het volk uit het westen smalend af; hij vond de verhalen over het kleine volk en het boomvolk raar, hoewel ik hun werk met eigen ogen had gezien; hoe kon ik dan verwachten dat hij zou geloven dat zijn lot en het mijne op de een of andere manier met elkaar verbonden waren door wat de Vrouwe van het Woud tegen me had gezegd. Hij zou nooit geloven dat ik haar zelf had gezien, op de open plek in het bos, in haar nachtblauwe mantel en de stralende edelstenen in haar haar. Simon behoorde nu eenmaal tot een ander volk, een volk van praktische, aardse mensen die alleen geloof hechtten aan wat hun ogen konden zien. Maar als ik ooit iemand was tegengekomen die het nodig had de magie en het mysterie van het oude geloof door zijn geest te laten vloeien, was hij het wel. Ik maakte er gebruik van om hem te genezen, of hij het nu wist of niet, maar zolang hij niet in zichzelf geloofde, bleven mijn vermogens beperkt. Pas wanneer hij ervan overtuigd kon worden dat hij een reden had om te leven konden we hem veilig laten gaan, ook al was zijn lichaam nu voldoende genezen, want hij zou het nog niet één nacht zonder ons redden. Ik probeerde hierover met hem te praten, maar hij klapte dicht zodra ik dicht bij zijn ouderlijk huis, of zijn familie, of wat het was dat hem bewogen had kwam. Aanvankelijk hield hij zich, geloof ik, strikt aan zijn militaire training, die het hem mogelijk had gemaakt tijdens de foltering te blijven zwijgen en die voortkwam uit de vete tussen onze volken. Ik was de vijand; ik mocht niets over hem weten dat mij voordeel zou kunnen bezorgen, of zijn mensen in gevaar zou brengen. Maar de kwellende nachten die we samen verdroegen, of we wilden of niet, veranderden ons allebei. Tegen het einde erkende hij me op de een of andere manier als iemand die zijn wereld deelde, maar tegelijkertijd wist hij dat ik in deze lange strijd aan geen van beide kanten stond. Met mijn kruiden en verhalen was ik voor Simon een soort vreemd, buitenaards wezen, maar ondanks zichzelf begon hij me langzamerhand een beetje te vertrouwen.

Pater Brien maakte zo goed mogelijk plannen. De tijd verstreek en de nachtelijke angstaanvallen hielden nog steeds aan. Het was nat weer geworden, en ik kon niet doorgaan met Simons wandelingen; hij was nu rusteloos, omdat hij ook overdag opgesloten was in de grot, en hij reageerde zijn frustraties op mij af door van alles een twistpunt te maken. Waarom moest hij eten en drinken wanneer ik het zei; wat had het voor zin? En ook vaak: waarom ging ik niet thuis met mijn poppen spelen, in plaats van op hem te experimenteren? Waarom nam ik de moeite zijn kleren voor buiten te verstellen, als hij toch nooit iets anders zou doen dan liggen en zich laten kwellen door een geschift meisje en een vrome oude idioot? We werden er op den duur allebei gek van, maar pater Brien kon zich tenminste nog terugtrekken in het huisje om te schrijven of te mediteren. Ik had Simon iets beloofd en ik zat met hem opgescheept.

Ik probeerde te naaien en hield mijn ogen op mijn werk gericht terwijl Simon rondom me liep te ijsberen.

'Wat doe je eigenlijk?' vroeg hij, terwijl hij de overtuniek die ik onder handen had kwam bekijken. 'Wat is dat?'

Ik liet het hem zien. 'Je zult er nauwelijks iets van merken,' zei ik. 'Maar het zal helpen je te beschermen. De lijsterbes is een van de heiligste bomen; in de kleren van al mijn broers is ook zo'n kruisje genaaid voor als ze ten strijde trekken.' Het rode garen waarmee ik het kleine kruis van lijsterbeshout had vastgebonden leek een druppel bloed tegen de roomwitte wol van de voering. Ik beet de draad af en vouwde de tuniek dicht, en nu leek het een kledingstuk als elk ander.

'Ik trek niet ten strijde,' zei Simon. 'Ik ben er niet meer geschikt voor. En dat was ik toen misschien ook al niet,' zei hij er zacht achteraan, terwijl hij zich afwendde.

Ik legde naalden en draad zorgvuldig terug in de doos. 'Wat bedoel je?' vroeg ik.

'Ik... niets,' zei hij, terwijl hij op de rand van het bed ging zitten en naar de vloer staarde. Ik bleef stil zitten en wachtte af. Na een poos keek hij op, en zijn gezicht was bleek.

'Het probleem is,' zei hij met moeite, 'het probleem is dat ik het niet weet. Dat ik niet weet of ik... of ik sterk genoeg was.'

'Sterk genoeg waarvoor?' Maar dat kon ik wel raden.

'Het probleem is... dat ik het me niet kan herinneren. Niet alles.' Hij huiverde nu de herinneringen als een vloedgolf terugkwamen, niet op de onbewuste manier waarop ze 's nachts kwamen, maar overdag terwijl hij klaarwakker was. 'Niet alles. Ik weet vrij zeker dat ik het volhield. Ik heb het lange tijd volgehouden, dat weet ik, want ze waren boos, ze waren erg boos...'

'Het is goed, Simon,' zei ik, terwijl ik snel naar hem toeliep om naast hem te knielen en zijn beide handen te pakken. 'Je kunt het me vertellen. Hij kneep zo hard in mijn handen dat het pijn deed, alsof zijn leven ervan afhing.

'Maar op het laatst, toen ze... toen ze...' Hij sloot zijn ogen en zijn gezicht vertrok van de pijn die hij zich herinnerde. 'Toen heb ik... ik weet niet of ik... misschien heb ik...' Hij scheen zijn gedachte niet te kunnen afmaken, alsof het onverdraaglijk was de woorden te vinden.

'Je denkt dat je hun misschien iets hebt verteld dat je niet had mogen vertellen, een geheim?'

Hij knikte met een diep ongelukkig gezicht. 'Ik heb je verteld dat het mislukte. Hij verraadde het vertrouwen, hij liet zijn eigen mannen in handen van de vijand vallen. Hoe zou hij daarna nog terug kunnen gaan?' Hij wrong zijn handen los. 'Wie zou nog iets met hem te maken willen hebben, na zo'n daad? Hij was beter af geweest als hij was doodgegaan.'

'Dat weet je niet zeker,' zei ik voorzichtig. 'Ik denk dat je... hij...'

'Zijn broer,' zei Simon. 'Herinner je je het verhaal nog? Zijn broer wacht tot de troep terugkomt, maar ze komen niet terug. Hij wacht nog een tijdje, en dan stuurt hij een verkenner uit om hen te zoeken. Het is ver weg, over het water. Hij vind de plek waar hun kamp was. Maar ze zijn allemaal dood; ledematen zijn afgehakt, blinde ogen, open, zodat de kraaien ze uitpikken. Verraden door een van hen. Hierna vervloekt zijn broer hem; dat hij nooit terug moge keren naar degenen die hij op zo'n totale manier heeft teleurgesteld. Maar voor de jongste broer is dit niets nieuws. Hij was nooit gewenst; hij had kunnen weten dat het patroon van zijn leven toch nooit zou veranderen. Zijn broer is de held in elk verhaal; maar hij is gedoemd te mislukken.'
'Onzin!' antwoordde ik, en ik was zo boos op hem dat ik hem bij de schouders pakte en hem even flink door elkaar schudde. 'Je laat je verhaal zelf op die manier aflopen, niemand anders doet dat. Je kunt ermee doen wat je wilt. Er staan evenveel wegen voor je held open als er takken zijn aan een grote boom. Ze zijn prachtig, en vreselijk, en recht en krom. Ze raken elkaar, en gaan uiteen, en verstrengelen zich, en je kunt ze volgen precies zoals je wilt. Kijk me aan, Simon.'
Hij keek en knipperde een, twee keer met zijn ogen; in het kaarslicht hadden zijn ogen de zachtblauwe kleur van een ochtendhemel. En ze waren koud van zelfverachting.
'Ik geloof in je,' zei ik kalm. 'Je bent een moedig man, en een oprecht man; en ik weet in mijn hart dat je die nacht je geheimen voor je hebt gehouden. Ik vertrouw je meer dan je jezelf vertrouwt. Je had me vele keren iets kunnen aandoen, en pater Brien ook, maar dat heb je niet gedaan. Er is een toekomst voor jou. Gooi me het geschenk van je genezing niet weer in het gezicht, Simon. We zijn tot hier gekomen; laten we verder gaan.'
Hij bleef daar lang zwijgend zitten; zo lang dat ik tijd had om op te ruimen, en water te halen, en de doeken en zalven klaar te leggen voor de verzorging van zijn wonden. Uiteindelijk zei hij iets. 'Je maakt het moeilijk om nee te zeggen.'
'Je hebt iets beloofd,' zei ik. 'Weet je het nog? Je kunt geen nee zeggen.'
'Hoe lang moet ik blijven doen wat jij zegt?' vroeg hij, half voor de grap. 'Jaren?'

'Nou,' zei ik, 'ik heb mijn grote broers in het gareel gehouden sinds ik een klein meisje was. Misschien moet je er gewoon maar aan wennen. In elk geval tot je weer beter bent.' En we begonnen weer aan het wrede karwei van het schoonmaken, het inzalven en het verbinden.

Terwijl het buiten donker werd, vertelde ik het verhaal van een strijdster-koningin op wie mannen afkwamen als vliegen op de stroop; maar ze hield er nooit een lang; en Simon, die het al verscheidene keren had gehoord, gaf wrang commentaar op de meer onsmakelijke gedeelten van de handeling. En na enige tijd was het werk gedaan, het bevuilde linnen opgeruimd, en pater Brien kwam met soep en vlierbloesemwijn. Er was een soort vrede om ons drieën toen we rustig met ons eenvoudige maal bij het vuur zaten; en later viel Simon als een kind in slaap met zijn wang rustend op zijn hand.

'Ik zal jullie morgen de hele dag alleen moeten laten,' zei pater Brien. 'Ik moet naar het dorp in het westen, want daar zal een van mijn broeders zijn om papieren van me in ontvangst te nemen; we hebben ook levensmiddelen nodig. Ik vraag niet of je het zonder mij afkunt, want dat heb je de hele tijd al gedaan. Maar ik zal zorgen dat ik tegen de avond terug ben. Ik wil niet dat jullie na het donker alleen blijven.'

'Het gaat goed met hem,' zei ik. 'Nog een maan of twee, dan is hij misschien zover dat hij kan gaan; maar waarheen?'

'Daar ga ik morgen over praten,' zei pater Brien. 'De broeders in het westen zullen hem wel willen opnemen, denk ik. Hij kan daar een tijdje blijven, en wanneer hij zover is, zullen ze hem veilig naar zijn huis brengen, waar dat ook is.'

'Hoe?'

'Dat is te regelen. Maar je hebt gelijk; hij mag niet gaan zolang hij een gevaar voor zichzelf is. En hij kan niet paardrijden; tegen die tijd, die jij noemt, zal hij misschien het schokken van de wagen kunnen verdragen. Morgenavond weet ik meer.'

Hij deed zoals hij gezegd had en vertrok de volgende dag bij zonsopgang, profiterend van een onderbreking in de aanhoudende regen. Simon en ik hadden beter geslapen, want hij was maar twee keer wakker geworden, en hij had wat meer kleur op zijn wangen. We keken de wagen vanuit de deuropening na, terwijl hij onder de bomen wegreed.

Het was een vredige morgen. Af en toe motregende het, en tussendoor kwam de laagstaande zon even te voorschijn, alsof de dag niet goed wist of hij slecht of goed weer wilde brengen. Ik bond mijn haar bijeen en ging aan het werk; er moest zalf worden gemaakt van gedroogde lavendel. Ik mat olie en bijenwas af; Simon keek toe. Later aten we samen wat groene appels en een tamelijk hard haverbrood. Onze voorraad levensmiddelen moest inderdaad nodig worden aangevuld. Ik vroeg me af of er nog genoeg meel was om een paar broodjes te bakken.

Linn hoorde het eerder dan wij. Ze spitste haar oren en gromde diep in haar keel. Ik keek verbaasd naar haar; buiten was niets te horen. Maar even later flitste de stilzwijgende boodschap dringend en helder in mijn hoofd.

Verberg hem, Sorcha. Nu, snel.

Geen tijd om me iets af te vragen. Ik pakte Simon bij zijn arm.

'Er komt iemand aan,' zei ik, 'ga vlug naar het huisje. Ga naar binnen en schuif de grendel op de deur.'

'Maar...'

'Geen gemaar. Doe wat ik zeg. En vertoon je niet! Vooruit, Simon!'

Hij staarde me een ogenblik aan; ik was vermoedelijk bleek geworden, want Finbars boodschap had zeer dringend geklonken. Linn blafte een keer, en nog een keer; toen rende ze de deur uit en het pad af, met haar staart als een banier wapperend achter haar.

'Schiet op!' Ik sleepte de onwillige Simon zo'n beetje over de open plek naar het huisje en duwde hem naar binnen. En nu konden we het beiden horen – het geroffel van hoefslagen, van meer dan één ruiter die snel over het karrenspoor naderde. 'Zorg dat niemand je ziet! Je zult hier veilig zijn tot ze weg zijn.'

'Maar hoe...'

'Sluit de deur af! Vlug!' In de hoop dat hij zo verstandig zou zijn om me te gehoorzamen, liet ik hem daar achter en rende terug naar de grot, terwijl mijn voeten dwars over de twee voetsporen in de modder sopten.

Ik schoot met kloppend hart naar binnen, en nog maar net op tijd, want er waren stemmen, en het hoefgetrappel vermengde zich met geblaf, en drie mannen reden de open plek op: eerst Finbar, zijn gezicht strak van bezorgdheid, en twee soldaten in wapenrusting, met zwaarden opzij: mijn broer Liam, lang en somber, en Cormack, die er opeens indrukwekkend volwassen uitzag.

De hond was buiten zichzelf, en toen Cormack zich van zijn paard liet glijden bereikte haar geblaf een extatische hoogte. Ze sprong omhoog en zette haar voorpoten tegen zijn borst, en likte zijn gezicht met verrukte geluidjes. Cormack grijnsde en krabbelde haar achter de oren. Maar de gezichten van de anderen vertoonden geen tekenen van opgewektheid.

Finbars ogen keken vragend toen hij naar de ingang van de grot toekwam, waar ik stond. *Waar is hij?* Er was alleen geen tijd om te antwoorden.

'Kom binnen,' zei ik gastvrij. 'Pater Brien is naar het dorp; het huisje is afgesloten. Het is een hele verrassing jullie allemaal te zien – is vader dan al zo gauw teruggekomen?' Ik was heel tevreden over deze toespraak; het was alleen jammer dat mijn handen trilden van de zenuwen, dus ik stopte ze gauw in de zakken van mijn schort.

'We hebben nieuws, Sorcha,' zei Liam. Hij bukte om binnen te komen en deed tegelijkertijd zijn natte mantel af. Over het veldharnas droeg hij nog zijn strijdtuniek, met het embleem van Zeven Wateren op de borst. Twee ineengedraaide ringen: de buitenwereld, en de binnenwereld. Deze wereld en de Andere Wereld. Want in het leven van het meer en het bos waren deze twee onverbrekelijk met elkaar verweven. 'Je moet onmiddellijk met ons mee naar huis komen,' vervolgde hij. 'Er zijn veranderingen op til, en vader wil dat jij aanwezig bent. Het mishaagde hem te vernemen dat je hier zo lang hebt verbleven, ook al is dat misschien nodig om je in de kruidenkunde te bekwamen.'

'Vader?' vroeg ik sceptisch. 'Het verbaast me dat het hem ook maar enigszins interesseert waar ik ben. Heeft hij niets beters om zich mee bezig te houden?'

Cormack praatte tegen de hond; hij probeerde haar te kalmeren en bracht haar mee naar binnen. Haar hele lijf kronkelde en ze jankte zacht van opwinding, alsof ze zich nauwelijks in kon houden.

'Hij had er geen bezwaar tegen dat je een tijdlang in de leer ging

bij pater Brien,' zei Finbar veelbetekenend, 'of dat je hem iets van jouw kunsten liet zien. Misschien met het oog op je vooruitzichten op een huwelijk; het is nuttige kennis voor een vrouw. Maar nu...' hij onderbrak zijn zin en ik bespeurde een klank van grote ongerustheid in zijn stem.
'Nu wat?' Er was iets dat ze me nog geen van allen hadden gezegd.
Liam nam een kaars van bijenwas van de tafel en rolde ermee tussen zijn vingers. Cormack ging op de rand van het bed zitten, en de hond sprong naast hem op het bed, snuffelend aan het beddengoed. Ik hield haar in het oog; ze keek vol verwachting naar de deuropening. Was er iets dat ons kon verraden... een paar laarzen, een bebloed verband? We hadden erg weinig tijd gehad. Ik keek op naar Finbar; er was iets anders dat hem meer dwarszat dan het gevaar dat Simon gevonden zou worden.
'Vader is teruggekomen,' zei Liam op plechtige toon, 'en wel met een aanstaande bruid. Ze komt uit noordelijke streken, en hij zal haar over een paar dagen huwen. Het was plotseling en onverwacht. Hij wil dat al zijn kinderen er zijn voor het bruiloftsfeest.'
'Een bruid?' Na wat pater Brien ons had verteld, leek dit zo goed als onmogelijk.
'Het is waar,' zei Cormack. 'Wie zou gedacht hebben dat hij het in zich had? En sterker nog, ze is jong, mooi en bekoorlijk. Een nieuwe levenstermijn voor de oude man. Je zou Diarmid eens moeten zien. Die loopt de hele dag als een hondje achter haar aan.'
Liam keek hem met gefronst voorhoofd aan. 'Zo eenvoudig is het niet,' zei hij. 'We weten nagenoeg niets over deze vrouw, vrouwe Oonagh heet ze, behalve dat hij haar heeft ontmoet toen we bij heer Eamonn van de Moerassen waren ingekwartierd, en dat zij bij hem in huis te gast was. Ze heeft weinig over haar eigen familie gezegd, geloof ik; of anders heeft hij er de voorkeur aan gegeven het niet aan ons mee te delen.'
'Ik kan niet geloven dat hij weer wil trouwen,' zei ik; de opluchting dat ze niet waren gekomen om Simon te halen vermengde zich met geschokt ongeloof, 'hij is zo... zo...'
'Ongevoelig?' zei Finbar. 'Niet voor haar. Zij is... anders; ze is glinsterend en gevaarlijk als de een of andere uitheemse slang. Wanneer je haar ziet, zul je weten waarom hij dit heeft gedaan.'

'Conor mag haar niet,' zei Cormack.
Liam stond op. 'We moeten teruggaan, Sorcha,' zei hij. 'Het is jammer dat pater Brien niet thuis was, want ik had gehoopt persoonlijk met hem over deze dingen te spreken. Maar vader zal zeker nog iemand hierheen sturen om hem te halen, om de ceremonie te voltrekken. Intussen is het huis in rep en roer, en jij bent er nodig. Pak je spullen bij elkaar; je kunt achter me op het paard zitten.'
Nu weggaan, zonder meer? Simon alleen achterlaten, zonder ook maar afscheid te nemen, zonder tegen hem te zeggen wat er aan de hand was? Ik stuurde een wanhopig bericht naar Finbar. *Ik kan nu niet weg, niet zo, hij is nog niet zover, laat me tenminste...*
'Ga jij maar vast vooruit, Liam,' zei Finbar. 'Ik help Sorcha inpakken, en ze kan met mij meekomen.'
'Weet je het zeker?' Liam wilde graag weg, hij deed zijn mantel al om. 'Als jullie maar wel opschieten. Er is veel te doen. Kom, Cormack, die malle hond van jou zal vast blij zijn dat hij weer naar huis mag.'
Maar dat was ze niet. De twee jongens zwaaiden zich in het zadel, en eerst rende ze rondjes om Cormacks paard, een en al enthousiasme. Maar toen ze het karrenspoor afreden, viel het haar opeens op dat dit definitief was en ze bleef staan, en begon toen naar ons terug te lopen. Ze keek om zich heen, ze snoof, aarzelde. Het begon hard te regenen.
'Linn! Kom!' riep Cormack, terwijl hij zijn paard inhield op de plek waar het pad het bos inging. 'Kom!'
Ze draaide zich om en liep langzaam naar hem toe; bleef staan en keek weer om.
'Toe maar, Linn,' zei ik; ik moest mijn tranen bedwingen om haar, om mij, om Simon. 'Ga naar huis!'
Cormack floot haar, en ditmaal ging ze naar hem toe, maar de gretigheid was uit haar loop verdwenen. Ze verdwenen onder de bomen.
'Vlug nu,' zei Finbar. 'Waar zijn je spullen? Ik pak ze in, jij praat met hem en dan gaan we.' Ik vroeg hem niet wanneer ik terug zou kunnen komen; het had allemaal iets akelig definitiefs. Zwijgend wees ik op mijn bundeltje kleding, mijn mantel, mijn potjes en

potten; toen holde ik door de regen terug naar de deur van het huisje; maar de deur was vanbinnen gegrendeld. Hij had woord gehouden en had gedaan wat ik had gevraagd.
'Simon!' schreeuwde ik boven het kletteren van de regen uit. 'Ik ben het; laat me binnen!'
Mijn stem klonk blijkbaar zo dringend dat zijn wantrouwen werd overwonnen, want de grendels werden weggeschoven en de deur ging snel open. Hij had het mes in zijn hand, maar maakte geen aanstalten me aan te raken; in plaats daarvan trok hij zich terug naar de andere kant van de kamer, terwijl ik naar binnen vluchtte en de deur achter me dichtsloeg.
Dit kon niet op een vriendelijke manier.
'Ik moet weg, nu meteen. Het spijt me, ik wilde niet dat het zo zou gaan. Maar mijn broers wachten op me.'
Hij keek me uitdrukkingsloos aan.
'Het is te vroeg, ik weet het, maar ik heb geen keus. Pater Brien komt vanavond terug, hij zal net zo goed voor je zorgen als ik...'
Ik kletste maar wat; het was duidelijk dat ik het vreselijk vond. Simon legde het mes op de tafel. Zijn stem was nog maar een schim van geluid.
'Je hebt het beloofd,' zei hij.
Ik kon hem niet aankijken.
'Er is geen keus,' zei ik weer, en nu begonnen er tranen te komen, en ik veegde ze boos weg. Hiermee waren we geen van beiden geholpen. Maar ik kon de lange nachten zien die er voor hem in het verschiet lagen, en ik durfde niet op te kijken om de lege blik in zijn ogen te zien terugkomen.
Het bleef stil, en hij bewoog niet, en na een poos riep Finbar van buiten: 'Sorcha! Ben je klaar?'
Simons hand bewoog naar het mes, en bliksemsnel schoot de mijne naar voren en greep zijn pols vast.
'Ik kan mijn belofte niet houden,' zei ik beverig, 'maar ik hou jou aan de jouwe. Hou het vandaag vol; laat pater Brien je dan helpen. Laat het verhaal verder gaan zoals ik wil dat het verder gaat. Dat ben je me op zijn minst verschuldigd, als het niet meer is. Ik vertrouw je, Simon. Stel me niet teleur.'
Ik liet zijn pols los en hij pakte het mes en bracht het dicht bij mijn gezicht, zodat ik wel moest opkijken. De korenbloemblau-

we ogen keken recht in de mijne, en er was een verwilderde uitdrukking in waaraan ik zag dat zijn nachtmerrie er weer was. Zijn gezicht was krijtwit.

'Laat me niet alleen,' fluisterde hij als een kind dat bang is voor het donker.

'Het moet.' Het was het moeilijkste wat ik ooit had gezegd.

'Sorcha!' riep Finbar weer.

Het lemmet maakte een snelle beweging, en Simon had een lange, krullende sliert haar van mij in zijn vingers. Met de andere hand bood hij me het mes aan, met het heft naar mij toe.

'Hier,' zei hij. Toen draaide hij me zijn rug toe en wachtte. En ik opende de deur en ging naar buiten in de regen.

Vrouwe Oonagh. Ik voelde haar aanwezigheid lang voor ik haar zag. Ik voelde haar in Finbars zwijgen terwijl we onder een onweerslucht naar huis reden. Ze was kenbaar in de koude wind die zwepend de takken van de bomen rukte tot ze in overgave op de grond lagen, in de kolkende golven van het meer, in de kreet van de meeuw die in zijn vlucht werd geteisterd door naaldjes van natte sneeuw. Ik voelde haar in de zwaarte van mijn eigen hart, de hele weg lang. Ze was er en haar hand drukte op ons allen. Ik wist dat er gevaar dreigde. Maar deze voorkennis hielp me niet me voor te bereiden.

Finbar zette me op de binnenplaats af en ging zelf naar de stallen om het paard te verzorgen, want dat was een werkje dat de jongens altijd zelf deden. Het was goed om eindelijk weer thuis te zijn. Ik verlangde ernaar stilletjes naar mijn eigen kamers te sluipen, of naar de keuken; wat heet water, een vuur en droge kleren, dat was alles waar ik op dat moment behoefte aan had, en tijd alleen. Maar de deuren werden opengezwaaid en even later stond ik in de grote zaal, waar mijn mantel op de vloer drupte en mijn laarzen een spoor van modderige voetstappen achterlieten, en hoewel mijn vader er was, kon ik alleen haar zien, de bruid, vrouwe Oonagh.

Ze was mooi. Daarin had Cormack gelijk gehad. Haar haar was een gordijn van donker vuur, en haar huid zo wit als verse melk. Maar haar ogen verraadden haar. Wanneer ze naar mijn vader keek, zo vrolijk en lief, waren ze onschuldig en liefdevol. Maar

als je, zoals ik, diep in hun moerbeikleurige diepten keek, sidderde je om wat je daar zag. Hun boodschap aan mij was duidelijk. Ik ben hier nu. Er is geen plaats voor jou.
Haar stem tinkelde als klokjes. 'Je dochter, Colum? O, wat een schatje! En hoe heet jij, kindlief?'
'Sorcha, je ziet er niet uit!' zei vader kortaf, en hij had natuurlijk gelijk. 'Je maakt me te schande, door in een dergelijke slonzige toestand voor je moeder te verschijnen. Ga heen, maak jezelf toonbaar en kom dan hier terug. Je doet me geen eer aan.'
Ik keek naar hem. Moeder?
Vrouwe Oonagh verbrak de pijnlijke stilte met een schaterlach. 'Ach, onzin, Colum, je valt het kind te hard. Kijk nou, je hebt haar gekwetst! Kom, liefje, laten we deze natte mantel afdoen, dan moet je je bij het vuur warmen. Waar kom je in vredesnaam vandaan? Colum, ik kan niet geloven dat je haar zo in haar eentje weg laat gaan – ze zou nog doodziek kunnen worden van de kou. Zo is het beter, kleintje – ach, je bibbert helemaal. Later zullen we samen praten, jij en ik – ik heb mooie dingen meegebracht, en het lijkt me erg leuk iets heel moois uit te zoeken dat je aan kunt voor de bruiloft. Iets groens, denk ik. Ik ben bang dat er aan je garderobe bedroevend weinig aandacht is besteed.' Ze wierp een taxerende blik op mijn jurk van zelfgeweven stof en mijn oude overtuniek die sinds jaar en dag vol zat met vlekken: vlierbessentinctuur, rozemarijnolie. En bloed.
Ik deed mijn mond open om iets te zeggen, maar de woorden weigerden zich te vormen, en in plaats daarvan voelde ik me overmand worden door een zware vermoeidheid. Mijn mond rekte zich uit tot een geweldige geeuw en mijn knieën knikten onder me.
'Sorcha!' zei vader streng verwijtend. 'Dit is toch te erg! Kun je niet eens...' Maar ze schoof hem weer terzijde, vol zorgzaamheid. 'Arm meisje, wat heb je allemaal gedaan?' Haar arm om me heen was een ijzige keten. 'Kom, je moet nu rusten; later is er nog tijd genoeg om te praten. Je broer kan je naar je kamer brengen, want je lijkt wel een wandelende dode – Diarmid, lieverd?'
Pas toen besefte ik dat mijn op een na oudste broer de hele tijd daar was geweest, in de schaduwen achter de stoel van vrouwe Oonagh. Hij kwam naar voren, wilde graag behulpzaam zijn; de

kuiltjes kwamen in zijn wangen toen hij haar van opzij aankeek en daarna mijn arm pakte om me weg te leiden. Ze keek van onder haar wimpers naar hem op.

Diarmid liep het hele eind naar mijn slaapkamer over haar te ijlen. Hoe fantastisch ze was, hoe levendig en jeugdig, hoe wonderbaarlijk het was dat zo'n prachtvol schepsel erin had toegestemd met vader te trouwen die immers al een jaartje ouder was en niet erg viriel meer.

'Misschien had het iets te maken met rijkdom en macht.' Ik waagde het de woordenstroom van mijn broer te onderbreken.

'Tut, tut, Sorcha,' zei Diarmid vermanend terwijl we de brede, stenen treden opliepen. 'Bespeur ik hier een jaloerse klank? Je was ook niet blij met Liams verloving, herinner ik me. Misschien ben je liever de enige dame in huis, is dat het?'

Ik wendde me boos naar hem toe. 'Ken je me zo slecht? Eilis is tenminste... onschadelijk. Deze vrouw is gevaarlijk; ik weet niet waarom ze hier is, maar ze zal onze familie te gronde richten als we haar de kans geven. Jij bent door haar begoocheld, net als vader. Je ziet haar niet; je ziet een soort... ideaal, een droombeeld.'

Diarmid lachte me uit. 'Wat weet jij er nou van af? Je bent nog maar een kind. En bovendien heb je haar amper ontmoet. Ze is een fantastische vrouw, zusje. Misschien kun je nu zij hier is, leren om op te groeien tot een dame.'

Ik staarde hem met grote ogen aan, diep gekwetst door zijn woorden. Het patroon van ons leven begon al om me heen uit elkaar te vallen. We hadden elkaar eindeloos geplaagd, hadden grappen gemaakt en ruzie gehad zoals broers en zusjes dat doen. Maar we waren nooit gemeen tegen elkaar geweest. Het feit dat hij het niet zag, maakte het alleen maar erger. En ik kon niet met hem praten, want hij hoorde me al niet meer. We waren bij mijn kamer, en Diarmid was meteen weg, want hij wilde meteen weer naar zijn pas ontdekte godin om haar op haar wenken te bedienen.

Ik zond de dienares die aarzelend wachtte weg en trok zelf mijn kleren uit. Er was een haardvuur aangestoken, en ik ging er met een deken om me heen voor zitten en staarde in de vlammen. Ik was weliswaar uitgeput, maar slapen lukte niet meteen, want mijn geest was vol van gedachten en beelden. Misschien was het onzin, misschien was ze gewoon een goed bedoelende edelvrouw die voor de zogeheten charmes van onze vader gevallen was. Maar ik had het gevoel dat er iets niet klopte. Ik dacht aan wat Cormack had gezegd. *Conor mag haar niet.* Ik had de boodschap in de ogen van vrouwe Oonagh gezien, ook al had ze nog zulke honingzoete woorden tegen me gesproken. Er was iets diep verontrustends aan de onderdanige bewondering van Diarmid, en aan het gemak waarmee mijn vader zich door zijn vrouwe opzij liet zetten. En aan de manier waarop de bedienden zenuwachtig af en aan renden, alsof ze bang waren iets fout te doen.

En hoe zou het met Simon zijn? Het was nog middag; hij zat waarschijnlijk nog in zijn eentje te wachten op de terugkomst van pater Brien. Geen verhalenvertelster om zijn stille dag te vullen, om zijn visioenen weg te drukken. Geen vriendin om mee te schertsen, en zelfs de trouwe hond, zijn metgezel in het donker die nooit vragen stelde, was er niet meer. Ik stelde me voor hoe hij de zon door het zenit zag bewegen en wegzinken achter de bomen, hoe hij wachtte op het geluid van wagenwielen op het karrenspoor. Na het donker zou hij tenminste niet meer alleen zijn.

Uiteindelijk ging ik liggen en viel in slaap. Het vuur brandde uit tot sintels, maar mijn kaars bleef flakkeren, zodat er toen ik enige tijd later plotseling wakker werd, levende schaduwen door de kamer dansten. Even was ik terug in de grot, en ik sprong met grote ogen op, om de nachtmerrie aan te pakken. Maar ik hoorde nu geen gegil; de stenen muren zwegen zwaar, en de eenhoorn en uil op de voorhang bewogen even in de tocht. Ik ging weer liggen, maar mijn gedachten waren bij Simon, die misschien op ditzelfde moment worstelde met zijn demonen, en ik vertelde stilzwijgend in mijn hoofd een oud verhaal, tot ik weer in slaap viel.

Zo zou het nog vele nachten gaan: plotseling wakker worden, met bonzend hart, dan langzaam beseffen waar ik was, met het verpletterende gevoel dat ik hem in de steek had gelaten. Ik kon telkens maar even slapen en werd dan weer wakker, en mijn vermoeidheid maakte mijn verwarring en ongerustheid overdag alleen maar erger. Want Liam had gelijk gehad. Er waren veranderingen op til, of we wilden of niet.

Het ergste vond ik de verandering in Diarmid, die volkomen in de ban van vrouwe Oonagh was. Hij wilde geen kwaad woord over haar horen, en danste de hele dag naar haar pijpen, tenminste zolang ze het toeliet. Hij leek, zei ik tegen Finbar, wel op iemand die door het kleine volk in de war is gebracht. 'Nee,' zei Finbar, 'dat niet, maar het lijkt er veel op. Dit is meer de begoocheling die een man bevangt wanneer hij de koningin onder de heuvel gezien heeft, en naar haar verlangt, hoewel hij haar nooit kan bereiken zonder dat zij het wil. Op deze manier kan ze een man lange tijd aan het lijntje houden, tot zijn gezicht zijn jeugd verliest en zijn stap zijn snelheid.'

'Ik heb wel zulke verhalen gehoord,' zei ik. 'Ze zou hem als een appelschilletje uitspuwen zodra hij haar niet meer smaakte.'

Cormack en Padriac vermeden problemen door haar uit de weg te blijven. Wanneer gevraagd werd waar ze waren, was de een altijd een rit te paard aan het maken, of aan het oefenen in het boogschieten, en de ander was bezig in de schuur of ergens buiten in de velden. Finbar gaf geen verklaringen voor zijn afwezigheid. Hij was er gewoon niet. Vrouwe Oonagh had inderdaad de neiging om ons te laten roepen wanneer het haar uitkwam, en hoewel haar manier van doen altijd even hartelijk en lief was, werd ons wel duidelijk te verstaan gegeven dat ongehoorzaamheid ongaarne werd gezien. Vader bekrachtigde deze regel voor haar, zoals hij ook verder alles deed wat ze wilde. Met hem ging ze evenwel omzichtiger te werk dan met die arme, lachende Diarmid. Wat hij verder ook was, heer Colum was geen zwakkeling, en ze waren tenslotte nog niet getrouwd.

Er waren nog maar een paar dagen voor de bruiloft. Seamus Roodbaard en zijn dochter zouden komen; ik hoorde toevallig dat Liam de indeling van de logeervertrekken zodanig veranderde dat Eilis en haar kamenier zo ver mogelijk van de kamer van vrouwe Oonagh af kwamen te slapen. In plaats van verheugd te kijken dat hij zijn verloofde zo snel weer zou zien, was mijn oudste broer somber en zwijgzaam. Hij deed een paar keer een poging vader onder vier ogen te spreken te krijgen, maar Oonagh wimpelde dat met haar tinkelend lachje weg, en vader zei bars dat alles wat Liam te zeggen had, in het bijzijn van de vrouwe gezegd kon worden, want er waren geen geheimen tussen hen.

Ik wilde met Conor praten, maar hij had het te druk. Het regelen van de voorbereidingen was grotendeels zijn taak, en hij had tussen de werkzaamheden door weinig tijd over: toezicht houden op de keuken, het luchten van het linnengoed, en het keurig aan kant maken van stallen en erf. Ik kon hem de tweede avond even staande houden tussen het avondmaal en bedtijd, in een donker hoekje van de grote trap. Het was een plek waar je goed overzicht had en waar het geluid niet zo galmde, en toevallig was er niemand anders in de buurt. Ik keek met nieuwe ogen naar mijn broer en zag hem al voor me in het witte gewaad van een druïde, met zijn glanzende bruine haar gevlochten en met gekleurd koord omwonden, zoals de wijzen het dragen. Hij had een blik vol kalmte, een verziende blik die je nooit zag op het gezicht van zijn tweelingbroer, want Cormack was een man van actie die voor het moment leefde.

'Ik stuur iemand uit om pater Brien te halen, Sorcha,' zei hij ernstig. 'Denk je dat hij zal komen?'

Ik knikte. 'Als het alleen om die dag gaat, om de huwelijksplechtigheid, dan zal hij komen. Wie stuur je erheen?'

Hij keek me aan en las de onuitgesproken vraag in mijn ogen. 'Ik neem aan dat het Finbar zal moeten zijn, als ik hem kan vinden. Het is in elk geval niet mogelijk dat jij teruggaat, Sorcha. Ze houdt je angstvallig in de gaten. Je moet heel goed oppassen.'

'Jij voelt het dus ook?' Ik voelde een plotselinge kilte over me komen, terwijl ik opkeek naar het bleke gelaat van mijn broer.

Hij was kalm als altijd, maar zijn ongerustheid was voelbaar. Hij knikte.

'Ze let op diegenen van ons die de grootste bedreiging vormen, en dat ziet ze heel goed. Diarmid en Cormack vindt ze onbelangrijk, die arme onschuldigen, en ze ziet geen bedreiging in Padriac, omdat hij nog te jong is. Maar jij, en Finbar, en ik – wij zijn misschien sterk genoeg om haar te weerstaan als we ons aaneensluiten. Dat geeft haar een ongemakkelijk gevoel.'

'En Liam?'

Conor zuchtte. 'Ze heeft haar bekoorlijkheden ook op hem uitgeprobeerd, dat staat buiten kijf. Ze heeft algauw ontdekt dat hij uit ander hout gesneden is. Liam vecht op zijn eigen manier tegen haar. Als hij vader te spreken zou kunnen krijgen, zou hij een waarschuwend woord kunnen uiten, waarnaar geluisterd zou worden. Maar ook hij heeft zijn zwakke punt. Het bevalt me niet welke kant dit opgaat, Sorcha. Ik wilde maar dat je weg had kunnen blijven.'

'Ik ook,' zei ik, denkend aan het werk dat ik had moeten achterlaten. Maar pater Brien zou tenminste hierheen komen, en hij zou me kunnen vertellen hoe het ging.

'Sorcha.'

Ik keek weer op naar Conor. Hij had kennelijk in tweestrijd verkeerd – hij wist niet hoeveel hij me kon vertellen, uit vrees mij bang te maken.

'Wat?'

'Je moet heel goed oppassen,' zei hij langzaam. 'Het huwelijk zal plaatsvinden, daar twijfel ik niet aan. Of we vader voor die dag al of niet alleen te spreken krijgen, zal daar niet veel aan kunnen veranderen. Wat zouden we kunnen zeggen? Vrouwe Oonagh doet niets verkeerd; onze angsten berusten op fantasie, zou hij zeggen, op de wens verandering tegen te houden, op onwetendheid. Want als ze je eenmaal in haar greep heeft, zie je haar ware gedaante niet meer. Ze kleedt zich in een wolk van verlokkende charme; wie zwak en kwetsbaar is heeft geen kans.'

'En als ze getrouwd zijn?'

Conors lippen werden een dunne streep. 'Dan zullen we misschien iets van de waarheid zien. Geloof me, als ik je voor die tijd weg zou kunnen sturen, zou ik het doen. Maar vader is nog altijd het hoofd van het huishouden, en zo'n verzoek, zo kort voor zijn trouwdag, zou hem vreemd voorkomen. Ik zal zo goed mogelijk op je passen, en Liam ook, maar je moet voorzichtig zijn. En wat Finbar betreft...'

'Wie is zij, Conor? Wat is ze?' Nu ik sinds kort meer wist over Conor, dacht ik dat hij mijn vraag beter zou kunnen beantwoorden dan wie ook.

'Dat kan ik niet zeggen. Ik heb ook geen zekerheid over haar redenen om dit te doen. We hebben geen andere keus dan afwachten, hoe zwaar ons dat ook valt. Het is mogelijk dat hier een patroon achter zit, zo groot en complex dat alleen de tijd het duidelijk zal maken. Maar het is te laat om het huwelijk te verhinderen. Ga nu maar gauw naar bed, kleine uil – je ziet eruit alsof een beetje slaap je goed zou doen. Hoe was het met hem?'

Ik wist waar hij op doelde, ondanks de plotselinge wending in het gesprek.

'Hij begon al aardig te genezen, tot ik gedwongen werd weg te

gaan. Zou ook dat een onderdeel van haar strategie kunnen zijn?'
'Het lijkt onwaarschijnlijk dat ze van het geval af geweten heeft. Ik zou me daar niet ook nog zorgen over maken. Zo te horen heb je iets voor hem kunnen doen; misschien kan hij nu verder zelf genezen, met de hulp van pater Brien. En er zijn anderen die hem in veiligheid kunnen brengen. Misschien is het tijd om dat los te laten, en aan jezelf te gaan denken. Vooruit, naar bed jij.'
De volgende dag scheen er een waterig zonnetje, dat zwakjes door de niet aflatende wolken heen kwam, en ik ging aan het werk in mijn kruidentuin, vastbesloten om iets goed te maken nadat ik alles zo'n tijd had verwaarloosd. Ik bond mijn haar bijeen met een reep stof, trok een oud juten schort aan en wapende me met een mes en een spade. De uitgegroeide lavendel en de omgevallen alsem werden flink gesnoeid; onkruid werd gewied en de paden werden schoongeveegd. Terwijl ik stevig doorwerkte, begon de warreling van angsten en zorgen die mijn geest kwelde langzamerhand weg te trekken, en het werk waar ik mee bezig was, werd het enige wat belangrijk was.
Na verloop van tijd was het weer redelijk netjes, en ik ging de verzameling bollen halen, die ik in het afgelopen seizoen had gerooid om ze te laten drogen; nu kon ik ze weer planten. Narcissen in de grootste mand; dan krokussen, irissen en lelies in vijf verschillende soorten. Ook bollen die evengoed in het wild in het bos konden groeien als in mijn beschutte bedjes: varkensoren, feeënklokjes en de slanke, lichtgetinte bollen van gedachtentroost. Als je daarvan 's avonds een handvol blaadjes op je kampvuur gooit, slaap je zo goed dat je nooit wakker wordt.
Padriac had een kleine pootstok van berkenhout voor me gemaakt, om de plantgaten te maken. Ik ging de tuin rond, groef en zette elke bol met zorg op zijn plaats, waarna ik de vruchtbare aarde er weer over aanbracht, zodat ze voor de winter waren ingestopt. Al doende herinnerde ik me de woorden die Conor tot ons had gesproken op de dag dat Padriac had aangeboden dit werktuig voor me te maken. Snij geen levend hout af, had hij gezegd. Zoek een tak die door de wind of door de bliksem van de boom is afgerukt, of een berk die tijdens een zware storm is omgevallen. Snij als het enigszins kan daar je hout vanaf. Als je toch vers hout moet snijden, moet je de boom eerst waarschuwen. De gaven van het

bos mogen niet genomen worden zonder permissie te vragen. We kenden deze les allemaal. Er werden een paar woorden gezegd, maar of dat nu tegen de boom zelf was of tegen de geest die er binnenin huisde, maakte vermoedelijk niets uit. En soms werd er een klein geschenk achtergelaten – niets kostbaars, maar altijd iets dat betekenis had voor de gever – een geliefde steen, een speciale veer, een glanzende kraal van glas. Het bos was altijd gul met zijn gunsten voor ons zevenen, en dat vergaten we nooit.
Ik begreep nu ook waarom Conor degene was geweest die ons deze les had geleerd.
Ik was bijna klaar; ik ging op mijn knieën zitten om de laatste paar krokussen te planten tussen bemoste stenen die later beschutting zouden bieden tegen de ijzige wind van het voorjaar. Krokussen worden vroeg wakker. De deur van de distilleerkamer zwaaide krakend open.
'Vrouwe?' Het was een piepjonge kamenier, zenuwachtig en niet op haar gemak. 'Vrouwe Oonagh wil dat u komt, alstublieft. Nu meteen, zei ze.' Ze wiebelde even bij wijze van buiging, en verdween schielijk.
Ik was even bijna gelukkig geweest. Nu zat ik op mijn knieën met mijn handen in de aarde en mijn haar los en voelde mijn hart weer koud worden, zelfs hier midden in mijn eigen rustige plek. Ik kon haar niet buitensluiten, zelfs hier niet.
Ik liep terug tussen de lavendelbedden door. Ze hadden dit jaar goed gebloeid, en uit de laatste bloemaartjes kwam nog een herinnering aan de zomer vrij toen ik erlangs streek. Binnen boende ik mijn handen schoon, maar ik had nog zwarte randen onder mijn nagels. Ik fatsoeneerde mijn haar zo goed mogelijk en hing het schort aan een pin. Nou ja, zo moest het maar. Er waren grenzen aan de hoeveelheid moeite die ik voor vrouwe Oonagh wilde doen.
Ze had de beste kamer gekregen, een kamer met smalle ramen die uitzicht gaven op het meer en waar de middagzon door naar binnen viel. Ze stond me op te wachten, zedig naast het bed, met om haar heen rondgestrooide rollen stof en kant en linten. Haar kastanjebruine haar overtrof al deze versiersels in pracht; het licht schitterde op de donkere krullende lokjes. Ze was alleen.
'Sorcha, liefje! Waar bleef je zo lang?' Het was een vriendelijk standje. Ik naderde voorzichtig over de stenen vloer.

'Ik was in mijn tuin aan het werk, vrouwe,' zei ik. 'Ik verwachtte niet dat ik geroepen zou worden.'
'Hmm,' zei ze, en haar ogen namen me op van verwarde haardos tot bemodderde voeten. 'En je bent toch al bijna dertien. Dat komt ervan als je in een huis vol jongens opgroeit, denk ik. Maar daar gaan we verandering in brengen, liefje. Wat zou het voor je moeder een teleurstelling zijn geweest te zien dat je zo verwilderd bent, terwijl je op het punt staat vrouw te worden. Het is maar goed dat ze er niet meer is om te zien hoe je opvoeding verwaarloosd is.'
Ik was diep beledigd. 'Het zou voor haar geen teleurstelling zijn geweest!' zei ik boos. 'Onze moeder hield van ons en ze vertrouwde ons. Ze heeft tegen mijn broers gezegd dat ze voor me moesten zorgen, en dat hebben ze gedaan. Misschien ben ik niet wat u zich van een dame voorstelt, maar...'
Ze onderbrak me met haar parelende lach en haar arm om mijn schouders. Ik verstrakte onder haar aanraking.
'O, liefje,' kirde ze, 'wat ben je nog jóng. Natuurlijk verdedig je je broers, en ik neem aan dat ze hun best hebben gedaan. Maar het zijn tenslotte maar jongens, en niets haalt het bij de hand van een vrouw, vind je ook niet? En het is nooit te laat om te beginnen. We hebben nog een jaar of twee, voor we voor jou aan een verloving moeten gaan denken; tijd genoeg. Je vader wil een goede partij voor jou, Sorcha. Voor die tijd moeten we je manieren en je uiterlijk polijsten.'
Ik trok me los. 'Waarom moet ik worden gepolijst en verbeterd, als iets dat verkocht moet worden? Misschien wil ik niet eens trouwen! En bovendien zijn er allerlei dingen die ik goed kan; ik kan lezen en schrijven, en fluit en harp spelen. Waarom moet ik veranderen om bij de een of andere man in de smaak te vallen? Als hij me niet goed vindt zoals ik ben, mag hij een ander meisje als vrouw zoeken.'
Ze begon weer te lachen, maar de klank was wat scheller, en haar blik had iets scherps.
'Je durft wel te zeggen wat je denkt, hè? Een eigenschap die je met een paar van je broers gemeen hebt, heb ik gemerkt. Nou goed, we praten hier later nog weleens over. Ik hoop dat je zult leren mij te vertrouwen, Sorcha.'

Ik zei niets.
Oonagh liep naar het bed, waar allerlei stoffen op een hoop lagen. Ze pakte de punt van een lap gaasachtige, groene stof.
'Ik dacht zo, deze, voor de bruiloft. Ik hoor dat er een uitstekende naaister in het dorp is, die het in een dag voor je zal maken. Kom hier, liefje.'
Ik kon niet weigeren. Ze zette me voor een spiegel die ik nog nooit had gezien. Het stille oppervlak ervan was omringd met dooreengevlochten figuurtjes. Hun ogen van rode edelstenen waren op mij gericht terwijl ik naar mijn spiegelbeeld keek. Klein, mager, bleek. Slordige bos donkere krullen, ruw bijeengebonden in mijn nek. Keurige neus, brede mond, uitdagende groene ogen. Mijn versie van het familiegezicht had niet de verziende rust van dat van Conor, of de bleke felheid van dat van Finbar. Het was zachter dan dat van Liam en fijner van structuur dan dat van Padriac. Mijn magere wangen misten de kuiltjes die de lach van Cormack en Diarmid zo aantrekkelijk maakten. Toch zag ik de gezichten van mijn broers terwijl ik naar het mijne keek.
Vrouwe Oonagh had een benen haarborstel gepakt, en terwijl ze achter me stond, maakte ze de grove band los die mijn krullen uit mijn gezicht hield en begon er de klitten uit te borstelen. Ik balde mijn vuisten en gaf geen kik. Iets in de regelmatige beweging van de borstel, en in de manier waarop haar ogen op mij letten in het glanzende brons van de spiegel deed een rilling door me heen gaan. Binnenin me leefde een stemmetje, een kleine bron van warmte; ik concentreerde me op de woorden. *Je zult een weg vinden, dochter van het woud. Je voeten zullen een recht pad bewandelen.*
'Je hebt mooi haar,' zei ze. De borstel bewoog ritmisch. 'Onverzorgd, maar mooi. Ik zal het voor je snijden, als je het goedvindt. Een klein beetje bijwerken – dan blijft het beter zitten onder een sluier. Hé! Wat is hier gebeurd?' Haar roofdiervingers voelden aan het korte stukje boven mijn voorhoofd, waar Simons mes een krul had weggeschoren.
'Ik...' Ik was bezig een uitvlucht te verzinnen toen mijn ogen de hare ontmoetten in de spiegel. Haar gezicht was koud, zo koud dat ze niet helemaal menselijk leek. De borstel viel op de grond; haar vingers waren nog in mijn haar verward, en het was alsof ze

in mij kon kijken, alsof ze mijn gedachten kon lezen en precies wist wat ik gedaan had. Ik deinsde terug voor haar.
Het duurde maar heel even. Toen lachte ze, en haar gezicht veranderde weer. Maar ik had het gezien, en zij had het gezien. We erkenden dat we vijanden waren. Wat ze ook was en wat ze ook wilde, mijn hart schrok ervoor terug. Maar toch geloof ik dat zij onthutst was door de kracht die ze in mij zag.
'Ik zal je laten zien hoe we je haar gaan doen voor de bruiloft,' zei ze alsof er niets gebeurd was. 'Met vlechten opzij, en van achteren hoog opgetrokken...'
'Nee,' zei ik, en ik trok me terug en rukte mijn haar uit haar handen los. 'Ik bedoel, nee, dank u. Ik doe het zelf wel, of anders doet Eilis het. En ik zoek wel iets om aan te trekken...' Ik wierp een verlangende blik op de deur.
'Ik ben nu je moeder, Sorcha,' zei Oonagh met een beslistheid waar ik koud van werd. 'Je vader verwacht van je dat je mij gehoorzaamt. Ik heb van nu af aan de leiding over je opvoeding, en je zult leren te doen wat je gezegd wordt. Dus zul je die groene stof dragen. Morgen zal die vrouw komen om je jurk te maken. Probeer intussen om jezelf schoon te houden. Er zijn hier bedienden om wortels op te graven en de mesthoop om te spitten; voortaan zul je je tijd beter gebruiken.'
Ik vluchtte weg; maar ik wist dat ik niet aan haar wil kon ontkomen. Ik zou in het groen naar de bruiloft gaan, of ik het leuk vond of niet, en ik zou er met mijn broers staan en aanzien dat heer Colum trouwde met een – wat was ze? Een heks? Een tovenares zoals ze in de oude verhalen voorkwamen, met een mooi gezicht en een boosaardig hart? Er was een kracht in haar, dat was zeker, maar ze was toch niet een van Hen. De Vrouwe van het Woud, die ik dacht gezien te hebben in haar blauwe mantel, was veel indrukwekkender, maar zij was goedaardig, al was ze ook verschrikkelijk. Ik dacht dat Oonagh tot een ander soort behoorde, dat tegelijkertijd minder krachtig en gevaarlijker was.

Ik stond in mijn groene gewaad voor de spiegel, terwijl zij linten in mijn haar vlocht en me aan een kruisverhoor onderwierp over mijn broers. Weer waren de robijnenoogjes van de vreemde wezentjes strak op me gericht, en ik gaf antwoord ondanks mezelf.

'Zes broers,' murmelde ze. 'Je hebt het wel getroffen, dat je als meisje bent opgegroeid in een huishouden vol prachtmannen! Geen wonder dat je niet zo bent als andere meisjes van jouw leeftijd. Die kleine Eilis bijvoorbeeld. Lief meisje. Mooie kop met haar. Ze zal vruchtbaar zijn, en gauw genoeg zijn uitgebloeid.' De arme Eilis werd met een vingerknip afgedaan terwijl ze een knoop in het groene lint legde en het uiteinde stevig aandraaide. 'Je broer had wel iets beters kunnen krijgen. Iets veel beters. Een ernstige jongen wel, hè? Heel gedreven.'
'Hij houdt van haar!' flapte ik er in mijn onnozelheid uit; ik begon Liam te verdedigen zonder erbij na te denken. Ik was misschien niet blij geweest met zijn liefde voor Eilis, maar ik kon het niet aanhoren dat deze vrouw de keuze van mijn broer kritiseerde. 'Wat kun je beter doen dan trouwen uit liefde?'
Deze uitbarsting werd begroet met klaterend gelach; zelfs de zure kamenier glimlachte om mijn naïviteit.
'Ja, wat?' zei Oonagh luchtig, terwijl ze een korte sluier over mijn gevlochten en met linten doorweven haar legde. De figuur in de spiegel was onherkenbaar, een bleek, afstandelijk meisje met duistere ogen; ze droeg een elegante jurk die niet in overeenstemming was met de gekwelde uitdrukking op haar gezicht. 'O, zo ziet het er stukken beter uit, Sorcha. Zie je hoe het je kaaklijn zachter maakt? Ik word nog eens trots op je, liefje. Vertel me eens, het schijnt dat er tweelingen in de familie voorkomen, maar ik heb nooit twee mensen gezien die van karakter zoveel van elkaar verschillen als de jonge Cormack en Conor. En toch zijn ze als twee druppels water, uiterlijk dan. Jullie lijken allemaal op elkaar, met dat lange gezicht en die grote ogen. Cormack is een alleraardigste jongen, en ik hoor van je vader dat hij een veelbelovende krijger begint te worden. Zijn tweelingbroer is erg – terughoudend. In sommige opzichten lijkt hij bijna een oude man.'
Ik zei niets. De kamenier was bezig linten op te rollen, met samengeperste lippen. Achter me was de naaister uit het dorp nog aan het werk om de rok mooi te laten vallen. Het was een sierlijk gewaad; een ander meisje zou het misschien met trots hebben gedragen.
'Conor heeft niet veel met me op, geloof ik,' zei Oonagh. 'Hij lijkt zich in de zaken van het huis te storten met een toewijding die

niet vaak voorkomt bij iemand die zo jong is. Denk je dat hij misschien jaloers is omdat zijn tweelingbroer zo schittert? Wil hij misschien eigenlijk een krijger worden om uit te blinken in de ogen van zijn vader?'
Ik keek haar stomverbaasd aan. Ze zag zoveel, en toch zo weinig. 'Conor? Welnee. Hij volgt een weg van zijn eigen keuze, altijd.'
'En wat is dat voor een weg, Sorcha? Verlangt een flinke jongeman werkelijk naar een leven als schrijver, als beheerder van het huishouden van zijn vader? Als een veredelde huismeester? Welke jongen zou niet liever te paard ten strijde trekken, en het volle leven leven?'
Haar ogen ontmoetten de mijne in de spiegel; en de bronzen wezens ontleenden kracht aan haar blik en richtten hun dreigende blik op mij. Ik was niet in staat mijn mond te houden.
'Er is ook een innerlijk leven,' fluisterde ik. 'U ziet alleen de oppervlakte van Conor, een heel klein deel van wat er is. U zult Conor nooit kennen als u alleen maar kijkt naar wat hij doet. U moet uitzoeken wat hij is.'
Er viel een korte stilte, die alleen werd doorbroken door het ruisen van Oonaghs gewaad terwijl ze achter me rondliep.
'Interessant. Je bent een vreemd meisje, Sorcha. Soms lijk je nog zo'n kind, en dan zeg je opeens iets dat door een stokoud vrouwtje gezegd had kunnen worden.'
'Mag... mag ik nu gaan? Is het klaar?' Ik voelde me opeens diep ongelukkig. Wat zou ze me nog meer laten zeggen? Waarom had ik mijn tong niet in bedwang in haar bijzijn? Haar laatste woorden hadden me aan Simon doen denken, en ik mocht niet toestaan dat ze mijn gedachten over hem las, want als ze de waarheid te weten kwam, zou ze niet aarzelen het aan vader door te vertellen, en dan zou niet alleen Simon in gevaar zijn, maar Finbar, en ik, en Conor ook.
Het scheen dat het passen voorbij was. De naaister begon de spelden eruit te trekken, een voor een. Er waren erg veel spelden.
'Je jongste broer heb ik nauwelijks gezien,' zei Oonagh glimlachend. Ze had zich teruggetrokken om op het voeteneind van het bed te gaan zitten, zwaaiend met haar ene voet. In haar witte jurk met het haar los over haar schouders leek ze ongeveer zestien jaar oud. Tot je in haar ogen keek. 'Die is altijd buiten met iets bezig.

Je zou bijna denken dat hij probeerde me te ontlopen. Wat is dat toch, dat hem van de vroege ochtend tot aan het avondeten bezighoudt?'

Dit leek een redelijk veilig onderwerp.

'Hij houdt van beesten, en hij repareert graag spullen,' zei ik. De naaister trok voorzichtig het lijfje naar beneden. Het was koud in de kamer, ondanks het vuur. 'Hij houdt ze in de oude schuur. Als er een vogel is met een gebroken vleugel, of als een hond gewond is, maakt Padriac ze beter. En hij kan zo ongeveer alles maken wat hij wil.'

'Mm,' zei ze. 'Dat is er dus nog een die later geen krijger zal worden.' Haar stem klonk koel.

'Mijn broers kunnen allemaal goed overweg met het zwaard en met pijl en boog,' zei ik defensief. 'Misschien kiezen ze niet allemaal voor vaders weg, maar ze beheersen de vaardigheden voor de strijd.'

'Zelfs Finbar?'

De oogjes van de wezens gloeiden. Ik staarde terug, verzamelde al mijn wilskracht en hield mijn mond stijf dicht. Plotseling was ze weer achter me, en had de haarborstel in haar hand. Ze wachtte terwijl de kamenier grimmig het netwerk van groene linten begon los te maken dat mijn haar in bedwang hield.

'Je wilt liever niets zeggen. Maar hoe kan ik een goede moeder voor deze jongens zijn, als ik hen niet ken?' Ze slaakte een expressieve zucht, met een lief-spijtige uitdrukking op haar gezicht. 'Ik ben bang dat Colum sommige van zijn zonen meer aandacht heeft gegund dan andere. Ik bespeur een grote ijzigheid wanneer het over de jonge Finbar gaat. Wat kan hij gedaan hebben, om zoveel kritiek te verdienen? Is dat enkel tegenzin om aan oorlogshandelingen deel te nemen? Of heeft hij het zijn moeder eigenlijk nooit vergeven dat ze gestorven is en hem alleen heeft gelaten?'

'Dat is gemeen!' Ik stond op en draaide me om zodat ik haar aankeek, mijn haar lostrekkend uit de handen van de dienares. Ik voelde de pijn niet eens. 'Moeder heeft er niet voor gekozen om te sterven! Natuurlijk mist hij haar; we missen haar allemaal, niets kan ooit haar plaats opvullen. Maar we zijn niet alleen, we zijn nooit alleen geweest, we hebben elkaar. Kunt u dat niet begrijpen? We zijn vrienden, en familie, en we maken deel uit van elkaar, net als bladeren aan één tak, of poelen in één stroom. Hetzelfde leven vloeit in ons allemaal. Het is onzin om over jaloezie te praten.'

'Ga zitten, liefje.' Oonaghs stem was volkomen kalm; ze reageerde niet op mijn uitbarsting. 'Je verdedigt je broer; dat is heel begrijpelijk, want je hebt al die jaren geen ander gezelschap gehad. Je hebt geen vergelijkingsmateriaal, want je wereldje is maar heel klein. Het is dus niet verbazingwekkend dat je zijn beperkingen niet kunt zien.'

Ik wist uiteindelijk weg te komen, maar het was onmogelijk om haar woorden uit te wissen, en ik vroeg me weer af wat ze eigenlijk van mij, van ons, wilde. Ik voelde een sterk verlangen al mijn broers bij me te hebben, hen aan te raken en met hen te praten, hun kracht te voelen en het troostrijke feit dat we allemaal uit hetzelfde hout gesneden waren. Daarom ging ik naar hen op zoek; maar Cormack was bezig met een stavengevecht; woest grijnzend daagde hij Donal uit een manier te vinden om langs zijn rondwentelend wapen en vindingrijk voetenwerk te komen. Padriac ging volledig op in het bouwen van een of ander toestel. Op een stang boven hem zat een raaf die haar kop nu eens naar deze, dan weer naar die kant draaide terwijl zijn vingers hun fijne werk verrichtten. 'Wat is het?' vroeg ik aan mijn jongste broer met een blik op het ingewikkelde, inklapbare geraamte van dunne houten latjes en gespannen linnen.

'Het is niet helemaal een vleugel, en ook niet helemaal een zeil,' mompelde Padriac terwijl zijn handige vingers weer een kleine verbinding vastmaakten. 'Hiermee zal een kleine boot heel snel over het water gaan, zelfs bij het minste windje. Zie je hoe die panelen draaien wanneer ik deze draad aantrek?' Het was inderdaad heel vernuftig, en dat zei ik ook. Ik klopte de oude ezel op haar hals en tuurde in de stal, waar een nest gestreepte poesjes in een hoek van het warme stro lag. De raaf volgde me, nog licht hinkend door haar verwonding (ze was door andere vogels aangevallen, dacht Padriac, maar ze genas goed). Ze liep met een grote boog om de poesjes heen.

Er was een lang pad, recht tussen de wilgen door, en omzoomd door een laatbloeiende plant die we als kind engelogen noemden,

omdat de ronde, blauwe bloempjes de kleur van een voorjaarshemel leken te spiegelen. Hij bloeide welig, maar vandaag was de hemel loodgrijs; deze bruiloft zou niet door lachende engelen worden opgeluisterd. Beneden bij het meer liep Liam met Eilis. Hij hield zijn mantel met zijn arm om haar schouders, zonder zich erom te bekommeren wie het eventueel zag, en met gebogen hoofd sprak hij haar ernstig toe. Eilis had haar gezicht naar hem omhoog gewend, en ze keek naar hem alsof ze de rest van de wereld wilde buitensluiten. Heel even had ik een donker voorgevoel, voelde ik een schaduw die over hen beiden hing en waarvan de kilte mijn kant opkwam. Toen waren ze verdwenen onder de bomen, en ik liep verder naar het huis.
Er was veel drukte rond de keuken; wagens reden af en aan, en vaten bier en zijden vlees werden op schouders gehesen en weggebracht. Geuren van bakken en roosteren zweefden in de koude lucht, en paarden stampten en briesten. Linn kwam me bij de deur begroeten en duwde haar natte neus snuffelend in mijn hand, maar ze ging niet naar binnen. Op dat moment zag ik tussen de wagens die op de stenen waren gezet, een bekend voertuig van een eenvoudig, degelijk type, met tussen de disselbomen een oud paard dat geduldig wachtte tot het aan de beurt was om te worden uitgespannen en naar een warme stal te worden gebracht, waar het kon rusten. En dat was vreemd. Waarom zou pater Brien hier nu al zijn, terwijl er voor de bruiloft nog een nacht moest komen? Ik was ervan uitgegaan dat hij op de huwelijksdag 's morgens vroeg hierheen zou komen en voor het donker weer terug zou reizen, want hoe kon hij Simon na het donker alleen laten?
Ik ging naar binnen, maar geen van mijn broers was er, en dikke Janis joeg me de keuken meteen weer uit, want ze had al genoeg aan haar hoofd, zei ze, met al die ingewikkelde taarten die gebakken moesten worden en het manvolk dat maar binnenkwam en zichzelf bediende, zonder dat ze ook nog door kinderen voor de voeten werd gelopen. Terwijl ze me de deur doorduwde, drukte ze me met een knipoog een warme honingkoek in mijn hand.
Ik vond hen later op de plaats waar ik begonnen was, in mijn eigen kruidentuin. Het was vermoedelijk de meest besloten plek die er was, met hoge stenen muren eromheen en alleen die ene deur die naar de distilleerkamer ging; afgezien van het dak, maar al-

leen Finbar en ik gingen ooit het dak op. Pater Brien zat op de bemoste stenen bank, en Conor stond naast hem tegen de muur geleund ernstig te praten, terwijl Finbar in kleermakerszit op het gras zat. Toen ik de krakende deur van de distilleerkamer verder openduwde, zwegen ze en het drietal draaide als één man hun hoofd naar me toe. Het was alsof ze op me hadden gewacht, en er was kennelijk iets helemaal mis. 'Wat is er?' zei ik, 'Wat is er aan de hand?' Mijn twee broers keken naar pater Brien, en hij stond zuchtend op en nam mijn handen in de zijne toen ik naar hem toe was gehold.

'Je zult niet blij zijn met dit bericht, Sorcha,' zei hij ernstig. 'Ik wou dat ik beter nieuws voor je had.'

'Wat?' vroeg ik, zonder mezelf toe te staan te denken.

'Je patiënt is weg,' zei pater Brien kortweg. 'Op die dag dat ik weg was, heb ik me gehaast om tegen zonsondergang terug te zijn, zoals we hadden afgesproken. Toen ik thuis aankwam, was alles donker. Eerst vreesde ik het ergste voor jullie allebei; maar ik zag wel dat jouw spullen waren meegenomen, en dat er kennelijk geen geweld was gebruikt, en de hond was er niet meer, en er scheen ook niets ergs met haar gebeurd te zijn. Ik wist dat Linn jullie niet zou hebben laten wegvoeren zonder dat er bloed was gevloeid. Het was duidelijk dat de paarden waarvan de hoefafdrukken in de grond stonden, van je broers waren.'

'Maar Simon… ik heb hem veilig achtergelaten… hij zei dat hij op u zou wachten…'

'Er was geen spoor van hem te bekennen,' zei pater Brien zacht. 'Zijn bovenkleren waren weg, evenals zijn essenhouten staf; ik kreeg alleen de indruk dat hij geen voedsel of water had meegenomen, en ook geen mantel voor de kou, en hij had zijn laarzen achtergelaten. Ik kan wel ongeveer raden wat zijn bedoelingen waren.'

Want het kon hem niet schelen of hij leefde of doodging. Maar hij had het me wel beloofd.

'Bent u niet eens naar hem gaan zoeken? Waarom hebt u ons niet laten komen?' Allerlei beelden van Simon speelden me door het hoofd; Simon 's nachts alleen in het bos, omringd door zijn eigen demonen, langzaam zwakker wordend van pijn en koude. Misschien lag hij al roerloos en zwijgend onder de grote eiken, en groeide er mos over zijn levenloze lichaam.

'Stil, dochter. Natuurlijk ben ik gaan zoeken, maar hij is een krijger, en hoewel hij gehinderd wordt door zijn verwondingen, weet hij hoe hij moet verdwijnen als hij dat wil. En hoe had ik jou of je broers kunnen laten komen? Mij leek het meest waarschijnlijk dat hij weer gevangen was genomen, en dat hij hierheen terug was gebracht door degenen die jou waren komen halen. Ik hoorde zonet van Finbar dat dat ook bijna gebeurd is.'
'Ja,' zei Finbar. 'Misschien heeft hij, toen hij zag hoe gemakkelijk hij weer gepakt kon worden, deze uitweg gekozen, Sorcha. Er is een slag mannen dat liever zou sterven dan gevangen te zitten. En hij was de koppigste vent die ik ooit heb gezien.'
'Maar hij had het beloofd,' zei ik nogal kinderachtig, terwijl ik mijn tranen wegslikte. 'Hij was al zo ver gekomen; hoe kon hij het allemaal weer weggooien?' Ik kon niet vergeten dat ik zelf mijn belofte had gebroken. Nu wist ik hoe dat voelde.
Conor legde troostend zijn arm om me heen. 'Wat heeft hij je precies beloofd, kleine uil?'
Ik hikte. 'Dat hij zou blijven leven, als hij kon.'
'Je kunt niet weten of hij zijn belofte gebroken heeft,' zei Conor. 'Waarschijnlijk zul je het nooit weten. Het is moeilijk, maar je moet het uit je hoofd zetten, want je kunt je Brit nu toch niet meer helpen. Probeer rust te vinden in de wetenschap dat je alles voor hem hebt gedaan wat je kon, en denk aan morgen, want er liggen nieuwe beproevingen en uitdagingen voor ons.'
'Je broer spreekt een waar woord,' zei pater Brien. 'We hebben geen andere keus dan door te gaan. Er moeten twee mensen in de echt worden verbonden; ik vind het niet erg plezierig om dat te doen, maar jullie vader heeft het me verzocht en ik heb geen reden om het hem te weigeren. Zal hij me alleen te woord willen staan, denken jullie?'
'U kunt het proberen. Het laatste waar hij op dit moment behoefte aan heeft is goede raad, maar het is misschien minder onwelkom als het van u komt. Zowel Liam als ik hebben gepoogd onder vier ogen met hem te spreken, maar dat werd ons geweigerd.'
'Wat heeft het voor zin?' zei Finbar. 'Hij is gedoemd. Je kunt net zo goed proberen het springtij uit het westen te keren, of de dans van de sterren te stoppen, als hem hierin dwarsbomen. Vrouwe Oonagh heeft hem in haar ban, met lichaam en ziel. Ik had nooit

gedacht hem zo zwak te zullen zien; maar toch, vreemd genoeg, verbaast het me niet. Bijna dertien jaar lang heeft hij elk menselijk gevoelen uitgebannen, elke geestelijke warmte buitengesloten. Het is dus geen wonder dat hij een gemakkelijke prooi was voor iemand zoals zij.' Zijn stem klonk verbitterd.

'Je oordeelt te streng over hem,' zei pater Brien, terwijl hij het gezicht van mijn broer nauwlettend opnam. 'Zijn besluit is zeker onverstandig, maar hij heeft het met de beste bedoelingen genomen. Want hij ziet zijn nieuwe bruid ongetwijfeld als iemand die leiding kan geven aan zijn jongste kinderen, iemand die hun ongebreidelde gedrag in goede banen kan leiden en wat warmte in hun leven kan brengen. Hij is zich zeker bewust van zijn tekortkomingen als vader. Waar hij niet in staat is jullie zelf de hand toe te steken, denkt hij misschien dat zij dat wel kan.'

Finbar begon te lachen. 'Het is duidelijk dat u vrouwe Oonagh nog niet hebt ontmoet, pater.'

'Ik heb over haar gehoord, van Conor en van jullie oudste broer, die me bij mijn aankomst heeft begroet. Ik weet waar jullie mee te maken krijgen, geloof me, en ik bid voor jullie allemaal. Het is waarlijk tragisch dat jullie vader blind is voor haar ware aard. Ik probeer alleen te voorkomen dat je hem te streng beoordeelt. Weer.'

'U gaat dus tenminste met hem praten?'

'Ik zal het proberen.' Pater Brien stond langzaam op. 'Misschien kunnen we hem nu alleen aantreffen. Conor, wil jij met me meegaan? O, trouwens...' Hij tastte in een diepe zak van zijn pij en haalde er iets uit. 'Je vriend is niet helemaal zonder bericht verdwenen, Sorcha. Hij heeft dit achtergelaten op een plek waar ik het zeker zou vinden. Ik moest wel concluderen dat het voor jou bedoeld was. De betekenis ervan ontgaat me.'

Hij legde het kleine voorwerp in mijn hand, en het tweetal ging kalm weg. Finbar sloeg me zwijgend gade terwijl ik het om en om draaide en probeerde de boodschap die het inhield te interpreteren. Het blokje berkenhout was volgens mij afkomstig uit de speciale voorraad van pater Brien, die hij droog bewaarde om er kralen voor de rozenkrans en andere, meer mysterieuze voorwerpen van te maken. Het was gladgeschuurd en in een vorm gesneden die gemakkelijk in een kleine hand zoals de mijne lag. Het snij-

werk was zeker niet het werk van één middag; het was heel gedetailleerd en gaf blijk van een vakmanschap dat me verraste. Ik kon de betekenis ervan niet doorgronden. Er was een cirkel, met daarin een kleine boom. Aan de vorm meende ik te zien dat het een eik was. Aan de voet ervan waren twee golvende lijnen, misschien een rivier? Zonder een woord gaf ik het aan Finbar, die het zwijgend bestudeerde.
'Waarom laat een Brit een dergelijk aandenken achter?' zei hij ten slotte. 'Wil hij je in gevaar brengen, als het onverhoopt gevonden wordt? Wat zou zijn oogmerk kunnen zijn? Ik twijfel er niet aan dat het zijn identiteit weergeeft, op een manier die ons onbekend is. Je kunt het beter vernietigen.'
Ik griste het aandenken uit zijn hand. 'Dat doe ik zeker niet.'
Finbar keek me met een vlakke uitdrukking aan. 'Word nou niet sentimenteel, Sorcha. Het is oorlog, weet je nog wel, en jij en ik hebben de regels duidelijk overtreden. Misschien hebben we het leven van deze jongen gered, misschien ook niet. Maar verwacht niet dat hij ons daarvoor bedankt. Verkenners laten geen sporen achter, tenzij ze gevonden willen worden. Of als ze een hinderlaag hebben voorbereid.'
'Ik bewaar het op een veilige plaats,' zei ik. 'Ik kan het verstoppen. En ik ken de risico's.'
'Dat weet ik nog niet zo net, Sorcha,' zei mijn broer. 'Vrouwe Oonagh wacht, ze wacht gewoon tot ze een zwakke plek vindt. Dan zal ze, net als de wolf in de nacht, toeslaan. Je bent er niet erg goed in je gevoelens te verbergen, of de waarheid voor je te houden. Ze zou geen genade kennen, en zodra ze het aan vader vertelde, zou hij ons beiden ongenadig straffen. En bedenk even wat er met Conor zou gebeuren, als zijn aandeel hierin bekend werd. Ik heb er spijt van dat ik je het hele verhaal heb verteld. Je zou beter af zijn geweest als je me alleen die nacht had geholpen, zonder er ooit meer van te weten.'
Deze opmerking van mijn broer verdiende helemaal geen reactie. Bovendien was mijn geest met andere dingen bezig.
'Hij zal dit zeker niet overleven, hè?' zei ik botweg.
'Jij weet beter hoe zijn kansen zijn dan ik,' zei Finbar, zijn voorhoofd fronsend. 'Een gezonde man zou er onder deze omstandigheden, voorzien van benodigdheden om vuur te maken en op jacht

te gaan, misschien in slagen zich door het terrein te verplaatsen zonder gezien te worden. Dan moest hij wel weten welke kant hij op ging.'

'Het is doodzonde!' Ik kon niet goed uitdrukken wat ik voelde, maar Finbar las mijn gedachten duidelijk genoeg – hij was er altijd goed in elke barrière die ik probeerde op te werpen, te omzeilen.

'Zet het van je af, Sorcha,' zei hij. 'Pater Brien had gelijk, we kunnen gewoon niets doen. Als hij weg is, is hij weg. Ik neem aan dat zijn kans hier ooit veilig weg te komen toch al nooit groot was.'

'Maar waarom zou hij het dan doen? Waarom zou hij zo'n groot risico nemen?'

'Zou jij ook niet liever in vrijheid sterven?' zei hij.

Ik was een tijdlang alleen in de distilleerkamer, voornamelijk om gewoon na te denken; het geringe gewicht van Simons beeldhouwwerkje bleef me voortdurend herinneren aan het slechte nieuws dat ik gekregen had. Ik had het voorlopig goed genoeg verstopt in het tasje dat ik aan mijn gordel droeg, maar ik zou gauw een veiliger bergplaats nodig hebben. Ik maakte wat vlierbessenzalf en veegde de vloer aan. Later ging ik naar buiten, want ik besloot dat ik toch honger had. De honingkoek van dikke Janis had mijn maag bij lange na niet gevuld. Ik zag op tegen het avondmaal, want op deze belangrijke dag werd natuurlijk van alle gezinsleden verwacht dat ze aan tafel verschenen. Misschien zou er een wonder gebeuren en zou pater Brien mijn vader overreden het huwelijk uit te stellen. Misschien.

Buiten mijn deur, ineengedoken in een hoek van de tochtige gang, lag Linn. Ik zag haar bijna over het hoofd, want ze was weggekropen in het donker, maar mijn oren vingen haar zwakke gejank op.

'Wat is er, Linn? Is er iets?' Ik keek beter, en schrok van de grote, bloederige striem die dwars over haar gezicht liep, van boven haar ene oog tot haar mondhoek. Haar tanden blonken door een gescheurde, bebloede lip.

Ik lokte haar weg; ze rilde en dook schichtig weg, zelfs voor mijn vriendelijke aanraking, maar ik bleef rustig tegen haar praten en streelde haar zacht, en na verloop van tijd wist ik haar mee te krij-

gen naar de oude stal waar Padriac me begroette met de verontwaardigde ontsteltenis die ik had verwacht. Mopperend over sommige mensen die eigenlijk niet bij dieren in de buurt zouden mogen komen, en die het met hem aan de stok zouden krijgen wanneer hij erachter kwam wie ze waren, maakte mijn jongste broer de wond netjes schoon en hechtte hem terwijl ik de arme Linn vasthield en tegen haar praatte over groene velden en botten. Padriac was hier heel handig in, maar het duurde toch een hele tijd. Toen hij klaar was, zuchtte de hond diep, dronk een halve kom water leeg en ging naast de ezel in het stro liggen.
Het begon intussen te schemeren en ik herinnerde Padriac eraan dat we ons maar beter konden opknappen voor het avondmaal, want vrouwe Oonagh vond het vervelend als mensen te laat kwamen. Toen we ons omdraaiden om te gaan, zagen we Cormack staan in een donkere hoek. Hij was zo bleek als een doek.
'Hoe lang sta je daar al?' vroeg ik verbaasd.
'Het gaat nu wel weer met haar,' zei Padriac, en zijn stem klonk vreemd scherp. 'Waarom ga je niet naar je hond toe, om haar even te bekloppen en haar te laten weten dat je hier bent om bij haar te zijn? Waarom doe je dat niet, broer?'
Er viel een pijnlijke stilte, en toen zei Cormack met een gespannen stem: 'Dat kan ik niet doen.'
Ik keek van de een naar de ander.
'Wat is hier aan de hand?' vroeg ik verbijsterd.
'Vraag dat maar aan hem,' zei Padriac woedend. 'Vraag hem waarom hij niet wil binnenkomen om zijn eigen hond aan te raken. Het staat op zijn gezicht te lezen dat het zijn schuld is, overduidelijk. Dit heeft hij gedaan. Vergeef me als ik geen zin heb om een babbeltje te maken.' En hij was weg, en liep langs zijn oudere broer alsof hij er niet was.
'Kan dit waar zijn?' vroeg ik, vol ontzetting en ongeloof. 'Heb jij dit gedaan, Cormack?' Padriac vergiste zich natuurlijk. Cormack was degene die de hond had gered van de verdrinkingsdood, Cormack had haar grootgebracht sinds ze een puppy was, Cormack was degene die ze met slaafse toewijding overal volgde. Mijn broers kenden misschien geen genade voor hun vijanden op het veld, maar ze zouden nooit opzettelijk een dier pijn doen dat aan hun zorg was toevertrouwd.

Ik keek zwijgend toe terwijl Cormack naar de stalboxen liep en op zijn gekwetste hond stond neer te kijken. Hij had zijn armen om zichzelf heengeslagen alsof hij het niet warm kon krijgen, en toen ik dichterbij kwam, zag ik dat zijn wangen nat waren.
'Jij hebt het gedaan,' zei ik. 'Cormack, hoe heb je dat kunnen doen? Ze is een brave hond, trouw en eerlijk, en ze heeft een lief karakter. Wat heeft je bezield dat je haar hebt mishandeld?'
Hij wilde me niet aankijken. 'Ik weet het niet,' zei hij ten slotte, met een door tranen verstikte stem. 'Ik was op het erf aan het oefenen, en ze kwam achter me aanrennen en ik... ik weet niet wat er in me opkwam, ik haalde gewoon keihard uit met mijn staf. Het leek haast alsof iemand anders het deed.'
Ik deed mijn mond open om iets te gaan zeggen, maar zag ervan af.
'Ze liep me niet eens voor de voeten, Sorcha. Ik werd gewoon... gewoon plotseling boos en ik sloeg haar.'
'Praat tegen haar,' zei ik. 'Ze vergeeft het je, kijk maar.'
Linn had zijn stem gehoord en had haar gehavende kop uit het stro opgeheven, en haar lange staart bonsde zwakjes op en neer. De ezel bromde in zijn slaap.
'Ik kan het niet,' zei Cormack somber. 'Hoe weet ik dat ik het niet weer zal doen? Ik ben niet geschikt om met anderen om te gaan, mensen of dieren.'
'Je hebt iets heel gemeens gedaan,' zei ik langzaam. 'Je kunt het niet ongedaan maken. Je treft het nog dat je broer het vermogen had de schade te herstellen. Maar ze heeft ook jouw liefde nodig om beter te worden. Een hond veroordeelt je niet. Ze houdt van je, wat je ook doet.'
Linn jankte luid.
'Toe dan,' zei ik. 'Beklop haar, praat tegen haar. Dan kan ze rustig slapen.'
'Maar als...'
'Je zult het niet nog eens doen,' zei ik met klem. 'Vertrouw jezelf, Cormack.'
Eindelijk knielde hij neer, en stak voorzichtig een hand uit om haar nek te strelen, zonder zijn ogen af te wenden van die afschuwelijke, verminkende wond. Linn draaide met enige moeite haar kop naar hem toe, en likte zijn hand. Zo liet ik hen achter.

Met tegenzin ga ik over naar een deel van ons verhaal dat moeilijk te vertellen is, hoewel nog niet het allermoeilijkste. We hadden dus het avondeten, waarbij Cormack niet aanwezig was, en Finbar ook niet. Vader zei hier iets over en stuitte op een muur van stilzwijgen van zijn overige kinderen. Pater Brien zat rustig ergens aan de lage kant van de tafel. Hij at weinig en verontschuldigde zich vroeg. Eilis keek telkens zenuwachtig naar vrouwe Oonagh, als een angstig dier. Liam hield onder de tafel haar hand vast, maar zijn gezicht was als van steen. Niemand hoefde me te vertellen dat het gesprek van pater Brien met vader niets had veranderd.

Toen was het 's avonds laat, en de meeste mensen in huis sliepen. Als het enige meisje had ik de beschikking over een eigen slaapkamer, en daar kwamen mijn broers bijeen. We waren er allemaal behalve Diarmid, maar Cormacks ogen waren rood en hij wilde niet naast zijn jongste broer zitten. Finbar was als een schim uit het niets opgedoken. We staken zeven witte kaarsen aan en verbrandden jeneverbessen, terwijl we daar een tijdlang zwijgend zaten en aan onze moeder dachten, in een poging de kracht die we hadden samen te delen. Er was geen mogelijkheid geweest samen naar de berk toe te gaan, en daarom zochten we hier zo goed en zo kwaad als het ging contact met haar. Het haardvuur was tot gloeiende houtskool gereduceerd en de kaarsen wierpen een gestaag licht op plechtig kijkende gezichten en in elkaar grijpende handen.

Bij zulke gelegenheden plachten we te spreken als ons woorden invielen, maar we hadden er genoeg aan kracht te putten uit het voelen van elkaar, en uit onze gedeelde gedachten. Niet dat we allemaal direct van geest tot geest konden communiceren zoals Finbar en ik. Dat was een vermogen dat slechts enkelen hadden, en hoe we eraan kwamen is een mysterie. Toch waren we alle zeven goed op elkaar afgestemd, en konden we zonder woorden de pijn, de vreugde en de angst van de anderen voelen. Die avond voelden we de afwezigheid van Diarmid alsof we een ledemaat waren kwijtgeraakt, want we waren verenigd in ons gevoel van dreigend onheil, en ons beschermende netwerk was niet compleet zonder hem. Niemand durfde te gissen naar de plaats waar hij zich bevond.

Liam bewoog even, en een kaars flakkerde, zodat de schaduwen hoog op de muren begonnen te dansen.

'We ontlenen onze kracht aan de grote eiken van het bos,' zei hij rustig. 'Zoals zij hun voeding ontlenen aan de aarde, en aan de regen die de aarde voedt, zo vinden wij onze moed in het patroon van de levende wezens om ons heen. Zij houden stand in storm en wind, ze groeien en vernieuwen zich. Als een bosje jonge eiken blijven wij sterk.'

Conor, die aan zijn linkerkant zat, nam het over.

'Het licht van deze kaarsen is slechts de weerspiegeling van een groter licht. Het schijnt vanuit de eilanden aan de andere kant van de westelijke zee. Het blinkt in de dauw en op het meer, in de sterren van de nachthemel, in elke weerspiegeling van de geestenwereld. Dit licht is altijd in ons hart en het wijst ons de weg. En als iemand van ons het licht zou verliezen, dan zal er een broer of zuster zijn om hem te leiden, want wij zevenen zijn als één.'

Nu was het Cormacks beurt, maar hij bleef zo lang zwijgen dat ik dacht dat hij had besloten om niets te zeggen. Uiteindelijk stamelde hij: 'Ik heb vandaag een slechte daad begaan. Zo slecht dat ik eigenlijk niet hier mag zijn. Vertel het hun, Sorcha. Vertel het hun, Padriac. Het is al begonnen, de schande, het bederf. Ik geloof dat ik dit niet meer kan; ik ben er niet goed genoeg voor.'

Liam, Conor en Finbar keken naar hem. Padriac deed zijn mond open, maar ik was hem voor. 'Hij heeft zijn hond pijn gedaan,' zei ik. 'Heel erg, en nergens om. Ze zal herstellen, dankzij Padriacs kennis. Hij geeft zichzelf de schuld; ten onrechte, denk ik.'

'Hoezo ten onrechte?' siste Padriac woest. 'Hij heeft het gedaan, dat heeft hij zelf gezegd.'

'Wat hij zei, was dat het bijna leek alsof iemand anders het deed,' zei ik. 'Stel nu dat het werkelijk iemand anders was die het deed?'

'Bedoel je...'

'Ik heb het zelf ook gemerkt,' vervolgde ik met een ellendig gevoel. 'Toen ik in haar spiegel keek. Ze deed het op de een of andere manier, door mijn haar te borstelen, met haar geest, met haar stem. Ze probeerde mijn wil weg te nemen, me dingen te laten zeggen en doen die ik niet wilde zeggen en doen. En ze was heel sterk. Ik kon haar niet helemaal buiten houden.'

'Ze was erbij,' zei Cormack langzaam, ongelovig. 'Op de trap, bij

het oefenveldje. Samen met vader, ze keken naar mij. Ze was erbij. Zou het kunnen dat zij... maar nee, dat kan toch niet.'
'Maar waarom?' vroeg Padriac boos. 'Waarom zou ze zoiets willen doen? Er is geen reden voor, het is gewoon een misselijke streek. Ze gaat met hem trouwen; dan heeft ze toch al wat ze wil? En Linn is onschuldig. Zou ze haar zomaar willen laten lijden, om niets?'
Conors gedachten volgden een ander spoor. 'Wat probeerde ze uit je te krijgen, Sorcha? Wat wilde ze weten?'
'Gewoon... van alles. Over mij, en over jullie allemaal; ze vroeg naar jullie allemaal. Kleine dingen. Maar het voelde naar, niet alsof ze ons gewoon wilde leren kennen, maar...' Ik huiverde. 'Ik weet het niet. Alsof ze van plan was de dingen die ze te weten was gekomen te bewaren, om ze op de een of andere manier te gebruiken. Ze tegen ons te gebruiken.'
Conor wendde zich weer naar zijn tweelingbroer. 'Je houdt van die hond,' zei hij, terwijl hij Cormack recht aankeek. 'Ze is een deel van je. Ze dankt haar leven aan je. Je zou haar nooit pijn willen doen.'
'Maar ik heb haar pijn gedaan. Ongeacht wie het me liet doen, wie de gedachte in mijn hoofd bracht, het was mijn hand die haar de klap gaf.'
'Wat gebeurd is, is gebeurd,' zei Conor. 'Daar kun je niets aan veranderen. Maar je kunt het goedmaken, en je weet ook hoe. Wéés de hond, voel haar pijn, voel het verraad dat zij voelt. Voel ook haar eenvoud, haar vergeving, haar liefde en vertrouwen voor jou. Jullie zullen samen genezen.' Hij liet mijn hand los en pakte Cormacks hand om hem in de kring te trekken. Na een tijdje kwam Padriac erbij en pakte de andere hand van zijn broer, en we gingen weer rustig zitten.
'We vragen om leiding,' zei Finbar. 'We dragen ons licht vanbinnen, en soms is de weg duidelijk. Maar vaak is hij onduidelijk, en we kunnen niet op onszelf vertrouwen. Geesten van het bos, geesten van het water, geesten van de lucht, wezens van de diepe en geheime plekken, help ons in het uur van onze nood. Want voor ons ligt duisternis en verwarring.'
Zijn woorden deden me huiveren. Had hij iets van onze toekomst gezien?

'Ik heb eens een verhaal gehoord,' zei ik, 'over een held met wie het na lange reizen en machtige daden, ongelukkig afliep, toen hij een monsterachtig wezen ontmoette met kaken zo sterk als ijzer, en met de kracht van drie reuzen. De held werd aan stukken gescheurd, en toen het monster met hem klaar was, werden de delen die nog van hem over waren wijd en zijd verstrooid. Zo was er een scheenbeen, dat lag in een diepe grot waar voortdurend water langs de wanden drupte; en zijn haar werd door de oostenwind weggeblazen tot het bleef haken in een hazelaar in een verre uithoek van het land. Zijn schedel werd een tijdlang als kom gebruikt om uit te drinken, en toen achtergelaten in een rivier, die hem meevoerde naar de uiterste kusten van de westelijke zee. Een wilde hond nam zijn vingerkootjes mee om aan haar jongen te geven. En na een tijd leek er niets meer van hem over te zijn. Jaren gingen voorbij, en er groeiden kleine, bleke paddestoelen op de plaats waar het scheenbeen lag, en het blad van de hazelaar groeide om zijn lichte haar. Aan de rand van de zee raakte zijn schedel gevuld met aarde, en het zaad van de wilde peterselie ontkiemde erin tot welige planten; en door de vingerkootjes, die de jonge hondjes schoon en wit hadden achtergelaten, groeiden sprietjes van krokussen. En als het ooit gebeurt dat een reiziger de wilde peterselie plukt, en de bast van de hazelaar neemt, en de geheime paddestoeltjes, en dit vermengt met de krokussen van het stuk bos waar de laatste botjes van de held liggen, dan, zeggen ze, zal een krachtige magie gaan werken. Dan zal de held herboren worden, niet zoals hij was voor hij te gronde ging, maar vele malen sterker naar lichaam en geest; want hij zal vol zijn van de krachten van aarde, zee en lucht. Ik denk aan ons zevenen als de delen van een lichaam. We kunnen uit elkaar worden gescheurd, en het kan lijken alsof er voor ons geen toekomst is. We kunnen elk onze eigen weg gaan, en we kunnen vallen en breken en weer heel worden. Maar uiteindelijk, zo zeker als de zon en de maan hun weg langs de hemelboog gaan, is de kracht van een de kracht van zeven. Vergeet niet wat onze moeder zei toen ze op haar sterfbed lag. We moeten de aarde aanraken, we moeten in de hemel kijken en de wind voelen. Als poelen in dezelfde stroom moeten we samenkomen en uiteengaan en weer samenkomen. Wij behoren bij het vloeien van het meer en bij het diepe, kloppende hart van het bos.'

De kaarsen waren al korter, en we zwegen een tijd. Het was de tijd van het jaar waarin de geesten heel dichtbij waren, want het was geen twee manen meer tot de midwinterdag, en ik kon bijna kleine stemmen horen in de schaduwen om ons heen. Padriac had niets meer gezegd, maar hij legde even zijn hand op Cormacks schouder en Cormack knikte. En Conor zei zacht tegen zijn tweelingbroer: 'Ik ga wel even met je mee terug naar de schuur.'
'Dank je,' zei Cormack.
Finbar bleef achter toen de anderen allemaal weg waren. Hij zat in het vuur te staren. De stemming was gedrukt. Ondanks onze dappere woorden keken we in een afgrond.
'Waar denk je aan, Finbar?'
'Aan iets dat ik niet met je kan delen.'
Ik kwam dichter naar het vuur toe en stak mijn handen in mijn zakken om ze warm te houden. Het gladde oppervlak van het stukje houtsnijwerk van Simon paste precies in mijn handpalm.
Vertel het me. Vertel me wat je ziet.
Ik probeerde in zijn geest te kijken, maar er was een barrière, een donkere muur om zijn gedachten.
Ik kan dit niet met je delen. Ik wil je niet bang maken.
Ik kreeg een beeld door van mezelf als klein kind, dat op blote voeten door een bos rende, waar zonlicht door de bladeren scheen.
Ben jij bang?
Een gevoel van intense koude. Water. Het fluiten van lucht langs het lichaam, een heel vreemd gevoel van vallen, vliegen, vallen. Dat liet hij me nog zien. Toen sloot hij het abrupt af. *Ik kan dit niet met je delen.*
'Je kunt je niet van de hele wereld afsluiten,' zei ik hardop. Ik was al uitgeput van de poging in te breken in zijn mentale beelden. 'Hoe kunnen we elkaar helpen, als we geheimen hebben?'
'Het heeft je niet veel geholpen dat ik mijn laatste geheim met je deelde,' zei hij op vlakke toon. 'En de Brit ook niet. Ik vraag me nu af wat mijn pogingen om het werk van mijn vader ongedaan te maken, eigenlijk waard zijn geweest. Jij bent erdoor gekwetst, en die jongen... zijn lot is door mijn ingrijpen niet veel beter geworden. Misschien moet ik ophouden me ermee te bemoeien. Misschien moet ik accepteren dat ons soort onder de oppervlakte moorddadig is. Als vrouwe Oonagh ons als speelgoed wil,

maakt dat ook eigenlijk niets uit.' Hij toonde een scheve glimlach.
'Dat geloof je toch niet echt, Finbar!' Ik was ervan geschrokken; kon hij zo snel veranderd zijn? 'Kijk me aan en zeg het nog eens.' Ik nam zijn gezicht stevig tussen mijn handen. En toen ik in zijn ogen keek, waren ze even helder en verziend als altijd.
'Het is goed, Sorcha,' zei hij zacht. 'Ik heb alleen veel nagedacht, dat is alles. Ik ben niet echt van inzicht veranderd. Maar mijn geest zegt me dat ons een groot kwaad zal overkomen; en ik vraag me af of onze kracht voldoende is om het te weerstaan. Ik wou dat jij ergens op een veilige plek was, niet hier waar het allemaal gebeurt. En ik moet op mijn broers bouwen; ik moet hen kunnen vertrouwen, allemaal.'
'Je kunt ze vertrouwen,' zei ik. 'Je hebt gehoord wat ze zeiden. We zijn allemaal een van geest, en dat zullen we altijd zijn. Wanneer er een in moeilijkheden is, zullen er zes zijn om te helpen.'
'Zij houden zich bezig met martelingen en dood. Hoe kunnen ze een van geest zijn met jou, of met Conor of mij?'
'Daar kan ik geen antwoord op geven. Alleen... alleen dat, als je de verhalen gelooft, het in de aard van ons volk ligt ten strijde te trekken en te doden, zoals het ook in onze aard ligt te zingen en te spelen en verhalen te vertellen. Misschien zijn dat twee helften van hetzelfde geheel. Ik weet dat wij zevenen tot één familie behoren en dat we alleen elkaar hebben. Het moet genoeg zijn.'
Maar één broer had ontbroken; en toen ik de deur openmaakte om Finbar uit te laten, zagen we hem aan de andere kant van de lange gang, waar hij stilletjes te voorschijn kwam uit een slaapkamer die niet de zijne was. Zij werd verborgen door de deur waarachter ze stond om afscheid van hem te nemen, maar we zagen haar blanke arm naar buiten komen, en haar vingers zacht langs zijn wang strijken, en toen stapte Diarmid op zijn blote voeten weg, en zijn gezicht stond even daas en verblind als dat van een jongen die behekst is door het Feeënvolk. Finbar keek mij aan, en ik hem; maar we zeiden geen woord.

En zo trouwden ze, zij in haar lange jurk van diep, warm rood, en mijn vader die naar haar keek alsof er niemand op de wereld bestond behalve zij tweeën, terwijl om hen heen de familieleden, de gasten, de mannen van het garnizoen, de bedienden en de dorpelingen elkaar mompelend van opzij aankeken. Ik stond daar in mijn groene jurk met linten in mijn haar, en naast me op een rij stonden mijn zes broers. Het maakte op mij helemaal niet de indruk dat dit een echte ceremonie was. In de verhalen werd dit soort dingen in de open lucht gedaan, onder een reusachtige eik, en er werden toneelstukjes opgevoerd en er werden schijngevechten gehouden en raadsels opgegeven, en de druïden kwamen uit het bos om het ritueel van het in elkaar leggen van de handen uit te voeren. Bij het huwelijk van mijn vader was niet een van de ouden aanwezig, en er werd niets aan de oude gewoonten gedaan. Misschien kwam vrouwe Oonagh uit een christelijk huis, maar dat viel niet vast te stellen, want er was niemand van haar familie. Pater Brien sprak de woorden heel rustig uit, zoals hij gewoon was, maar ik had de indruk dat zijn gezicht gespannen stond, en dat zijn stem afstandelijk klonk. Zodra de formaliteiten waren verricht, pakte hij zijn wagen in en vertrok. Er volgde een feestmaal, met een tafel vol eten en veel bier. En de volgende dag begonnen er dingen te gebeuren.

Eilis werd opeens ziek, ze dachten doordat ze iets verkeerds had gegeten, maar het duurde te lang, en ik werd bij haar geroepen. Haar gezicht was niet meer rozig en mollig, en ze werd gepurgeerd en er kwam bloed. Ik stuurde een jongen naar pater Brien, maar hij kwam niet, en daarom hield ik haar hoofd vast en praatte tegen haar, en liep met haar door de kamer heen en weer, en toen het klaar was, stelde ik een kruidenmengsel voor haar samen, en kwam naast haar bed zitten tot ze in een onrustige slaap viel. Liam bleef buiten wachten, evenals Eilis' vader, die binnensmonds stond te mompelen.

Ik bleef de hele nacht bij haar en deed wat ik moest doen. De volgende dag was ze zwak, maar leek iets helderder. Ze had rust nodig, en moest zorgvuldig worden verpleegd. Het kwam zeer zeker doordat ze iets verkeerds had gegeten. Ik herkende de symptomen van een vergiftiging met monnikskap, en ik wist dat het geen ongeluk was. De hoeveelheid moest precies zijn uitgerekend, want een mens kon alleen een uiterst kleine dosis van deze dodelijke stof overleven. Het was de bedoeling een streek uit te halen, niet een moord te plegen. Ik kon niet zeggen hoe de wortel van dit kruid in het bruiloftsbanket terecht was gekomen, en dan nog uitsluitend op het bord van één persoon. En ik was niet van plan mijn nieuwe stiefmoeder hardop te beschuldigen, hoewel haar ogen op mij gericht waren toen Seamus Roodbaard haastig afscheid van ons nam. Er werd een overdekte draagbaar in gereedheid gebracht en hij voerde zijn dochter mee naar hun huis in Glencarnagh. Liam ondervroeg me nauwgezet, met een uitdrukking van withete woede op zijn gezicht die ik nooit eerder had gezien; maar ik maande hem tot voorzichtigheid, want ik kon vrouwe Oonagh beter doorzien dan hij. Ze wist genoeg van mijn vermogens om te beseffen dat de bron van Eilis' geheimzinnige ziekte niet lang verborgen zou blijven. Een beschuldiging was precies waar ze op wachtte, want wat was beter geschikt om een wig te drijven tussen vader en zoon? Bovendien, zei ik tegen Liam, was Eilis verder veilig. Ze had een sterk gestel, en ik had het vergif vroeg ontdekt. Het was beter als ze terugging naar huis, voorlopig tenminste.

Diarmid had een blauw oog, en Cormack had een lelijke snee over zijn wang. Misschien was een bepaalde gebeurtenis toch niet helemaal geheim gebleven. Ik was niet van plan me in deze kwestie te mengen, maar ik zag hoe Diarmid naar haar keek, voortdurend naar haar keek, en met de dag wat magerder en bleker werd, als een man die maar één keer van het fruit van de feeën heeft mogen proeven, en nu wordt verteerd door zijn verlangen. Op het gezicht van mijn vader was heel vaag diezelfde uitdrukking te zien, al ging hij min of meer gewoon zijn gang. Oonagh zat aan de tafel, met een kalme glimlach en dwingende ogen. Mensen renden gejaagd af en aan om haar te gehoorzamen. Overal waar je kwam, leek zij aanwezig te zijn en alles in de gaten te houden. De gewapende mannen maakten ruim baan voor haar.

Toen werden de dieren van Padriac een voor een ziek en gingen dood. Eerst was het de oude ezel, die op een morgen koud en stijf in haar stal werd gevonden. We waren bedroefd; maar zij had min of meer haar leven gehad, en we accepteerden het verlies met een spijtige blik naar de lege hoek. Daarna verdween de moederpoes, zodat het nest katjes achterbleef. Padriac probeerde ze te voeden, en ik hielp hem, maar een voor een kwijnden ze weg en werden ze steeds zwakker tot het leven uit hun lijfjes weggleed. Ik huilde toen het laatste poesje in mijn handen stierf en de eerst heldere oogjes vertroebelden tot een wazig grijs. Twee dagen later trof ik Padriac aan bij de schuur. Hij sloeg met zijn vuisten tegen de muur, zijn knokkels waren bebloed en zijn ogen waren gezwollen van de tranen. En aan zijn voeten lag de raaf; haar gewonde poot was bijna genezen, haar dappere verenpak was weer glanzend en gezond geworden, maar nu lag ze bewegingloos op de grond met haar kop vreemd verdraaid en haar ogen blind starend naar de wijde winterhemel. De oude schuur was leeg. Ik werd akelig vanbinnen bij het zien van Padriacs woordeloze verdriet en boosheid. Hij werd verteerd door woede en we konden hem niet troosten. Voor mij zouden er ergere dingen komen. Ik had erop voorbereid moeten zijn, maar dat was ik niet.

HOOFDSTUK VIER

Vrouwe Oonagh had gezegd dat het afgelopen moest zijn met mijn tochten naar het dorp; het was niet gepast, zei ze, dat de dochter van heer Colum in de buurt rondstruinde als het kind van de eerste de beste ketellapper, en modderige voeten kreeg en omging met allerlei tuig. Ik moest al die onzin opzij zetten en beginnen me tot een dame te ontwikkelen. Muziek – dat was bijvoorbeeld een gepaste bezigheid. Ik mocht een hele ochtend voor haar optreden; ik speelde op de fluit en ook, met tegenzin, op de harp, want ze gaf opdracht dat ons kleine instrument naar beneden werd gebracht in de grote zaal. Gelukkig had mijn vader die dag elders iets te doen. Het werd haar snel duidelijk dat ik niet veel meer hoefde te leren. Naaien dan. Ze wilde mijn handwerken zien, en ik moest bekennen dat ik die niet had. Ja, ik kon natuurlijk verstellen, en een gewaad of tuniek zomen. Maar in dit huis vol mannen was nooit vraag geweest naar sierhandwerk. Oonagh liet me een sluier zien van de fijnste batist, bezaaid met ontelbare vogeltjes en bloemetjes. Hij was inderdaad prachtig; met de sluier over haar glanzende haar gedrapeerd zag ze eruit als een koningin. Ze zou me de steken leren die ik voor zulk borduurwerk nodig had. Het zou veel tijd en aandacht vergen, dus er kon geen sprake meer zijn van ziekenbezoek met een mand vol smeersels en drankjes. Dat moest iemand anders maar doen. 'Er is niemand anders die het kan,' zei ik zonder erbij na te denken. Het was gewoon de waarheid. Oonagh kneep haar ogen half dicht en haar fraaie, gebo-

gen wenkbrauwen fronsten zich van ongenoegen.
'Dat is erg jammer,' zei ze. 'Dan zullen die mensen moeten doen wat ze deden voordat jij er was, liefje. Zorg dat je hier morgen meteen na het ontbijt aanwezig bent, met je naalden en garens. We hebben heel wat in te halen.'
Het duurde maar een paar dagen. Mijn vingers, die heel bedreven waren in het verbinden, het mengen en het afmeten, waren onhandig en onbeholpen met naald en borduurzijde. Onder haar toeziend oog brak ik de draad, liet ik de naald vallen en maakte ik een bloedvlek op de dunne stof toen ik in mijn vinger had geprikt. Ik hoopte dat een van mijn broers binnen zou komen en me zou redden, maar dat deden ze niet. Er werden weer plannen gemaakt voor een veldtocht buiten de grenzen van ons gebied, en ze raadpleegden landkaarten, trainden paarden of waren eindeloos bezig wapens te poetsen en te slijpen.
Zelfs mijn vader had zijn hoofd er niet bij in aanwezigheid van vrouwe Oonagh en dat beviel haar helemaal niet. Er was iets dat hem dwarszat. Maar ik was nog steeds met de naald bezig, en zij keek toe. Soms stelde ze vragen, en soms zat ze er zwijgend bij, wat erger was, want dan voelde ik dat haar geest probeerde de mijne te bereiken, alsof ze mijn geheimste gedachten wilde weten. Ik probeerde mezelf voor haar af te schermen op dezelfde manier als Finbar had geleerd zijn geest voor mij te versluieren. Maar ze was heel sterk, en als ze mijn gedachten niet rechtstreeks kon lezen, gebruikte ze woorden, en dan wist ze me in de val te lokken.
'Je vader heeft het de laatste dagen erg druk,' zei ze op een ochtend heel vriendelijk, terwijl ze keek hoe ik moeizaam een lange stengel borduurde in verschillende tinten groen. 'Hij is van plan binnenkort weer op veldtocht te gaan, zegt hij. Ik had gehoopt dat hij wat langer thuis zou blijven, maar mannen kennen nu eenmaal geen rust.' Ze lachte even en haalde haar smalle schouders op in haar blauwfluwelen gewaad. 'Na een tijdje zullen echtgenotes daar wel aan wennen, denk ik.'
Ik had een nog grotere hekel aan haar pogingen om gezellig te babbelen dan aan haar vijandigheid. 'Zo doen ze nu eenmaal,' zei ik, terwijl ik met een gefronst voorhoofd naar mijn naald tuurde.
'Maar er is nog niet eens een seizoen voorbij sinds de vorige veldtocht,' zei Oonagh, en ze liep naar het smalle raam dat uitzag op

het erf, waar Liam en Diarmid op hun paarden heen en weer reden en zich erin oefenden met een zwaard in hun hand zijwaarts uit het zadel te glijden en er weer in te komen, een gemene kunst die ze soms in een tweegevecht gebruikten, als je tenminste moest geloven wat ze me vertelden. Het had een verrassende uitwerking op je vijand, zeiden ze. 'Je vraagt je af wat hen zo snel weer wegroept. Zouden er weer indringers bij de grens zijn?'

'Ik zou het echt niet weten,' zei ik, terwijl ik een paar steken weer loshaalde.

'Of misschien zoeken ze naar ontsnapte gevangenen,' zei ze op luchtige toon. 'Ik hoor van mijn heer dat hij van plan is zijn wapenmeester te ontslaan, want het schijnt dat iemand hier zijn plichten heeft verwaarloosd. Vreemd. Ze besteden er zoveel energie aan. En toch raken er soms op mysterieuze wijze gevangenen zoek. Je vraagt je af hoe zo'n fout gemaakt kan worden.'

Ik kreeg het plotseling koud tot in mijn botten. Ze wist het. Ze had het zo goed als gezegd. Ik bleef zwijgen terwijl ze zich glimlachend weer naar me toe wendde.

'Arme Sorcha, ik verveel je, kind. Hoe zou dit een klein meisje kunnen interesseren? Bloedvetes en verdwenen gijzelaars? Je hebt werkelijk een vreemde jeugd gehad door in zo'n huishouden op te groeien. Het is maar goed dat ik er nu ben om aan je opvoeding te werken. Zo, laat nu maar eens zien wat je gedaan hebt. Ach, hemeltje, hier zit een foute steek. Het spijt me, maar het moet weer helemaal worden uitgehaald.'

Eindelijk mocht ik weg en ik ging Finbar opzoeken; het kon toch niet waar zijn dat vader van plan was Donal weg te sturen, die al langer dan ik me kon heugen bij zijn garnizoen had gediend, die toezicht had gehouden op alle onderdelen van de opleiding van mijn broers sinds ze klein waren en wiens barse gelaatstrekken en stoere gestalte evengoed deel uitmaakten van ons huishouden als de stenen muren zelf. Maar ik kon Finbar nergens vinden; in plaats daarvan werd ik aangesproken door een meisje uit de huisjes dat gekomen was om hulp te zoeken voor haar grootmoeder, die al dagen koorts had. Hoe kon ik tegen haar zeggen dat het me verboden was hulp te geven? Deze mensen waren op mij aangewezen. Daarom haalde ik mijn mand, deed een oude mantel om, trok mijn stevige laarzen aan en ging op weg.

Zodra ze me in het gehucht zagen verschijnen, kwamen ook anderen mijn hulp vragen. Nadat ik de vrouw met koorts had verzorgd, ging ik naar het huis van oude Tom, om hem gerust te stellen over een puist die op een erg ongelukkige plaats was opgekomen. Ik behandelde hem, en hij bedankte me duizend keer, en zong de lof van mijn broer Conor, die zijn kleinzonen werk had gegeven in de stallen en op die manier zijn dochter van de lastige jongens had verlost, terwijl ze meteen iets nuttigs leerden. Daarna werd ik bij een heel klein, ziekelijk baby'tje geroepen. Ik liet wat kruiden bij de bezorgde jonge moeder achter, waarmee ze een thee kon maken die de borstvoeding zou helpen, en beloofde haar verse groenten te brengen uit mijn tuin.

Toen ik klaar was, was het halverwege de middag, en ik ging zo snel mogelijk naar huis. Het was een tijd geleden dat ik had ontbeten, en ik kon Janis' haverkoeken al bijna proeven in de frisse winterlucht. Er hing een fijne nevel om de meidoornstruiken toen ik het pad naar de moestuin inliep. Ik was diep in gedachten verzonken zodat ik bijna tegen vader en Donal opbotste toen ik een hoek van de haag omkwam. Zij waren in gesprek en zagen me niet. Ik bleef stokstijf staan en ging toen vlug achter de haag staan, want aan de kalme nadruk in Donals stem hoorde ik dat dit een heel persoonlijk gesprek was.

'... niet mijn bedoeling uw beslissing aan te vechten, heer. Maar luistert u alstublieft naar wat ik te zeggen heb, voor ik ga.' Donal had evenveel beheersing over zijn stem als over zijn paarden, zijn zwaard en zijn krijgers.

'Wat kun je mij te zeggen hebben?' antwoordde vader koeltjes. 'Mijn besluit staat vast. Wat is er dan nog te zeggen?'

Ze waren vlak voor me blijven staan, en ik kon geen beweging maken zonder te worden opgemerkt. Vader stond met zijn rug naar me toe. Donals houding was kaarsrecht zoals altijd, maar de diepe groeven om zijn mond en neus verraadden zijn emotie. 'Ik aanvaard de volle verantwoordelijkheid voor het gebeurde. Er is geen excuus voor een dergelijke fout. Mijn mannen zijn naar behoren berispt, en ik heb uw kastijding ontvangen. Het verleden kan niet ongedaan worden gemaakt. Maar een zo zware straf is niet terecht, heer Colum.'

'Er is een gevangene ontsnapt. Het was niet de eerste. Dit keer was het een belangrijke gevangene. Hoe kan ik zo'n fout door de vingers zien? Ik ga hier weg terwijl de man veilig in de kerker zit, niet alleen onder zware bewaking, maar bewusteloos, en nauwelijks in staat om te lopen, laat staan om hier weg te komen. De volgende dag krijg ik bericht dat de gevangene nergens te vinden is. Uw mannen waren bedwelmd. Er moet hulp van binnenuit zijn geweest. Ten gevolge van jouw nalatigheid is onze positie aanmerkelijk verzwakt. Wie weet hoeveel voordeel een dergelijke gijzelaar ons had kunnen opleveren? Ik kan me zo'n fout niet meer permitteren. Als je er niet voor kunt zorgen dat er een behoorlijke discipline is onder je mannen, is er hier geen plaats voor jou. Je mag jezelf gelukkig prijzen dat ik je in mijn dienst heb gehandhaafd terwijl de zaak werd onderzocht. Ik had je meteen moeten wegsturen toen ik thuis terugkeerde.'

'Vader.' Tot hij iets zei, had ik me niet gerealiseerd dat Liam er ook bij was, buiten mijn gezichtsveld, wat meer naar achteren op het pad. Zijn laarzen knerpten op de stenen. 'Luistert u alstublieft naar wat Donal te zeggen heeft. Is hij niet meer dan veertien jaar onze leidsman en leermeester geweest? Alles wat we kunnen, hebben we aan hem en zijn geduld te danken. Hem wegsturen is toch een te zware straf voor één overtreding?'

'Dit is mijn beslissing, niet de jouwe,' snauwde vader. 'Je bent nog veel te jong om je met dit soort zaken te bemoeien. Misschien begrijp je niet goed hoe belangrijk juist deze overtreding is. Door dit staaltje van nalatigheid, en de traagheid waarmee ik over het gebeurde ben ingelicht, is het heel goed mogelijk dat onze Britse gevangene op ditzelfde ogenblik alweer thuis is, om zijn kennis over onze troepen, ons terrein en onze posities aan zijn makkers door te geven. Zijn groep voerde niet zomaar een inval uit. We kunnen het ons niet veroorloven ons weer aan zo'n inval bloot te stellen.'

'Hij was die avond op sterven na dood,' zei Donal. 'Hij kan niet ver gekomen zijn. Bovendien hadden we al vastgesteld dat hij niets te vertellen had. Volgens mij overschat u zijn belang.'

'Ik overschat? Ik?' Vaders stem ging omhoog. 'Je bevindt je niet bepaald in een positie om mijn oordeel in twijfel te trekken.'

'Misschien niet,' zei Donal, 'maar er is ook nog een kwestie van loyaliteit. Zoals uw zoon al zegt, heb ik u veertien jaar lang trouw gediend. Sinds de tijd van uw vrouwe, toen dit huishouden nog vreugde kende. Ik heb van uw zonen sterke jonge krijgers gemaakt, die naast u kunnen strijden om uw verloren Eilanden; ze zijn bekwaamd in alle vormen van krijgskunst, om uw gebied te verdedigen en uw naam eer aan te doen. Ik heb de tijd aan hen besteed die u niet kon missen. Ik heb uw dochter zien opgroeien naar het beeld van haar moeder, het liefste en meest visionaire meisje dat ooit in deze wouden heeft geleefd. Ik heb uw mannen gedrild naar lichaam en geest, en hun trouw aan u staat buiten kijf. Maar nu – bij de vrouwe, Colum, ik moet het zeggen, want het ziet ernaar uit dat ik niets meer te verliezen heb door eerlijk te zijn!'

'Ik ga hier niet naar luisteren,' zei vader bars, en zijn mantel zwaaide wijd uit toen hij zich omdraaide.

'U gaat er wel naar luisteren, vader.' Liam legde zijn handen op vaders schouders om hem tegen te houden, en ik zag vaders gebalde vuist omhoog komen alsof hij hem wilde slaan, en toen weer langzaam omlaag gaan.

'U vindt het moeilijk om naar mij te kijken en naar mijn woorden te luisteren.' Donal sprak met enige moeite. 'Geloof me, het is voor mij nog moeilijker om zo tegen u te spreken, en ik doe het alleen omdat ik deze plaats, die mijn thuis is geworden, moet verlaten. Heer, ik heb nooit veel gevraagd, behalve mijn levensonderhoud en de kans om mijn werk goed te doen. Maar nu smeek ik u te luisteren.'

Het werd stil. Na enige tijd zei mijn vader: 'Nou?'

'Ik zal geen blad voor de mond nemen, heer. Ik ken u goed, soms beter dan u uzelf kent. In al deze jaren heb ik nooit meegemaakt dat u faalde in uw oordeel. Uw mannen zeggen het ook: u kunt soms hard zijn, maar u bent altijd rechtvaardig. Daarom volgen ze u, zelfs tot in de dood. Daarom bent u heerser over grote gebieden, van het grote bos tot de moerassen, en bent u overal in het noorden gevreesd en gerespecteerd. U maakt geen fouten. Tot nu. Tot...'

'Ga door,' zei vader op de ijzige toon die hij gewoonlijk voor Finbar reserveerde.

'Tot u vrouwe Oonagh ontmoette,' zei Donal moeilijk. 'Sindsdien is uw geest niet meer de uwe geweest. Haar wil ligt ten grondslag aan elke beslissing die u neemt, en haar invloed heeft u het zicht ontnomen op...'

'Genoeg!!' De vuist van mijn vader flitste door de lucht en trof Donals wang met een luide klap. De wapenmeester bleef staan, terwijl een akelige rode plek op zijn gezicht opgloeide.
'Ik spreek de waarheid, en diep in uw hart weet u dat,' zei hij uiterst kalm. 'U hebt mij nog nooit in boosheid geslagen. Dat u dat nu doet, komt door haar. Zij heeft uw gedachten vergiftigd, en nu raakt u uw oordeelsvermogen kwijt. Pas op, heer, want als uw mannen het geloof in u verliezen, zal uw gebied verloren gaan.'
'Zwijg!' De woede van mijn vader was tastbaar. 'Neem de naam van mijn vrouwe niet in de mond, want je woorden bezoedelen iets dat vlekkeloos is. Is dat de manier waarop je me terugbetaalt voor het vertrouwen dat ik in je stelde? Uit mijn ogen!'
'Vader, hij vraagt u alleen naar hem te luisteren.' Liams stem trilde een beetje. 'Donal is niet de enige die zo denkt. Vrouwe Oonagh heeft een kracht die... die op ons allemaal inwerkt. Uw mannen zijn onrustig, in uw huis heerst angst. Eilis en haar vader zijn gedwongen weg te gaan. Uw vrouwe streeft ernaar verdeeldheid te zaaien tussen broer en broer, tussen vader en zoon, tussen vriend en vriend, tot ieder van ons alleen is. Ze zal dit huishouden vernietigen, als u het toelaat.'
Er volgde ditmaal een lange stilte, en ik kon vaders ademhaling horen, en Liams bleke, bezorgde gezicht zien. Hij had een enorm risico genomen. Na een poos zei vader langzaam: 'Wat bedoel je, gedwongen weg te gaan? Het meisje had een zwakke maag, dat was alles. Wat heeft dat met mijn vrouwe te maken?'
'Er zat vergif in het eten,' zei Liam kalm. 'Een speciaal gedoseerd vergif, en alleen in haar eten. We hebben geprobeerd het tegen u te zeggen. Sorcha weet veel van die dingen af, en daardoor had Eilis geluk, want anders had ze dood kunnen gaan. Er is geen bewijs voor wie het erin heeft gedaan, maar geruchten verspreiden zich snel.'
'Het is even dom mijn vrouwe daarvan de schuld te geven als mijn dochter zelf de schuld te geven,' zei vader, maar zijn stem klonk nu anders, alsof hij eindelijk hoorde wat ze zeiden. 'Waarom zou ze zoiets willen doen?'
Om vader en zoon uit elkaar te drijven, dacht ik, zodat haar eigen kind erfgenaam kan worden. Of misschien heeft ze een nog groter plan.

'Er was al eerder vergif gebruikt,' zei vader. Hij keek Donal recht aan. 'Je zei dat je mannen een slaapdrank hadden gekregen, op de dag dat hun gevangene ontsnapte. Maar dat was nog voor vrouwe Oonagh hier kwam. Deze theorieën zijn niets dan verzinsels, fantasieën om je eer te redden, een list waardoor ik van gedachten zal veranderen en je misschien nog wat langer hier wil houden.'

'Zo is het niet,' zei Donal, en hij raapte het bundeltje op dat hij bij zich had. Toen zag ik ook het zwaard dat hij opzij droeg, en de boog die om zijn schouder hing. 'Mijn hart is hier, en mijn levenswerk, maar ik zal weggaan zoals me geboden is. Ik vraag u alleen acht te slaan op mijn woorden, en op die van uw zoon. Wees gewaarschuwd, en wees waakzaam.' Hij stak zijn hand uit om Liams elleboog te omvatten, en er waren tranen in de ogen van mijn grote broer. Toen was Donal weg; hij liep het pad af en was uit het zicht verdwenen. Ik hoorde zijn maliënkolder rammelen toen hij zijn paard besteeg, en de hoefslagen die geleidelijk in de verte verdwenen. Vader tuurde hem met half dichtgeknepen ogen na.

'Eerst Eilis en haar vader, en nu Donal,' zei Liam. 'Als u niet gauw uit uw droom ontwaakt, zult u ons allemaal kwijtraken, een voor een.'

Vader keek naar hem. 'Je kunt misschien beter zeggen wat je bedoelt,' zei hij. Liam ging dichter bij hem staan, legde zijn hand op vaders schouder en begon heel zacht te praten. Even later klonk er een schaterlach, en daar was vrouwe Oonagh, die als een visioen in fluweel op kleine muiltjes het pad af kwam hollen. De wolk rood haar wervelde rondom haar blozende wangen, en haar borsten werden nauwelijks omhuld door het strakke lijfje van de blauwe japon. Een netwerk van fijne aderen was zichtbaar op haar paarlemoeren huid, en plotseling wist ik, misschien nog eerder dan zijzelf, dat ze zijn kind droeg. Haar albasten huid leek van binnenuit te gloeien. Iets verder draafde mijn broer Diarmid achter haar aan, ernstig maar met kuiltjes in zijn wangen.

'Heer!' Ze wuifde zich met haar hand koelte toe en deed alsof ze uitgeput was. 'Wat een plechtigheid, wat een ernst! Hier, laat mij je opvrolijken! De dag is te mooi om zo gewichtig te kijken!' Ze ging op haar tenen staan, greep met haar beide kleine handen de

voorkant van zijn tuniek vast en kuste hem vol op de mond. Liams kans was voorgoed voorbij. De arm van mijn vader legde zich met een bezittersgebaar om zijn echtgenote, en zij hechtte zich aan hem als een wingerdrank aan zijn boom terwijl ze zich omdraaiden naar het huis. Ik keek hen na en zag hoe Diarmid hen volgde, uit het veld geslagen en verward. Ik zag dat Liam een handvol kiezels van het pad opraapte en ze met kracht tegen de grond smeet. Ik zag hem met grote stappen weglopen naar de stallen, en de teleurstelling stond duidelijk op zijn gezicht geschreven. Toen, toen pas kwam ik uit mijn schuilplaats te voorschijn.
Het duurde enkele ogenblikken, nadat ik via het huis de distilleerkamer was binnengegaan, voor ik besefte dat er iets niet klopte. Wanneer je een plek zo goed kent, wanneer het zo helemaal je eigen plek is, dan neem je gewoon aan dat hij er is, bijna zonder de kleuren en vormen waar te nemen, behalve als verlenging van jezelf. Daarom duurde het enkele ogenblikken. Ik deed mijn mantel uit en hing hem aan de pin. Ik draaide me om en wilde mijn mand op de tafel zetten. Toen zag ik het. De planken waren leeg, de hangende kruiden, de strengen uien en knoflook, de te drogen gehangen planten waren weg. Alle potten en flessen, alle messen en kommen ontbraken. Mijn specerijen, mijn zalven en tincturen, mijn doeken en schalen en bundels, al het gereedschap voor mijn werk was weggehaald. Er lag wat verkruimelde lavendel op de vloerstenen, en de deur naar buiten stond halfopen. Met kloppend hart liep ik de tuin in.
Helemaal achterin, bij de muur, brandde een vuur, en de geurige rook hing als een lichte nevel over de verwoesting voor me. Aan weerskanten van het pad in het midden waren alle bedden omgespit, waren alle planten uitgetrokken, en het hele oppervlak was bedekt met een wirwar van gebroken stengels, wittige blootliggende wortels en verbrijzelde plaveistenen. Half verdoofd strompelde ik naar voren. Lavendel, alsem, wormkruid en kamille. Malve en rozemarijn. Ik liep door de hopen van hun resten, en de zoete geur van hun gekneusde blaadjes steeg op als afscheidsgroet. Grotere takken lagen op de grond verspreid, of opgestapeld om verbrand te worden. Mijn seringenboom was omgehakt. *Snijd nooit levend hout*, had Conor gezegd, *tenzij het niet anders kan. En nooit zonder de geest die binnenin woont te waarschuwen.*

Vernietig haar woning niet zonder goede reden. Toch zei ik niets, maar liep bevend blindelings van het ene slachtoffer naar het volgende. De vroege bollen waarvan het geheime leven diep binnen hun beschermend omhulsel verborgen lag; de krokussen die ik zo zorgvuldig had toegedekt tegen de winterkou. Versnipperd, vertrapt, blootgelegd op de verkrachte aarde. Mijn gevoelige bosrank, van de muur gerukt en in duizend stukjes gehakt; nooit zou ze haar witte sterrenbloemetjes meer openen om de lentezon te verwelkomen. Ik liep verder. De kleine eik, die me het liefst was van allemaal, nog net niet schouder-hoog, die ik had vertroeteld en bewaakt sinds ik acht was; ik had verwacht hem jaar na jaar te zien groeien om mijn kleine domein te beschaduwen en te beschermen. Hij was bij de voet afgebroken en zou nooit meer uitbotten in het nieuwe seizoen. Ik viel op mijn knieën en graaide wild in de aarde, in een vergeefse poging iets, wat dan ook, te redden; maar ik kon niet huilen. Dit was te erg voor tranen, te erg voor gedachten. In mijn hart gaf ik een grote, woordeloze schreeuw van ellende.

Ik riep mijn broers niet hardop, maar twee van hen hoorden mijn hartenkreet. Finbar was er als eerste; hij sloot me in zijn armen, streelde mijn haar, vloekte binnensmonds. Even later kwam Conor, hij liep het pad af met een gezicht dat op onweer stond, brulde om de tuinlieden, richtte zijn woede op twee mannen die ik niet eens had gezien en die nu angstig bij het vuur stonden, met hun spade en hun hark in de hand, en geen verweer hadden onder de woedende vragen van mijn broer.

Ik greep Finbars jak en deed mijn best mijn ademhaling te beheersen. Mijn hoofd leek uit elkaar te barsten van woede, verdriet en ontzetting. Na enkele ogenblikken hield hij op met praten en probeerde hij me met zijn geest te kalmeren.

Huil maar, Sorcha. Laat het los. Gedane zaken nemen geen keer.

Zelfs mijn viooltjes! En mijn eikje ook! Ze hadden het eikje toch kunnen laten staan!

Je leeft nog. Wij zijn sterk. En deze planten kunnen opnieuw groeien.

Hoe kunnen ze groeien, als het kwaad hier heerst? Hoe kan er wat dan ook groeien? Mijn kruiden, mijn kruiden zijn weg, al mijn spullen – hoe kan ik mijn werk doen zonder mijn spullen?

Huil maar, Sorcha. Laat het los. Wij zijn hier allemaal voor je. Laat het los, zusje. De aarde neemt je tuin tot zich. Ze huilt met je mee.
Hij was sterk, en uiteindelijk gaf ik me over aan boze snikken, en doorweekte de voorkant van zijn hemd met tranen terwijl hij me tegen zich aan hield; en toen kwam Conor.
'Dit was in opdracht van de meesteres,' zei hij afgemeten. 'Een heel specifieke opdracht, met aandacht voor alle details. Het valt de mannen niet te verwijten, ze hadden geen keus; ze weten nu dat ze zoiets eerst aan mij moeten voorleggen. Maar dat is te laat voor jou, kleine uil. Het spijt me. Ik weet hoe hard je aan dit toevluchtsoord hebt gewerkt, en hoeveel je van de bewoners hield. Ik weet wat het voor jou en voor de mensen die je verzorgt betekent.'
'Alleen maar omdat... omdat...' hikte ik.
'Heb je haar op de een of andere manier beledigd?' vroeg Conor zacht.
'Beledigen is niet nodig.' Finbars stem was kouder dan ik hem ooit had gehoord. Hij klonk als die van vader. 'Vrouwe Oonagh heeft geen aanleiding nodig om zoiets te ondernemen. Ze zal ons stuk voor stuk vernietigen als niemand haar tegenhoudt.'
'Ze... ze zei dat ik niet meer naar het dorp mocht gaan,' bracht ik uit terwijl ik mijn neus snoot in de vierkante lap linnen die Conor te voorschijn haalde. 'Maar ze stuurden iemand om me te halen en ik had nooit gedacht... ik wilde alleen maar... en zij... en zij...'
Mijn broers wisselden een blik van verstandhouding.
'Sorcha, haal een paar keer diep adem,' zei Conor en hij leidde me naar de stenen bank, de enige overlevende in de woestenij. 'Ga zitten. Zo, dat is beter.'
Ze knielden aan weerskanten van me neer, en Conor nam mijn beide handen in de zijne. 'Goed zo, meisje.' Bij het vuur verderop waren de twee tuinlieden bezig afval bij elkaar te harken, en meer gebroken takken op de stapel te gooien. Ze wierpen zenuwachtige blikken in onze richting.
'Luister, Sorcha. Ik wil dat je naar mijn kamer gaat en ik wil dat je daar vannacht blijft. Je moet niet proberen met haar of met vader te gaan praten voor we allemaal samen hebben gepraat en be-

sloten hebben wat we moeten doen. Ik weet dat je verdrietig bent, maar Finbar heeft gelijk. Planten kunnen opnieuw groeien, en met jouw kundigheid en liefde zullen ze het op de moeilijkste plekken nog goed doen. Jij bent tenminste veilig. Dat is het belangrijkste.'
Ik kon geen woord uitbrengen. De pijn in mijn hart was nog te sterk, en de tranen stroomden onverminderd over mijn wangen. Nu ik eenmaal huilde, leek het onmogelijk om ermee op te houden.
'We moeten praten, met ons allen,' zei Conor. 'Ik denk dat jij hier misschien de sleutel van in handen hebt, Sorcha. Maar eerst moet je binnenkomen, en je hebt tijd nodig om je te herstellen.'
'Het is hier niet veilig voor haar,' zei Finbar onomwonden. 'Dit treft haar in haar wezen, en via haar treft het ons allemaal. Het was een berekende, en uitgekiend toegebrachte slag. We kunnen niet werkeloos toezien terwijl ons zusje zulke dingen moet verduren. We moeten haar eigenlijk wegsturen, voor het te laat is.'
'Nu nog niet,' zei Conor. 'Sorcha moet rusten. En jij, broer, hou jezelf in bedwang, want overhaaste woorden kunnen ons allen nog meer in gevaar brengen. Ga niet proberen dit met vrouwe Oonagh, of met onze vader te bespreken. Dat is niet de manier.'
'Hoelang? Hoelang moeten we wachten voor we iets doen? Hoelang wachten we voor we hem laten inzien wat zij is, waartoe zij in staat is?'
'Niet lang.' zei Conor, terwijl hij me overeind hielp. Zijn arm om mijn schouders was sterk, hard en troostrijk. 'Morgen zullen we iets doen, want net als jij geloof ik dat het tijd is. Ga intussen aan de anderen vertellen wat er gebeurd is, en vraag of ze na het donker naar mijn vertrekken komen. Maar hou je mond, broer, en zorg dat je ogen niets verraden. Vrouwe Oonagh ziet beter dan je denkt wat er in je omgaat.'
Net als jij, dacht ik. Het was geleidelijk tot me doorgedrongen, en het was nog niet helemaal duidelijk. Maar hij was me te hulp gekomen, vlak na Finbar, en iets dat hij had gezegd bevestigde het. Ik had altijd gedacht dat de woordenloze samenkomst van geesten alleen voor Finbar en mij was weggelegd. Ik vroeg me af hoelang Conor onze gedachten en gevoelens al had kunnen lezen, en waarom hij ons dat nooit had laten merken. Het paste op de een of andere manier bij wat pater Brien ons had uitgelegd. Als

mensen je als een geestelijk leider beschouwden kon dat betekenen dat je een paar vermogens had die het gewone te boven gingen, nam ik aan, misschien ook wel vermogens waar niemand iets van wist.
'Conor...' zei ik terwijl we via de achtertrap naar boven gingen, om niet gezien te worden.
'Het is in orde,' zei Conor. 'Je gedachten zijn veilig bij mij. Ik maak maar weinig gebruik van dit vermogen, en alleen wanneer het noodzakelijk is. Je pijn komt soms naar buiten, en die van Finbar ook. Ik ben er om te helpen.'
We kwamen bij de kamer die Conor en Cormack samen deelden. Niet lang na ons kwam Cormack binnen, met een somber gezicht, en Linn kwam achter hem aan stappen en sprong naast me op het smalle bed, waar ze ging liggen. Hierna volgden Padriac en Liam. De eerste bracht een beker gekruide wijn mee die ik van hem moest opdrinken, de ander pakte mijn hand, kuste me op mijn wang en nam toen zijn broers apart. Ze begonnen snel en met gedempte stemmen te praten, net buiten gehoorsafstand voor mij. Na een tijdje gingen ze allemaal weg behalve Cormack, die vlak binnen de deur bleef staan met een mes in zijn hand. Finbar kwam niet meer binnen. Nadat hij het nieuws had verspreid, was hij blijkbaar iets gaan doen dat alleen hemzelf aanging. Ik voelde me gebroken en leeg, en ik bleef een tijdje liggen terwijl ik naar het verflauwende licht keek en de hond mijn vingers liet likken. En na een poos begon de wijn te werken en viel ik in een onrustige slaap. Later, veel later, waren ze er allemaal behalve Diarmid. Ik was wakker, en ze brachten me roggebrood met honing, maar ik kon niet eten en voerde het aan de hond. Misschien was dit wat de verhalen bedoelden wanneer ze het hadden over iemand met een gebroken hart. Je hart en je maag en al je ingewanden voelden leeg, hol en pijnlijk aan.
'Denk aan de tijd toen alles nog goed was,' zei Conor, maar dat kon ik niet. Toen Finbar binnenkwam, zette hij een klein, vochtig bundeltje naast me op het bed. Linn snuffelde er hoopvol aan. Ik wikkelde de reep jute eraf. Daar lag mijn tuin in embryovorm: dunne stekjes lavendel, alsem, wijnruit en wormkruid; een snipper seringenhout die geënt zou kunnen worden; een ronde, witte steen uit het opgebroken pad; één eikel. Ik pakte alles voorzich-

tig weer in. Misschien, heel misschien kon ik opnieuw beginnen. Mijn broer bleef met zijn rug naar me toe staan. Ik voelde de liefde in hem, en de woede.
'Nu,' zei Conor, 'moet ik jou, Sorcha, vragen of je een geheim met je broers wilt delen. Met ons allemaal.'
'Welk geheim?' Ik was erg bang voor wat hij misschien ging zeggen. Vrouwe Oonagh had bijna mijn gevaarlijkste geheim ontdekt, het geheim dat met zekerheid verdeeldheid zou zaaien tussen de broers. Want drie van hen waren krijgers, toegewijd aan de zaak, en snel geneigd om zich bloedig te wreken; en er waren er drie die er altijd eerst naar zouden streven om te bemiddelen, te lijmen, hun geschillen met woorden te beslissen, niet met klappen.
'Hij bedoelt het visioen, de geest die je in het bos hebt gezien, Sorcha,' zei Finbar vanuit zijn donkere hoek. 'Conor denkt dat dat ons misschien kan helpen. Je kunt het ze vertellen.'
'Ze is bij me gekomen,' zei ik. 'De Vrouwe van het Woud. Precies zoals in de verhalen. Ze... ze sprak tegen me, woorden over wat ik moest doen. Dat het lang en moeilijk zou zijn, en dat ik de weg moest blijven volgen. Dat was alles.'
Niet helemaal alles. Maar de rest ging ik niet vertellen.
'Zou zo'n visioen weer komen als je haar opriep?' vroeg Liam. Het was donker in de kamer waar maar één kaars brandde, en mijn broers leken lang en somber in de schaduwen. Drie van hen stonden bij het bed, Finbar stond in de verste hoek en Padriac had de wacht bij de deur.
'Ik kan haar niet zomaar oproepen als ik het wil,' zei ik; ik dacht eraan hoe ik naar begeleiding had verlangd bij mijn wanhopige pogingen Simon te helpen. 'Ze komt alleen wanneer zij het nodig vindt.'
'Vrouwe Oonagh spreidt haar vleugels elke dag wat verder,' zei Conor. 'Haar macht neemt toe. Volgens mij moeten we een nog grotere kracht aanwenden om haar te bestrijden. Je zou het kunnen proberen. Op de juiste plaats en op het moment dat de nood dringt zou je het kunnen proberen, met ons om je heen.'
'Wil je dit voor ons doen, Sorcha?' Het was pas laat tot Cormack doorgedrongen waartegen we streden. Linn keek op toen ze zijn stem hoorde. Haar wond begon al mooi te genezen.
'Hoe?' vroeg ik. 'Wanneer?'

Ze keken allemaal naar Conor. Plotseling leek hij veel ouder dan zijn zestien jaren, alsof de schaduw van een andere persoonlijkheid over hem heen hing.
'Morgen,' zei hij. 'Bij de boom van onze moeder, bij zonsopgang. Ik zal voor alles zorgen wat we nodig hebben, en Sorcha komt met mij mee. Liam, jij moet ervoor zorgen dat Diarmid er ook is. Het maakt me niet uit hoe je het doet, maar breng hem mee. We moeten allemaal aanwezig zijn. Geen paarden; kom te voet. Sorcha, neem een bundel mee met benodigdheden voor een dag of twee, want je zult hier een poos niet terugkomen. En jij ook, Padriac. Ik stuur Sorcha niet alleen weg. Wanneer we klaar zijn, gaan jullie tweeën naar pater Brien en hij zal zorgen dat jullie ergens heen komen waar het veilig is. Ik denk dat doden haar volgende stap zal zijn, misschien door een van ons tegen de anderen op te zetten. We zijn een stelletje stumpers als we ons zusje niet tegen dat kwaad kunnen beschermen.'
'Wat was je van plan, Conor?' vroeg Cormack, terwijl hij zijn tweelingbroer oplettend aankeek.
'Vraag dat maar niet,' zei Conor. 'Hoe minder erover gezegd wordt, hoe beter. We moeten geen argwaan wekken. Waarom denk je dat ik Sorcha en Finbar heb gevraagd vanavond niet aan tafel te komen? Zij zijn allebei als een open boek, ze zeggen de waarheid ook al loopt hun eigen leven daardoor gevaar, en wanneer ze niets zeggen, stralen hun gedachten als het licht van een vuurtoren uit hun ogen. Bewonderenswaardig, maar gevaarlijk. Het was al erg genoeg toen onze grote broer daar zat met zijn mond stijf dicht en zijn voorhoofd gefronst, terwijl de vrouwe hem beleefd vragen stelde.'
'Ze is boos, al doet ze nog zo poeslief,' zei Liam. 'Ze hield me vanmiddag tegen, voor ik met vader kon praten. Maar hij had al begrepen waar ik heen wilde; er was al een zaadje van twijfel gezaaid. Ze moet snel handelen; ik kon in haar ogen lezen dat ze iets van plan is.'
'Ik ook,' zei Conor ernstig. 'Zorg dus vannacht dat je niet gezien wordt. Wanneer de zon opgaat boven het meer, komen we bij elkaar op de oever waar de boom van onze moeder groeit. Ik ben ervan overtuigd dat er een macht kan worden opgeroepen waarvoor zelfs vrouwe Oonagh moet wijken.'

Cormack liet zijn hond bij me achter als gezelschap en ging ergens anders slapen, en het was Conor zelf die die nacht de wacht hield bij de deur, met een wapen aan zijn zijde. Ik sliep bij vlagen, ik schrok vaak wakker, net als in de lange, donkere nachten in de grot van pater Brien; en elke keer stond mijn broer daar met zijn blik gericht op een ver visioen, en prevelde hij spreuken in een voor mij onbekende taal. Misschien was het gezichtsbedrog in het halfduister, misschien ook niet, maar ik dacht dat hij op één been stond, met zijn voet een eindje van de grond, en een arm achter zijn rug gebogen, en dat een van zijn ogen open was en het andere dicht. Hij stond er roerloos als een steen. De kaars wierp schaduwen op de muur, en heel even zag ik een vogel met witte vleugels in zweefvlucht, en een grote boom. Ik zakte weer weg in de slaap.

De volgende morgen had het zwaar gedauwd, en een dichte mist lag als een deken over de oever van het meer. We gingen voor zonsopgang op weg, en de zoom van mijn jurk was algauw doorweekt. Ik hield de kleine zak die ik had meegenomen stevig vast. Ik had niet veel kostbaarheden. We liepen in volkomen stilte over de bospaden, zonder licht. Conor had witte kleren aan, en ik volgde hem in vertrouwen als een kleine schaduw. Achter mij volgde Linn me op de voet. Ze voelde blijkbaar aan dat dit onopgemerkt moest blijven en bedwong haar neiging om achter elke ritseling in het gras aan te gaan, en hield zich stil.
Wij waren de eersten die onze bestemming bereikten. Toch waren er al anderen geweest, want op het grasveld naast de jonge berk, waar we al zo vaak bijeen waren gekomen, waren voorwerpen precies op hun plaats gelegd, in afwachting van onze komst. In het eerste spoortje licht voor zonsopgang werden witte en gele margrieten zichtbaar. Ze waren aan de oostkant van de boom, waar het terrein omhoogging naar het bos, over het gras uitgestrooid. Temidden hiervan lag een mes, zonder schede, met een benen heft. Aan de westkant, waar de oever afliep naar het meer, stond een ondiepe aardewerken kom bij de boom, en net als de beker van Isha was hij tot de rand gevuld met helder water. Aan de zuidkant en de noordkant respectievelijk een dunne staf van berkenhout en een bemoste steen uit het diepst van het

bos. Dat waren de benodigdheden voor onze ceremonie. Wie de rituele voorwerpen daar had neergelegd, wist ik niet, en ik kon het ook niet aan Conor vragen, want ik voelde de noodzaak de stilte te bewaren, het geheim en het belang van dit ogenblik vast te houden. Toch vroeg ik me af wie ze hierheen had gebracht, want mijn broer was de hele nacht bij mij gebleven.

Langzaam kwamen ze. Cormack, een lange gestalte die uit de mist opdoemde. Vlak achter hem, Padriac die een kleine zak droeg zoals de mijne. Conor stond dicht bij de boom en wachtte. Opeens stond Finbar naast me, hoewel ik hem niet had zien of horen aankomen. Zijn dringend gefluister verbrak het zwijgen.

'Sorcha. Kijk hier eens naar. Zeg me wat het is.' Een flesje met een glazen stop. Een sierlijke, kleine flacon, heel geschikt voor het parfum van een dame. Ik trok de stop eruit en rook eraan, en schudde toen een kleine hoeveelheid zwart poeder in mijn hand uit. Er was nu genoeg licht om op het oog de informatie die mijn neus me had gegeven te bevestigen. Dit was een van de dodelijkste vergiften. Ik keek naar Finbar, en hij las het antwoord dat hij wilde horen in mijn ogen.

'Het is monnikskap,' fluisterde ik terug. 'Waar heb je dit gevonden?'

'In haar vertrekken, bij haar spullen. Dit is in elk geval het bewijs voor zover het Eilis betreft.'

'Sst,' zei Conor. 'Wacht op de anderen. De zon komt nog niet op.'

Daar stonden we dan, en ik probeerde mijn geest leeg te maken en de woelige gedachten te verdrijven die daar woedden, en me te concentreren op ons doel. Het was nog helemaal stil in het bos; het was voor de boombewoners nog geen tijd om hun gezang tot de dageraad aan te heffen. Het was een ogenblik van waarheid, en we moesten het ons moment maken. Maar we waren nog niet allemaal bijeen. En zonder het zevental zou ons doel niet bereikt worden.

Het leek een eeuwigheid, maar het duurde vermoedelijk niet zo erg lang voor we een zacht, ritmisch plonzen hoorden, en er legde een kleine boot aan op de oever. Liam roeide; Diarmid zat in gebogen houding voorin met een grijze mantel om zich heen gewikkeld als een sjaal. Cormack glibberde de oever af om hen aan wal te helpen; met moeite kregen Liam en hij Diarmid het grasveld op. Het rook opeens sterk naar zwaar bier. Diarmid zwaaide op zijn benen tussen zijn broers, half bedwelmd, met rode ogen. Liam zag er niet veel beter uit. Het leek erop dat hij gelijk op had gedronken met zijn gevangene om hem zover te krijgen dat hij meeging.

'We zijn er allemaal, en het duurt nog maar een paar minuten voor de dag aanbreekt,' zei Conor.

Weer voelde ik de aanwezigheid van anderen, wijzere, sterkere ouderen, die zich om hem vlijden als een mantel. In plaats van een donkerharige jongeman in een wit gewaad, leek het alsof er een oeroude wijze voor ons stond, en de open plek leek zich op de een of andere manier om hem heen te verwijden.

'We zullen dadelijk beginnen. Maar ik waarschuw jullie allemaal. Wij vormen een eenheid, wij zevenen; zij die de band tussen ons tracht door te snijden doet dat op haar eigen risico. Dit is een groot mysterie, en het zal misschien ons doel verwezenlijken. Maar in alle omstandigheden ontlenen wij alleen die hulp en die kracht aan de geestenwereld, die haar bewoners ons willen geven. Buiten dat moeten wij vertrouwen op ons eigen verstand, onze eigen moed en onze eigen besluitvaardigheid. Nu beginnen wij met onze ceremonie. En wanneer ze afgelopen is, gaan we een tijdlang uiteen. Jij, Sorcha, en jij, Padriac, jullie moeten een schuilplaats opzoeken. Pater Brien zal jullie een schuilplaats geven en jullie naar een veilige plaats brengen. Wanneer alles hier gedaan is, zullen we jullie komen halen. En ongeacht of datgene wat we deze ochtend doen, hulp brengt of niet, de overigen zullen vandaag in actie komen, wat er ook van komt. We hebben het bewijs; onze vader moet de waarheid onder ogen zien en zijn keus bepalen.'

We vormden een formele kring om de kleine boom, zoals we al vele malen eerder hadden gedaan; we stonden zo dicht bij elkaar dat iedereen, als hij een arm zou uitstrekken, de hand van degene naast hem zou kunnen aanraken. Maar het was niet nodig elkaar aan te raken. Dit was onze plaats van rituele eenheid; de oude eiken en beuken hier hadden onze kinderlijke rijmen, onze tere geheimen gehoord; ze hadden gezien hoe we communiceerden met de geest van onze moeder. Soms waren we plechtig en ernstig geweest, en soms hadden we grappen gemaakt en gelachen. Deze bomen bevatten in hun kern het verhaal van de jaren waarin wij opgroeiden, en nu zouden ze getuige zijn van een mysterie, groter dan we tot nu toe hadden gekend.

De eerste vonk van de opgaande zon verlichtte de rand van de hemel. Conor ging met zijn gezicht naar het zuiden staan en hield de berkenstaf voor zich omhoog.

'Wezens van vuur, bliksemsnelle salamanders,' zei Conor, 'kinderen van de reinigende vlam, die recht op je doel afgaat, wij groeten jullie!' Het leek alsof de lucht even bewoog, alsof het licht een ogenblik flikkerde; maar er hing nog steeds een dichte nevel over de open plek.

Liam stond aan de westkant, en keek uit over het water van het meer. Diarmid was niet in staat op zijn plaats in de kring te blijven staan, maar zakte tegen Cormacks schouder, knipperend in het toenemende licht. Cormack hield de arm van zijn onmachtige broer stevig vast. Liam hief de kom op zodat het bleke licht van de dageraad erin viel.

'Watergeesten, veranderlijk en wervelend, diepgewortelde, wetende hoeders van mysteriën, wij groeten jullie,' zei hij, en hij liet de kom weer zakken.

Finbar stond met zijn gezicht naar het noorden, waar de grote neergevallen rotsblokken een soort reuzenpad vormden tussen de hoge bomen. Zijn lange handen hielden de bemoste steen vast; in het levenwekkende licht bleek het oppervlak ervan ingekerfd te zijn met kleine tekens en symbolen.

'Aardbewoners, bewakers van geheimen, onthullers van de waarheid, die wijs en waardig bent, wij eren uw aanwezigheid,' zei hij. Hij draaide zich naar binnen en legde de steen voorzichtig op het gras.

'Nu, Sorcha,' zei Conor rustig. Ik keek op naar de machtige bomen, die zich voor me uitstrekten naar het oosten. Hoog boven ons hoofd barstte een leeuwerik uit in een lied, en Padriac, die naast me stond, lachte stralend van plezier over dat geluid. Aan de lichter wordende hemel was te zien dat de dag was aangebroken, al hield het bos het exacte tijdstip waarop de zon opkwam voor ons verborgen.

Het mes was in mijn handen, en de bloemen lagen rondom aan mijn voeten. 'Bosgeesten van het woud,' fluisterde ik. 'Geesten van eik, beuk en es, dryaden van lijsterbes en hazelaar, hoor ons aan.

Jullie die ons stap voor stap hebben geleid en behoed, jullie wier bladerdak onze groei heeft beschut, we eren jullie. Vrouwe van het Woud, vrouwe van de blauwe mantel, hoor mij nu aan. Kom tot ons in het uur van onze nood, kom tot ons in het uur van onze duisternis. Kom tot ons als u wilt.'

Ik bewoog het mes omlaag en draaide me om zodat ik de kring sloot. Van alle kanten klaterde nu vogelzang over de open plek en vulde de lucht met fluittonen. Rond onze voeten en boven het oppervlak van het meer begon de nevel op te lossen door de opkomende zon. We bleven zwijgend staan, met gebogen hoofd. De kring mocht niet verbroken worden. We wachtten terwijl de hemel van grijs blauw werd, en de glans van het water van het meer door de slierten damp heen brak.

En toen kwam zij. Het was alsof ze al die tijd bij ons was geweest, een kleine gestalte met een kap over het hoofd, die in haar eentje op de plaats stond waar de rand van het meer het zand raakte; en achter haar een lage, donkere boot die naast de andere op de oever was getrokken. Ze had me gehoord, en ze was gekomen. Ze deed een stap over het strand in onze richting, en nog een stap. De wervelende nevel hechtte zich aan haar rokken. Maar er klopte iets niet. Linn begon te grommen, diep in haar keel. En toen, plotseling, een stilzwijgende waarschuwende flits van Finbar, van Conor.

Vlucht, Sorcha, vlucht!

Het bos in. Nu. Vlucht!

Ik zag de eerste gretige vingers van nevel zich uitstrekken en zich om de lichamen van mijn broers kronkelen. Ze hielden hen vast en probeerden mij te bereiken waar ik stond aan de andere kant van de boom, en toen zag ik haar ogen, donkerpaars onder opwaarts gebogen wenkbrauwen, en de krullende lok kastanjebruin haar onder de diepe kap. Ze bracht een blanke hand omhoog om de bedekking van haar hoofd te schuiven, en op de fijne gelaatstrekken van vrouwe Oonagh stond een uitdrukking van woeste triomf geschreven. Ik draaide me om en vluchtte; de doodsangst gaf mijn voeten vleugels en ik rende over steen en rots, klauterde door modder en grind, omhoog, omhoog, de heuvel op tot het bos me verborg in zijn stille schaduwen. Voor me uit rende Linn met de staart tussen haar poten.

Toen ik zo ver was gekomen als ik kon, klom ik in een grote eik, die me in zijn geweldige takken wiegde terwijl ik probeerde weer op adem te komen en mijn bonzende hart tot zwijgen te brengen. Linn zat ineengedoken in het struikgewas en jankte zacht en angstig. Ik hoefde de oever van het meer niet te zien, want ik kon alles zien door Finbars ogen en met mijn broer van het begin tot het wrede einde voelen hoe het verhaal zich onvermijdelijk ontvouwde.

Vlucht, Sorcha, vlucht! Ons zusje draait zich om en vlucht over de open plek als een kleine, witte uil, en een onbekende kracht neemt haar op in de veilige beschutting van de bomen. Maar wij, wij zessen, worden onbeweeglijk vastgehouden terwijl de kille nevelslierten als een levend wezen onverbiddelijk en doelbewust langs ons lichaam omhoog kruipen. Onze benen zijn als in de grond geworteld, onze armen zijn geboeid, onze tong is niet tot spreken in staat. Alleen onze geesten voeren nog een machteloze strijd om zich te bevrijden.

Ze schuift de kap naar achteren, en het morgenlicht danst op haar krullende haren. Ze werpt het hoofd naar achteren en lacht triomfantelijk.

'Ha, als jullie jezelf eens konden zien, broertjes! Heel komisch, heel grappig!' Haar stem wordt donkerder. 'Dachten jullie dat jullie me te slim af waren met dit onbeduidende toneelstukje, deze zielige poging tot toverij? Schaam je! Jullie hadden je beter bij je oorlogsspeelgoed kunnen houden, en je niet kunnen bezighouden met zaken die jullie begrip te boven gaan. Maar ja, nu hebben jullie je verdiende loon, jongens; laten we maar eens zien hoe het jullie vergaat wanneer ik met jullie klaar ben. Want ik vrees dat jullie me zwaar hebben onderschat.'

Ze loopt voor ons langs; wij staan machteloos in de kring. Om beurten blijft ze voor elk van ons stilstaan en spreekt ons toe.

'Liam. Beschermer en leider, dat is immers de rol die je ongelukkige moeder voor je bedoeld had? Je hebt het er vandaag niet best afgebracht, eerstgeborene. Maar dat geeft niet. Je vader kan meer zonen krijgen, zoals hij jou kreeg. Dit gebied zal nooit van jou zijn. Ja, Colum zal rouwen om het verlies van jou, daar twijfel ik niet aan, maar dat zal voorbijgaan. Ik zal

hem troosten. En je waarschuwing, die is hij nu al vergeten.'
Ze gaat verder naar Diarmid, die nog tegen de schouder van zijn broer hangt, en nauwelijks begrijpt wat er gebeurt. 'Zo, mijn zoete minnaar, mijn teerbeminde. Jij dacht dat je de plaats van je vader kon innemen, hè? Maar je bent niets, níéts.' Ze benadrukt de belediging door vlak onder zijn neus met haar slanke vingers te knippen. Diarmid knippert met zijn ogen. 'Waarom zou ik me behelpen met een kleuter zoals jij, wanneer ik een echte man in mijn bed kan krijgen?'
Ze wendt zich tot Cormack. 'Vond je het leuk, je mes om te draaien in een levend lichaam, knappe krijger? Je zou ervan opkijken als je wist wat je zusje uitvoert wanneer jij van huis bent. Want jullie hebben niet allemaal dezelfde vijand, vrees ik. Jij hebt de les van je vader goed geleerd – eerst toeslaan, dan vragen stellen. Die techniek had je misschien op mij moeten uitproberen.'
Ik zie Conors ogen, want hij staat recht tegenover me. Ze stralen van moed. Hij raapt al zijn wilskracht bij elkaar om haar te weerstaan. Maar hij is nog jong, en het is niet genoeg.
'Je hebt gefaald, kleine druïde. Je bent te zwak geweest voor hen allemaal. En er komt geen tweede kans voor degenen die mij dwarsbomen. Dacht je werkelijk dat haar macht groter was dan de mijne? Wat weet je dan weinig, terwijl je van jezelf denkt dat je zo wijs bent. Wij zijn een en dezelfde.'
Ze draait zich opeens om, en nu staat ze tegenover mij. Ik zal niet bang zijn. Het komt weer op me af, de kou, de vreemdheid, de grote vleugelslagen. Ik zie de dood in het gezicht.
'Jij wilde me aan de kaak stellen in het bijzijn van je vader,' zegt ze. Ik voel ijs langs mijn ruggengraat omhoog kruipen. 'Je wilde dat je zusje tot elke prijs gered werd. Maar ik ben je de baas, en ik doorzie je, mijn oude vijand. Je zusje zal nooit veilig zijn voor mij; ik zal haar vinden en ze zal lijden tot ze naar de dood verlangt. En jou zal ik daarheen sturen waar geen dappere idealen, geen morele hoogten, geen goed en kwaad bestaan. Daar telt alleen overleven. Wat heb je dan aan je mooie heldhaftigheid, vraag ik me af?'
Ten slotte is ze bij Padriac, die met open mond staat te kijken van schrik. 'Jij wilde het allemaal weten. De geheimen van het vliegen, het doen en laten van alles dat beweegt en bestaat, de ge-

woonten van alle levende wezens. Je zult weten wat het is te vliegen, en je zult de angst en pijn van een wild dier voelen. Je zult een dierlijk leven leiden tot je smeekt terug te mogen keren naar de mensenwereld. Zo zul je lijden en sterven; en er is geen redmiddel.'

Ik lag met mijn benen opgetrokken in de grote boom; ik had mijn ogen stijf dichtgeknepen en mijn handen stevig tegen mijn oren gedrukt. De beelden speelden door mijn geest, want nu lukte het niet Finbar buiten te sluiten, al probeerde ik het. Zijn angst was sterker dan de beheersing die hij over zijn gedachten had, en ik was een met hem terwijl het verschrikkelijke verhaal zich ontvouwde.

Ze heft langzaam haar handen op. De donkere mantel valt naar achteren en haar blauwe jurk wordt zichtbaar, haar vliesdunne sjaal met de fijne tekening van bloemblaadjes en vlinders. Haar handen wijzen naar de hemel, en haar donkere ogen lijken er schaduwen uit omlaag te trekken. Ze begint op een hoge, vreemde toon spreuken te prevelen in een onbekende taal, donker van dreiging. Plotseling flikkeren er schichten van licht om ons lichaam heen, terwijl wij nog steeds onbeweeglijk stilstaan. Het licht komt uit haar handen, uit de hemel, uit de aarde. De hele open plek is vol van vonken en flitsen. De vogels zwijgen angstig. De spreuken bereiken een hoogtepunt, en het geprevel houdt op. En dan gebeurt het. De kou, het ruisen, het veranderen. Waar stevige leren laarzen stonden, staan nu de zwempoten van een grote watervogel. Waar de mantel gespierde jonge armen bedekte, is nu een uitgespreide, gebogen, witgevederde vleugel. En als laatste verdwijnt de geest, de ziel. Vaarwel, Sorcha. Vaarwel, kleine uil. Het licht, de ochtend, het water. We zijn zwanen. We zijn een met het meer. We zijn...

Ze waren weg. Mijn broers waren weg. Maar haar stem ging door en schalde nog in mijn hoofd. *'Ik heb jou niet vergeten, Sorcha, het kleine zusje. Wanneer je moe en hongerig bent, wanneer het bos je niet langer beschut, dan zal ik je vinden. Wanneer je het het minst verwacht, zal ik er zijn. Want zonder je broers ben je niets. Eerst komt je vader aan de beurt. Wanneer ik met hem klaar ben, kom ik jou zoeken.'*

Hoe ik die dag door het bos bij de hut van pater Brien ben gekomen, is een vage herinnering. Ik scheurde mijn kleren, ik schramde mijn knieën en kreeg overal blauwe plekken terwijl ik van steen op steen klauterde, van boom op boom. Linn bleef bij me en hield me bezorgd in het oog; ze wachtte op me toen ik moeizaam de rivier overstak en kruipend tegen de rotswand opklom. Mijn hoofd was leeg, ik zag alles wazig door de tranen die maar bleven stromen, mijn keel was gezwollen en droog van verdriet. Ik klom en huilde, en huilde en klom verder, en ten slotte kwam ik bij de grot van de kluizenaar.

Het was zonnig gebleven en het was een warme dag. Het was halverwege de middag; ik had blindelings een snelle route genomen en dat had zijn prijs gehad, want ik was duizelig en buiten adem en mijn hele lijf deed pijn. Linn zag de donkere gestalte als eerste, de gestalte van een lange vrouw die stil op de houten bank onder de lijsterbessen zat, met haar lange haar los over haar rug hangend. Haar lange mantel had de kleur blauw van verre bergen in de schemering. De wolfshond bleef stilstaan en liep toen langzaam naar voren, aarzelend kwispelend met haar staart. De vrouw stak haar hand uit.

'Kom naar voren, dochter van het woud.' Haar stem was diep en had een galmende klank. Ik bewoog niet. Linn gaf zich over aan de strelende vingers; ook zij was moe van onze vlucht. Ze likte de hand van de vrouw even voor ze zich naar de waterbak begaf om te drinken in lange, dorstige slokken.

'Kom naar voren, Sorcha. Ken je mij niet?' Ze maakte geen aanstalten om naar me toe te komen. Ik snoof, en veegde met mijn hand langs mijn neus. Waar was pater Brien?

'Kom, kind. Je hebt me geroepen in het uur van je nood. Nu ben ik hier, en ik zal je helpen.'

Toen kwam de boosheid in me opzetten, en ik liep naar haar toe tot ik voor haar stond en in haar diepblauwe ogen kon kijken.

'U bent niet gekomen! We hebben u geroepen, met ons allen... en nu zijn mijn broers... mijn broers zijn weg... en zij zei, zij zei dat zij en u een en dezelfde waren, dat we haar hadden geroepen.' Ik kon het beeld niet uit mijn hoofd wissen, het beeld van hoe ieder van hen om beurten veranderde, veranderde van een mens in een zwaan, en de verschrikkelijke leegte toen hun geesten me ontglipten en voorgoed verloren gingen. 'Hoe weet ik wie ik moet geloven, u of haar?'

Haar blik was scherp. 'Haar soort zegt altijd dat er geen zwart en wit is, alleen grijzen. Dat alles verkeerd of goed kan zijn, dat goed en kwaad twee kanten van één munt zijn. Geloof haar als je wilt. Misschien spreekt zij de waarheid, en ik onwaarheid. Dat moet je zelf beslissen, en je moet je eigen weg kiezen. Je moet nu kiezen.'

'Er is geen keus,' jammerde ik. 'Ze heeft hen gegrepen, ze heeft hen veranderd, en nu zijn ze weg! Wat kan ik anders doen dan vluchten en me verbergen, en alleen zijn? Ze zei dat ze me zou komen zoeken, ik moet niet hier blijven, ik moet pater Brien zoeken...'

'Stop,' zei ze terwijl ze haar hand opstak, en ik zweeg, en haalde bibberend adem. 'Hij kan je dit keer niet helpen. Luister.'

Ik luisterde, en plotseling viel het me op dat er geen geluid te horen was. Zelfs de insecten leken te zijn opgehouden met sjirpen. Het was volkomen stil in het bosje. 'Misschien vraag je je af waarom het hier zo stil is. Het is de stilte van de slaap, van afscheid. Hij is hier, maar hij is niet hier.'

'Wat bedoelt u?' Ik had gedacht dat ik niet meer in staat was iets te voelen, maar door haar woorden kreeg ik het opeens koud.

'Er is weinig tijd,' zei ze, terwijl ze opstond, en nu kon ik de kracht van haar aanwezigheid voelen zoals ik hem hier al eens eerder had gevoeld; het was alsof de ziel van het grote bos hier geconcentreerd was. 'Je moet luisteren, en goed luisteren. Want je hebt wel degelijk een keus. Je kunt vluchten, en je verbergen, en wachten tot je gevonden wordt. Je kunt je verdere leven in doodsangst slijten, zonder zin. Maar je kunt ook de moeilijke keus maken, en hen redden.'

Ik staarde haar aan. Linn had genoeg gedronken en ging nu met haar tong uit haar bek in de zon liggen. Er viel een korte stilte.

'Hen redden?' fluisterde ik na een tijdje. 'Bedoelt u... dat deze betovering op de een of andere manier ongedaan kan worden gemaakt?'

'Dat kan,' zei de Vrouwe, 'maar het zal niet gemakkelijk zijn. Jij bent de enige die het kunt doen, en daarom moet je buitengewoon voorzichtig zijn, want zij vermoedt dit en ze zal proberen je te vinden, om te kunnen verhinderen dat je het doet. Je broers hebben je gered door je te waarschuwen, maar ze konden zichzelf niet redden. Alleen jij kunt dat.'

'Maar zij zei tegen hen – ze zei dat er geen redmiddel was.' Ik kon de woorden nog horen, als een doodsklok.

'Ze wilde dat ze geen hoop meer hadden, dat ze voorgoed zouden denken dat alles mislukt was; dat ze niet alleen zichzelf niet hadden kunnen redden, maar dat ze jou niet hadden kunnen beschermen en hun vader niet hadden kunnen verlossen. Zonder hoop zullen ze kwetsbaar zijn, minder goed in staat in leven te blijven. Dat denkt zij tenminste.'

'Dat is gemeen,' zei ik. 'Waarom doet ze dit?'

'Dat is haar aard,' zei de Vrouwe kalm. 'Ze volgt een gril die haar invalt en richt onheil aan; soms is het tamelijk onschuldig, soms een kleinigheid. Dit is een groots opgezet plan; ze is er alleen nog niet achter gekomen dat er andere patronen zijn, ouder en groter dan het hare. Je kunt haar werk dit keer ongedaan maken, als je het werkelijk wilt.'

Ik voelde een vonkje hoop in mijn binnenste opgloeien. 'Wat moet ik doen?'

'Het zal lang duren, en zwaar en pijnlijk zijn, Sorcha. Ben je daar sterk genoeg voor?'

'Ja! Ja! Zeg me wat ik moet doen.'

Er straalde medelijden uit haar ogen toen ze weer op de bank ging zitten. 'Kom hier naast me zitten, dochter. Zo is het beter. Luister nu goed. Je moet voor elk van je broers een hemd maken. Het garen, het weefsel, elke steek aan deze kledingstukken zal jouw werk zijn.'

'Dat is niet zo moeilijk, ik kan...'

'Stil. Dat zou inderdaad een gemakkelijke opgave zijn, zelfs voor zo'n ongedurig schepseltje als jij. Maar er is meer. Vanaf het ogenblik dat je hiervandaan weggaat, tot het ogenblik dat je broers weer definitief tot het mensdom zijn teruggekeerd, mag er geen woord over je lippen komen, geen kreet, geen lied, geen fluistering mag je uiten. Ook mag je je verhaal niet in beelden of letters of op welke andere manier ook aan een levend wezen vertellen.

Je zult zwijgen, stom zijn zoals de zwanen stom zijn. Als je dit zwijgen verbreekt, zal de vloek voorgoed voortduren.'
'Ik begrijp het,' zei ik rustig. 'En verder? Hoe vind ik mijn broers, om hun deze hemden aan te trekken?'
'Ah, niet zo snel,' zei ze, en ze nam mijn handen in de hare. 'Dit is nog altijd te gemakkelijk. De hemden zullen niet van wol gemaakt zijn, of van vlas, of van dierenvellen. Ze zullen gesponnen en geweven zijn van de vezels van sterrenkruid. Je zult je verwonden aan de stekelige stengels. Er zal geen broer zijn om je te troosten en je kapotte handen te verzorgen. Je zult in stilte huilen en op je lip bijten om niet van pijn te schreeuwen. Kun je dit?'
'Ja,' fluisterde ik. Linn kwam naar me toe en duwde haar koude neus in mijn hand. Ik begroef mijn vingers in haar zachte vacht. 'Zal ik mijn broers zien?'
'Je zult hen zien. Volgend jaar op midzomeravond, en vervolgens tweemaal per jaar, op midzomer- en midwinternacht tussen avondschemer en zonsopgang zullen ze hun menselijke gedaante terugkrijgen, en ze zullen naar je toe komen als dat mogelijk is. Maar onthou goed dat je geen geluid mag maken en dat je je verhaal niet mag vertellen, ook niet aan hen, anders zullen ze voorgoed zwanen blijven. Het zal een langdurige taak zijn, Sorcha. Je moet hier weggaan en naar een veilig oord reizen, zoals je broers hadden bedacht. Neem het karrenspoor naar het westen. Even voor de kruising is er een heel oud pad naar rechts, dat weer het bos ingaat. Kijk goed, anders loop je eraan voorbij, want het is goed verborgen. Volg dat pad langs de oever van het meer. Het zal je naar een veilige plek brengen, waar het bos je in elk geval voorlopig zal verbergen. Neem hiervandaan mee wat je nodig hebt. Kies met overleg.'
Ik zei aarzelend: 'Soms praten we... soms praten mijn broers en ik zonder woorden met elkaar. Door middel van beelden in onze geest. Is zelfs dat verboden?' Hoe kon ik het volhouden, als die band verbroken werd? Ik keek naar haar op. Haar gelaat had een strenge uitdrukking. Ik dacht dat ze me taxeerde en zich afvroeg of ik wel zo sterk was als ik dacht. Ze deed haar mond open om iets te zeggen, maar aarzelde. Ik haalde diep adem.
'Ik zal doen wat ik moet doen,' zei ik. 'Maar mijn broers zijn een deel van mijzelf, en...' Ik kon haar moeilijk om een gunst vragen.

De Vrouwe glimlachte even, alsof ze het maar al te goed begreep. 'Ik heb deze betovering niet aangebracht; ik tracht hem alleen tegen te gaan. Spreken zonder woorden zal nog wel veilig zijn, denk ik. Vrouwe Oonagh speelt met krachten die ze zelf niet helemaal begrijpt. De band tussen je broers en jou is veel sterker dan zij zich kan voorstellen. Je zult hen niet op die manier bereiken terwijl ze zwanen zijn. Maar je mag er gebruik van maken wanneer ze terugkomen. Je neemt daarmee een zeker risico. En onthou goed dat je hun je verhaal niet vertelt, want als je dat doet kan de betovering niet verbroken worden. Je moet leren je geest af te schermen, ook voor hen.'

'Maar als...'

'Stil, kind. Het is nu eenmaal zo met betoveringen dat ze ons een taak stellen. Je kunt ervoor kiezen om te doen wat ik van je vraag, of niet. Onthou nog dit: wanneer je hemden genaaid zijn, moet je ze over de halzen van de zwanen doen, bij alle zes op dezelfde plek, een voor een, en dan, als je het zwijgen niet verbroken hebt, zullen je broers weer mannen worden.'

Ik hoorde een geruis, als van een windvlaag in de struiken om ons heen, en in een oogwenk was ze verdwenen.

Ik had wel eerder dode mensen gezien. De aard van mijn werk bracht dit onvermijdelijk mee. Maar tot nu toe nog nooit iemand die me zo na stond. Pater Brien lag op de vloer van de grot, waar hij gevallen was. Er was geen tijd om te rouwen. Als er meer tijd was geweest, zou ik misschien bij hem gehuild hebben, en dan had ik misschien ook de oorzaak van zijn overlijden kunnen vinden. Misschien was hij door natuurlijke oorzaken gestorven, door een hartkramp of een toevloed van kwade sappen in het bloed. Het kon ook vergif zijn geweest, of een duim die op listige wijze tegen de nek was geplaatst. Ik sloot zijn nietsziende ogen en streek over zijn wang. Wat er ook gebeurd was, zijn gelaat toonde nu de kalmte van diepe, berustende aanvaarding. Hij was verzoend met zichzelf en met het grote rad van het bestaan. Ze zeggen dat de ziel het lichaam nog niet helemaal verlaat tot de derde ochtend na het overlijden. Mijn oude vriend was nog niet zo lang overleden, maar zijn innerlijke wezen was gevloden, buiten naar het hemelgewelf waarnaar hij altijd keek vanaf de top van Ogma's Peak,

boven de donkere boomtoppen en de wijde wateren van het meer, en verder naar het westen. Ik legde het houten kruis in zijn handen en de woorden van een christelijk gebed waren in mijn geest, maar ik zei niets. Wie wist waar zijn ziel heen zou vliegen? Hij had altijd opengestaan voor beide geloven; in de dood zouden vele deuren voor hem openstaan.
Ik wilde zijn lichaam niet zo achterlaten, al was er niemand in de buurt, zonder de een of andere ceremonie. Er had iets verbrand moeten worden, maar een vuurtje aanmaken was vragen om ontdekking. Bovendien moest ik inpakken en vertrekken terwijl er nog daglicht was. Er was alleen tijd om blaadjes van wijnruit en boerenwormkruid te verstrooien, en een kleine hoeveelheid van zijn voorraad monnikskap. Linn bleef in de deuropening wachten; ze wilde niet binnenkomen. Ik huilde niet om hem. In plaats daarvan voelde ik dat er een koele doelgerichtheid over me kwam. Er was nog wel verdriet, en leegte. Maar ik kon me concentreren op wat me te doen stond, en ik werkte snel de noodzakelijke handelingen af.
Meer dan eens dankte ik de brave pater voor zijn praktische instelling. Zijn oude paard was er, vastgebonden onder de bomen. Vanwege de noodzaak snel en onopgemerkt te reizen zou ik de wagen niet meenemen, maar het dier kon een vracht dragen en me zo goed van dienst zijn. Want ik twijfelde er niet aan dat ik gedurende langere tijd alleen zou moeten leven en voor mezelf zou moeten zorgen. Als ik toen had geweten hoe lang dat precies zou zijn, had ik misschien de moed verloren. Zes hemden, dacht ik. Dat zou minstens tot halverwege de zomer duren. In die tijd zou ik geen mens tegenkomen, dus ik zou voedsel, zaden en medicijnen nodig hebben, en de benodigdheden om vuur te maken en om te naaien, te spinnen en te weven. Pater Brien had dat laatste niet voorzien, maar toch had hij alles goed voorbereid, in de verwachting dat hij mij en mijn broer zou moeten bevoorraden voor een reis tot ver buiten de grenzen van het bos. Ik had mijn eigen bundeltje daar op de oever van het meer laten liggen toen ik in doodsangst vluchtte. Mijn kleren, mijn speciale zalven en geneesmiddelen en de restanten van mijn verwoeste kruidentuin die Finbar zo zorgvuldig voor me had verzameld, dat was ik allemaal kwijt. Het kleine gladde stuk hout met de ingekerfde symbolen had ik nog.

Pater Brien bewaarde zijn voorraden achter in de hut, en ik nam alles mee dat ook maar enigszins van nut zou kunnen zijn. Een zak gerstmeel, een zak bonen, een kruikje honing. Het was al tamelijk koud. Ik pakte een oude mantel en een tuniek van zelfgesponnen wol. Simons laarzen waren er nog en die nam ik ook mee. Een scherp mes, een sikkel, een kookpot. Het zou moeilijk worden om de hond te eten te geven. Ik vertrouwde er maar op dat ze een plotseling talent voor de jacht zou ontwikkelen. Pater Brien had geen spinrokken en spindel, geen weefgetouw. Maar zelfs de kleren van een pater moeten soms versteld worden, dus ik vond wel benen naalden en een klosje garen, en die deed ik in de kleine draagzak. Een waterfles, een spade. Het paard keek me wat klaaglijk aan, zijn oren trilden. Boven op de bepakking legde ik een paar opgerolde dekens; het geheel bond ik stevig vast. De kleine draagzak die zorgvuldig uitgezochte artikelen uit pater Briens voorraad kruiden en specerijen bevatte, zou ik zelf dragen. En zijn eiken staf zou ik gebruiken om het lopen te vergemakkelijken.

Ik bleef een ogenblik staan voor ik afscheid nam. Deze open plek in het bos was vol herinneringen. De komst van pater Brien, zijn gebeden, zijn voorlezen, zijn genezende werken, zijn afgezonderd leven in het bos en zijn lessen. Zijn jonge bezoekers: de ernstige Liam en de zonnige Diarmid, de tweeling als elkaars spiegelbeeld, Cormack, stoutmoedig en onbevreesd en Conor, diep en fijnzinnig. Finbar met zijn hartstochtelijke integriteit. Padriac, dorstend naar kennis. En hun kleine zusje, dat niet de zevende zoon van een zevende zoon was, maar dat toch altijd met hen meekwam. Hij had ons in de loop van de jaren veel geleerd, en nu was hij weg. En de menselijke gedaanten van mijn broers waren inderdaad niet meer dan een herinnering, tot ik hen terug zou brengen. Hier was de lijsterbesboom waar ik de Vrouwe van het Woud die eerste keer had gezien. Hier de plek waar Simon me het mes op de keel had gezet, en ons had gevraagd waarom we geen einde wilden maken aan zijn ellendig leven. De bomen fluisterden de herinneringen van de verhalen die ik vertelde, en in de lucht hing nog een spoor van zijn stem: laat me niet achter, fluisterde het, laat me niet alleen achter.

Ik wreef woest met mijn hand over mijn wangen, en knipte toen met mijn vingers om Linn te laten komen. Ze zou gauw genoeg leren dat ik haar niet meer kon roepen, en dat ik haar niet meer met vriendelijke woorden kon prijzen. Toen nam ik het leidseltouw van het paard, wendde me in de richting van het bos en begon naar het westen te lopen.

HOOFDSTUK VIJF

De Vrouwe van het Woud had onze schuilplaats goed gekozen. Het was dicht bij de noordoever van het meer, op een plaats waar de bocht van een kleine, beboste uitstekende punt een kleine baai aan het oog onttrok. In de helling boven deze baai was een grot, die evenzeer te danken was aan natuurlijke oorzaken als aan kunstig mensenwerk. Hoewel hij vlak bij de oever was, werd hij door knoestige lijsterbessen en overhangende ranken volledig aan het oog onttrokken, zodat hij vanaf paden of wegen onzichtbaar zou zijn. Wat hoger op de helling was een kleine open plek waar een bron ontsprong, en daar groeiden halfwilde kruiden op een plek waar ze ooit waren aangeplant door de een of andere eenzame zwerver zo als ik. En langs de hele beek, die de heuvel afstroomde naar het meer, groeiden de krachtige stengels en veerachtige bladeren van sterrenkruid. Deze plant sterft in de winter niet af, maar blijft groen, hoe koud het ook is. Ik kon dus meteen beginnen.

De grot zelf was een verrassing geweest. Aan de wanden was te zien dat ze zorgvuldig waren uitgegraven, en hier en daar waren er geheimzinnige symbolen in gekerfd, waarvan ik de betekenis maar vaag vermoedde. Ik dacht dat Conor wel zou hebben geweten waartegen ze waarschuwden of beschermden, welk verhaal ze vertelden. Er waren holten in de wanden, en die waren niet allemaal leeg. Ik vond dekens in een geoliede verpakking, en verscheidene oude mantels, en een paar messen met versierde benen heften en opvallend goed geconserveerde lemmeten. Het zag ernaar uit dat anderen zich hier al eerder hadden schuilgehouden, misschien onder bescherming van het Feeënvolk. Nog bruikbaarder was een vat met havermeel, en een voorraad zoete, gerimpelde appeltjes.

De dekens waren de beste vondst, want het was bijna midwinter, en ik voelde me niet veilig genoeg om meer dan een heel klein vuurtje te maken; ik was bang dat mijn aanwezigheid anders zou worden opgemerkt. Ik had het altijd koud, ik raakte tot op het bot verkleumd in de lange nachten, en 's morgens wanneer het vroor deed alles pijn en bewoog ik traag.

Misschien was het dom te geloven dat ik de betovering kon opheffen. Te veel verhalen, zou je kunnen zeggen, een hoofd waarin te veel oude verhalen leefden, waarin het gewoon een kwestie is van de taken uitvoeren, en dan krijgt de held wat zijn hart begeert. Maar ik was niet zo dom, ook toen al niet. Tegen Simon had ik een keer gezegd dat hij zijn verhaal kon laten aflopen hoe hij wilde. Maar dat was niet helemaal waar. Ik had mijn weg gekozen, en die leidde recht vooruit; maar er waren anderen die er invloed op uitoefenden, die de weg omleidden, en hem veranderden en in de war stuurden. En de Vrouwe van het Woud had me gewaarschuwd dat hij zelfs bij het begin al heel zwaar zou zijn. Veel zwaarder dan ik voor mogelijk had gehouden toen ik met een bleek gezicht naar haar had geluisterd terwijl ze mijn opdracht beschreef.

Misschien hebt u weleens geprobeerd te spinnen of te weven, vlas misschien, of fijne wol. Het vergt veel van de handen, want door de wrijving van het kaarden en tot garen ineendraaien komen er blaren op de vingers, en door de beweging van de spindel gaan de gewrichten pijn doen. Je kunt bij een vrouw aan haar handen zien of ze spint. De handen geven schoonheid aan hun werk, maar worden daarbij knoestig, knobbelig en oud. De edelvrouwen uit de oude verhalen, Etain, en Sadb, die in een hert veranderde, en Niamh met het gouden haar, wier naam mijn moeder had gedragen: zij kunnen geen spinsters en weefsters zijn geweest, want over hun handen wordt gezegd dat ze blank en schoon waren, met zilveren ringen gesierd; handen die de dappere krijger kan kussen wanneer hij als overwinnaar terugkeert uit de strijd. Handen die geschikt zijn voor fijn borduurwerk, of voor het bespelen van de harp. Slanke vingers om een lichte geeuw te maskeren, of om de wang van een geliefde te strelen. De edelvrouwen uit de oude verhalen hadden nooit van sterrenkruid gehoord.

Ik heb al eerder over deze plant verteld, dat hij zacht lijkt als duivenveren met zijn grijsgroene blad en zijn kleine, sterachtige bloemen. Dat zijn kleine naaldjes diep in de huid dringen, en branden en zich nestelen en martelen als vuur. Dat de huid dik en rood wordt en een kloppende pijn geeft die blijft bestaan tot elk spoor van het gif verdwenen is. Ik wist amper hoe ik moest beginnen, want het was niet mogelijk mijn handen te beschermen en het toch te doen. Ik kon een mes gebruiken om de stengels af te snijden, en ik kon ze verzamelen in een doek. Dat was een begin. Maar ik kon de stengels en bladeren niet met handschoenen aan fijnmaken en tot draad ineenstrengelen. Bovendien wist ik genoeg van toverij af om in te zien dat smokkelen niet was toegestaan. Om mijn broers te redden zou ik moeten lijden, zoals zij leden. En zoals mijn vader ongetwijfeld op zijn manier ook leed, want zelfs hij kon moeilijk onaangedaan zijn gebleven door de plotselinge verdwijning van al zijn zonen in één wrede klap. Ik vroeg me af wat vrouwe Oonagh hem ter verklaring had verteld. Nee, het was de bedoeling dat ik deze plant met blote, bloedende handen aanpakte om er hemden van te maken, en dat zou ik ook doen, want ik wist dat de betovering alleen op deze manier verbroken kon worden.

Ik had geen gereedschap, en weinig ervaring. Ik had enig idee hoe het moest, want ik had naar de vrouwen in de nederzetting gekeken wanneer ze op hun hoge kruk zaten en de wolvezels uittrokken, ze geleidelijk van spinrokken naar spindel lieten lopen en de draad lieten ineendraaien en langer worden terwijl de spindel langzaaam draaiend naar de grond zakte. Dan werd het gesponnen stuk draad op de stok gewonden, en ze gaven de tol een draai, en dan begon het hele proces opnieuw. Het was een ritmisch gebeuren, en vaak zongen ze bij hun werk. Het had er redelijk eenvoudig uitgezien. Maar dit was geen wol. Een vezelige plant zoals het sterrenkruid moest geweekt, geklopt en gedroogd worden voor ik er ook maar aan kon denken er een draad van te maken. Maar goed, ik moest ergens beginnen.

Ik maakte eerst de spindel. Hoger op de heuvel stonden sparren, en een gelijkmatig stuk van een dunne tak, waar de twijgen van afgebroken waren, zou dienst kunnen doen als schacht van een spindel. Ik gebruikte de bijl, maar vergat niet de boomgeesten stilzwijgend te groeten. Als ik hier in de wildernis in mijn eentje moest leven, zou het van het grootste belang zijn dat zij me gunstig gezind waren. Linn loste het volgende stukje van het probleem voor me op terwijl ze in de onderbegroeiing rondsnuffelde op het spoor van interessante luchtjes. Ze had een apporteerspelletje geleerd en nu bracht ze me een groene sparrenkegel die van de boom was gevallen voor hij rijp had kunnen worden; ze legde hem vol verwachting voor mijn voeten neer in de hoop dat ik hem weg zou gooien zodat ze er achteraan kon gaan. De kegel was goed gevormd, symmetrisch, en had een geschikt gewicht. Daar had ik dus de tol voor mijn spindel. Ik klopte Linn op haar rug en gooide een andere sparrenkegel voor haar weg, waar ze achteraan kon springen. Toen ik terugkwam in mijn grot, gebruikte ik mijn mesje om onder in de kegel een gat te maken, waar ik het uiteinde van de schacht in vastzette. Aan de andere kant maakte ik een inkeping, waar de draad omheen zou worden gehaakt. Ziezo, dat was klaar. Toen pakte ik mijn mes en ging naar buiten om sterrenkruid te verzamelen.

Ik zal daar niet te lang over uitweiden. Ik sneed de stengels door en ving ze op in een stuk jute, en dat spaarde mijn handen een beetje, maar toch drongen de stekeltjes in mijn vel en mijn handen deden erger pijn dan ik voor mogelijk had gehouden. Hoewel de planten in overvloed aanwezig waren, schoot ik maar langzaam op. Toen ik een bos stengels klaar had, daalde ik af naar de oever van het meer, op zoek naar een plek waar ze konden weken. Ik had geluk. Het bronwater stroomde omlaag tussen grote bemoste stenen, en hier en daar hadden zich kleine poelen gevormd. Vlak boven het kiezelstrand was een plek waar ik een paar stenen kon verplaatsen, zodat het water nog maar uiterst zacht door een ondiepe poel sijpelde. Daar legde ik mijn stekelige bos stengels in. Bij sommige planten werd as gebruikt om het voorbereidingsproces voor het spinnen te versnellen. Dat wist ik door mijn studie van de kruidenleer.

Ik besloot dat het geen kwaad kon dit te proberen en wachtte tot mijn vuurtje de volgende morgen was afgekoeld. Toen schepte ik een handvol zachte as op en nam die mee naar de rand van het water. Ik strooide de as uit over de stengels en gebruikte een ronde steen om de taaie vezels te stampen en te spreiden, tot ze er meer uitzagen als losse draden. Ik draaide elk van deze ruwe strengen om een stok die ik tussen de stenen in de poel vast kon zetten, zodanig dat het water er goed omheen stroomde. Toen wachtte ik. Ik had drie dagen respijt, tijd om de stekels van het sterrenkruid uit mijn handen te trekken en een verzachtende zalf aan te brengen, ook tijd om mijn schamele voorraden te inventariseren en te beseffen dat ik zonder erop uit te gaan om voedsel in te kopen of te stelen de zomer niet zou halen. Lang genoeg om het havermeel op het vuur in water te koken om een eenvoudige pap te maken, en om op onderzoek uit te gaan bij mijn nieuwe woning. Tot mijn schrik ontdekte ik dat het niet erg ver was naar de top van de heuvel in het westen, en dat ik van daaruit een stuk ontgonnen land kon zien, waar het bos was gekapt om vee te laten grazen. Er waren daar een paar kleine boerderijen. Ze waren dichtbij genoeg om misschien voorraden te leveren. En ze waren ook dichtbij genoeg om een bedreiging te vormen voor mijn veiligheid.

Op de vierde dag viste ik het sterrenkruid uit het water, stampte de vezels weer en hing ze in de grot op tot ze bijna droog waren. De volgende dag begon ik met spinnen.

Arme Linn. Ze was vertrouwd met mijn stemmingen, en was eenvoudig en trouw zoals alleen een brave wolfshond kan zijn. Ze kon niet begrijpen waarom ik huilde, en waarom mijn hele lijf gespannen was van de pijn, en waarom ze het niet beter kon maken door me te likken en zacht te janken en zo dicht mogelijk bij me te gaan zitten. Ze was zo ongelukkig dat ik er last van had, en ik probeerde te werken terwijl zij buiten op jacht was; maar het werk vorderde zo langzaam, zo langzaam; sliertje voor eindeloos sliertje broos garen dat brak, en weer uitrafelde, en niet wilde draaien, en hoe ik ook probeerde door te gaan, na korte tijd werd de pijn zo erg dat ik het niet uithield, en de spindel liet vallen en wegrende om mijn arme handen ter verzachting in de beek te dompelen.

Het waren donkere tijden, en in het diepste donker hoorde ik een innerlijke stem die zei: deze opdracht is onmogelijk. Waarom geef je het niet meteen op? Kijk toch, je handen zijn gezwollen en kapot, je huilt de hele dag en wat is het resultaat? Een kleine spoel met slecht gesponnen draad, bobbelig en broos, nauwelijks genoeg om een jasje voor een vlinder te zomen, laat staan een hemd voor een man. Deze taak is toch zeker onuitvoerbaar. Hoe kun je bovendien weten of de Vrouwe van het Woud niet tegen je heeft gelogen? Misschien is dit alleen maar een wreed bedrog, en is al je werk voor niets.

Het was moeilijk om deze stem te negeren. Meer dan eens haalde ik het kleine, gladde stuk hout te voorschijn; dan keek ik naar de kleine boom die erin uitgesneden was, en stelde me voor dat ik tegen Simon praatte, dat ik praatte en praatte om door zijn wanhoop en zelfhaat en somberheid heen te komen. En ik begon mezelf verhalen te vertellen, niet hardop, maar in mijn hoofd; en ik oefende me erin al mijn aandacht op het verhaal te richten, of het nu over een held ging, over een reus of over drie broers die de wijde wereld introkken om het geluk te zoeken. Als ik me geen verhaal kon herinneren, bedacht ik er een, of werkte een verhaal dat ik kende verder uit.

De hele dag waren mijn handen bezig met hun verschrikkelijke werk, en de pijn was er nog, evenals de zwelling die het zo moeilijk maakte spindel en draad te hanteren. Maar mijn geest ontsteeg aan de pijn en was bij de schone jonkvrouw of edele krijger of fortuinlijke reiziger, en bij de draak, slang en toverwens.

Wanneer de schemering het werken onmogelijk maakte, legde ik weg wat ik had gedaan en deed mijn uiterste best om niet te zien hoe weinig garen mijn lange zwoegen had opgeleverd. Er was geen broer om de naaldjes van het sterrenkruid uit mijn huid te trekken, niemand om een troostend liedje te zingen, geen vriendin om mijn handen te verbinden met genezende zalfjes. De stekeltjes moesten in mijn vel blijven zitten, want ik had niet de nodige beheersing over mijn gezwollen, verdoofde vingers om ze eruit te trekken. Van tijd tot tijd kwam er vocht uit, en kwade sappen ontstonden onder de wondjes en sijpelden naar buiten. Dan kreeg ik koorts en voelde ik me duizelig. Maar ik had een verstandige keus gemaakt uit pater Briens voorraad geneesmiddelen; ik had een zalf van heelkruid en smeerwortel meegebracht, en ik maakte een aftreksel van gedroogde wilgenbast en wijnruit in bronwater, en gebruikte dat zowel om me te wassen als om te drinken. Na een tijdje was ik dan weer genoeg hersteld om verder te gaan, al was ik wel zwakker geworden. Uiteindelijk leek het alsof mijn lichaam het onvermijdelijke accepteerde, en mijn handen kregen littekens en werden hard om zich tegen de slechte behandeling te verdedigen. De pijn bleef, maar ik kon doorwerken.

Geleidelijk ging de winter over in het voorjaar, en ik werd magerder. Ik kon mijn ribben tellen en de kou 's nachts voelen, ook al lag Linn naast me te slapen. En ik had honger. Want met een zak meel kun je maar een bepaalde tijd toe, ook al ben je maar een meisje alleen, en dan moet je als je niet kunt bedelen of stelen, je behelpen met wat er te vinden is. Ik had geen vlees of vis meer gegeten sinds ik een klein kind was, want ik had altijd een verwantschap met andere levende wezens gevoeld waardoor mijn zintuigen in opstand kwamen bij het idee alleen al. Linn had geleerd in het bos te jagen, en haar prooi netjes en buiten het gezichtsveld van haar menselijke metgezel naar binnen te werken. Voor mij was het moeilijker. Er was wel eten te vinden nu het minder koud was, aardig wat paddestoelen, waterkers in de beken, wilde uien. Het was nog te vroeg in het seizoen voor veel meer, en ik verdeelde het laatste gerstmeel en mijn slinkende voorraad bonen in rantsoenen om van te leven tot de tijd dat de bessen en noten zouden rijpen. Ondanks de honger vond ik het vreselijk om tijd te verspillen aan het zoeken van voedsel.

Het paard was broodmager geworden en had een verwilderde blik in de ogen, en ik kon hem niet meer houden. Op een dag toen de zon scheen en de eerste echte voorjaarswarmte in de lucht was, nam ik hem door het bos mee naar de plek waar het land ontgonnen was om vee te weiden, waar je groene velden en stenen muurtjes zag, een paar koeien in de verte en een rookpluim uit een klein huisje. Ik legde even mijn voorhoofd tegen zijn hals in een poging hem te laten weten dat pater Brien gewild zou hebben dat hij veilig en nuttig en goed gevoed was. Toen gaf ik hem een klap op zijn flank en wees naar voren. Hij ging voorzichtig op weg over het veld, en ik trok me terug onder de bomen en liet hem gaan. Ik hoop dat hij een vriendelijk onthaal en een warme stal heeft gevonden.

Vroeg in het voorjaar kwam er een felle storm die het bos een dag en een nacht lang striemde, de boomtoppen opzweepte tot een bezeten dans en naalden van ijzige regen diep mijn schuilplaats in dreef, zodat alle dekens, elk kledingstuk en elk plekje droge vloer doornat waren. Mijn brandhout was onbruikbaar en ik zat hulpeloos te bibberen terwijl de hond haar best deed om me warm te houden. Toen de storm de tweede ochtend langzaam afnam, beefde ik krampachtig en kon alleen maar denken aan de grote haard in de zaal thuis met de knetterende stammen dennenhout erin, en aan het kleine haardje in mijn slaapkamer waarvan de gloed de uil en de eenhoorn op het wandkleed verlichtte. Half dromend verbeeldde ik me dat sterke armen me in een deken wikkelden en me veilig wiegden, tot ik geloofde dat ik warm en beschut lag te slapen. Uit deze droom wakker te worden, doorweekt en bevend van de kou, was wel heel wreed. Na een tijdje kreeg Linn genoeg van me en ging naar buiten in de ochtend, terwijl ik stil zat te huilen, met de gedachte dat ik het bijna allemaal op willen geven als iemand me een kom met de gerstesoep van dikke Janis kwam brengen.

Ik weet niet hoelang ik daar zat, maar na verloop van tijd werd mijn versufte toestand van zelfmedelijden doorbroken door Linns geblaf, en ik strompelde naar buiten op verkrampte benen die het hele eind protesteerden, en ontdekte dat een van de grote essen die nacht was omgevallen en in haar val veel kleinere zusjes had meegesleept. Ze lag nu niet ver van de ingang van mijn grot. Linn was hoger op de heuvel op jacht in het struikgewas.

Door de dood van deze grote boom was er een opening ontstaan in de dichte bebossing rond mijn grot, en ik kon de glinstering van het meer zien tussen de dicht opeen staande rijen jonge iepen en wilgen. Ik ging bij de gevallen reus staan en liet mijn gehavende handen op haar gladde, grijze bast rusten, en sprak vanbinnen tot de geest die daar had gewoond, want de storm had haar met één geweldadig gebaar naar huis gehaald. Ik dankte haar voor de schuilplaats die de boom jarenlang aan kleine dieren had geboden, voor de voeding die ze over de bosgrond had uitgestrooid, voor haar diepe en standvastige vreedzaamheid en begrip. Ik zei tegen haar dat ik het hout goed zou gebruiken om nieuw gereedschap te maken voor mijn werk en om mijn vuur te voeden, en ik verzekerde haar dat het licht dat nu wit en koud stralend na de storm op de helling viel, nieuw leven uit de grond zou opwekken. Over vele jaren zou hier weer een grote es groeien. Ik zei dit tegen haar, en de koele gladheid van de bast deed weldadig aan aan mijn gekwetste vingers. Ik voelde dat de kennis en het mysterie van de grote boom in mijn ziel werden opgenomen, zodat ik kennis had van haar een-zijn, van haar alleenzijn, van de waardigheid van haar leven en van haar dood. Ik zou het hout nog niet snijden. Ik zou wachten tot de geest was weggegaan, en dan zou ik op het juiste moment hakken, drogen en bewerken. Een nieuw spinrokken en spindel, en ik zou ook proberen een weefraam te maken, want ik dacht dat ik intussen misschien genoeg garen had gesponnen om aan het eerste hemd te beginnen. Ik was niet sterk genoeg om de massieve stam of de grootste takken van zo'n reus te kunnen gebruiken, maar met mijn kleine hakbijl kon ik de kleinere takken wel aan. Ik keek naar mijn beschadigde handen en boog en strekte mijn pijnlijke vingers. Ik zou harder worden.

Intussen zou de grote es blijven liggen waar ze lag, en mossen zouden over haar stam kruipen, en kleine beestjes zouden zich vestigen in haar donkere holten. Zelfs in de dood was ze een schakel in de grote keten van het leven van het bos.

Het seizoen vorderde. Bijen streken in drommen neer op de zoete spiesen van de lavendel en de bosbodem was bedekt met een tapijt van kleurige bloemen, stralend als juwelen. Dag en nacht waren in evenwicht, en vogels waren in de weer met strootjes en takjes om een veilige plek voor een nieuw broedsel te bouwen. Toen ik me op een vroege morgen naar de oever van het meer waagde, zag ik troepen watervogels in de verte bij de eilandjes; ze dreven op het zilveren watervlak en stegen naar de hemel op in grote wolken van slaande vleugels, of doken naar vis. Ik kon van die afstand niet zien of er ook zwanen bij waren.

Het water was warmer en ik vermande me om me naakt uit te kleden en me te wassen, en mijn bemodderde kleren schoon te spoelen. In deze tijd had ik geen tekenen van menselijk leven op deze oever gezien. Het was alsof deze hoek van de wildernis op de een of andere manier gevrijwaard was van verstoring door stervelingen, en misschien was dit werkelijk waar, in elk geval een

tijdlang. Het bos zal je verbergen, had de Vrouwe gezegd. Wie kon zeggen in hoeverre haar invloed hier werkte?
De tijd ging voorbij, en in het bos vond een uitbarsting van nieuw leven plaats. Ik werkte elke dag mijn kleine, huiselijke routine af. Ik stond bij zonsopgang op om me te gaan wassen in water uit het meer, en ik blies de sintels van mijn vuurtje weer leven in, en bracht water aan de kook met misschien een handvol waterkers en wilde uien als sober ontbijt. Hierna ging Linn langs de oever of in het bos op jacht, en ik ging erop uit om voedsel te zoeken. Naarmate het voorjaar overging in de zomer werd dit gemakkelijker. Bramen werden rijp, hier en daar groeiden kruisbessen en rode bessen die ik zo kon plukken. Vlieren waren getooid met witte schermen. Er waren wilde kruiden in overvloed, peterselie en salie, marjolein en helmkruid. Ik onthield plaatsen waar appelbomen groeiden, en hazelaars, want die zouden later, in de herfst, een goede oogst opleveren. Ik wist intussen dat ik hier minstens nog een winter moest blijven wonen, want ik vorderde maar akelig langzaam met de taak. Ik had nauwelijks genoeg garen voor één hemd, en het was al bijna zomer.
Wanneer ik terugkwam van het voedsel zoeken, haalde ik spinrokken en spindel, en de meedogenloze bos vezels, en ik spon en spon, en voelde de stekels door mijn huid dringen, en ik vertelde stilzwijgend verhalen met mijn ogen op niets gericht. Van tijd tot tijd stond ik op om een eindje te lopen onder de bomen, en dan liet ik mijn pijnlijke rug rusten tegen een sterke eik of een stoere iep. Dan probeerde mijn geest hen te bereiken, daar ver aan de overkant van het meer, of in de lucht, of waar mijn broers ook maar waren.
Waar ben je, Finbar?
Maar er kwam niets. Voor zover ik wist, konden ze ook wel dood zijn, neergehaald door de pijl van een jager, of ten prooi gevallen aan een wolf of wild zwijn.
Waar ben je?
Ik mocht dit van mezelf niet lang doen. Linn kwam terug, haar lippen aflikkend, en ging gezellig bij me zitten, en ik ging weer spinnen. Later op de dag nam ik het garen dat ik 's morgens had gemaakt en voegde dat toe aan het weefsel. Ik was niet bij machte een weefgetouw te maken zoals ik de vrouwen thuis had zien

gebruiken. Maar ik had een plat stuk bast gevonden, twee handbreedten lang en iets minder breed; aan de rand ervan had ik inkepingen gemaakt waar ik de scheringdraden omheen had geknoopt. De inslag weefde ik er met de hand doorheen met een benen naald die ik uit pater Briens hut had meegenomen. Onder de draad door, over de draad heen. Eronderdoor, eroverheen. Het weefsel was bobbelig en ongelijkmatig, maar het bleef zitten. Later zou er nog genoeg tijd zijn om erover na te denken hoe van dit product een hemd kon worden genaaid.
Midzomer werd het bijna bij verrassing. Ik werkte zo gestaag mogelijk door, en ik begon verder weg naar sterrenkruid te zoeken, want ik had de voorraad in de buurt van mijn grot bijna uitgeput, en moest de planten nu met rust laten, zodat ze zich konden herstellen. Op een dag liep ik terug over het oude pad waarlangs ik het paard had weggebracht, tegen de heuvel op tussen wingerd en bosrank, varens en mossen, en het donkergroene, gezeefde licht van een oud bos, tot ik dicht bij de plek was waar ik het dier had achtergelaten. Ik had een vreemd gevoel over me, alsof ik me ervan moest vergewissen dat de rest van de wereld niet was weggegaan terwijl ik in mijn eentje verscholen in mijn grot zat te spinnen. Want neem nu eens het verhaal van de jongen en het meisje die door het Volk onder de heuvel waren meegenomen? Ze brachten één nacht door met de feeën, zingend en dansend, maar ontdekten bij thuiskomst dat er honderd jaren waren voorbijgegaan, en dat alle mensen die ze kenden dood en begraven waren. Wie zou zeggen dat mij niet hetzelfde kon gebeuren?
Ik kwam zo dicht bij de bosrand als ik durfde, en toen klom ik stilletjes in de gespreide armen van een walnootboom. Linn waakte over mijn bundeltje en vond het best om tussen de varens uit te rusten, want de zon brandde en er was een roerloze zwaarte die vaak een zomers onweer voorspelde. Vanaf mijn uitzichtpost keek ik uit over een bosje jonge vlieren, daaronder op een karrenspoor met meidoornstruiken erlangs, en daarachter op met stenen muurtjes omheinde velden, sommige ingezaaid met gerst of rogge, andere opengelaten als weidegrond. Er stonden enkele huisjes, ver genoeg van me af. Hier en daar rees het land op in kleine, kegelvormige heuvels, soms met dennen of eiken op de top. En achter de akkers begon het bos weer. Ik zat zwijgend in de

roerloze stilte en dacht eigenlijk aan niets. De zoete geur van meidoornbloesem zweefde in de lucht, en ik voelde de bewegingen van kleine diertjes die hun gang gingen, insecten die sloom waren in de zomerhitte, geritsel van konijnen en eekhoorns in de ondergroeiing, en de minder zichtbare, geheimzinnige boombewoners, wier stemmen in de lucht zweefden als broze, fluisterende muziek.

Sorcha, gegroet. Sorcha, ons zusje. Tinkelend gelach, en een glimp van een tere vleugel of een spinnenwebachtige sluier, half zichtbaar in de licht- en schaduwplekken. Soms vond je een lange sliert goudkleurig haar, of een ranke voetafdruk waar ze voorbij waren gekomen. *Kom en dans met ons, zusje.* Ik groette hen zwijgend, wetend dat zij wisten dat ik hen niet kon volgen. En toen waren ze opeens haastig verdwenen, want over het karrenspoor kwam een maar al te menselijke troep jongelui, jongens en meisjes, die lachten, floten en riepen, met bloemen en linten in hun haar. Ik bleef zwijgend naar hen kijken, en Linn bleef stil liggen waar ze lag; een enkel scherp gebaar van mij was nu genoeg om haar te doen gehoorzamen. Terwijl het groepje voorbijtrok tussen de meidoornstruiken, bleven ze stilstaan om de takken die nog geurden van de late bloesems met kleurige linten te versieren, en daarbij zongen ze een oud lied om de grote Moeder om een overvloedige oogst te vragen. Ze zongen met glanzende gezichten en stralende ogen; en toen het lied uit was, begonnen de meisjes allemaal te giechelen en renden weg over het karrenspoor, en de jongens renden hen achterna, en toen begonnen ze weer.

Twee van de jongelieden droegen een bos takken op hun rug, en de groep splitste zich; de meisjes gingen verder over het karrenspoor tot elke meidoorn voorzien was van een zomerse slinger van goudkleurige, witte en groene linten. De jongens beklommen het dichtstbijzijnde heuveltje, en nu zag ik op de top een grote stapel hout die klaar was om aangestoken te worden, en ik besefte dat dit de laatste voorbereidingen waren voor Meán Samhraidh, het feest van de midzomerzonnewende.

Vanavond zouden er offergaven via het vuur worden overgebracht, en vlammende kruiden zouden naar stal en schuur, naar veld en hut worden gedragen, om de zegen van Dana, de moedergodin, af te smeken over alle levende wezens die hier woonden.

Het was dus tijd. Tijd om erachter te komen of ik kon geloven wat de Vrouwe tegen me had gezegd. Tijd om te weten te komen of het waar was dat ik de betovering kon doorbreken. Want ik herinnerde me heel goed wat ze beloofd had: twee keer per jaar, met midzomer en met midwinter, zullen ze naar je toe komen als ze kunnen, en van de avondschemering tot de dageraad mogen ze hun menselijke gedaante weer aannemen. De woorden op zichzelf waren al omgeven met onzekerheid. Maar ik geloofde dat mijn broers zouden komen, en dat ik terug moest gaan naar het meer om op hen te wachten.

De meisjes waren nog te zien op het karrenspoor en ik durfde me niet te bewegen zolang ik gezien kon worden. En nu kwam er nog een jongeman aan. Hij liep aarzelend en was ver achter bij de rest. Hij was grof gebouwd en had de grove, onschuldige gelaatstrekken van iemand die niet helemaal goed geboren is, iemand die altijd een stap achter zou blijven bij de anderen. Hij haastte zich zo goed en zo kwaad als het ging over het pad; hij hinkte een beetje en stak zijn grote handen uit om nu eens een gestrikt lint, dan weer een bloesem aan te raken; zijn brede glimlach onthulde een vooruitstekend gebit.

De anderen waren zonder hem doorgelopen, maar dat scheen hem niet te storen. In plaats daarvan koos hij precies onder mijn boom een plek om langs de weg te gaan zitten en in zijn zak te grabbelen. Ik wilde nu erg graag weg, maar kon me niet verroeren. De jongen haalde een stuk brood en wat kaas te voorschijn en begon op zijn gemak zijn maaltijd te nuttigen. Ik kon het hem nauwelijks kwalijk nemen; hij had tenslotte dezelfde plek gekozen als ik om van het uitzicht en de geuren van deze prachtige dag te genieten. Daarom wachtte ik en keek naar elke hap die hij nam. Het was lang geleden dat ik brood had geproefd. Toen hij klaar was met eten scheen de jongen een beetje weg te dommelen; zijn hoed was naar voren geschoven en bedekte bijna zijn ogen, zijn handen bungelden tussen zijn knieën en het leek erop dat hij weinig van zijn omgeving zag. Ik wachtte nog een poosje. Hij maakte geen aanstalten om in beweging te komen. Ik dacht aan mijn broers, en aan de lange wandeling terug naar het meer, en ik begon heel langzaam van mijn hoge zitplaats naar beneden te klauteren.

Er was een tijd geweest dat wij, mijn broers en ik, ons snel en zonder geluid te maken door het bos konden verplaatsen. Niemand had ons kunnen zien, horen of vangen. Maar nu hadden mijn handen hun subtiele greep verloren. Ze waren gezwollen en verhard en de gewrichten deden zelfs in de zomerwarmte nog pijn. Ik verloor even mijn greep en pakte snel een tak, zodat er een twijgje afknapte met een miniem geluidje. Hij vloog overeind en staarde me recht in het gezicht, en zijn ronde bruine ogen waren vol verbazing.

'Een fee!' riep hij met een luide, niet al te duidelijke stem. 'Een feeënmeisje!'

Hij grijnsde blij van oor tot oor, alsof zijn liefste droom was uitgekomen. Heel even staarde ik hem ook aan. Toen liet ik me afglijden tot op de grond, greep mijn bundeltje en vluchtte weg in het bos, en ik zorgde ervoor dat mijn terugweg zo moeilijk te volgen was dat niemand me daar kon opsporen. Die arme jongen. Ik vraag me af hoe vaak hij op die plek had gewacht, in de hoop iemand van het Feeënvolk te zien te krijgen. Vaak kozen ze juist zo iemand als hij uit om aan te verschijnen. Ik hoopte dat als hij zijn verhaal vertelde, het geweten zou worden aan zijn op hol geslagen verbeelding. Als ik geluk had, zouden ze geloven dat hij werkelijk een feeënmeisje had gezien.

Ik was erg geschrokken van deze ontmoeting. Dat ik juist op de dag van de terugkomst van mijn broers had geriskeerd ontdekt te worden was buitengewoon dom geweest. Ik zwoer dat ik nooit meer die kant op zou gaan, hoe sterk mijn behoefte ook was om mensen te zien, hoe pijnlijk mijn isolement ook was. Er mocht geen bericht doorsijpelen naar mijn dorp, en vandaar naar vrouwe Oonagh. Want als ze hoorde waar ik was, zou ze me komen halen, daar twijfelde ik niet aan. Bovendien had ik kostbare tijd verspild. Het was al midzomer, en ik was nog nauwelijks aan het eerste hemd begonnen. In dit tempo zou ik hier nog vele maanden zijn. Ik haastte me door het bos terug naar huis en wilde dat het snel avond werd.

Om eerlijk te zijn twijfelde ik er die eerste keer eigenlijk niet aan dat ze zouden terugkomen zoals de Fee had gezegd. Daarom bereidde ik me voor op hun komst door me te wassen, een kam door mijn verwarde krullen te halen en mijn eenvoudige woning zo netjes mogelijk op te ruimen. Ik liet het vuur laag branden en liep lang voor zonsondergang naar de oever van het meer. Daar volvoerde ik het ritueel alleen en zwijgend. Ik zorgde ervoor dat ik niets wegliet. Achtereenvolgens begroette ik de geesten van Vuur, Lucht, Water en Aarde. Ik vroeg niet om gunsten. In plaats daarvan opende ik mijn geest voor wat zou komen. Ik zei tegen hen dat ik het zou accepteren, wat het ook was. Ik vroeg hun mij te accepteren voor mijn aandeel in het grote levensweb, en mij te gebruiken zoals ze wilden. Toen ik klaar was, pakte ik mijn eiken staf die van pater Brien was geweest en trok de cirkel op het witte zand om me heen. Ik ging in kleermakerszit in het middelpunt ervan zitten en wachtte, met de wijde, lege wateren van het meer voor me. Geleidelijk begonnen de geluiden van het bos weer tot mijn bewustzijn door te dringen. Bomen ruisten, vogels riepen en antwoordden hoog boven me. Meer kon ik niet doen.

De hemel kleurde naar roze en paars en een schemerig grijs. Een uil vloog ongezien boven me voorbij, haar droevige kreet bleef hangen in de avondlucht. Niet lang. Niet lang meer. Linn had stil ineengedoken in het gras gezeten, en oplettend naar me gekeken. Nu kwam ze sluipend naderbij en gromde zacht. En daar waren ze, daar op het water, samen drijvend als witte spoken op de donkerder wordende golfjes. Mijn hart maakte een luchtsprong, maar ik bleef stil zitten en wachtte. Ver in het westen rolde de donder, en de lucht plakte klam aan de huid.

Het laatste spoortje zonlicht was uitgedoofd; de nacht strekte haar hand uit over het bos. Terwijl de schemering in duisternis veranderde, bewoog er iets in het water, en ze kwamen een voor een het land op. Het ogenblik van verandering bleef voor mij versluierd door de nacht, want de maan moest nog verschijnen tussen de samendrijvende wolken. Vaag zag ik de vorm van een grote vleugel, de buiging van een krachtige, gebogen hals. En toen waren ze er, mijn broers, mijn liefsten, op het zand voor me, verbijsterd en nat, half gekleed in precies dezelfde kleren die ze toen hadden aangehad, en toen kwam, als beste balsem voor de ziel, de stilzwijgende begroeting van geest tot geest die aanvankelijk aarzelend en onsamenhangend verliep, maar die mijn hart met de diepst denkbare vreugde vervulde.

Sorcha. Sorcha, hier zijn we.

Ik ging naar hen toe en raakte ieder van hen om beurten aan. In het licht van mijn kleine lantaarn kon ik net iets zien van de wildheid en verwarring in hun ogen, en ik hoorde hun stemmen haperen en aarzelen. Het was nog lang niet goed met hen. Als ik had verwacht dat ze heel en onveranderd bij me zouden worden afgeleverd, dapper en eerlijk en lachend zoals ik me hen herinnerde, dan had ik nog niet begrepen wat een betovering betekent.
Het is niet zo erg. Conor legde zijn arm om me heen terwijl ik zijn innerlijke stem hoorde. *Herinner je je het verhaal van de vier schone kinderen van Lir? Zij waren gedurende negenhonderd jaar in zwanen veranderd, en toen ze de menselijke gestalte terugkregen, waren ze als kleine oude mannetjes en vrouwtjes, krom en misvormd. Wij zijn tenminste lichamelijk onbeschadigd teruggekomen – en wel een stuk sneller dan zij.*
Dit stelde me nauwelijks gerust. Wisten mijn broers niets van de betovering en de tegenbetovering? Wisten ze niets over de duur van hun betovering, en de methode om die ongedaan te maken? Hoe kon ik dit uitleggen, zonder te kunnen spreken, en terwijl het me verboden was mijn verhaal te vertellen? En er was nog iets anders dat niet klopte.
Waar is Finbar? Want via mijn geest kreeg ik maar met één broer contact, en mijn handen voelden er maar vijf.
'Hij komt. Gun hem tijd,' zei Conor hardop, en tot mijn geruststelling klonk zijn stem heel gewoon. En nu begonnen de anderen op te staan, licht kreunend alsof ze te veel bier hadden gedronken, of het onderspit hadden gedolven op de oefenplaats; hun menselijk bewustzijn kwam langzaam terug, en ze dromden om me heen, en omhelsden me, en grepen elkaars hand of schouder als om zich te vergewissen dat dit niet weer een visioen of een zinsbegoocheling was. De hond liep, nog steeds voorzichtig, op Cormack toe. Hij bukte zich om met haar oren te spelen en haar gezicht met het litteken erover zacht te strelen. Toen wist ze weer wie hij was, en sprong tegen hem op om grote voorpoten tegen zijn borst te plaatsen, opgetogen blaffend. Ik zag dat hij heel even terugdeinsde, en dat er een uitdrukking op zijn gezicht kwam die bijna op angst leek; even later was die weg en hij woelde lachend in haar vacht.
Ik pakte Conor bij zijn jack en trok hem mee, weg van het strand.

In mijn andere hand hield ik de kleine lantaarn. Mijn broers volgden me de heuvel op, maar ze waren nog niet helemaal bij zinnen en liepen zwijgend achter me aan zonder iets te vragen. We kwamen aan bij de grot, en ik stookte het vuur weer op en stak nog een lamp aan. Het was waarschijnlijk veilig genoeg. Vannacht zouden alle mensen bijeenkomen om midzomerfeesten te vieren, en alleen de meest doldrieste of onwetende sterveling zou zich op zo'n moment diep in het bos wagen. Mijn broers gingen om het vuurtje zitten als verdwaalde geesten die hun zelfgekozen weg waren kwijtgeraakt. Er werd eerst weinig gepraat; ze leken met stomheid geslagen, al gebeurde het van tijd tot tijd dat er een de hand van een ander aanraakte, als om zichzelf ervan te vergewissen dat ze werkelijk weer een menselijke gestalte hadden gekregen. Na een tijdje besefte ik opeens dat Finbar er ook was; hij was stilletjes van het meer naar boven gekomen om zich bij onze kleine kring te voegen. Toen ik mijn hand uitstak om nog een stuk essenhout op het vuur te gooien, kwam zijn hand naar voren om de mijne te pakken; hij had altijd een scherpe blik gehad.

'Je handen,' zei hij somber, 'wat is er met je handen?' en zijn lange vingers streken zacht over de mijne en voelden de ruwheid en de gezwollen, hard geworden gewrichten. 'Sorcha, wat is er gebeurd? Waarom zeg je niets tegen ons?'

Ik wist heel goed dat mijn verhaal niet verteld mocht worden, ook niet aan mijn broers. Daarom legde ik eerst mijn vingers op mijn gesloten lippen; daarna vouwde ik mijn handen en nam ze snel van elkaar terwijl ik mijn hoofd schudde. *Ik mag niet spreken. Helemaal niet. Ik mag jullie niets vertellen.* Ik had een sterk schild om mijn gedachten gezet, maar ik had geen rekening gehouden met Conors intuïtie.

'Zij heeft je deze vloek opgelegd,' zei Conor, 'dat is wel duidelijk. Met welk doel? Is er een doel?'

Ik schudde bedroefd mijn hoofd, en gaf weer met mijn vingers op mijn lippen te kennen dat ik het hem niet mocht vertellen.

'Kun je helemaal niets zeggen?' probeerde Diarmid; de teleurstelling stond op zijn gezicht te lezen. 'Maar hoe zullen we dan weten... hoe zullen we...'

'Heb jij geen herinnering aan de tijd dat je weg was?' vroeg Conor voorzichtig aan hem.

'Herinnering? Niet precies. Het lijkt meer iets als...'

'Gevoelens, geen gedachten,' viel Padriac hem in de rede. Hij leek van het hele stel het meest op wie hij was geweest, zij het wat stiller. 'Honger, angst, warmte, koude, gevaar, schuilplaatsen. Dat is alles waar een zwaan weet van heeft. Het was... anders. Heel anders.' Ik zag hem even naar zijn armen kijken, en ik vermoedde dat hij graag had gewild dat hij, als mens, nog kon vliegen.

'Je moet begrijpen, Sorcha,' zei Conor op zijn beheerste manier, 'dat het bewustzijn van een wild dier anders is dan dat van een man of vrouw. Ik geloof dat er heel weinig met ons die grens overschrijdt wanneer we veranderen. Als zwanen kunnen wij dezelfde dingen zien die mannen of vrouwen zien, maar we kunnen ze niet bevatten zoals jullie; en nu we onze menselijke vorm weer terug hebben, hebben we maar een vage herinnering aan dat andere leven, als door een herfstnevel. Padriac vatte het goed samen. Een wild dier kent de behoefte om zich schuil te houden, zich te beschermen, te vluchten, voedsel en een schuilplaats te zoeken. Maar een geweten, en rechtvaardigheid, en rede – dat zijn dingen die buiten de grenzen van zijn bewustzijn vallen. Finbar heeft veel moeite met deze straf, want hij hecht juist de meeste waarde aan die dingen. Het is mogelijk dat vrouwe Oonagh deze vloek speciaal voor hem heeft gekozen, maar voor ons anderen is het ook heel zwaar.' Hij keek naar Finbar, die aan de andere kant van de door het vuur verlichte kring zat; zijn gezicht was in de schaduw.

'Sorcha's straf is nog erger geweest,' zei Cormack nuchter. 'Alleen te leven in het bos, zo ver van alles af, en zonder te kunnen spreken.' Hij nam me aandachtig op.

'We zijn tenminste teruggekomen, en dus kunnen we het weer in orde brengen voor jou,' zei Liam, die voorzichtig zijn lange benen strekte als om na te gaan of ze het nog deden. 'Of is dit weer een of ander droombeeld, dat weg is voor we tijd hebben om na te denken en te handelen? Voor hoe lang hebben we onze menselijke gedaante terug?'

Maar ik kon zijn vraag niet beantwoorden. Dit te vertellen betekende een deel van het verhaal vertellen, en dat was verboden.

'Niet lang, vermoed ik, aan het ongelukkige gezicht van Sorcha te zien,' zei Diarmid verbitterd.

'Ik zou zo denken dat het maar één nacht zal zijn,' zei Conor. 'In

de oude verhalen zijn de avond- en ochtendschemering het tijdstip voor verandering. We moeten op het ergste voorbereid zijn.'
'Eén nacht maar?' zei Diarmid verontwaardigd. 'Wat valt er in één nacht te doen? Ik zou wraak willen nemen; ik zou het onheil dat mede door mijn toedoen is ontstaan willen keren. Maar we zijn ver van huis, te ver om terug te gaan. Waarom ben jij hier, Sorcha? Waar is pater Brien die je had zullen helpen?'
Dat was een ander verhaal, en het mocht dus verteld worden. Ik beeldde het in gebaren uit. Een christelijk kruis; munten op de oogleden. Een opstijgen naar de verre hemel, en weg naar het westen. Ze begrepen heel goed wat ik bedoelde.
'Dus onze oude vriend is dood,' zei Liam.
'En het was vast geen natuurlijke dood,' voegde Cormack eraan toe. 'Die man was als een eik, zo mager als hij was; hij had meer kracht in zijn lijf dan menig krijger.'
'De hand van vrouwe Oonagh reikt ver,' zei Diarmid.
Conor keek hem even aan. 'Hij zal gewroken worden,' zei hij. 'Volledig en verschrikkelijk gewroken. Zijn moordenaars zullen in stukken gescheurd en verstrooid worden, en kraaien zullen hun witte gebeente kaalpikken.'
We keken hem allemaal verbijsterd aan. Hij had het gezegd met een stem die heel gewoon klonk.
'Dat geloven we graag,' zei Diarmid, maar hij trok zijn wenkbrauwen op.
'Hij was een christen,' vond Padriac. 'Hij zou misschien vergeving gewild hebben, geen vergelding.'
Conor staarde in het vuur. 'Het bos beschermt zijn bewoners,' zei hij.
'Dat was een groot verlies voor jou, Sorcha,' zei Liam. 'Heb je hier nu helemaal geen gezelschap, behalve de eenzaamheid?'
'Dat mag ze niet vertellen,' zei Conor. 'Maar dit alles heeft een doel, daar twijfel ik niet aan. Sorcha, weet je hoe lang deze betovering zal duren? Komt hier een eind aan? En wanneer mogen we hier weer terugkomen?'
Ik schudde mijn hoofd en legde mijn beide handen op mijn mond. Waarom hielden ze niet op met vragen stellen? Ik voelde een traan over mijn wang naar beneden druipen.
'Het zal lang duren, denk ik.' Finbars stem was heel zacht. 'Een

tijd die eerder in jaren dan in maanden gemeten moet worden. Jullie moeten Sorcha niet zo onder druk zetten om antwoord te geven.'

Geen van hen had hier iets tegen in te brengen. Wanneer Finbar zo sprak, was het altijd de waarheid.

'Jaren!' riep Liam uit.

'Ze kan hier niet zo lang alleen gelaten worden,' zei Diarmid. 'Het is niet veilig, en ook ongepast.'

'Er is geen andere mogelijkheid,' zei Conor. 'Bovendien ken je de oude verhalen net zo goed als wij allemaal. Dit heeft ongetwijfeld een doel, maar het is haar verboden dat te vertellen. Is het niet zo, Sorcha?'

'Taken,' zei Cormack kalm, vanaf de plek waar hij zat met zijn armen om de hond. 'Er zullen eerst taken moeten worden uitgevoerd, voor er een eind aan komt.' Hij zag dat ik bevestigend knikte. 'Wat kunnen wij doen, Sorcha?'

Ik schudde mijn hoofd en spreidde mijn handen wijd. *Niets. Niets, alleen zorgen dat jullie niets overkomt. Blijf lang genoeg in leven.*

'Het heeft iets met haar handen te maken,' zei Conor langzaam, en zijn stem klonk donker van een gevoel dat ik niet helemaal kon doorgronden. 'Je zou jezelf niet voor niets zo verminken. Er is hier de een of andere boze macht aan het werk, daar ben ik van overtuigd.'

Ik schudde mijn hoofd, want hij had maar voor de helft gelijk.

Nee. Geen boze macht. Dit is de manier. Jullie moeten me dit laten doen. Ik kan jullie redden.

'Hier,' zei Padriac van achter me. Ik had niet gezien dat hij de grot binnenging, maar nu kwam hij eruit met mijn spindel in zijn hand. Er hing een veelzeggende draad aan, scherp en bros. Het licht van het vuur glom op de bedrieglijk tere vezels. Ik hoorde dat ze allemaal hun adem inhielden; Padriac ging tussen de anderen zitten met de spindel tussen zijn kundige handen.

'Wat is dit?' vroeg Liam verontwaardigd terwijl zijn vingers de draad aanraakte. 'Deze draad zit vol fijne naaldjes. Geen wonder dat haar handen kapot zijn. Deze draad is...'

'Hij is gemaakt van sterrenkruid,' zei Padriac. 'Sorcha heeft de vezels klaar liggen om te spinnen, en er ligt ook een begin van een geweven lap.'

'Ze spint sterrenkruid!' riep Cormack. 'Wie heeft ooit zoiets gehoord?'
'Je had het zelf al over een taak,' hield Conor zijn tweelingbroer voor. 'Het ziet ernaar uit dat je gelijk had.'
'Dat hoef je niet zo verbaasd te zeggen,' zei Cormack met een spoor van zijn oude grijns.
'Zes broers.' Finbar had bijna niets gezegd, en nu klonk zijn stem gesmoord, alsof hij alleen iets zei omdat het moest. 'Zes broers, dus zes kledingstukken, misschien?'
'Kledingstukken van sterrenkruidvezels? Het lijkt me niet prettig om zo'n ruw hemd aan te trekken,' vond Diarmid.
Conors vlakke blik rustte taxerend op elk van hen. 'Jullie zouden nog weleens blij kunnen zijn als jullie het aan mogen trekken,' zei hij langzaam, 'als het de kracht had de betovering te verbreken.' Hij had er niet veel tijd voor nodig gehad om erachter te komen hoe het zat.
Even kreeg ik de indruk, toen ze elkaar over het vuur heen aankeken, dat er tussen mijn broers een soort verstandhouding bestond waar geen woorden voor nodig waren, en waarvan ik ditmaal was buitengesloten. Ik keek de kring rond, met het gevoel dat ze elkaar nu nader stonden dan ooit tevoren, en toen ontmoette ik Finbars blik. Hij zat wat apart van de anderen en keek naar mij. Er lag een soort behoedzaamheid in zijn uitdrukking die ik nog nooit eerder had gezien, een onzekerheid die me zorgen baarde, want van het hele stel was hij altijd degene geweest die het meest zeker was van zijn weg. Ik probeerde hem met mijn geest te bereiken.
Wat is er, Finbar?
Maar het was Conor die antwoordde.
'Het is moeilijk om terug te komen, Sorcha, en voor sommigen is het moeilijker dan voor anderen.'
'We hebben hier misschien maar weinig tijd,' zei Liam terwijl hij opstond. 'Als het zo is als Conor zegt, hebben we misschien maar tijd tot zonsopgang. We moeten doen wat we kunnen om iets voor ons zusje te doen.'
'Er kan het een en ander worden gedaan,' zei Liam; hij nam de leiding. 'Misschien maar kleine dingen, maar ze kunnen nuttig zijn. Geloof me, Sorcha, het is voor ons allemaal pijnlijk en schaamte-

vol dat we gedwongen zijn jou hier alleen achter te laten. Maar we kunnen op zijn minst zorgen dat je het hier wat gemakkelijker hebt. Hout hakken, deze plaats klaarmaken voor de winter, want ik ben bang dat we niet terug zullen zijn voor hier een dik pak sneeuw ligt; dit kan gedaan worden bij het licht van een lantaarn. Heb je een bijl?'
Ik knikte.
'In het westen is een weide; daar ligt ook graan opgeslagen,' zei Conor.
'Hoe ver is dat?' vroeg Cormack.
'Je kunt heen en terug voor het dag wordt,'antwoordde zijn tweelingbroer. 'Neem Linn mee. Het is donker, en de paden zijn verraderlijk. Zij zal je de weg wijzen. Ik vermoed dat ze toch niet achter zou willen blijven.'
'Ik ga met je mee,' zei Padriac. 'Of liever, ik zou met je mee willen, maar deze laarzen doen helse pijn. Dat is de ellende met gedaanteverwisselingen. Je groeit door, maar je kleren blijven even groot. Misschien passen jouw laarzen me, Finbar.' Ze pasten hem redelijk, want mijn jongste broer was een half hoofd groter geworden sinds ik hem voor het laatst had gezien. Misschien zou ik iets aan het te klein geworden paar hebben, als mijn voeten genoeg groeiden. Toen gingen Padriac en Cormack op weg onder de bomen, met een kleine lantaarn in de hand en ieder een mes in hun gordel, want ze hadden ook de messen gevonden. Ik hoopte dat ze de wapens niet nodig zouden hebben. Ik dacht wel dat ze onopgemerkt zouden blijven tussen de midzomerfeestvierders, ook al hadden ze iets anders in de zin. Linn volgde hen; niemand had haar kunnen tegenhouden. Als enige van hen drieën kende zij tenminste de weg.

Liam en Diarmid gingen aan de slag met bijl en hakmes; ze hakten takken van de dode es en stapelden ze op onder de beschutting van een overhangende rots. Ze werkten met een verbluffende snelheid en precisie, zonder pauzes te nemen om te eten of te drinken. Ze namen de tweede lamp mee om hun werk bij te lichten, zodat de overigen in het halfduister achterbleven bij het gloeiende vuur.
'Ziezo,' zei Conor, 'laat me nu die handen maar eens zien. Heb je een voorraad zalf? Bijenwas?'

Ik liet hem de slinkende voorraden zien die ik bewaarde in een holte in de grot.
'Hier zul je niet lang mee toe kunnen,' zei hij ernstig. 'En wat doe je dan? Is er geen andere manier om deze taak uit te voeren?'
Ik schudde mijn hoofd.
'Dan kan ik je tenminste vannacht verzorgen, en misschien proberen iets te vinden om je te helpen. Je moet begrijpen, kleine uil, dat dit voor ons nog het ergste is. Dat we hier niet bij je kunnen zijn, dat we moeten toekijken terwijl jij voor ons lijdt, dat je je leven voor ons opoffert – dat gaat ons aan het hart. Voor Finbar is het het allermoeilijkst. Hij heeft van ons allemaal het sterkst de behoefte de weg te volgen die recht vooruit gaat, ongeacht welke hindernissen hem in de weg staan. Het feit dat dat hem is afgenomen, op grond van iets dat niet veel meer dan een gril lijkt, daar gaat hij aan kapot. En nu moet hij datgene pijn doen wat hij het liefste heeft.'
We gingen terug naar het vuur, waar Finbar nog steeds zwijgend zat. Conor nam mijn kleine hand in de zijne en begon de zalf zacht in mijn huid te wrijven, terwijl hij mijn vingers tussen de zijne rolde en kneedde. Hij praatte niet meer en begon in plaats daarvan zacht te neuriën, een eentonig wijsje waarvan begin en eind met elkaar waren verweven, zodat het eindeloos doorging en goed leek te passen bij de vreemde stilte van de nacht. In de verte beklemtoonde het doffe bonzen van de bijl op hout de vloeiende melodie. Ik begon me te ontspannen. Eerst had ik mijn gezicht pijnlijk vertrokken, want het deed pijn als iemand mijn handen aanraakte; maar na een poosje werkte de melodie sussend op me in en ik hoorde uilen in de bomen om ons heen, en het kwaken van kikkers in de vele kleine beken rondom het meer. Toen kwam Finbar naar ons toe om naast me te zitten en hij nam mijn andere hand in de zijne. Conors hand was warm en vol leven; die van Finbar was ijskoud. We bleven een tijdlang zo zitten, en ik gaf mijn kapotte vingers over aan de zorg van mijn broers; ik nam beelden en gevoelens in me op om ze te bewaren en te koesteren in de lange, zware tijd tot midwinter. Ik zou erop moeten teren. Conor neuriede nog steeds binnensmonds fragmenten van de melodie; hij bracht zijn eigen kracht over in mijn handen en via mijn handen in mij. Uiteindelijk begon Finbar te praten.

'Het spijt me zo, Sorcha. Ik weet nauwelijks welke woorden ik moet kiezen. Eén nacht. Die tijd is te kort om onze herinneringen aan deze wereld wakker te roepen. Er is zoveel in mijn geest, en ik heb gezien... ik... nee, sommige dingen kunnen beter ongezegd blijven.'

Ik draaide mijn gezicht naar hem toe, en ditmaal beantwoordde hij mijn blik. Ik zag het licht van het vuur flakkeren in zijn grijze ogen, en er was twijfel in.

Wat is dit nou? Je mag niet opgeven! Uitgerekend jij. Wat is er aan de hand?

Maar hij hield zijn luiken nog steeds gesloten.

'Je kunt het tegen ons zeggen, Finbar,' zei Conor kalm. 'Hier, we zitten met ons drieën hand in hand. We kennen je. We kennen je moed. Spreek hardop over wat je dwarszit, als je je geest niet voor ons kunt openstellen.' Het werd zacht gezegd, maar zijn woorden straalden een gezag uit dat Finbar geen keus leek te laten.

'Waarom Sorcha?' zei hij. 'Waarom is zij uitgekozen om zo te lijden? Ze is onschuldig, ze heeft niets misdaan, ze is niet in staat tot welke slechte gedachte ook. Waarom moet zij dit offer voor ons brengen?'

'Omdat zij de sterkste is,' zei Conor eenvoudig. 'Omdat zij kan buigen in de wind, zonder te breken. Sorcha is de draad die ons allemaal samenbindt. Zonder haar zijn wij bladeren in de wind, die lukraak alle kanten op waaien.'

'Wij zijn ook sterk. We zijn allemaal sterk.'

'Elk op jullie eigen manier, ja. Maar ieder van jullie zou breken in deze storm. Zelfs jij, want er komt een tijd waarin de weg die recht vooruit gaat onder je voeten afbrokkelt, of weggespoeld wordt door een vloedgolf, en dan ben je verloren als je geen andere weg wilt nemen. Alleen Sorcha kan ons thuisbrengen.'

'Je spreekt in raadsels,' zei Finbar ongeduldig. 'En hoe zit het met jouzelf? Hoe kun je zo kalm blijven en het accepteren, je zusje te zien, broodmager, in vodden gekleed en met een huid vol zwerende wonden? Ik zou nog liever sterven, of voorgoed onder deze vloek leven, dan dat ik haar op deze manier voor mij laat lijden. Hoe kun je dit zomaar accepteren?'

Conor keek hem ernstig aan. 'Beoordeel mij niet verkeerd. Sorcha's pijn treft mij diep, en dat weet zij ook. Maar ik heb deze weg al eerder bereisd, en ik heb op de drempel gestaan tussen die wereld en deze. Misschien maakt dat het gemakkelijker, want in tegenstelling tot de anderen kan ik beide in mij meedragen. Voor jullie zal de gedaanteverwisseling elke keer moeilijker zijn. Maar jullie twijfels helpen Sorcha niet bij haar taak. Zij heeft behoefte aan onze kracht, zolang we hier zijn. Ze heeft er behoefte aan ons aan te raken zolang het kan.'

We bleven een tijdlang zwijgend zitten. Ik vond dat Conor de vraag van zijn broer eigenlijk niet had beantwoord. Het was laat, en het was stil in het bos, afgezien van de bijl die weerklonk in het donker. Ik herinnerde me een andere keer; toen had ik Finbars geestesbeelden gezien ondanks zijn pogingen mij buiten te sluiten; de kou, het vallen, het vliegen... was dit waar hij bang voor was, de beeldflitsen die hem iets zeiden over dingen die zouden komen? Hoeveel zag hij eigenlijk? En was de toekomst zo somber, dat hij zijn visioenen niet durfde te delen?

Mijn geest was goed afgeschermd, maar Finbar begon te praten alsof hij mijn gedachten kende. 'Sorcha,' zei hij zacht. 'Geloof me wanneer ik je zeg dat je dit niet zou moeten doen; het zou beter voor je zijn als je wegging, ver weg, en ons vergat. Verlaat het bos en zoek bescherming bij de heilige paters in het westen. Hier zul je nooit veilig zijn.' Hij draaide een punt haar in zijn rusteloze vingers.

'Zodat we allemaal te gronde zouden gaan?' vroeg Conor op beminnelijke toon. 'Vrouwe Oonagh zou zeker ingenomen zijn met dat resultaat. Je beledigt je zusje door zoiets voor te stellen, Finbar. Wij zijn haar broers; ze houdt van ons en wij houden van haar. Ze zou die keuze nooit maken.'

'Ze moet niet hier blijven,' zei Finbar. Het luik in zijn geest was stevig gesloten; wat het ook voor duistere kennis was die hij daarachter bewaarde, wij kregen er niets van te zien.

'Zulke geestesbeelden,' zei Conor, terwijl hij met een lange stok in de sintels pookte, 'kunnen ware raadsels zijn. Wat je ziet kan de waarheid zijn, of een halve waarheid, of een nachtmerrie die uit jezelf voortkomt, die geboren is uit je eigen angsten en verlangens. Het is zelfs mogelijk dat de betovering van vrouwe Oonagh in je aan het werk is. Misschien verandert ze niet alleen je uiterlijke vorm, maar bemoeit ze zich ook met je innerlijke stemmen. Je kunt die visioenen niet vertrouwen.'

'Wat kan ik dan wel vertrouwen?' antwoordde Finbar. 'We hebben geen kennis over de tijd dat we weg waren; wat hebben we dan als landkaart, als leidraad voor onze keuzes? Er is amper tijd om ons te herinneren wie we zijn voor het weer wordt weggevaagd. Onze vader zou wel dood kunnen zijn, of nog erger.'
'Hij leeft nog,' zei Conor zacht. 'Hij is diep aangeslagen door het verlies van zijn kinderen, en kan weinig uitrichten door de betovering van zijn vrouw, maar hij is niet helemaal in haar macht. Tot nu toe heeft hij het volgehouden.'
Hoe weet je dat? Zijn woorden waren voor ons allebei schokkend geweest; we stelden tegelijkertijd dezelfde vraag; ik innerlijk, Finbar hardop. We hielden onze ogen in spanning op Conor gericht. We hadden vermoedelijk dezelfde uitdrukking op ons gezicht.
Conor keek neer op onze in elkaar grijpende handen, met een ietwat spijtige glimlach. 'Jullie hebben natuurlijk gelijk,' zei hij. 'Je kunt niet tegelijkertijd mens en vogel zijn. Als je die nieuwe bewustzijnstoestand binnengaat, verlies je de herinnering aan de oude. Je bent niet een met zwanenveren bevederde man; zo eenvoudig is het niet. Je verandert totaal; en je beeld van de wereld is dat van een wild dier: vluchten, veiligheid, gevaar, overleving. Het meer; de lucht. Veel meer is er niet. In die tijd vlieg je misschien over het kasteel van heer Colum; je zwemt wellicht bij het strand waar Eilis en haar vrouwen een balspel spelen, maar je ziet hen niet zoals een man hen zou zien. Dat kunnen jullie niet, maar ik kan dat wél.'
Finbar haalde opeens diep adem. 'Ik had het moeten weten,' zei hij langzaam. 'Jij bent verder op de weg dan ik dacht. Ik vind het jammer, maar ik ben er ook blij om; jouw last kan op een bepaalde manier zwaarder zijn dan de mijne.'
Vrouwe Oonagh. Wat weet je van haar?
'Ze heerst daar nog. En ze zal in de herfst een kind ter wereld brengen. Haar invloed is sterk. Ze is nog op zoek naar jou, maar zonder succes, want de bosbewoners beschermen je.'
'Vader. Je zei dat hij niet helemaal in haar macht was. Wat bedoelde je daarmee?' vroeg Finbar gespannen. Ik keek verbaasd naar hem. Misschien kende ik hem toch niet zo goed als ik dacht. Hij zag mijn blik.
'De macht van de betovering is groot, Sorcha,' zei hij wat kalmer.

'De macht van het verlies is ook krachtig. Ik begin nu te begrijpen waarom hij zo heeft gehandeld als hij heeft gedaan. Het is daarom belangrijk voor mij dat hij het overleeft. Het is ook belangrijk dat zij wordt tegengehouden. Maar er is een grens aan de prijs die we daarvoor zouden moeten betalen.'
'Ik zou jullie wel iets kunnen vertellen over vader,' zei Conor. De bijlslagen waren opgehouden; nu kwamen mijn twee oudste broers de helling af; hijgend hurkten ze naast ons neer. 'Ik zou jullie veel kunnen vertellen, maar soms is het beter niet te weten.'
'Wat niet te weten?' vroeg Liam, die tussen mij en Conor in kwam zitten en zijn arm om mijn schouders legde.
'Wat er gebeurt, wat er in de wereld verandert terwijl wij ons in die andere toestand bevinden,' zei Conor. Liam wierp hem een scherpe blik toe. 'Dus jij weet dat wel,' zei hij; het klonk niet echt goedkeurend.
'Ik weet sommige dingen; andere weet ik niet. Ik kan niet overal tegelijk zijn; mijn lichamelijke vorm is dezelfde als die van jullie. Ik zie alleen op een andere manier. Laat ik jullie geruststellen dat jullie vader nog leeft, en niet helemaal verloren is, al is zijn verdriet verschrikkelijk. Zijn grootste verlangen is zijn dochter te zien, want in haar gezicht leeft zijn laatste aandenken aan haar die hij liefhad en verloor. Dat steekt vrouwe Oonagh meer dan wat ook,' zei Conor.
Mijn mond viel open van verbazing. Mij? Maar hij had me nauwelijks opgemerkt toen ik bij hem was. 'Wat heeft ze voor verhaal opgehangen, dat hij geloofde dat ze hier onschuldig aan was?' vroeg Diarmid met een afschuwelijke verbitterde klank in zijn stem.
'Dat kan ik je niet zeggen,' zei Conor. 'Trouwens, waarom zou je je eigen verdriet en teleurstelling nog erger maken? We kunnen niets voor hem, of tegen haar, doen tot de betovering verbroken is. Daarom moeten we doen wat Sorcha wil, en haar hier achterlaten om haar taak te volvoeren, ook al breekt het ons hart om dat te doen.'
Het was vreselijk hoe snel de rest van die nacht voorbijging. We zaten bij het vuur en praatten nu eens hierover, dan daarover, terwijl we probeerden niet te vaak naar de hemel te kijken om te zien of daar al de eerste tekenen van de dageraad te bespeuren waren.

Later, veel later, kwamen de jongens en Linn terug van hun tocht. Zij waren aan de ergste droefheid van de nacht ontkomen door hem te vullen met activiteit. Het zou een nacht zijn die de plaatselijke bevolking lang zou heugen, een Meán Samhraidh waarin het kleine volk meer activiteit had ontplooid dan anders; aan verschillende waslijnen zou het een en ander ontbreken, in een aantal melkschuren en kelders zou men onverwachte lege plekken op de planken aantreffen. Padriac gaf me een warme, wollen jurk in een felle kleur rood, die me een paar maten te groot was, een omslagdoek waar ik helemaal in kon en enkele paren kousen van zelfgesponnen wol, netjes gestopt. Die zouden lekker warm zijn in de winter. Cormack droeg een grote zak meel en een bos rapen, een rijpe kaas en een eind dik touw. Ze hadden allebei hun zakken volgestopt met kleine heerlijkheden. Linn likte haar lippen af.

'Ik hoop dat jullie goed hebben opgepast om niet gezien te worden,' zei Liam met gefronst voorhoofd. 'Ik wil niet dat er bij deze mensen een gerucht ontstaat dat Sorcha zich hier ergens ophoudt – je weet hoe ze kunnen kletsen. Er hoeft maar één reiziger een kletspraatje op te vangen, en het verhaal reist verder en voor je pap kunt zeggen komt het vrouwe Oonagh ter ore.'

'Dat is in orde, grote broer,' lachte Cormack. 'We mogen dan niet weten of we mensen of vogels zijn, maar we zijn nog niet alles verleerd. Ik garandeer je dat we geen sporen hebben achtergelaten. Zelfs de hond heeft goed meegewerkt, hè Linn?'

Ze sprong blij om hem heen; hij was terug en haar wereld was weer normaal. Ik had voor haar kunnen huilen, wetend hoe kort hij maar zou blijven.

'We moeten iets doen om het goed te maken bij deze mensen, wanneer we weer onszelf zijn,' zei Diarmid. 'Stelen is verkeerd; bovendien zijn ze arm en kunnen ze deze dingen slecht missen. Alleen heeft Sorcha ze volgens mij op dit moment nog harder nodig.'

'Maak je niet ongerust,' zei Padriac luchtig; hij voelde wel aan dat deze preek voor hem bedoeld was. 'We zullen het niet vergeten. Over een aantal jaren zal er een midzomernacht komen waarin het kleine volk hun een stapel hout brengt, en een kruik bier, en wat mooie kleren. We komen terug.'

'Misschien,' zei Finbar.

'Zo is het genoeg!' Liams stem klonk scherp. 'Om haar taak te volvoeren heeft Sorcha onze steun nodig, en ons vertrouwen. Hebben jullie zelf niet altijd gezegd dat we er met zijn zevenen voor elkaar moeten zijn, dat onze eenheid onze kracht is? Natuurlijk zal Sorcha haar taak volvoeren, en natuurlijk zullen we terugkomen. Daar twijfel ik geen moment aan.'

'Zo zeker als de zon de maan volgt,' zei Conor rustig. 'Zo zeker als zeven beken één sterke rivier vormen die stroomt en kolkt over rotsblokken en onder rotswanden, zonder ooit te weifelen op zijn reis naar de zee.'

'De volgende keer, Sorcha,' zei Padriac, 'zal ik een beter weefraam voor je kunnen maken. Er liggen een paar goede stukken essenhout, die heb ik te drogen gelegd onder de overhangende rots achter in de grot. Als alles goed gaat zullen ze tegen midwinter klaar zijn, als je de regen buiten houdt. En bewaar dat touw, want dat zal ik nodig hebben.'

Ik glimlachte naar hem; hij wilde zo graag helpen en was nog zo jong. Hij mocht dan uit zijn laarzen zijn gegroeid, maar in wezen was hij helemaal niet veranderd. Nee, over mijn jongste broer maakte ik me geen zorgen.

'Ik vraag me toch af,' zei Finbar, met een koppige klank in zijn stem die we allemaal herkenden, 'waarom dit moet gebeuren. Waarom moet Sorcha doormaken wat er moet gebeuren, waarom moet ze zich zo opofferen terwijl ze veilig en beschermd, in vrede zou kunnen doorgaan met haar eigen leven. Waarom zou ze ons niet laten zoals we zijn? We weten niet eens hoe het zal gaan; tegen de tijd dat de taak is uitgevoerd, als hij kan worden uitgevoerd, zou onze vader dood kunnen zijn, of voorgoed veranderd; waarom moeten wij dan gered worden, terwijl daardoor het leven van ons zusje wordt verwoest?'

We keken hem allemaal met grote ogen aan. Conor was de eerste die iets zei.

'Omdat we niet mogen toelaten dat het kwaad overwint.'

'Omdat we moeten zorgen dat we terugkrijgen wat ons toekomt,' voegde Liam eraan toe.

'En onze vader proberen te redden,' zei Cormack. 'Ondanks al zijn gebreken is hij een goed mens, en zonder zijn leiderschap is ons land zo goed als verloren. De Britten, de vikingen en de Pic-

ten zullen uitzwermen over de Eilanden en zelfs voor onze deur komen te staan.'
'Omdat Sorcha zelf vindt dat ze het moet doen,' zei Padriac met verpletterende eenvoud.
'Ik mag het werk van vrouwe Oonagh niet ongestraft laten,' zei Diarmid. 'Als ik niet zo stom was geweest, hadden we haar misschien kunnen tegenhouden. Mijn eer eist van me dat ik haar opzoek om er een eind aan te maken.'
'Hoor,' zei Padriac. 'De dag breekt bijna aan.'
Ze zwegen. Een enkele vogel was hoog in de olmen begonnen te tjilpen. En de hemel begon inderdaad op te lichten; het eerste lichtgrijs van de ochtend was al te zien.
We liepen terug naar het strand. Liam ging voorop met de lantaarn. Ik liep naast Finbar, en ik probeerde hem te laten weten hoe ik me voelde, maar ik kwam er niet achter of hij me hoorde. *Alles zal goed komen. Geloof in mij. Hou vol, en leef. Voor ons allemaal.* Het was alsof ik gedachten uitstuurde in een lege lucht, waar ze konden worden weggeblazen door een toevallige windvlaag.
We wachtten samen op het licht, terwijl we hand in hand een kring vormden. We zeiden niets, maar gaven liefde en kracht aan elkaar door. Finbar stond tussen Conor en mij in; hij liet toe dat we zijn handen pakten, maar ze waren nog steeds ijskoud, alsof niets hem ooit nog kon verwarmen. Even voor de zon opkwam zei Conor dat ik terug moest gaan naar de grot, want, zei hij, het was beter als ik niet zag dat ze gingen. Ze omhelsden me een voor een; eerst Conor, en daarna de anderen om beurten, tot alleen Finbar nog over was. Ik dacht dat hij zonder een woord te zeggen weg zou gaan, maar hij raakte mijn wang aan en liet me even toe.
Wees veilig, Sorcha. Tot de volgende keer. Ik ben er nog altijd voor jou.
Het koor van zingende vogels zwol aan. Het leek op die andere ochtend, de ochtend toen de nevel uit het meer was opgekomen en hen van me had weggenomen. Het was plotseling meer dan ik kon verdragen, en ik voelde dat mijn lippen trilden en dat er tranen in mijn ogen kwamen.
'Ga nu terug naar binnen, kleine uil,' zei Conor zacht, en zijn stem bereikte me als door een lange, nauwe tunnel.

'Tot we terugkomen,' zei Cormack, of misschien was het een ander, en toen was de zon echt opgekomen, en ik hoorde het geluid van een ruisende wind, en woelige golven, en slaande vleugels, en door tranen verblind rende ik terug naar mijn grot en ging daar voorover op de grond liggen huilen, want het was nu niet gemakkelijker hen te verliezen dan de vorige keer en ik wilde niet zien, en er zelfs niet aan denken, hoe hun geest wegglipte en ze veranderden in schepsels van de wilde natuur.
Buiten hief Linn een verschrikkelijk gehuil aan dat almaar doorging, dat door het bos en over het water galmde en opsteeg naar het enorme vlak van roze en oranje en verblindend blauw van de hemel, terwijl de dageraad veranderde in de dag.

HOOFDSTUK ZES

Door zo lang daar buiten te wonen begon ik het gevoel te krijgen dat ik zelf een deel van het bos was. Het had iets van een oud verhaal, misschien het verhaal van een jong meisje dat wreed door haar familie in de steek was gelaten en dat in het bos opgroeide en in staat was met vogels en vissen, met raven en zalmen en herten te praten. Dat zou ik wel leuk hebben gevonden; helaas hield de aanwezigheid van de altijd hongerige Linn in dat de wilde dieren met een grote boog om onze kleine woning heenliepen. Toen het warmer werd, was er een egelfamilie die in de schemering dichtbij durfde te komen, en wanneer ik een stukje eten over had, legde ik het voor hen op een gladde steen onder de struiken, en zorgde dat Linn binnenbleef tot ze weer wegscharrelden in de onderbegroeiing.

De wisselende stemmingen van het bos drongen diep in mijn wezen door. Toen de nachten weer langer werden, en de bramen en de meidoornbessen rijpten en de takken zware hazelnoten en kastanjes droegen, maakte ook ik enkele veranderingen door. Ik was altijd al een klein, mager kind geweest en mijn dieet was op zijn best sober. Toch begon mijn lichaam in die herfst te veranderen van een kinderlichaam in het lichaam van een vrouw, en mijn maandstonden begonnen. Dat had vermoedelijk aanleiding moeten zijn tot een of ander feestelijk gebeuren, maar voor mij was het voornamelijk hinderlijk, want mijn wil en al mijn energie waren gericht op het werk, sterrenkruid te verzamelen en te spinnen en te weven voor de zes hemden. Toch nam ik de eerste avond dat ik bloedde tijd om een bad te nemen in het maanlicht, en daarna dronk ik wat rozemarijnthee tegen de buikpijn, en ging onder de sterren zitten luisteren naar de uilen en de stilte. Die nacht voelde ik dat de Vrouwe van het Woud heel dichtbij was, en ik voelde ook dat een grote, diepe toverkracht om me heen bewoog, maar ik kreeg haar niet te zien.

Het werd nodig er verder op uit te trekken om sterrenkruid te zoeken, want de voorraad broos, stekelig garen was bijna op. Zes vierkante lappen geweven stof waren genoeg geweest om één ruw hemd te maken, en ik was aan het tweede hemd begonnen, maar ik had misschien nog genoeg garen voor een mouw, meer niet. Ik ging naar buiten met een kleine rugzak en een scherp mes en keek uit naar de plekken veerachtig grijs die op open plekken in het bos groeiden, waar vlekken zonlicht door het herfstige bladerdak konden dringen. Deze plant hield van vochtige plekken en groeide in grote hoeveelheden op de oevers van beekjes, waar ze de varens en mossen verdrong. Het was een tijd van overvloed, en vaak bracht ik ook nog een hoeveelheid hazelnoten en vlierbessen mee naar huis.

Nu ik de vergeten paden en schemerige open plekken in het bos afzocht, begon ik te begrijpen waar Finbar misschien geweest was, de keren dat hij dagen achtereen weg was en terugkwam met zijn grijze ogen gericht op een ver visioen dat niemand anders kon zien. Ik zag Oghamtekens ingekerfd op boomstammen en hier en daar op een bemoste steen; zo wist ik dat de mysterieuze kunsten die Conor was begonnen te leren hier hun oorsprong hadden, in het oerbos.

Op een dag ontdekte ik bij toeval een van de meest geheime plekken. Ik was op zoek naar de stekelige plant en klauterde over de oever van een beek, en Linn was voor me en plaste enthousiast door de beek, terwijl ze in het voorbijgaan van het heldere water slobberde. We kwamen een bocht om en bukten om onder een rotsblok door te gaan. Daar hield ze stil. Ik bleef achter haar staan. Aan de overkant van een ronde poel stond een reusachtige, eerbiedwaardige eik, waarvan de wortels aan alle kanten om de poel grepen en diep in de aarde vervlochten waren. De dichtbebladerde kroon van de eik spreidde zich breed boven ons, zodat het licht nauwelijks verder kwam dan de onderste takken. Maar binnen-

kort zouden de bladeren toch vallen, want ze hadden alle kleuren rood en brons. Aan de bovenste takken hingen dikke dotten maretak. En in de bast gekerfd stond een oeroud gelaat, dat me over het donkere water aankeek; het was daar aangebracht door een of andere zoeker naar waarheid. Het gelaat was niet mannelijk of vrouwelijk, het was niet vriendelijk en ook niet dreigend. Het was er gewoon.
Linn wilde er niet verder naartoe gaan, ze ging in de onderbegroeiing liggen om op mij te wachten, met haar oren gespitst om gevaar te kunnen horen. Ik voelde eerbiedig ontzag, maar geen angst. Het bos was tenslotte de plaats waar ik me thuisvoelde. Daarom liep ik om de poel heen om het beter te kunnen bekijken. Voor het gelaat, op de rand van het water, lag een grote steen, waarvan het oppervlak glad en glimmend was door de tijd en de vele aanrakingen.
Opeens verstijfde ik. Voor mij waren hier anderen geweest, en nog niet zo lang geleden. Want op deze steen was een offergave uitgestald. Een brok boerenbrood. Een punt kaas. Ik keek om naar de hond en gebaarde dat ze stil moest zijn. Er was in de nabijheid geen menselijke activiteit te horen, alleen het gefluit van vogels en het zwakke ritselen van bladeren ver boven ons, waar de frisse herfstwind door het bladerdak speelde. Ik hield mijn adem in. Degene die deze eenvoudige gaven had achtergelaten was misschien weggegaan, maar Linn en ik moesten weg, want er zaten nog geen mieren of torren op deze etenswaren; ze lagen hier nog niet lang. Maar mijn zintuigen konden zich niet losrukken van dit eten. Hoewel alles vrucht droeg in deze tijd van het jaar, had ik zo zuinig geleefd als een eekhoorn; ik had noten opgeslagen en bessen gedroogd voor de winter, en ik had dus honger. De voorraden die mijn broers hadden gehaald, slonken snel. Ik was tenslotte nog geen veertien jaar oud, en ik kon de stevige korrelstructuur van het gerstbrood, de milde smaak van de zachte kaas bijna in mijn mond proeven. Linn jankte even, en dat gaf de doorslag. Ik knikte eerbiedig naar het oude gelaat in de eik; hij zou er vast geen bezwaar tegen hebben, dacht ik. Toen stopte ik het brood en de kaas vlug in mijn zak, en we gingen op weg naar huis.
Wijsheid achteraf is prachtig. Op dat moment waren we veilig terug bij ons vuurtje; bij het vallen van de avond deelden we dit

heerlijke, onverwachte feestmaal en ik koesterde me in de bescherming van het bos, zonder een ogenblik te vermoeden dat zo'n kleine handeling de voorbode kon zijn van zulke verschrikkelijke gevolgen. Integendeel, ik geloofde toen zelfs dat deze meevaller misschien voor ons bedoeld was, dat het een schat was die ons in handen was gevallen door de gunst van de bosgeesten, of misschien van de Vrouwe zelf. Toch was ik nog wel zo verstandig om een hele tijd niet meer die kant op te gaan. Ik was niet zo dom om ontdekking uit te lokken.

De tijd verstreek, en ik spon garen voor het tweede hemd. Het eerste was een armetierig kledingstuk; de geweven lappen waren bobbelig aan elkaar gezet, de mouwen waren raar ongelijk. Maar het zou aan zijn doel beantwoorden. Op een ochtend was de grond hard en berijpt en de struiken waren gekleed in schitterend zilver dat tot druppeltjes wegsmolt naarmate de zon nevelig oprees in een lavendel-grijze hemel. De winter kwam eraan, en met de winter zouden mijn broers komen. Ik werkte zo gestaag mogelijk door, altijd dankbaar voor de droge houtstapel die mijn broers hadden achtergelaten, want mijn vingers deden pijn van de kou. Ik nam het risico een groter vuur aan te leggen en roosterde gestolen rapen in de gloeiende houtskool. Een paar keer viel er sneeuw, zachte vlokken die door het net van kale takken glipten om in stilte naar de grond voor de ingang van mijn grot te dwarrelen. Hier, waar de bomen dicht bij het water stonden, bleef de sneeuw niet in een dikke laag liggen, en daar was ik dankbaar voor. Ik droeg mijn eigen oude jurk, met daarover de rode wollen jurk en een deken om mijn schouders, en ik had Padriacs laarzen aan mijn voeten. Toch had ik het nog koud.

Tegen de tijd dat mijn broers terugkwamen was ik bezig het rugpand van het tweede hemd te weven. Ik moest bijna lachen als ik terugdacht aan de dag dat ik bij de hut van pater Brien was weggegaan. Dat leek erg lang geleden. Ik had gedacht dat deze taak een paar maanden zou kosten, misschien van de winter tot de zomer. Nu was het al bijna een jaar later, en ik was nog nauwelijks begonnen. Door oefening werkte ik wel wat sneller, maar mijn handen wilden me niet altijd gehoorzamen, zo misvormd en mishandeld waren ze door de behandeling die ze van me kregen. Het was maar goed, hield ik mezelf voor, dat het huwelijk en alles wat daarbij hoorde me niet interesseerde. Welke man zou iets zien in een meisje met knobbelige handen als van een oud vrouwtje? Dat soort leven, met bruiloften en banketten, met muziek en lezen en mooi borduurwerk leek nu zo ver weg dat ik me niet kon voorstellen dat iemand van ons er ooit naar terug zou keren. Ik dacht nooit na over wat er daarna zou gebeuren, wanneer ik eindelijk het zesde hemd over het hoofd van mijn laatste broer zou trekken zodat ze hun plaats in deze wereld weer konden innemen. Ik werkte zo snel als ik kon, en liet mijn gedachten maar een klein eindje vooruit gaan, niet verder.

Ik herinner me de tweede keer dat ze bij me kwamen niet zo goed als de eerste. Het was op de vooravond van de winterzonnewende, Meán Geimhridh. Het was mijn veertiende verjaardag. Ik denk dat een deel ervan is uitgewist door de dingen die erna gebeurden. Ik herinner me dat Finbar weer iets later kwam dan de rest, net als bij hun eerste bezoek. Ik herinner me de uitdrukking in zijn ogen, iets wilds dat hij niet helemaal voor mij verborgen kon houden.

Er was nieuws. Conor merkte wel dat ik het dolgraag wilde horen, maar hij vertelde het met tegenzin.

'Het kind is geboren op Samhain,' zei hij. 'Een jongen. Ze hebben hem Ciarán genoemd.'

Liam gooide een tak op het vuur. 'Dat is een goede, sterke naam,' zei hij onwillig.

Ik hield mijn handen omhoog in het flakkerende licht. Het was ijskoud, maar we zaten toch buiten, want het vuurtje gaf een warmte die zowel het hart verwarmde als de botten troost gaf. Hier konden we een kring vormen, net als vroeger; doen alsof er nog zoiets bestond als onze oude eenheid.

Ik stak vijf vingers van mijn ene hand op en twee van de andere. Mijn broers begrepen het; in hun ogen las ik ook verdriet om de aanblik van mijn verkromde handen.

'Ja, Sorcha,' zei Conor. 'Hij is de zevende zoon van een zevende zoon. Dat moeten we eerbiedigen.'

'Eerbiedigen?' snauwde Diarmid woedend. 'Helemaal niet. Het is háár kind, het broed van het pure kwaad. Hij moet vernietigd worden, samen met die heks.'

De anderen keken naar hem en het bleef even stil.

'Hij is ons broertje,' zei Padriac na een poos.
'Hij is de zoon van onze vader,' zei Liam instemmend, 'en hij is onschuldig aan het kwaad dat ons is aangedaan. Kunnen we niet hopen dat zijn geboorte een verandering ten goede zal brengen?'
Niemand gaf antwoord. Vader had altijd duidelijk gemaakt dat het zijn bedoeling was dat Liam, als zijn oudste zoon, Zeven Wateren zou erven. Hoewel alle mannelijke nakomelingen van Colum dit besluit konden aanvechten en de opvolging konden opeisen, want zo luidde de wet, had dit nooit waarschijnlijk geleken. Tot nu toe. En wie kon zeggen of onze vader niet de voorkeur zou geven aan de zoon die zijn nieuwe echtgenote hem had geschonken?
Conor had klaarblijkelijk nog een erger bericht voor Liam, want hij nam zijn oudste broer apart buiten onze kring. Ze stonden een tijdje ernstig te praten, net buiten gehoorsafstand. Na een poos kwam Conor terug, maar Liam bleef daar in het donker staan staren, en de sombere grauwheid van de uitdrukking op zijn gezicht deed me aan onze vader denken.
'Wat heeft hij opeens?' vroeg Cormack weinig tactvol.
Conor wierp zijn tweelingbroer een zijdelingse blik toe. 'Een vrouwenkwestie.'
'Met Eilis bedoel je? Ze is toch niet dood, hoop ik?'
Conor schudde zijn hoofd. 'Nee, zeker niet. Ze is goed hersteld van de vergiftiging, en Seamus heeft haar sindsdien streng bewaakt. Hij heeft gezorgd dat ze niet meer naar Zeven Wateren komt. Dat is eigenlijk nergens meer voor nodig, want Colums huwbare zonen zijn met de noorderzon vertrokken. Maar met Eilis gaat het heel goed. Ze is een bloeiende jonge vrouw, en ze is klaar om te huwen. Haar vader heeft haar beloofd aan Eamonn van de Moerassen. Nu hij zijn oostgrens niet kan beveiligen door haar met een van ons te laten trouwen, neemt hij de noordgrens maar.'
Diarmid haalde hoorbaar adem. 'Dat zal een krachtig verbond zijn. En als die zich nu eens tegen vader keren? Ik hoop maar dat hij onze verdediging aan de overkant van de rivier versterkt. Seamus was altijd voldoende als vazal, maar dit bericht maakt me ongerust. We zouden onze gezamenlijke krachten moeten inzetten tegen Northwoods, en om dat goed te kunnen doen moeten we op onze buren kunnen vertrouwen.'

'Ik weet weinig van zijn verdediging,' zei Conor vermoeid. 'Het ziet er niet naar uit dat er iemand is aangesteld om Donal te vervangen, en er gebeurt weinig op het kasteel. Maar het is natuurlijk winter. Misschien zal vader wanneer het warmer weer wordt moed vatten en zijn mannen bijeenroepen.'

'Maar Eilis zelf?' vroeg Padriac. Zijn handen waren druk aan het werk. Bij het zwakke lantaarnlicht werkte hij snel en precies aan een nieuw weefraam van essenhout, met verbindingen van touw. 'Staat het haar wel aan om met deze man te trouwen? Is hij niet een beetje te oud voor haar?'

'Het zal tegen haar eigen wensen ingaan,' zei Conor kalm, en hij keek even naar onze oudste broer, die nog in de schaduw stond, met gebogen hoofd. 'Maar ze is een goede dochter en zal doen wat haar gezegd wordt. Ze heeft nooit begrepen hoe Liam heeft kunnen weggaan zonder haar te vertellen waarom. Haar hart doet nog pijn om hem, maar ze zal een trouwe echtgenote en liefhebbende moeder zijn. Het is beter zo.'

'Beter voor wie?' vroeg Diarmid verbitterd.

Het was een sombere bijeenkomst. Ik wilde vreselijk graag dat ik kon spreken, want ik kon hun verdriet, hun boosheid, hun schuldgevoel zien, en ik kon voelen hoe dat alles hen verscheurde en hen zelfs tegen elkaar opzette, maar zonder woorden kon ik weinig voor hen doen. Ik omhelsde Liam, maar kon niet tegen hem zeggen dat ik wist dat Eilis van hem hield en op hem zou hebben gewacht als dat mogelijk was geweest. Ik nam Diarmids handen in de mijne en keek aandachtig naar de verbitterde uitdrukking op zijn gezicht; ik zou hem graag hebben gezegd dat we hem allemaal zijn misstap vergaven; dat Oonagh ieder van de broers had kunnen uitkiezen; hij had alleen de pech gehad dat ze hem had gekozen om mee te spelen. Ik wilde tegen hem zeggen dat hij niet zoveel haat moest koesteren. Maar ik mocht niet spreken. En Finbar, die zat in zijn eentje met zijn armen om zijn knieën geslagen. Zijn lange haren waren ongekamd en woeien voor zijn ogen terwijl hij naar buiten staarde, in de richting van het donkere water van het meer. Hij keek niet naar mij en hij zei helemaal niets.

Zo verstreek de nacht, en Padriac maakte het weefraam af. Cormack lapte mijn laarzen terwijl Linn nerveus toekeek. Deze twee broers waren niet zo erg veranderd. Padriac was altijd erg duidelijk gericht op een taak of een probleem, en misschien was het vreselijke dat hun was overkomen voor hem gewoon een interessante uitdaging. Hij leek het in elk geval prima te vinden deze ene nacht van vrijheid te besteden aan bouwen en herstellen, en af en toe een paar woorden bij te dragen aan het gesprek. Hij zou het tenminste wel redden, dacht ik. In Cormacks geval was het vermoedelijk zijn gebrek aan verbeeldingskracht dat hem hielp het allemaal aan te kunnen. Het was misschien niet aardig van me om zo te denken, maar Cormack was geneigd de wereld zwart-wit te zien, en in sommige opzichten maakte dit het leven voor hem gemakkelijker. Zijn zwakke punt was zijn neiging om driftig uit te vallen, wat vrouwe Oonagh eerder in de gaten had gekregen dan wij. Door die te richten op zijn liefste gezelschap, een dier dat hem volkomen vertrouwde, had ze bij hem twijfel gezaaid aan zijn eigen integriteit, en die twijfel zou nu altijd bij hem zijn.

Later praatten ze meer over de Eilanden, en over de strategie die kon worden gebruikt om ze terug te veroveren; ze tekenden landkaarten in het zand en gebruikten bladeren en takjes om mannen en bomen voor te stellen. Ik luisterde maar half; ik hoorde wel dat Conor zei dat ze de Eilanden nooit met geweld terug zouden krijgen. Hadden ze nooit het verhaal gehoord, zei hij, dat er iemand zou komen die niet afkomstig was uit Ierland of uit Brittannië, maar toch uit beide landen; iemand die het teken van de raaf zou dragen, en die het evenwicht zou herstellen? Alleen dan kon de kloof tussen onze volken overbrugd worden.

'Dat is maar een verhaal,' zei Cormack afwijzend. 'We zouden misschien wel honderd jaar of langer op zo iemand kunnen wachten. We zouden eeuwig moeten wachten. Maar de heilige bomen kunnen niet wachten terwijl de bijlslagen over het water klinken.'

'De geesten kunnen niet werkeloos afwachten terwijl de schoen van de vreemdeling de grotten der waarheid bezoedelt,' vulde Diarmid aan.

'Bovendien,' zei Liam, 'weet ik niet of het wel in ons belang is de kloof tussen onze volken te overbruggen. Dat wat van ons is terugpakken, en hen voorgoed van ons grondgebied verdrijven, dat is eerder wat ons voor ogen staat.'

'Deze oude verhalen blijken toch wel vaak waar te zijn,' merkte Padriac op. 'Soms betekenen ze niet precies wat ze lijken te bete-

kenen. Misschien heeft Conor gelijk. Er verandert van alles op dit moment; kijk maar naar wat er met ons is gebeurd. Ons verhaal is even vreemd als al die oude verhalen.'
'Mmm,' zei Diarmid nadenkend. 'Geloof is één ding. Ik voor mij heb liever dat mijn geloof ondersteund wordt door een scherp zwaard en een troep goede mannen.'
'Het kan nooit kwaad alvast plannen te maken,' zei Cormack, die het met zijn broer eens was. 'Wanneer we terugkomen, moeten we klaar zijn. Vader is misschien niet in staat om het bevel te voeren, en onze oude vijand kan van zijn zwakte gebruik hebben gemaakt om een zet te doen. We moeten ervoor zorgen dat het gewonnen terrein niet verloren gaat.'
Conor praatte die nacht maar weinig. Hij was sterk geweest; het was een zware last het bewustzijn van beide werelden te dragen, en ik meende dat het hem was aan te zien hoe zwaar het hem viel. Maar het isolement van Finbar was iets anders. Ik ging bij hem zitten, toen de dageraad alweer begon te naderen, want ik had gewacht en gewacht tot hij iets tegen me zou zeggen, en hij had niets gezegd. Ik ging naast hem zitten. Het was nieuwe maan, en ik kon zijn gezicht nauwelijks zien in het flauwe licht. Maar ik had mijn ogen niet nodig om hem te zien, want ik bewaarde de gezichten van al mijn broers in mijn hart. Een lange neus, een brede mond, wat verstrooide sproeten op een lichte huid, een krachtige kaaklijn, en onder het donkere haar dat verward over zijn voorhoofd hing, ogen als helder water van onpeilbare diepte, dat was Finbar.
'Het spijt me dat ik je buitensluit.' Na lang zwijgen begon hij te spreken, en ik schrok ervan. 'Ik kan mijn geest niet meer voor je openen.'
Waarom niet? Vertrouw je me niet meer?
'Lieve Sorcha, ik zou je mijn leven toevertrouwen. Het leven van ons allen ligt immers in jouw handen? Maar ik heb dingen gezien... ik zou er veel voor geven om die dingen uit mijn geest te wissen. Verschrikkelijke dingen. Ik merk dat ik tegen beter weten in hoop dat Conor gelijk had, en dat deze visioenen niet te danken zijn aan het Gezicht, maar aan een kwaad dat door de vrouw van mijn vader met bepaalde bedoelingen in mijn hoofd is gezaaid. Misschien denkt ze dat ze me zo krankzinnig kan

maken, want deze beelden zijn heel wreed. Het is beter dat ik ze niet met iemand deel. Met jou niet, met niemand.' Aan zijn stem hoorde ik dat hij diep in zijn hart geloofde dat ze waar waren.

Waarom niet? Als je ze deelt zouden ze misschien minder zwaar te dragen zijn.

Hij ging verzitten, trok zijn schouders op, draaide een sliert haar tussen zijn vingers.

'Dit zou niet minder zwaar worden. En als het valse beelden zijn, waarom zou ik anderen dan verdriet doen? Wat me het meest dwarszit, is dat ik niet weet wat ik moet doen. Als ik werkelijk dingen zie die zullen komen, slechte dingen, zou ik iets moeten doen om te proberen ze te voorkomen. Maar zelfs als ik tijd had om iets te doen, zou ik niet weten waar ik moest beginnen. Bovendien is dat misschien juist wat vrouwe Oonagh wil. En misschien is het ook de bedoeling dat deze dingen gebeuren; misschien zijn ze niet tegen te houden. Vroeger wist ik altijd welke weg de goede was. Die zekerheid ben ik kwijt.'

Je bent nog dezelfde die je was. Je bent nog sterk.

'Maar zal ik sterk genoeg zijn? En het wordt elke keer moeilijker. Elke keer verander ik een stukje meer, zodat de man meer op de zwaan gaat lijken; maar de zwaan kan nooit de man worden. O, Sorcha, ik heb mijn eigen einde gezien; de last van die kennis is te zwaar voor een man. Ik heb mijn broers door het zwaard zien sneven, en door het water, en ik heb een van hen ver, ver weg zien gaan, buiten bereik van de verste gedachte. En jij... ik heb een groot onheil voor jou gezien, en ik weet niet hoe ik het moet verhinderen. Als je van hier weg kunt gaan, moet je dat doen, en wel zo snel mogelijk.'

Vertel me wat het is. Hoe kan ik er iets tegen doen, als ik dat niet weet?

'Nee. Want misschien is het niet waar.'

Hij was niet te vermurwen, en ik kon hierover niets meer uit hem krijgen. Samen bleven we zwijgend zitten, en na een tijdje nam hij mijn hand in de zijne, en zonder een bepaalde reden kreeg ik het vreselijke gevoel dat dit de laatste keer zou zijn dat hij me ooit zou aanraken. Het laatste beetje van onze kostbare tijd verstreek, en ik bedwong mijn tranen toen de hemel lichter begon te wor-

den door de nadering van de dageraad. Aan huilen had niemand iets.
We verzamelden ons op het strand om afscheid te nemen, en daar deed Finbar iets dat ik nog beangstigender vond dan al zijn waarschuwende woorden. Hij bracht zijn handen omhoog en nam de amulet af die om zijn hals hing, de gladde steen met een gat erin en een opschrift in runen, en hij deed het koord over mijn hoofd zodat de talisman ter hoogte van mijn hart kwam te hangen.
Ik hief mijn hand om te protesteren – *nee, hij is van jou, moeder heeft hem aan jou gegeven* – maar hij draaide zich alweer om en ik kon zijn gezicht niet zien. Het was een gebaar dat iets verschrikkelijk definitiefs had. Mijn leven lang had ik hem nooit gezien zonder het geschenk van onze moeder om zijn hals.
Vaarwel, tot de volgende keer. Vaarwel, lieve broer.

Ik had tegen Simon gezegd dat hij zijn verhaal kon laten aflopen op elke manier die hij wilde. Hij kon kiezen, had ik gezegd; er waren evenveel wegen als de draden van een groot wandkleed, en hij was de wever. Maar ach, mijn verhaal. Waarom kon ik dit niet doen met mijn eigen verhaal? Waarom moesten de repen van dit verhaal een weefsel van gewelddadigheid vormen, de rode kleur van bloed en verraad aannemen, de weg van verderf en lijden en scheiden inslaan? Met het klaarogige zelfvertrouwen van een onschuldig kind had ik Simon voorgehouden dat hij zijn lot in eigen hand moest nemen, zonder te vermoeden dat ik zelf, nog geen twee jaar later, machteloos de slagen ervan zou moeten verduren. Finbar had altijd de waarheid gezocht, en ik zou ontdekken dat zijn visioen hem niet had bedrogen. Maar het gebeurde pas later; zoveel later dat ik zijn waarschuwing uit mijn hoofd had gezet en zoals altijd deed wat ik te doen had; ik genoot van het warme weer, want er was een halfjaar voorbijgegaan en het was alweer bijna midzomer. Ik had twee hemden klaarliggen en het derde was half in elkaar gezet. Vanuit mijn grot lette ik op de loop van de zon en ik zag de bessen geleidelijk rijpen, en ik geloofde dat mijn broers nu elke avond konden komen. Misschien vanavond al. Er waren zwanen op het meer, sommige met halfwas jongen; misschien was Conor daar ergens, en keek hij met mensenogen naar me terwijl hij in zijn witte kleed op het water dreef. Linn leerde vis te vangen op ondiepe plaatsen, een zeldzame kunst voor een hond. Ik verbaasde me over haar geduld, wanneer ze doodstil in het water stond met haar ogen gericht op een onzichtbare prooi, tot de zilverige buit dicht genoeg naderde om een dodelijke uitval te doen. Terwijl ze dit nieuwe spel oefende, spon en weefde ik en hanteerde mijn naald, en aan het hemd ontbrak alleen nog de rechtermouw.

Toen kwam de dag dat alles veranderde, heel snel. De zon lokte me uit de grot naar buiten, en ik ging naar beneden om 's middags bij het meer op de stenen te gaan zitten; ik nam mijn naaiwerk mee. Ik hield mijn gloeiende voeten in het water en rolde met mijn tenen over de kiezels. Er was een groep zwanen niet ver van het strand; ze dreven, verzorgden hun veren, visten op hun gemak. Ik dacht dat ze wachtten. Het viel niet mee de mouw aan te zetten, en ik zat gebogen over mijn naald; ik had me erin geoefend niet op de stekels in mijn vingers te letten, en wenste voor de zoveelste keer dat ik beter had opgelet toen een van de dienstmeisjes me het naaien had geleerd.

Ik had Linn vergeten tot ik haar hoorde blaffen, ergens ver weg langs de oever van het meer. Ze was na de jacht op weg naar huis, dacht ik. Ze was voor haar doen nog laat op pad. Toen begon het blaffen weer, en het had een scherpe, waarschuwende klank. Ik stond op en schermde mijn ogen af terwijl ik de oever afspeurde en hoger tussen de bomen keek of ik haar zag. Er was niets. Even later hoorde ik een stem vloeken, en haar geblaf eindigde in een afgrijselijk, gorgelend janken, en daarna bleef het stil. Een koud gevoel trok over mijn ruggengraat. Ik liep het pad op naar de beschutting van de bomen, zo zacht als ik kon. Angst scherpte mijn zintuigen, maar desondanks waren de mannen me te snel af. Het waren er drie. Een kwam door de struiken achter de ingang van de grot naar voren; hij grijnsde met slappe lippen en ongelijkmatige, gelige tanden. Hij hield een bebloed mes in zijn hand. Een ander was plotseling achter me van de rotsen afgesprongen en nam mijn hals in zijn greep, zodat zijn stinkende adem mijn neusgaten vulde. En achter hen was er een die ik beter kende, en zijn stem schalde luid en onbeheerst, half opgewonden, half ontsteld.

'Feeënmeisje! Feeënmeisje geen pijn doen!'

Wat hierna gebeurde, is erg moeilijk om te vertellen. Ik heb het dan ook maar één keer eerder verteld, toen het moest, en ik zal het nu alleen vertellen omdat het een reep in het weefsel van mijn verhaal vormt, en verweven is met wat erna kwam. Ik heb geprobeerd hun woorden en hun daden uit mijn herinnering te bannen, maar dat lukt niet. Ze zeiden en deden vreselijke dingen. Ik vermoed dat het niet erg lang duurde voor het voorbij was, maar het leek wel lang, heel lang; en hun woorden werden in mijn geest gebrand tot littekens zoals die van Simon, die nooit helemaal genazen.

'Aha, dit is dus dat feeënmeisje van jou, hè Will? Volgens mij is het een meisje van vlees en bloed. En een lekker stuk met alles erop en eraan! Kijk hier maar eens naar!'

Hij greep mijn tuniek en scheurde de hele voorkant open, zodat mijn lichaam van hals tot enkel ontbloot werd. Ik wilde mezelf bedekken, maar merkte dat mijn handen achter me werden vastgehouden.

'Hoe vind je zoiets, zeg?' zei de ander, bijna kwijlend van opwinding. Hij prutste aan zijn broekriem. 'Een stuk eersteklas vers vlees! Precies zoals ik ze graag heb, jong en sappig. Dat wordt smullen!' Hij wendde zich naar de zwakzinnige, die handenwringend en jammerend aan de rand van de open plek stond. 'Hou op, Will! Jij komt ook aan de beurt. De grote jongens gaan voor.'

'Geen pijn doen! Feeënmeisje geen pijn doen! Hondje geen pijn doen!'

Maar ze deden me wel pijn. 'Zorg jij even dat hij zijn bek houdt?' zei de eerste, en de tweede gaf de jongen een oorvijg waardoor hij kreunend op de knieën viel.

Terwijl de ene me op de grond drukte, spuwde de ander op zijn vingers en duwde ze bij me naar binnen, en ik beet hard op mijn lip om niet te gillen, en voelde bloed en tranen nat op mijn gezicht terwijl hij zijn broek omlaag trok en zich bij me binnendrong. Het deed pijn; het deed vreselijke pijn en ik had geen stem om hem te vervloeken. Ik probeerde te doen wat we vroeger altijd deden, een verhaal vertellen om de pijn niet te voelen... *ze heette Deirdre, vrouwe van het woud*... Ik kneep mijn ogen dicht, om hun rode, bezwete, opgewonden gezichten niet te zien... *als je heel stil was, zo stil als... als een muisje, krijg je haar misschien te zien...* Ik deed mijn uiterste best, en het ging maar door, en de ene schokte een paar keer en trok zich terug, en de andere nam zijn plaats in. 'Zie je wel, ze zegt helemaal niets! Ze vindt het lekker, hè, jij kleine slet? Feeënmeisje me hoela; dit is gewoon een mensenmeisje, dat hoort op een boerenerf thuis, reken maar. Ze heeft het nog nooit zo fijn gehad, wed ik.'

... en de wilgen ruisten wanneer ze voorbijkwam... Hij was enorm groot in mij, veel te groot; ik geloofde het niet, zo groot. De ander had zijn handen om mijn borst, zijn vingers knepen in mijn vlees, zijn adem heet in mijn oor... *in haar mantel van het diepste blauw, en op heur haar een kroon van sterretjes...* hij stootte en stootte, tot ik dacht dat ik open zou splijten, tot ik dacht dat ik zou flauwvallen van de pijn... *en... en ze wandelde onder de hoge eiken en ze...* Ik kon niet verder met het verhaal, en er was alleen het afschuwelijke, eindeloze beuken, en de lelijke stemmen, en de schreeuw in me die dreigde uit me te barsten, hoe hard ik mijn kiezen ook op elkaar klemde.
'Die moet je je niet laten aftrekken,' zei de eerste. 'Heb je die klauwen gezien?'
'Het was toch een feeënmeisje?' zei de ander. 'Misschien was d'r moeder een pad.' Bulderend gelach.

Eindelijk was het voorbij. Hij kreunde en ontspande zich en trok zich uit me terug, en de andere liet me los en ik zakte in elkaar op de grond, met mijn armen om mijn hoofd.
'Kom op, halve gare,' zei de ene. 'Dit is de kans van je leven! Kom op dan! Je hebt het vast nog nooit gedaan, huh, boertje?' Hij schopte me in de ribben. 'Ze is er aantoe, hè, paddenmeisje? Geen kik gegeven. Het was net wat je nodig had, hè? Nou, je kunt nog veel meer krijgen, maak je geen zorgen.'
'Schiet eens op,' zei de andere. 'Dadelijk valt ze flauw. Dan is er niet veel meer aan.'
Maar de onnozele huilde, en ik hoorde dat hij zich omdraaide en dwars door het bos wegstormde, ongeveer in de richting van zijn huis.
'Die vervloekte idioot,' zei de ene. 'Hij kletst zijn mond voorbij als hij als eerste aankomt. Kom mee, we hebben hier niets meer

te zoeken. We moeten zien dat we hem te pakken krijgen. Zij is er een volgende keer ook nog wel.'
'Dag, liefje,' zei de andere; hij was walgelijk. Hij pakte mijn haar beet, trok mijn hoofd omhoog en keek in mijn gezicht terwijl hij over me heen boog. 'Jammer dat we zo gauw bij je weg moeten. De volgende keer gaan we verder, snoepje. Voel dit maar eens.' Hij duwde mijn hoofd tussen zijn benen en wreef zijn ding in mijn gezicht, en ik kokhalsde en stikte half, en probeerde toch geen geluid te maken.
'O, dat is waar ook, je hond ligt daar boven ergens,' zei de andere gniffelend. 'Een beetje kapot, dat wel.'
'Hij heeft me gemeen gebeten,' merkte de eerste op terwijl hij me weer op de grond liet vallen. 'Dat valse kreng.'
Hun stemmen stierven weg onder de bomen, en ik bleef daar liggen, en kon nu niet eens meer huilen. Toen stak er een vreemde wind op, en alle bomen begonnen te ritselen en heen en weer te zwiepen, hoewel er op de grond geen beweging was. Het was alsof een duisternis over het bos was gevallen.

Ik weet niet hoelang ik daar heb gelegen. Het werd steeds donkerder, maar of het nu de dag was die naar de schemering neigde, of deel uitmaakte van de vreemde, dreigende stilte die mijn woning die middag overviel, zou ik niet kunnen zeggen. Ik voelde me diep ellendig. Boven me bewogen en zuchtten de bomen in de wind, en ik hoorde er stemmen in. *Sorcha, Sorcha*, fluisterden ze. *O, klein zusje*. Op de grond bewoog niets. De vogels zwegen. Na een poos moest ik toch in beweging komen. Ik bloedde, en dan was er Linn. Ik hoefde niet te verwachten dat ze bij me terug zou komen, en tussen de bomen zou komen aanrennen met haar vrolijke staart als een vlag wapperend in de wind, maar ik moest haar toch zien te vinden voor het donker werd. En ik had water nodig.
Alles was vijandig. Alles was te moeilijk. Ik deed alles heel langzaam. Mijn kleren, gescheurd en bevuild. Ik wilde ze nooit meer aanraken. Ik liet ze naast het vuur vallen. Ik moest me wassen, ik moest weer schoon worden, maar ik durfde niet naar het meer beneden te gaan. Er stond een emmer water en ik had een ruwe doek, en ik waste hun viezigheid van mijn lichaam, onophoudelijk be-

vend, hoewel het nog warm was. Ik waste en waste, en toen al het water op was bleef ik mijn lichaam boenen met de doek tot mijn huid rood was en schrijnde. Ik bloedde erg; ik had er een afstandelijk gevoel over, behandelde het zo goed mogelijk en wikkelde me toen in een van de oude mantels. Toen ging ik de heuvel op, wankelend op mijn benen, en de bomen waren wazig en dansten voor mijn ogen. *Dadelijk valt ze flauw. Dan is er niet veel meer aan.*

Ik bereikte de top van de heuvel en struikelde bijna over Linn, die midden op het pad lag waar ze was gevallen, met een flard stof van de tuniek van de man nog tussen haar kaken. Haar gebit was ontbloot in een laatste uitdagende grimas en haar ogen staarden blind omhoog naar de hemel. Haar dappere staart lag slap in de aarde. Haar vacht was doordrenkt met bloed uit de lange wond van haar doorgesneden keel, en er vormden zich rode plasjes tussen de stenen en varens. Ik neem aan dat het voor een hond een goede dood was, haar leven te verliezen terwijl ze de mens die ze liefhad verdedigde. Ik wist alleen dat mijn vriendin weg was, en dat ik nu pas echt alleen was.

Ze was een grote hond, en ik was nog maar een klein meisje. Toch droeg ik haar voor het donker werd terug naar de opening van de grot, en legde haar neer op het gras. Toen kroop ik, trillend van top tot teen, weg in de kleinste ruimte die ik kon vinden onder de rotswand, en wikkelde me helemaal in de mantel, en ik probeerde mijn geest zo kalm te maken als een veertje in de wind, en zo roerloos als een steen. Maar mijn lichaam beefde en rilde, en mijn ziel was vol angst en haat en schaamte. Ik dacht dat ik nooit meer schoon zou zijn.

Toen het begon te schemeren kwamen ze. Ik hoorde hun stemmen en verroerde me niet. Ze wisten wat er gebeurd was. Later bedacht ik, als het werkelijk mijn broers waren geweest die ik op het kalme water had zien drijven, hoe het voor Conor geweest moest zijn, dat allemaal te zien gebeuren, zonder iets te kunnen doen voor de zon onder was gegaan. Ze wisselden woorden uit en hun stemmen waren laag en woedend.

'Diarmid? Cormack?' vroeg Liam.

'Nee, laat Cormack hier blijven en de hond begraven. Ik zal gaan. Deze taak is voor mij.' Finbars stem beefde.

Toen zag ik, tussen mijn vingers door kijkend in het flauwe licht, dat drie van hen mantels en messen uit de grot haalden, en het bos in slopen met een dodelijke blik in hun ogen.
Conor wist waar ik was. Ik voelde dat zijn geest de mijne zocht, maar ik trok me dieper in mezelf terug. Hij kwam niet naar me toe, nog niet. Padriac knipperde met zijn ogen tegen de tranen van woede en verwarring en begon het vuur opnieuw aan te maken en de lampen aan te steken en water te verwarmen. Cormacks gezicht was als een uitgebeiteld stuk steen toen hij de spade pakte en een rustplaats begon te graven voor de bebloede resten van zijn hond.
Na een tijdje kwam Conor in de buurt van het gat zitten waarin ik me had verstopt. Ik herinner me nog het gevoel van de harde steen tegen mijn rug, hoe ik me stijf tegen de wand drukte, mezelf zo klein makend als ik kon, bijtend op mijn knokkels met mijn ene arm beschermend over mijn hoofd. Ik herinner me dat ik wilde dat de aarde me zou opnemen, me tot zich zou nemen en de pijn en de schuld en de ellende zou opzuigen. Ik was vol van haat; ik haatte de mannen die dit hadden gedaan, ik haatte de onschuldige die hen naar me toe had gebracht, ik haatte vrouwe Oonagh die me naar deze eenzame plek had verdreven. Ik haatte mijn vader om zijn zwakheid. Ik haatte mijn broers eveneens, omdat ze er niet waren toen ik hen nodig had. Bovendien waren zij ook mannen, dus hoe durfden ze te proberen iets te doen om het beter te maken?
Maar Conor bleef daar zitten, niet al te dichtbij, en hij praatte tegen me met zijn rustige, evenwichtige stem, en het vuur dat Padriac weer had aangemaakt wierp zijn gouden licht op boomwortels en varens, en zelfs in deze nauwe holte in de rots; en na een poos keek ik door het verwarde haar dat mijn gezicht bedekte en zag het verdriet en de liefde in hun ogen.
'Wil je naar buiten komen, kleine uil?' zei Conor zacht. 'We hebben maar weinig tijd om je te helpen.'
Het viel me zwaar, erg zwaar. Ik kon het nauwelijks verdragen dat ze me aanraakten. Padriac had een vaardige hand, doordat hij in zijn korte leven al zoveel zieke dieren had geholpen, en huiverend kon ik het na een tijdje toelaten dat hij mijn verwondingen verzorgde. Ten slotte lag ik, in dekens gewikkeld ook al was het

een warme nacht, bij het vuur en ze praatten met zachte stemmen terwijl de zoetige geur van genezende kruiden opsteeg in de nachtlucht.

Cormacks droeve taak was beëindigd, en hij kwam terug bij het vuur. 'Linn was al een tijd dood,' zei hij nuchter. 'Degene die dit gedaan heeft, is waarschijnlijk intussen allang het bos uit. Onze broers kunnen hen niet opsporen en hier voor zonsopgang terug zijn. Ze hadden beter hier kunnen blijven om ons te helpen. Dan hadden we Sorcha misschien naar een veilige plek kunnen brengen.'

Conor keek even naar zijn tweelingbroer en wendde zijn ogen af. Cormack leek kalm, maar zijn ogen waren rood, en zijn wangen waren besmeurd met aarde waar hij zijn tranen had weggeveegd.

'Dat denk ik niet,' zei Conor. 'Sorcha kan vannacht niet vervoerd worden. Ze moet hier voorlopig blijven, wat er ook van komt. Wat die andere kwestie betreft, er gebeuren 's nachts vreemde dingen in het bos. En vooral in dit bos. Mensen verdwalen soms in het donker, zelfs als ze de weg kennen. Het is niet ongewoon dat er een plotselinge mist opkomt die de goede weg aan het gezicht onttrekt, of dat geheimzinnige stemmen een wandelaar meevoeren over een bedrieglijk pad. Er kunnen moerassen verschijnen die er eerst niet waren, en open plekken kunnen plotseling dichtgegroeid zijn met een verwarde massa takken. Er zijn onder deze bomen heel wat mensen omgekomen van wie de lichamen nooit zijn gevonden.'

Zijn twee broers keken hem aan, en keken toen elkaar aan.

'Hm,' zei Cormack. 'Jij kan dat natuurlijk weten.'

'Ik weet het,' zei Conor.

Padriac had een pannetje water op het vuur gezet met meer kruiden erin; uit de geur maakte ik op dat hij heelkruid gebruikte, en de sporen van wolfsklauw, dat krachtige kruid dat zo zorgvuldig moet worden verzameld. Ze hadden me er al van laten drinken, maar mijn maag weigerde zelfs drankjes die er goed voor waren. Nu nam ik weer een slokje, maar niet te veel. Ik wilde niet slapen, want er was geen drank die me een slaap zonder dromen kon beloven. Ik keek naar de sterren, en mijn broers praatten door met rustige stemmen. Ik ben genezeres; ik was het toen, en ik ben het nog steeds. Hoe vreemd is het dan dat ik in die nacht diep in mijn ziel voelde dat ikzelf nooit zou genezen, dat ik het gevoel had dat ik nooit uit de put van wanhoop zou kunnen komen. Ik was er geweest om Simon te helpen, en anderen vóór hem. Maar wie was er om mij te helpen? Zelfs mijn hond was er niet meer. Ik keek naar de sterren tot het leek of ze boven me tolden en wervelden, tot ze wazig werden door mijn tranen.

Het was nog vreemder dat het me die nacht niet kon schelen wie ik kwetste. Conors gezicht was bleek en strak; hij droeg niet alleen de last van wat er met zijn zusje was gebeurd, de schuld van het niet erbij zijn om het tegen te houden, want dat voelden ze allemaal, maar hij kende al mijn gevoelens uit de eerste hand. Hij was afgestemd op mijn woordenloze vervloekingen en stilzwijgende gillen, mijn afschuwelijke gevoel verraden te zijn. *Je was er niet. Ik had je nodig en je was er niet.* Mijn emoties vormden zo'n heftige stroom dat ik het niet tegen kon houden. Mijn geest was boordevol pijn en hij nam alles over en zei er geen woord over. Maar het stond op zijn gezicht te lezen. En het ergste was dat het me niet meer kon schelen. Mijn broer was ook een man. Misschien was het rechtvaardig dat hij deel had aan de schade die mannen hadden aangericht.

Ik moet even zijn weggedommeld, want ik herinner me dat ik opeens wakker schrok toen Liam naast het vuur een bebloed mes in de aarde stak en zijn handen afveegde aan zijn mantel. Het drietal was teruggekomen. Diarmids gezicht was een masker van woede, dat van Liam stond strak en beheerst. Finbar zat terzijde, en hij drukte zijn handen tegen zijn slapen, alsof zijn hoofd dreigde uit elkaar te barsten van zijn gedachten. Zijn handen waren donker van het bloed. Thuis had wapenmeester Donal hun een ijzeren discipline bijgebracht. Zelfs ik wist dat een wapen altijd direct na het gebruik grondig moest worden schoongemaakt; schoongemaakt en geolied en veilig weggeborgen. Vannacht was het anders. Hun drie messen stonden om het vuur in de aarde, en in het zachte flakkeren was te zien dat het blanke metaal bedekt was met een dikke laag gestold levensbloed van hun slachtoffer. Het was een jacht geweest, geen strijd. Een snelle en gewelddadige terechtstelling. Het kon me niet schelen hoeveel ze er gedood hadden, twee of drie. Ik vergoot geen tranen om de onschuldige die verwikkeld was geraakt in iets dat zijn begrip te boven ging. Het was laat, te laat. Mijn lichaam deed pijn, en ik was bang, en zelfs met mijn zes broers om me heen was ik volstrekt alleen.

'Oonagh zal hiervoor met bloed betalen,' zei Diarmid, en zijn stem was hees van woede. Zijn dorst naar vergelding was niet geblust door het doden van deze mannen. 'Ik zal haar zelf de keel afsnijden, als niemand anders het wil doen.'

'Zij draagt de verantwoordelijkheid hiervoor, al is het misschien niet rechtstreeks,' vond Liam ook. 'Maar dit is niet het moment. We hebben gedaan wat we moesten doen. Nu moeten we voor Sorcha zorgen. Ze moet hier vandaan, en wel meteen. Hoe snel kan ze vervoerd worden, Conor?'

Ze praatten over me alsof ik een stuk was in hun strategisch spel; een waardevol stuk, maar toch niet meer dan een voorwerp waarmee zo voordelig mogelijk gemanoeuvreerd diende te worden. Ik lag daar zonder met mijn ogen te knipperen, zwijgend in het donker. Mijn lichaam deed bonzend pijn, in mijn hoofd werd eindeloos herhaald wat ze met me gedaan hadden. Ik scheen niet in staat te zijn om daar iets tegen te doen, en ik wilde bijna dat ik genoeg van het kruid had genomen om het een tijdje weg te wissen in gedrogeerde slaap, al of niet met nachtmerries. Mijn geest wilde niet rustig worden; ik kon mijn gedachten niet concentreren op een verhaal, en ook drong het niet goed tot me door wat mijn broers zeiden.

Hun stemmen kwamen in mijn halfbewuste toestand aanzweven en dreven dan weer weg; Conor zei dat ik vannacht niet vervoerd kon worden, Diarmid was woedend, Liam probeerde plannen te maken. Flitsen van pijn, herinneringen aan andere stemmen. Ik bracht mijn hand omhoog om mijn ogen te bedekken; de ruwe huid schuurde langs mijn wang. *Misschien was d'r moeder een pad*. En er waren nog andere beelden. Mijn verwoeste tuin. Pater Brien die op de grond lag, als een leeg omhulsel van zichzelf. Simon, die schreeuwde in het donker. Oonagh die mijn haar kamde, en kamde, en de kronkelende wezentjes op haar spiegel. Pijn en angst. Hun stemmen, telkens weer. *Een stuk eersteklas vers vlees! Precies zoals ik ze graag heb, jong en sappig*. Hoe konden mijn broers doorgaan met praten, plannen maken, en nu zelfs ruziemaken, alsof ik er niet bij was?

'Dat kan echt niet! Het is uitgesloten!' Het was Diarmid en hij schreeuwde. 'We kunnen haar niet gewoon maar hier achterlaten! Er moet een andere oplossing zijn!'
'Er is geen andere oplossing,' zei Conor kalm. Hij had zijn gezicht van me afgewend.
'Laten we dan, bij de Vrouwe, voorgoed een eind maken aan deze betovering,' zei Cormack, met een roekeloze klank in zijn stem. Hij stond op en keek zijn tweelingbroer over het vuur aan. 'We kunnen haar nu niet in de steek laten. Ik zeg dit: laten we de tijd die we nog hebben, gebruiken om haar naar de dichtstbijgelegen boerderij te brengen. Daar vertellen we ons verhaal en leveren we ons over aan de genade van die mensen. Dan heeft Sorcha tenminste nog een kans. Als we haar hier alleen laten, haalt ze het volgende seizoen niet eens.'
'Deze mensen toonden weinig medeleven toen ze ons zusje verkrachtten,' zei Diarmid woest.
'Het zal in elk geval niet lukken dat te doen en hier voor zonsopgang terug te zijn,' zei Padriac. Er klonk een onuitgesproken vraag in zijn stem.
'Padriac heeft gelijk, het zal niet gaan,' zei Liam. 'Als je je verhaal aan de dorpelingen vertelt, hoort vrouwe Oonagh morgen of overmorgen waar Sorcha zich bevindt. En als jullie bij zonsopgang pas van het water vertrekken, liggen jullie morgen misschien bij iemand gebraden op tafel. Jullie zijn toch hopelijk niet gek.'
'Wat zeg je nou?' Diarmid had zijn mes uit de aarde getrokken en gooide het rusteloos heen en weer, van zijn ene hand in de andere.
'Ik zeg dat dit plan onmogelijk is. Volgens mij hebben we geen andere keus dan te zorgen dat Sorcha zo veilig en comfortabel mogelijk achterblijft en dan weg te gaan. Misschien kunnen we haar de volgende keer ergens anders heenbrengen; er zijn langs de oever vast nog meer grotten.' Liam leek niet echt tevreden over zijn eigen voorstel.
'Wat zeg jij ervan, druïde?' Diarmids stem striemde als een zweep. 'Heb je geen wijze uitspraken, geen retoriek om ons te inspireren? Wat hebben we nu aan je mystieke kunsten? Het is misschien tijd om je raad naast ons neer te leggen en de zaken in eigen hand te nemen.' Hij had veel weg van een jachthond die hard aan de lijn trekt.

'Dat is niet eerlijk,' zei Cormack; ondanks zijn eigen twijfels sprong hij voor zijn broer in de bres.
'En het klopt ook niet helemaal,' zei Liam op besliste toon. 'Je kunt toch niet vergeten zijn hoe we vannacht onze prooi zo snel hebben kunnen opsporen. Zelden heb ik zo snel een mist zien opkomen, op zo'n duidelijk afgebakende plek. Of zo bliksemsnel zien optrekken toen we klaar waren. Ook heb ik nog nooit meegemaakt dat varens en mos zich in luttele ogenblikken verspreidden om op die manier menselijke botten en vlees te bedekken. Dat was het resultaat van magische kunst; daar mag je je broer voor bedanken.'
'Kletskoek,' gromde Diarmid, maar hij ging weer zitten, met het mes nog in zijn handen. Hun woorden werden vaag en verdwenen uit mijn bewustzijn, en de nare beelden kwamen terug. Ik probeerde weer ze uit te bannen, maar ze wilden niet weggaan. Ik wilde gillen, het op een schreeuwen zetten om de boosheid en pijn in mijn hoofd een uitweg te geven; maar op de een of andere manier bleef ik toch mijn kiezen op elkaar klemmen en de geluiden inslikken die dreigden naar buiten te breken, en mijn tranen stroomden in stilte. Mijn broers bedoelden het goed. Toch wilde ik bijna dat het maar vast dag was, en dat ze weer weg waren. De stemmen bleven redetwisten, en na een tijdje bracht Padriac me weer wat te drinken en ik nam het aan, en hij ging weer weg. De beelden trokken telkens weer voorbij in mijn hoofd. Het branden met het gloeiende ijzer in mensenvlees. Eilis geteisterd door krampen, haar mooie gezicht verwrongen door het kokhalzen. De hond met haar trouwe ogen en de gapende wonde van haar doorgesneden keel. De brede lach van de onnozele terwijl hij omhoog keek tussen de bomen. *Feeënmeisje geen pijn doen! Straks ben jij aan de beurt, boertje*. Onder de dikke mantel huiverde ik.

Hier ben ik, Sorcha.
Ik wilde het eerst niet geloven; het was zo lang geleden dat hij op deze manier mijn geest had aangeraakt.
Ik ben hier. Probeer het los te laten, lieve zus. Ik weet hoeveel pijn het doet. Leun op mij; laat mij je last een tijdlang overnemen.
Ik kon hem amper zien; hij zat helemaal aan de andere kant van het vuur, achter de anderen en half afgewend, en met zijn hoofd

nog in zijn handen. Het leek alsof hij de hele tijd nauwelijks had bewogen.

Hoe kan dat? Hoe kun jij het weten?

Ik weet het. Laat mij je helpen.

Ik voelde de kracht van zijn geest de mijne binnenstromen, en op de een of andere manier lukte het hem de verschrikkelijke, donkere en geheime dingen die hij liever niet met mij had willen delen, weg te sluiten en mijn hoofd te vullen met beelden van alles wat goed en moedig was. Ik zag mezelf, een klein kind dat blij over een bospad huppelde, onder de gebogen takken waardoor vlekken zonlicht vielen. Dit was een oud beeld, dat diep in zijn bewustzijn was opgeslagen en invloed uitoefende op alles wat hij deed. Dan, wij tweeën, terwijl we bij de bronnen op de stenen lagen met ons gezicht omlaag, en onze kin op onze handen, roerloos als kleine, zonnebadende hagedissen; we keken naar de piepkleine, juweelachtige kikkertjes die tussen het loof van de waterkers rondsprongen, doken en hupten. Dan Finbar, die geduldig de stekels van het sterrenkruid uit mijn handen trok terwijl Conor het verhaal vertelde van Deirdre, de Vrouwe van het Woud. Wij met ons zevenen in de kring om de kleine berk, hand in hand.

Hij gaf me geen tijd om te denken, maar overstroomde mijn geest, zodat hij tenminste voor dit moment mijn gevoelens van angst en ellende wegdrukte. Het was alsof zijn geest zich om de mijne had gevlijd om hem tegen onheil te beschermen. En dus kwam er nog meer: nogmaals hij en ik, zittend op de leien dakpannen van ons huis, ver, ver uitkijkend over bos en meer. Even een beeld van pater Brien, die met het puntje van zijn tong tussen zijn lippen met fijne penseelstreekjes werkte aan een blad van een ingewikkeld verlucht manuscript. Conor in zijn witte gewaad die inkepingen op de stam van een grote lijsterbes interpreteerde. Diarmid en Liam, samen worstelend in het ondiepe water, kracht tegen kracht, tot een van beiden het opgaf en de wedstrijd eindigde met geplons en gelach. Padriac die de vleugel van een uil spalkte, met ongehaaste bewegingen van zijn kundige handen om het dier niet bang te maken. Cormack en Linn rennend over het strand, en de westenwind die het water opjoeg om hun voetstappen in het zand weg te vagen.

Daarbij begonnen mijn tranen weer te stromen, maar de pijn was nu anders.
Huil maar, lieve zus. Onze liefde is om je heen gewikkeld als een deken. Onze kracht is de jouwe, en de jouwe houdt onze hoop levend.
Het bos houdt je in zijn hand. Dit was een andere stem, die van Conor. *De weg opent zich voor j*e. De anderen zwegen nu, misschien omdat ze voelden dat de dageraad naderde, en dat er iets gebeurde dat belangrijker was dan alle plannen die ze voor me maakten.
Wat... wat zie je voor mij? Het kostte veel wilsinspanning om dit te vragen. *Wat zal er met me gebeuren, Finbar? Laat het me dit keer zien.*
Er was een beeld; het was verbrokkeld, moeilijk te onderscheiden. Een meisje, dat was ik vermoedelijk, drijvend in een bootje. Een uil die kraste. Of was dat hier en nu, en maakte het geen deel uit van het geestesbeeld? Een paar handen dat met een mesje een klein stuk hout bewerkte. Een vuur, met groene, paarse en oranje vlammen. Het beeld vervaagde en was weg. Of dat alles was wat Finbar zag, of dat hij de rest wegsloot, dat wist ik niet. En gedurende al die tijd sprak hij geen enkel woord, maar zat met zijn hoofd in zijn handen, als in trance.
Niet lang daarna kwam de eerste vleug grijs van de dageraad in de hemel, en het was voor hen bijna tijd om weg te gaan. Mijn ademhaling was rustig, mijn lichaam wat meer uitgerust, hoewel er nog steeds een diepe pijn voelbaar was. Mijn hoofd was gevuld met stralend licht, fragmenten van heldenverhalen, beelden van onze kindertijd, een bastion van liefderijke herinneringen om de schaduwen buiten te houden. Finbar stond geen kwade gedachten of lelijke beelden toe bij me te komen. Ik lag stil in mijn deken, en nu leek de lichter wordende lucht vriendelijk, en het bladerdak van de bomen goedaardig. Weer hoorde ik de stem van een uil roepen in de stille dageraad, en de roep raakte mijn ziel diep in me. Mijn broers zaten zwijgend en met sombere gezichten om de laatste gloeiende resten van het vuur.
'Sorcha.' Conor sprak ditmaal hardop, zodat ze het allemaal konden horen. 'Er is nog een keuze die niemand van ons heeft genoemd. Die wil ik je voorleggen.' Ik merkte dat ik in staat was

om te gaan zitten en te knikken dat ik het begreep. De greep op mijn geest werd iets losser, maar Finbar hield me nog steeds veilig afgeschermd. Ik keek naar hem aan de overkant van de kring. Ik schrok van het gezicht van mijn broer; hij was perkamentwit, en onder zijn ogen waren donkerpaarse schaduwen. Hij zag eruit als een oude man, of als iemand die een nacht bij het Feeënvolk heeft doorgebracht en nooit meer helemaal zichzelf zal worden. *Het geeft niet, Sorcha. Luister naar Conor*. Finbar verroerde geen vin.

'We hebben er waarschijnlijk allemaal aan gedacht; maar geen van ons was eraan toe om het te zeggen, hoewel Cormack het bijna wilde zeggen, geloof ik. Ik wil dat je zelf beslist, Sorcha. Je moet er de tijd voor nemen die je nodig hebt, en de keuze maken voor jouzelf, niet voor ons.'

Liam nam het van hem over. 'Je moet niet in raadsels spreken, Conor. Dit moet in klare taal gezegd worden. Sorcha, hij probeert te zeggen dat dit misschien het moment is om van de taak af te zien. Mij althans lijkt de prijs nu te hoog. Ieder van ons zou graag zijn kans op een toekomst opgeven in ruil voor jouw veiligheid.'

'We zouden graag ons leven voor je geven. Het schuldgevoel is voor ons het moeilijkst te dragen, want jij brengt jezelf dagelijks in gevaar met je moeizame pogingen deze taak voor ons te volvoeren.' Cormacks stem was om koud van te worden, zo zakelijk klonk hij.

'Wij kunnen je niet beschermen,' zei Diarmid ronduit. 'We zijn meer dan nutteloos, we zijn je alleen tot last.' Toen zag ik pas dat hij het kleine hoopje sterrenkruidhemden in zijn handen hield, zonder zich om de stekels te bekommeren, en hij hield ze vlakbij, heel dicht bij de brandende houtskool. 'Ik zeg, vernietig deze toverkleren, staak het werk dat je leven in beslag neemt, zoek onderdak bij de heilige broeders die je tegen de tovenares kunnen beschermen. En wat zou het, als wij voor de mensenwereld verloren gaan? Het is van weinig belang.'

Deze toespraak moest hem heel wat gekost hebben, want ik wist dat hij diep in zijn hart een brandend verlangen naar wraak koesterde. Ik wist hoezeer Liam ernaar verlangde naar huis terug te gaan en met zijn vader tot overeenstemming te komen over zijn landerijen, voor het te laat was om nog iets te redden. En Conor; hoe moest het dan met zijn weg, zijn jaren van voorbereiding; wat

zouden de dorpelingen zeggen die met ontzag over hem spraken als een van de wijzen? Wie zou zijn plaats innemen als hij nooit meer in de mensenwereld terugkeerde?
'We hadden een boot moeten maken, of een vlot,' zei Padriac plotseling. 'Er zijn hier een paar nederzettingen; je zou een heel eind het meer af kunnen varen, als je in de ochtend- of avondschemering reisde, onder de bomen die langs de oever groeien. Dat had ik eerder moeten bedenken.' De anderen keken naar hem. 'Nou ja, het was een idee,' zei hij.
'Heb je dan helemaal niet geluisterd?' snauwde Liam met gefronst voorhoofd.
Padriac zat alweer in zijn pot te roeren die boven het vuur hing; hij maakte genoeg kruidenthee voor me om een paar dagen mee toe te kunnen.
'Jawel hoor,' zei hij kalm. 'Sorcha zal kiezen voor ons allemaal. Wat moet ik daar nog aan toevoegen?'
Ik voelde dat Finbars greep op mijn geest losser werd en langzaam verdween, zodat ik schoon en leeg achterbleef. Ook Conors aanwezigheid trok zich even geruisloos terug als hij in mijn hoofd was geglipt. Ze wilden dat ik deze beslissing alleen nam. Maar er was geen keuze, ik had geen keus. Ik stak mijn hand uit naar het bundeltje geweven stof, en Diarmid gaf het me aan.
'Weet je dat zeker, Sorcha?' vroeg Liam zacht. Ik knikte. In tegenstelling tot Finbar wist ik nog steeds welke weg ik moest gaan. Het leek me toe dat dit niet zou veranderen, wat er verder ook met me gebeurde.
'Heel goed,' zei Liam. 'We respecteren je beslissing. Wij zullen proberen in leven te blijven, en hier met midwinter weer terug te komen.'
'We zullen hier niet terugkomen,' zei Finbar met een bijna onhoorbaar zwakke stem, en toen we ons allemaal omdraaiden om naar hem te kijken, zwaaide hij heen en weer en viel als levenloos op de grond. Conor was als eerste bij hem en knielde naast hem neer, terwijl hij zijn gezicht voor de anderen afschermde.
'Laat hem opstaan,' zei Diarmid fel. 'De zon komt bijna op.'
'Wat is er eigenlijk met hem aan de hand?' Cormack toonde maar een klein beetje meer meegevoel. 'Hij heeft de hele nacht zowat geen woord gezegd.'

'Hij heeft voor het eerst bloed geproefd,' zei Diarmid. 'Sommigen krijgen daar last van. Hij kan er niet tegen. Toch deed hij dapper genoeg mee toen we hen doodden. Ik heb nog nooit iemand zo diep zien toesteken, of het mes met zoveel genoegen zien omdraaien. Kijk maar naar zijn handen.'
Padriac nam me tactvol apart om over kompressen en warmteomslagen te praten; hij zei dat hij een hechting had moeten aanbrengen die ik zelf zou moeten verwijderen, wat wel moeilijk maar niet onmogelijk zou zijn. Ik luisterde maar half. Het was niet nodig mij mijn eigen vak uit te leggen. Ik zag dat Liam klappen gaf tegen de spierwitte wangen van Finbar; Conor hield zijn vingers tegen zijn hals, om het kloppen van zijn levensbloed onder de witte huid te voelen; hij praatte binnensmonds.
'Schiet eens op,' zei Diarmid. 'Bij de Vrouwe, wat kiest hij een handig ogenblik om een flauwte te krijgen. De boomtoppen aan de overkant van het meer worden al verlicht door de zon. Geef hem een flinke klap in zijn gezicht, breng hem vlug bij. Hij wordt ons tot last op deze manier.'
'Hou je mond!' zei Liam met een stem die veel op die van zijn vader leek. Dit was de stem die volwassen mannen plotseling tot zwijgen bracht.
'Je beoordeelt Finbar verkeerd,' zei Conor, terwijl Liam en hij hun broer overeind hesen en langzaam naar het meer begonnen te lopen. Want Diarmid had gelijk; het was bijna tijd. Half bij bewustzijn hing Finbar tussen hen in en verzette zijn voeten alsof ze van lood waren. 'Hij heeft vannacht meer van zichzelf gegeven dan jij je ooit zou kunnen voorstellen. Oordeel niet te snel over wat je niet kunt begrijpen.'
'Ik begrijp het heel goed,' gromde Diarmid, maar hij deed geen verdere pogingen in te grijpen. En dus bereikten ze het strand weer, en namen ze weer afscheid van me. En ditmaal stond ik daar wankelend in mijn ruime mantel, en wilde niet dat een van hen me aanraakte, en ze wisten het zonder dat er een woord gesproken werd. En zo glipten ze weg, een voor een, en ik begreep diep in mijn hart dat het lang zou duren, veel langer dan de periode van zomer tot winter, voor ik hen weer zou zien. Mijn liefde voor hen was niet minder geworden, maar ik dacht niet dat ik hen ooit weer kon vasthouden of omhelzen, al waren ze ook mijn broers. Ik kon

hen niet meer echt vertrouwen, omdat ze er niet waren geweest toen ik hen nodig had. Dat ze daar niets aan konden doen maakte geen verschil. Zo sterk was de macht van het kwaad dat me was aangedaan. En daarom, terwijl ik hen zo naar de rand van het water zag lopen, met Finbar hangend tussen zijn beide broers, terwijl het eerste zonlicht zijn bleke gelaatstrekken een gouden tint gaf, riep ik niet naar hem met mijn innerlijke stem. Ik zei niet *bedankt* of *vaarwel, lieve broer*. Ik draaide me om en liep alleen naar boven onder de essen, en mijn geest en mijn tong zwegen als het graf. Ik nam geen afscheid van mijn broers toen het water opkwam om hen weer op te nemen.

Cormack had voorspeld dat ik het met mijn verwondingen in mijn eentje niet lang zou volhouden in het bos. Hij had geen rekening gehouden met de kracht van mijn wil, en ook niet met mijn kundigheid als genezeres. Hij voorzag evenmin dat het bos zelf zou ingrijpen, door middel van zijn meest geheime bewoners. De tijd verstreek, en de maan werd vol en nam weer af, en de warme dagen van de zomer veranderden geleidelijk in de frisse, koele dagen van de vroege herfst. Het was stil, zo stil dat ik zelfs schrok van het plotselinge krijsen van een vogel. Te stil. De stapel gladde rivierkeien die Linns laatste rustplaats markeerden, spraken dagelijks tegen me van de leegte die haar dood in mijn kleine wereld had achtergelaten. Toen ze er nog was, was mijn dag net zo goed ingericht naar haar gewoonten als naar de mijne; mijn arbeid met weefraam of spindel was afgestemd op de tijd dat zij het bos inging om op konijnen te jagen of naar de oever van het meer om te vissen; ik at gezellig samen met haar als ze terug was, en we sliepen onder dezelfde deken. In het begin had ik een keer haar voetsporen gevonden, die nog keurig in het zand afgedrukt stonden op een plaats waar ze gerend had op de adem van de wind, en daar had ik gehuild en geweten hoeveel ik verloren had.

Mijn lichaam herstelde, dankzij Padriacs zorgen en mijn eigen kennis. Na enige tijd wist ik ook dat ik niet zwanger was geworden, waarvoor ik zonder woorden dankte. Maar ik was nog altijd bang, en soms was zelfs mijn kleine dagtaak te zwaar. Het toevluchtsoord waar ik een thuis had gevonden was geen veilige haven meer; het was voorgoed veranderd door het kwaad dat hier was voorgevallen. Ik verbeeldde me dat mijn kruiden geleidelijk afstierven, of dat ze grove, misvormde bloemen en verschrompelde bessen voortbrachten. Ik durfde er niet op uit te gaan om een nieuwe voorraad te oogsten van de plant die ik nodig had, zelfs niet met een scherp mes tussen mijn gordel.

Bij het minste geluid begon mijn hart te bonzen. Ik had dromen, die ik niet zal vertellen. Ik probeerde ertegen te vechten. Ik deed mijn best om overdag te slapen, en wakker te blijven terwijl het donker was. Maar mijn kaarsen waren bijna op, en de dromen kwamen zelfs bij zonlicht. Ik nam mijn toevlucht tot het gebruik van kruiden, en die gaven enige tijd verlichting. Maar de benodigde dosering werd steeds groter. Na enige tijd besloot ik ermee op te houden, want ik wist hoezeer dat soort dranken zwakke mensen in hun greep kunnen houden. De demonen kwamen terug.

Ik dacht veel aan Simon. Ik dacht aan zijn verwondingen, en aan het feit dat ik hem had laten beloven dat hij zou blijven leven. Ik besloot dat ik zwak was en dat ik me weer aan mijn taak moest wijden. Maar er waren dagen dat ik er domweg de wilskracht niet voor had, en het sterrenkruidgaren bleef ongeweven terwijl ik met mijn rug tegen de essenstam zat en in het niets staarde. Ik had het gevoel dat ik wachtte, maar waarop wist ik niet.

Ik had niet veel voedsel verzameld, omdat ik niet ver van huis durfde te gaan. Ik had noch de wilskracht noch de energie om bessen geschikt te maken om te drogen, en mijn kruidentuintje raakte overwoekerd met onkruid. Ik had een kleine zak met gedroogde erwten die ik een tijd geleden naast het karrenspoor had gevonden, van de kar van een boer gevallen. Die had ik bewaard, en nu kookte ik steeds 's ochtends een handvol erwten om een soort soep te maken, wanneer ik er tenminste de kracht voor kon vinden. Op sommige dagen kostte zelfs het kammen van mijn haar te veel moeite. Ik werd magerder en merkte dat ik op onverwachte tijdstippen in slaap viel, om dan weer wakker te schrikken uit nare dromen. De dagen werden korter, maar mijn werk vorderde slecht. Toen, eindelijk, kwam zij. Onhoorbaar als een hert was ze plotseling daar in de schaduwen tussen de grijze stammen van de essen; ze keek me aan met een uitdrukking in haar diepliggende ogen die ik niet kon lezen. Vandaag was ze niet gekleed in een nachtblauwe mantel, en er zaten evenmin juwelen in haar lange

donkere haar. Haar kleed was eenvoudig van snit, en viel soepel tot op haar enkels, en de stof had een mosgroene kleur; en haar armen schemerden bleek in het gezeefde licht van de bomen. De bladeren en takken bewogen om haar heen en ik voelde de diepe, bonzende hartenklop van het bos, alsof het tot leven kwam in haar aanwezigheid. De laatste keer had ik mijn woede en angst tegen haar gelucht. Nu voelde ik alleen een holle leegte.
U komt te laat.
Haar gelaat bleef onbewogen. Als er een uitdrukking op te zien was, was die licht afkeurend.
'Het is tijd, Sorcha,' zei ze. 'Tijd om weg te gaan.'
Weg te gaan waarheen? dacht ik vaag. Het leek allemaal te zwaar, te veel moeite. Misschien moest ik maar weer in de holte onder de rotswand kruipen en mijn ogen dichtdoen.
Ik heb er genoeg van sterk te zijn.
Ze lachte me uit. Ze lachte, alsof ik belachelijk was.
'Je bent wat je bent,' zei ze met haar diepe, klankvolle stem. 'Vooruit nu, sta op. Je bent niet de eerste vrouw van je soort die op die manier door mannen is misbruikt, en je zult ook de laatste niet zijn. Het heeft ons verdroten te zien wat je werd aangedaan; maar de wraak is snel en rechtvaardig geweest. Nu moet je hier vandaan gaan.'
Er was een kleine kern van woede in me, die trachtte zich naar buiten te worstelen door de diepe vermoeidheid die mijn hoofd wazig maakte en waardoor al mijn ledematen zwaar en pijnlijk waren. Ik stond op, en de bomen rondom schenen te huiveren en te bewegen.
'Goed zo,' zei ze rustig. 'Nu zul je hier vertrekken. Je mag één tas meenemen. Kies de inhoud zorgvuldig uit. Je zult een kleine boot vinden, die afgemeerd ligt onder de wilgen niet ver van de noordkant van de baai. Die zal je brengen waar je heen moet.'
Ik knipperde met mijn ogen. De bomen leken in alle richtingen om me heen te wankelen, het late middaglicht flikkerde tussen hun bladeren, grijs, groen, roodbruin en bruin. Haar gestalte begon al te vervagen.
Maar als... maar ik kan niet... en waar...
Ze was weg. Ik bleef stil staan en probeerde mijn gezichtsveld door wilskracht helder te krijgen. Langzaam nam de wereld weer

min of meer zijn gewone stand aan. Ik dacht vaag dat ik misschien al sinds gisteren niets gegeten had. Misschien lag het daaraan. Ik voelde me in elk geval wel vreemd. Maar er was niet veel te eten hier. Bovendien, als ik maar één tas mocht meenemen, zou die natuurlijk niet gevuld zijn met gedroogde appeltjes of bossen waterkers.

Wanneer het Feeënvolk je een opdracht gaf, volgde je die op, of het je uitkwam of niet. Zo was het nu eenmaal. Maar goed beschouwd had ik ook weinig keus. Ik was niet op de winter voorbereid, en mijn broers hadden die laatste keer meer aan hun hoofd dan houthakken of voorraden voor me inslaan. De eiken staf, die van pater Brien was geweest, liet ik dus achter, evenals de winterlaarzen en de warme mantels, en de drie scherpe messen met de gesneden heften. Ik liet de stapel gladde stenen waaronder mijn brave hond lag achter, en de laatste bos gedroogde lavendel, die de zomerwarmte vasthield in haar zoete, flauwe geur, en de stapel essenhout, die al flink geslonken was. Zelfs de spindel en het kleine weefraam dat mijn broer voor me had gemaakt liet ik achter. Maar de twee hemden van sterrenkruid en het derde, half afgemaakte hemd nam ik mee, en ook de vezels die ik nog niet gesponnen had, en ik nam mijn naald en garen mee, en onder in de tas zat het gebeeldhouwde stukje hout van Simon. Ik had mijn oude jurk aan, en om mijn hals droeg ik de amulet van Finbar, die van onze moeder was geweest. Ik liep van de grot weg zonder ook maar één keer achterom te kijken. Maar ik hoorde zwakke stemmen fluisteren, ritselen, en ik hoorde het wieken van tere vleugels aan beide zijden van het bladerdak.

Sorcha, o Sorcha. Vaarwel, vaarwel. De geluiden volgden me langs de oever, terwijl ik blootsvoets mijn weg zocht tussen keien en door ruw gras, tot ik de kleine platte boot vond, met een vaarboom om hem voort te duwen. *Zusje, o zusje. Waar ga je heen? Wanneer zul je terugkomen?* Ik stak de boom in het zand en duwde de boot af in de stroom, en het water voerde me mee.

HOOFDSTUK ZEVEN

Als ik op dat moment over wilskracht had beschikt, zou ik hebben gedaan wat Padriac had gezegd, en dicht onder de oever van het meer zijn gebleven, waar ik vlak onder de overhangende wilgen had kunnen reizen tot ik een plek zou bereiken waar ik betrekkelijk veilig was. Het speelde vaag door mijn hoofd dat de Vrouwe dit zo had bedoeld en me ter bescherming had verplaatst terwijl ik mijn taak volbracht. Maar ik had geen energie om het vaartuig te sturen. Mijn hoofd was wazig van de honger, en ik was vermoedelijk ook ziek; het lichte schommelen van de boot leek vreemd woest, het water was woelig en de voorbijkomende bomen stonden scheef en zwaaiden heen en weer, zodat ik er duizelig van werd. Ik had het gevoel dat andere handen het kleine vaartuig voortbewogen op een weg die ik niet had gekozen.

De bosgeesten vervaagden achter me, en in de golfjes en de deining van het water van het meer kwamen andere stemmen omhoog, vloeibaar, ongrijpbaar en naar elkaar murmelend terwijl hun eigenaars mijn bootje snel, te snel meevoerden op het steeds woeliger water. Ik knipperde met mijn ogen en keek verbaasd om me heen, en ik vroeg me af hoeveel hiervan werkelijkheid was en hoeveel een koortsvisioen. Er waren lange, bleke handen in het water, en gezichten met wijd uit elkaar staande ogen, en haren als wapperend wier, grijs en groen en blauw. Er waren staarten met als edelstenen schitterende schubben. 'Haast je, haast je,' zongen ze naar elkaar. 'Het is tijd.'

En dus ging de boot steeds sneller, als op een snelstromende rivier, en in de lucht boven me doemden zware wolken op die bleven hangen, en de dag werd donker. Dikke regendruppels begonnen rondom neer te pletsen, en in de verte hoorde ik het gerommel van de donder. Het kleine gedeelte van me dat nog wakker was nam deze dingen waar en was zich ervan bewust dat ik alleen was midden op een groot wateroppervlak, blootsvoets in mijn oude jurk, in een boot die bedoeld was voor kalm, ondiep water. De wind stak op, en het bootje danste op en neer, terwijl het steeds verder voer.

Er klotsten golfjes over de boorden, zodat ik algauw tot aan mijn middel doorweekt was. Maar ik had het niet koud; ik had het juist gloeiend heet en ik hoorde hun stemmen die me riepen, rondom, onder, achter en voor me in het donkerder wordende water. 'Het is gemakkelijk, heel gemakkelijk, Sorcha. Laat je overboord glijden en kom bij ons. Hier onder water is het koel. Laat je erin glijden.' En nog een. 'Kom mee, kom mee naar beneden. Zeg je pijn gedag, laat hem door het water wegspoelen. Kom, laat het water je meenemen. Kom en dans met ons in de diepte.' Hun stemmen klonken lief en verlokkend. Ik wilde het koele water voelen aan mijn brandende voorhoofd, ik wilde slapen en vergeten. Het zou heel eenvoudig zijn om me overboord te buigen, onder water te glijden en van alles weg te zijn. 'Gooi je tas naar mij! Gooi hem hierheen! Laat je last gaan!' Ik zag de lange, grijpende vingers die zich omhoog uitstrekten, die zich naar mij uitstrekten, en ik werd wakker en klemde de tas stevig tegen mijn borst, zonder te letten op de stekels die me door het linnen heen prikten. *Nee. Dat doe ik niet.* Toen hoorde ik hen lachen, hoge stemmen, lage stemmen, en ik hoorde hun staarten spatten terwijl ze om de boot zwommen. En weg waren ze, me overlatend aan de wind en het water. Ik vermoed dat het die avond niet veel had gescheeld of ik was verdronken. Maar ik was ziek en moe, en op dat moment leek het gevaar onbelangrijk. Na een poos werd de hemel zwart, en de bliksem spleet het duister als grote witte speren die met enorme kracht in de aarde werden geworpen. Het begon stormachtig te regenen, en de boot raakte halfvol water. Ik hield me met beide handen vast om hem in evenwicht te houden, en wist dat het nog maar een kwestie van tijd was voor hij zou zinken. Ik wist ook dat ik het in het water niet lang zou volhouden. Het meer was intussen allang versmald tot een snelstromende rivier, en de oever was nu dichterbij; een bliksemflits verlichtte steile rotswanden en lage bosjes struiken. We waren buiten het bos, in meer open terrein. Hier en daar zag ik onderbrekingen in de rotsen met kleine strandjes waar je aan land zou kunnen kruipen als je er de kracht toe had. Ik greep naar de vaarboom in de hoop het vaartuig in veiligheid te kunnen brengen, want hier was het mischien minder diep. Maar het leek of mijn geest niet in staat was mijn handen te sturen, en de boom gleed uit mijn handen en viel overboord, en dreef snel weg. Ik was te zwak om er achteraan te zwemmen, laat staan de oever te bereiken. En als ik niet verdronk, zou ik voor de ochtend bezwijken aan de kou. Ik brandde van de koorts en kon de kou niet voelen, maar de genezeres in mij wist hoe bedrieglijk dit was, en hoe iemand kon doodvriezen terwijl hij brandende koorts had.

Er kwam even een opening tussen de onweerswolken, en de maan verscheen. Plotseling verspreidde zich een bleek licht over het deinende water. Er was ook een lichtje op de oever, en even later een mannenstem, die riep: 'Hé! Wat is dat?' En een andere: 'Daar! Kijk! Er zit iemand in. Een meisje, geloof ik.' Een windvlaag blies mijn haar voor mijn ogen. De boot dreef weer weg van de oever. Ik tuurde naar het lichtje. Het waren twee mannen van wie de ene een soort lantaarn droeg, en de andere trok zijn hemd uit en waadde het water in, en begon toen naar me toe te zwemmen, tegen de stormwind in. 'Je bent gek geworden!' riep de ander hem na. Hij kwam al dichterbij. Ondanks wind en stroom kwam zijn krachtige lichaam, wit in het maanlicht, doelbewust in een rechte lijn naar me toe. Het was een grote man, die vastberaden op zijn doel af zwom. Mijn lichaam spande zich van angst, en plotseling leek de gedachte me overboord te laten glijden, onder water weg te zinken en uit deze wereld te verdwijnen helemaal goed, de enige verstandige keus. Ik greep mijn zak met twee handen beet en ging wankelend rechtop staan. De wind deed de rest voor me en liet de boot kantelen zodat hij volliep en zonk. Het water sloot zich boven mijn hoofd.

Heel even was de koelte heerlijk, en was het verlangen naar vergetelheid sterk genoeg om alles te verdringen. Toen snakten mijn longen naar lucht en mijn ziel zei: *Nee. Nog niet.* En ik kwam aan de oppervlakte, proestend, hijgend, rillend en doodsbang. Ik kwam juist boven toen hij de laatste paar slagen naar me toe zwom en twee armen als ijzer om mijn borstkas sloot. Ik mocht niet gillen, maar ik verzette me uit alle macht en probeerde hem met mijn laatste kracht te krabben en te schoppen.

'Hou op met vechten, idioot,' snauwde hij, en hij legde een grote hand over mijn mond, draaide me op mijn rug en trok me mee naar de oever. Ik beet in zijn hand. Hij vloekte, met een woord dat ik nog maar één keer eerder had gehoord, want de taal die hij gebruikte was de taal van de Britten. Zijn greep werd iets losser, zodat het me lukte me weer onder water te laten zakken, en ik probeerde weg te zwemmen om op de een of andere manier aan hem te ontsnappen, maar mijn neusgaten kwamen vol water en ik voelde het pijnlijk in mijn borst dringen, en toen pakte hij mijn haar beet en ik voelde dat ik naar de oever werd gesleept zonder er iets tegen te kunnen doen, vastgehouden in een greep die te sterk was om te verbreken. Ik huilde en er stroomde water uit mijn neus, en ik was nu zo bang dat ik echt wenste dat ik verdronken was.

We bereikten de oever, waar hij me zonder plichtplegingen over zijn schouder slingerde, als een jachttrofee. 'Je bent gek,' merkte zijn metgezel op. Het tweetal begon door de struiken te lopen, weg van het water. Ik zag dat hij mijn tas in zijn hand hield. Ze hadden beiden een mes in hun gordel. Ik was van plan er vlug een te pakken wanneer ze stilhielden om me op de grond te zetten. Voor ze me iets konden doen zou ik mezelf doden. Want waarom zouden zulke mannen anders de moeite nemen mij te redden dan om mijn lichaam te gebruiken en me daarna neer te gooien? Wat konden ze anders op het oog hebben met een armzalig meisje, half verhongerd en half verdronken? Maar ik was niet van plan me door hen te laten bezitten, dit keer niet. Ik zou dat met alle mogelijke middelen tegenhouden.

Maar toen we een beschutte plek onder een rotswand bereikten, en ik zag dat daar in het donker een derde man op hen wachtte, had ik geen kracht meer over om mezelf te beschermen, en ik bleef hulpeloos liggen op de plaats waar hij me liet vallen. Ze hadden de lantaarn half gedoofd, maar ik kon zien dat het Britten waren, die gekleed waren voor een snelle, geluidloze tocht door de velden.

'We zullen vuur moeten maken.' Dit was de stem van mijn redder.

'Je bent niet goed wijs,' zei de andere, de man met de lantaarn. 'Wat dacht je van Roodbaard en zijn mannen? Ze kunnen niet ver achter ons zijn.'

'Je hebt gehoord wat hij zei. Maak een vuur aan.' Dat was de derde man, die zo te horen wat ouder was dan de anderen. Ik durfde mijn ogen niet verder dan op een kiertje open te doen. 'Een klein vuurtje. Dit onweer houdt onze achtervolgers weg tot het dag wordt. Dan kunnen we allang weg zijn.'

Ik hoorde iemand aan de lantaarn prutsen, en na een poosje hoorde ik zacht geknetter. Een zwakke gloed verspreidde zich en wierp een oranje licht op hun sombere gezichten. Ze praatten zacht met elkaar en na enige tijd wist ik hoe ze heetten. De oudere man was John; de man die de lantaarn had gedragen, jong, met goudblond haar, heette Ben. Wat de grote man betreft, die me uit de rivier had gevist, zijn naam scheen Red te zijn, hoe onwaarschijnlijk dat ook klonk. Hij was nu bezig mijn tas te doorzoeken. Ik sloot mijn ogen en probeerde op te houden met rillen.

'Ze hield die tas behoorlijk stevig vast. Wat zit erin, de familiejuwelen?'

Er kwam geen antwoord. Na een poosje deed ik mijn ogen een eindje open. Red was bezig de klep van de tas te sluiten.

'Niet veel,' zei hij. Zijn stem klonk vreemd. Hij zag er ook vreemd uit, ik zag zijn gezicht beurtelings scherp en wazig toen hij zich over me heen boog. Ik klemde mijn kiezen in afkeer op elkaar.

'Volgens mij is ze ziek. Hier, geef me je mantel eens aan, Ben.'

'Hola, het is koud hoor. En ik dan?' Het antwoord had een klagende toon, maar zijn gezel gaf de mantel aan en ik voelde de warmte ervan zich om me heen vlijen. De hand van de man raakte mijn schouder aan, en ik trok me ontwijkend terug, terwijl ik een gil verbeet. Even staarde ik recht omhoog in zijn ogen, die blauw waren en een verbaasde uitdrukking hadden. Zijn voorhoofd was gefronst.

'Rustig,' zei hij. 'Rustig maar,' alsof hij het tegen een nerveus paard had of tegen een halfwilde hond. Nu, dacht ik. Nu zullen ze pro-

beren me te grijpen en ik zal... ik zal... verder kon ik niet denken, want ze waren met zijn drieën, alle drie gewapend en alle drie veel groter en sterker dan die anderen. Dit waren geharde reizigers. Ik had geen kans. Maar ik had scherpe tanden en nagels, en die zou ik gebruiken tot ik geen kracht meer over had.
'Trek je kleren uit,' zei Red, en mijn lichaam kromde zich in doodsangst. Ik voelde dat ik beefde. Mijn bonzende hart markeerde de stilte. Zo dadelijk zouden ze me betasten met hun smerige handen. Zo dadelijk zou ik de verontwaardigde schreeuw die in mijn keel opwelde niet meer kunnen inhouden.
'Wat is er met jou aan de hand?' Er klonk ergernis in zijn stem. 'Hier.' Hij hield me iets voor. Ben maakte een opmerking.
'Ze kan je niet verstaan, Red. Ze is tenslotte een inboorling, en bovendien nog niet volwassen.'
'Het lijkt me eerder dat ze al eens mishandeld is,' merkte de oudere man op. 'Ze is te bang om je in haar buurt te laten komen. Geef haar die kleren en ga dan bij haar vandaan. Het heeft weinig zin om te proberen tegen haar te praten; ik betwijfel of ze genoeg verstand heeft om je te begrijpen, laat staan onze taal te verstaan. Je moet haar laten zien dat je geen kwaad in de zin hebt.'
Mijn redder trok zijn wenkbrauwen op en legde wat hij in zijn handen had naast me op de grond. Daarna gingen ze alle drie terug naar de rand van het overhangende gedeelte en keerden me hun rug toe, terwijl ze een blik van verstandhouding wisselden.
'Wat een onzin,' zei Ben, met zijn rug naar me toe. 'Wie mag dit dan wel zijn, een prinses van den bloede soms? Ten eerste is ze een barbaar; ten tweede is ze ongeveer zo slim als een blok hout, en ten derde zitten Roodbaards mannen ons op de hielen, tot de tanden gewapend. En wij doen ons best om beleefd rekening te houden met vrouwelijke gevoeligheden.'
'Hou je mond, Ben,' zei Red, en zijn metgezel hield zijn mond.
Ik merkte dat mij een tamelijk groot hemd van grof linnen was verstrekt, en een riem om het vast te maken. Het rook naar zweet, maar was wel droog. Er was ook nog een soort onderhemd.
Red keek even achterom. 'Het is de bedoeling dat je je natte kleren uittrekt, en die aantrekt,' zei hij, maar het was duidelijk dat hij niet verwachtte dat ik het begreep. Hij draaide zich helemaal

om en deed met gebaren voor wat ik moest doen, terwijl ik met grote ogen toekeek.
Misschien, dacht ik, waren ze werkelijk niet van plan me iets te doen. In elk geval had ik weinig te verliezen. Ik kon voelen hoe de koorts me brandend overviel. Ik had genoeg gezond verstand over om te weten dat droge kleren zouden helpen. Red draaide me weer zijn rug toe.
'Waarom probeer je nog tegen haar te praten?' vroeg Ben. Hij was zo te zien een paar jaar jonger dan zijn vriend, misschien net oud genoeg voor een tocht als deze, waartoe die ook mocht dienen. Als ze werkelijk Britten waren, waren ze wel ver van huis. 'Je hoeft maar naar haar te kijken om te zien dat ze ze niet allemaal op een rijtje heeft. Je mag dan je redenen hebben gehad om hier te komen, maar zelfs jij moet toegeven dat het tijdverspilling is geweest. En nu stellen we onze enige kans om te ontkomen in de waagschaal voor een of ander onnozel meisje. Dit is de laatste keer dat je mij mee krijgt voor een zinloze onderneming.'
'Je zegt nu dat je het zinloos vindt,' zei John, 'omdat je je opwindt. Maar wanneer hij het je de volgende keer vraagt, ga je toch weer mee. Hou nu verder je mond, anders maak je het alleen maar erger.'
En terwijl ze twistten lukte het me, met bonzend hart, mijn doornatte jurk uit te trekken en me in de droge kleren te wurmen; ik bond het reusachtige hemd zo goed mogelijk vast om mijn middel. De riem kon er twee keer omheen en zat nog te los.
De ruzie, of wat het was, was afgelopen. Het drietal draaide zich weer om en bekeek me aandachtig terwijl ik, nog steeds rillend, bij het vuurtje ging zitten. Het gezicht van de oudere man had een vaag geamuseerde uitdrukking terwijl hij naar me keek. Ik zal er inderdaad een beetje vreemd hebben uitgezien.
'Ziezo, dat is dat,' zei Red, op wiens gezicht helemaal niets te lezen was. 'Trek nu ook die mantel aan.' Ik liet niet merken dat ik het begreep. Hij raapte hem op en hing hem om mijn schouders. Ik dook weg toen zijn handen dichtbij kwamen, maar de warmte was me welkom en ik trok de plooien om me heen.
'Goed zo,' zei hij. 'Ga nu rusten. Rusten.' Hij wees naar de grond bij het vuur, en legde zijn hoofd op het kussen van zijn handen. Dat leek plotseling een uitstekend idee, en ik ging liggen, nog

steeds rillend, en zakte algauw weg in een koortsige halfslaap waar hun zachte stemmen bij vlagen in doordrongen.

'Je bent krankzinnig, Red. We hebben minder dan een dag om daar te komen en de boot te treffen. Wat moeten we dan met haar?' Dat was Ben, die op het strand een lantaarn had vastgehouden.

'In elk geval laten we haar niet verdrinken,' zei John. 'Morgenochtend gaat het vermoedelijk al beter met haar, als we een deken bij haar achterlaten.'

'Ik zou weleens willen weten wat ze daar op het water deed. Vreemd weertje om te vissen,' vond Ben.

'Dit is een vreemd volk,' zei de oudere man. 'Ik heb gehoord dat ze soms iemand van de oever het water opduwen, als straf. Misschien had dit meisje iemand beledigd.'

'Ze zou verdronken zijn.'

De man die Red heette, scheen een man van weinig woorden te zijn. Nu zei hij iets, rustiger dan zijn gezellen. 'Ze heeft koorts. En bovendien is ze doodsbang.'

'Dat ligt voor de hand,' zei Ben. 'Ze is immers een van *hen*? Dus zijn wij voor haar de vijand. Misschien verwacht ze het soort behandeling dat haar soort aan mensen geeft die hun niet bevallen.'

'Ze heeft geen woord gezegd,' merkte John op. 'En geen geluid gemaakt. Misschien is ze niet zwakzinnig maar stom, of doof. Ze ziet er half verwilderd uit. Het kan best zijn dat ze in de steek is gelaten door haar volk, omdat ze een gebrek heeft; dat ze is achtergelaten en maar moest zien zichzelf te redden. Ik zou me maar niet al te veel zorgen maken over haar, Red. Jij hebt je goede daad gedaan. Ze zal wel herstellen.'

Het bleef een tijd stil. Ze dronken samen uit een fles water en aten wat repen gedroogd vlees. Er werd een portie bij mij neergezet, maar ik kon het zoute rundvlees niet aanraken en ik dronk maar een paar slokjes uit de beker. Toen bood Red aan de wacht te houden, en ze doofden de lantaarn. De anderen rolden zich in dekens en vielen algauw in slaap. Ze maakten de indruk van mannen die al lange tijd op pad waren en die alles netjes en geruisloos konden doen. Maar door mijn aanwezigheid was het allesbehalve netjes.

Vreemd genoeg moet ik een tijdlang geslapen hebben, want ik werd kort voor zonsopgang met bonzend hart wakker uit de een of andere naamloze droom. Zelfs in mijn slaap moest ik woorden en geluiden inhouden, maar de Brit zag dat ik met een schok rechtop ging zitten. Ik neem aan dat de demonen die nog steeds aan de rand van mijn bewustzijn op de loer liggen, in mijn gezicht weerspiegeld werden. Hij zat volkomen roerloos bij de flauwe gloed van de rest van het vuur en keek naar me. Nu zag ik waar hij de naam Red aan dankte. Zijn haar was kort afgeschoren, maar zowel zijn hoofdhaar als de stoppelbaard van een paar dagen werden door de gloed van het vuur verlicht tot het stralende rood-goud van de herfstzon op eikenblad. Zijn gezicht was indrukwekkend, al was hij nog jong in jaren, misschien niet veel ouder dan Liam. De neus was lang en recht, de kaak krachtig, de mond breed met dunne lippen. Je zou je deze man niet als vijand wensen. Wat verder weg lagen zijn twee gezellen nog in dekens gehuld te slapen. Het leek erop dat hij meer dan één wacht had genomen om hen te laten rusten. De overhangende rots had ons droog gehouden; buiten was de storm gaan liggen en het enige geluid kwam van het water dat tussen de stenen druppelde en stroomde.
Ik sloeg mijn armen om mezelf heen en pakte de mantel met twee handen. Mijn hoofd voelde helderder aan en de nachtmerrie trok zich al terug. Misschien was ik sterk genoeg om te rennen. Misschien kon ik stilletjes wegsluipen wanneer hij met zijn rug naar me toe zat. Ze zouden blij zijn als ze van me af waren. Ik had de indruk gekregen dat ze haast hadden, en zo te zien zou deze grote jongeman me liever niet in de buurt hebben als blok aan hun been, waar hun tocht ook heen ging. Hij had er vast al spijt van dat hij me uit het meer had gevist. Ik dacht hard na en probeerde te schatten hoeveel stappen er nodig waren om buiten te komen en weg te glippen tussen de struiken. Toen schrok ik, want hij zei iets.
'Je kunt beter wat eten. En drinken.'
Ik verroerde me niet. Het was verstandig niet te laten merken dat ik hun taal verstond. Als ze dachten dat ik een soort wild bosmeisje was, of een dorpsgek, zou ik veiliger zijn. Dan zou ik geen trofee zijn, die een losprijs waard was. Ik was tenslotte de dochter van mijn vader.

'Mm.' Hij nam me nauwlettend op terwijl ik daar ineengedoken in het halfdonker zat. Toen probeerde hij het weer, en dempte zijn stem om de anderen niet wakker te maken. 'Jij – eten? Jij – water?' Hij had blijkbaar een paar woorden in onze taal geleerd. Zijn accent was lachwekkend. Ik keek naar hem, en hij hield me een reisbeker voor. Ik deinsde voor hem terug, want hoe vriendelijk zijn woorden ook waren, hij was een man, heel lang en breedgeschouderd, groot en sterk genoeg om met me te doen wat hij maar wilde. Mijn koorts was gezakt, maar het beven scheen niet te willen ophouden. Toen ik niet reageerde, probeerde hij het weer. 'Jij – water,' herhaalde hij. 'Tenzij,' vervolgde hij in zijn eigen taal, 'je net als ik het gevoel hebt dat je het halve meer al hebt opgedronken. Volgens mij heb je flink je best gedaan om mij te verdrinken.'

Heel even kwam er een heel merkwaardig gevoel over me, alsof we een scène herhaalden die al sinds lang deel uitmaakte van mijn leven, maar net een beetje anders. Toen was het weg, en ik nam de beker op, waarbij ik tot mijn ongenoegen zag dat mijn hand trilde; ik dronk.

Hij had gelijk, ik voelde me inderdaad beter.

'Mooi zo,' zei hij, zonder zijn oplettende blik af te wenden. Ik dronk weer, en nu was de hand die de beker vasthield vaster. Zo dadelijk zou ik proberen op te staan. Dan kijken of ik kon lopen. Of ik kon rennen, net lang genoeg om weg te komen. Want de Britten hadden hun eigen wanhopige missie. Ze zouden er geen tijd aan verspillen mij te zoeken; ze zouden eerder opgelucht zijn dat ze hun onverwachte last kwijt waren. Daarna zou ik... op dat punt kwam mijn gedachtegang niet verder. Ik bevond me op onbekend terrein, zonder behoorlijke kleren, zonder voedsel of gereedschap, zonder enig hulpmiddel. En als ik het goed had begrepen, zou er een troep gewapende, gevaarlijke mannen op ons afkomen zodra het dag was geworden. Roodbaard, hadden ze gezegd. Zou dat Seamus Roodbaard kunnen zijn, de vader van Eilis? Wat zou er gebeuren als ik hier was, en als ze me vonden? Er zouden mannen bij zijn die me kenden, ook nog na bijna twee jaar. En dan? Ik moest er niet aan denken. Ik zou snel worden teruggebracht naar het huis van mijn vader, en naar vrouwe Oonagh. Ik kreeg kippenvel bij de gedachte. Die kant hield niets in dan duisternis en

dood, voor mij en mijn broers. Zowel van de kant van de Britten als van die van hun achtervolgers dreigde voor mij gevaar. Ik moest zien weg te komen.
'Hier. Eet.' De Brit hield me een reep gedroogd vlees voor, zoals je bij een nerveuze hond zou doen. Ik schudde mijn hoofd. 'Eet,' herhaalde hij, en fronste zijn voorhoofd. Zijn ogen waren zo blauw als ijs, zo blauw als de hemel op een vorstige wintermorgen. Ik had honger, maar niet zo veel honger dat ik vlees kon verdragen. Toen stopte hij het vlees terug in de zak waar ze hun reisproviand schenen te bewaren, en hij zocht misschien naar iets anders, en zijn ogen waren heel even van me af gewend. Ik bewoog snel en geruisloos, gebruik makend van al mijn vaardigheden. Opstaan, naar de andere kant, onder de overhangende rots uit, weg...
Zijn hand schoot zo snel naar voren dat ik hem nauwelijks zag. Hij greep mijn arm zo vast beet dat het pijn deed en trok me met een ruk op mijn knieën naast zich. Ik verbeet een gil van teleurstelling en angst.
'Dat dacht ik niet.' Hij sprak niet eens met stemverheffing. De anderen sliepen door. Zijn greep werd niet losser; hij wist hoe je met zo weinig mogelijk kracht zoveel mogelijk pijn veroorzaakte, dat was duidelijk. Hij had me dicht naar zich toe getrokken, dichterbij dan me lief was, want ik rook zijn zweet en zijn boosheid en ik voelde zijn adem op mijn gezicht en zag de kilte in zijn ogen. Zijn kracht en snelheid waren onthutsend; hoe had ik ooit kunnen denken dat ik kon ontsnappen? De koorts had me zeker van mijn verstand beroofd. Maar ik was ook boos. Wat speelde hij voor een spelletje? Waarom wilde hij me hier houden, terwijl zij snel en ongehinderd verder moesten kunnen trekken?
Hij was amper van zijn plaats gekomen, behalve om mijn arm te pakken en mij vast te houden. Zijn vingers drukten hard in mijn vlees. Hij had erg grote handen. Ik kon een snik van pijn niet helemaal onderdrukken, en zijn greep werd iets losser, maar niet veel.
'Vervloekt jij,' zei hij, nog steeds op die rustige, vlakke toon. 'Drie maanden en meer ben ik in dit godvergeten land geweest om antwoorden te zoeken. De vreemdste plekken op aarde heb ik bezocht; elke aanwijzing heb ik gevolgd, elke ellendige steen heb ik omgedraaid. Het leven van mijn vrienden in gevaar gebracht. En

waarvoor? Honger, koude en een mes in het donker. Er is geen waarheid op dit eiland van jou. Of liever, er zijn zoveel waarheden als er sterren aan de hemel zijn; en stuk voor stuk weer anders.'

Ik staarde hem stomverbaasd aan. Wat ik ook had verwacht dat hij zou zeggen, dit niet.

'Ik zou haast zweren dat je me verstaat,' zei hij, terwijl hij me recht in de ogen keek. 'Maar nee, hoe zou dat nu kunnen?'

Wat had Conor toch ooit gezegd, over Finbar en mij? *Die twee zijn als open boeken... hun gedachten stralen als een baken uit hun ogen...* Ik hoopte maar dat deze Brit mijn gedachten niet zo goed kon lezen. Het begon licht te worden; ik hoorde zijn kameraden bewegen.

'Jij wilt weg,' constateerde hij. 'Waarheen, daar heb ik geen idee van, maar ik neem aan dat je hier in de buurt een of andere schuilplaats hebt. Misschien wil je je daar verbergen tot je landgenoten komen; misschien ben je van plan toe te kijken terwijl ze ons in mootjes hakken. Ik dacht niet dat je bij onze vijand hoorde, toen ik je verhinderde jezelf te verdrinken. Misschien ben je werkelijk een onnozele, zoals mijn vrienden denken; te simpel om gevaarlijk te zijn.'

Ik probeerde mijn arm los te wrikken. 'Nee,' zei hij zonder nadruk. 'Drie maanden zonder antwoorden, en nu, op de laatste, de allerlaatste dag vind ik het eerste stukje van de puzzel. En wie krijg ik erbij om het te verklaren? Een meisje dat niet kan, of niet wil praten. Zie je dit?' Hij stak zijn hand in zijn zak, en voor het eerst was er een klank in zijn stem die boven de kalme conversatietoon uitsteeg. 'Vertel me waar je dit vandaan hebt.'

En daar was het. Het stukje houtsnijwerk van Simon, de kleine eik in de beschermende cirkel en de golvende lijnen die misschien water aanduidden, maar misschien ook niet. Er zat niets van belang in mijn tas. Niets bijzonders. Dat was op zichzelf al vreemd geweest; je zou zo denken dat de hemden van sterrenkruidvezels een opmerking waard waren. Maar het was dit voorwerp dat zijn aandacht had getrokken. 'Vertel me,' zei hij. 'Wie heeft je dit gegeven?'

En nu werd ik echt bang voor hem. Ik gebruikte al mijn wilskracht om elke uitdrukking van mijn gezicht te bannen. Denk aan niets.

Laat hem niets weten. Het was maar goed dat ik verplicht was te zwijgen. Ik was geen leugenaar, maar ik wist hoe de waarheid zou klinken. *Dat heb ik gekregen van een ander van jouw soort. Hij is in het huis van mijn vader gefolterd, en is bijna doodgegaan aan de wonden die hem met het brandijzer zijn toegebracht. Bijna doodgegaan, en bijna krankzinnig geworden. We hebben hem gered, en ik heb geprobeerd hem te helpen, en hij werd al beter, en toen... toen liet ik hem alleen terwijl hij me het hardst nodig had. Hij is het bos ingegaan zonder de benodigdheden voor overleving. Op ditzelfde moment kruipen de mossen over zijn witte beenderen, ergens onder de grote eiken. Vogels plukken zijn gouden haren uit om hun nest mee te voeren, en zijn lege ogen staren voor altijd omhoog naar de sterren.* Dat was de waarheid.
'Vervloekt jij,' zei de Brit weer, 'waarom spreek je niet? Ik zal dit antwoord van je krijgen voor ik je ooit zal laten gaan.' Toen werden de anderen wakker en stonden zwijgend op om hun dekens op te rollen en spullen in te pakken, wapens na te kijken en alles gereed te maken voor een snel vertrek. En ik dacht: je zult lang op je antwoord moeten wachten. Want je moet wachten tot de zes hemden van sterrenkruid gesponnen en geweven en in elkaar gezet zijn; tot de dag dat mijn broers terugkeren, en ik de hemden over hun hals laat glijden en de betovering verbroken is. Tot die dag zul je geen antwoord over mijn lippen horen komen. En geen man heeft het geduld om zo lang te wachten.
In het grauwe licht voor zonsopgang zag ik hoe ze zich klaarmaakten, en verbaasde me over de stilzwijgende verstandhouding tussen hen, die sprak van lange dagen en nachten in het veld of op de vlucht. Misschien waren ze spionnen, zoals de mannen die mijn vader gevangen had genomen en in zijn geheime kamer had vastgehouden; misschien waren ze huurlingen. Hun waakzame gezichten, hun harde lichamen, hun lichte bepakking en zorgvuldig onderhouden wapens spraken van lange ervaring en doelgerichtheid.
Ze waren snel klaar en vonden zelfs nog tijd om mij een paar ogenblikken alleen te laten voor mijn lichamelijke behoeften. Ik wist nu dat ik niet hoefde te proberen te vluchten. Hij zou me direct inhalen, waar ik ook heen ging. Hij zou me te slim af zijn, wat ik ook probeerde. Op dit moment in elk geval. Toen ik na-

dat ik me had gewassen terugkwam, praatten ze met zachte stemmen.
'... geen zin erover te twisten. Als Red zegt dat we haar meenemen, nemen we haar mee. Het zal vertraging geven; we kunnen beter meteen vertrekken om zo ver mogelijk weg te komen voor het helemaal licht is.'
Ben was razend; zijn woorden kwamen sissend naar buiten, want ze hadden alle drie hun stem gedempt. Ik vermoedde dat de mannen die naar hen zochten vlakbij waren.
'Dit is toch je reinste waanzin! Vergeet dat meisje toch; ze komt wel op haar pootjes terecht, en zo niet, wat dan nog? De lui van haar soort zijn toch maar wilden, en het zijn allemaal moordenaars. Hoeveel goede mannen zijn er niet verdwenen in die vervloekte bossen, of thuisgekomen als lege omhulsels van hun vroegere zelf? Ik weet niet wat voor vlaag van ridderlijkheid jou heeft bevangen, Red, maar ik ben niet van plan mijn hachje voor haar op het spel te zetten. En jij, John, het is je zeker in de bol geslagen dat je dit van hem accepteert. Het is waanzin.'
Red besteedde geen aandacht aan hem, maar hees zijn bepakking op zijn rug en stak zijn hand naar mij uit. 'Kom mee,' zei hij, terwijl hij met zijn vingers knipte, en ik keek hem woest aan. Ik wenste niet behandeld te worden als een hond die elk bevel van haar baas opvolgde. 'Kom,' zei hij weer, en ditmaal greep hij mijn arm op dezelfde plek waar hij me al eerder pijn had gedaan, en ik zoog mijn adem naar binnen.
'Ze heeft een paar blauwe plekken,' merkte John op. 'Ik hoop dat je weet wat je doet, Red.'
Red keek hem aan. 'Dat weet ik,' zei hij. 'Nu gaan we uit elkaar, zodat mijn goede vriend hier zich niet kan beklagen dat hij door het meisje niet kan opschieten. Jullie tweeën nemen ons oorspronkelijke pad naar de baai. Als jullie nu gaan, houden jullie waarschijnlijk een voorsprong, en als het goed is, ligt de boot klaar om jullie op te pikken voor zij er zijn. Als het een beetje meezit.'
'En jij?' vroeg Ben.
'Ik neem het meisje mee, en kom ook daarheen via de kliffen, en langs het pad over het klif. Misschien gevaarlijker, maar korter. Ze zullen eerder achter jullie aangaan, denk ik. Ik volg de rivier zo ver als ik kan. Als ik er niet op tijd ben voor de boot, moeten

jullie niet wachten. Steek over naar de veilige rede; dan zie ik jullie terug in de priorij.'

'Hoe dan?' zei John, terwijl hij op zijn hoofd krabde. Maar hij kreeg geen antwoord, en niemand wilde er tegenin gaan. Dit scheen de normale gang van zaken te zijn. Red nam de beslissingen, en de anderen accepteerden die, ook wanneer ze, leek mij, ongelooflijk stom waren. Hoe kon een man die zo onvoorspelbaar handelde, die zulke dwaze beslissingen nam, hun leider zijn? Als het bijvoorbeeld Liam was geweest, dan zou hij zijn mannen hebben geraadpleegd en tot een redelijk compromis zijn gekomen. Maar hier werd er verder niet over gepraat. Ben en John namen hun bepakking op hun schouders en verdwenen tussen de struiken, met onhoorbare passen, en Red pakte mijn pols en trok me achter zich aan, terug naar beneden waar de rivier was. Ik verzette me en trok zo hard dat hij zich geërgerd omdraaide.

'Op deze manier zullen we niet ver komen,' zei hij. 'Ik...' Hij zag waar ik naar wees. Mijn tas, met zijn lading sterrenkruidgoed, lag nog waar hij hem had laten vallen onder de overhangende rots, bij de smeulende resten van ons vuurtje.

'Goed dan,' zei hij terwijl hij de tas opraapte en naar me toe gooide. 'Maar die mag je zelf dragen.'

Het was een lange, wanhopige ochtend. Ik probeerde hem bij te houden, maar ik wist dat ik hem ophield. Het was geen gemakkelijk parcours, vooral niet toen het terrein omhoog ging en punten en richels vormde, waar het minieme pad over rotsen en puinhellingen en door kreupelhout ging en hoog boven de slingerende rivierloop uitsteeg. We lieten het meer en het bos ver achter ons terwijl we voortdurend in oostelijke richting en iets naar het noorden liepen. De zon klom steeds hoger aan de hemel. Ik had met mijn broers vaak tochten door het bos gemaakt, waarbij we buiten overnachtten en een paar dagen in het wild leefden. Ik was snel en wist hoe ik me in de bossen moest verplaatsen en mijn weg moest kiezen. Maar dit was anders. Ten eerste was ik veel zwakker dan ik had gedacht, en ik merkte dat ik steeds vaker moest stoppen om op adem te komen voor ik verder kon. En ik had geen schoenen aan. Ik had dan wel eelt onder mijn voeten, maar ik stootte ze stuk aan de stenen en ze gingen bloeden. Red deed weinig om me tegemoet te komen, behalve dat hij me af en toe bij

mijn pols of arm pakte om me achter zich omhoog te trekken, of zwijgend wachtte tot ik weer bij hem was. Hij had een sombere uitdrukking op zijn gezicht. Hij had spijt van zijn beslissing, dacht ik, en dat verbaasde me niets. Hij had water in een leren zak, dat hij met me deelde. De zon steeg hoger; het beloofde een warme dag te worden. We staken de rivier over; of liever, hij stak hem over en waadde op een ondiepe plaats door het water, dat tot zijn middel reikte, terwijl hij mij over zijn schouder droeg. Toen we bij de andere oever waren, liet hij me zakken op een platte steen.
'Ziezo, dat is dat,' zei hij en hurkte naast me neer zodat zijn ogen op gelijke hoogte waren met de mijne. Hij nam me aandachtig op. Zijn lichtblauwe ogen hadden een schrandere uitdrukking.
'Ze liggen nog ver genoeg achter,' zei hij. 'Maar dat is niet zo heel ver. Ze hebben hun krachten verdeeld, denk ik. Kun je nog verder?' Ik probeerde niet te laten merken dat ik hem verstond. Dat was niet gemakkelijk. Mijn voeten deden pijn en ik begon weer dat rare, wazige gevoel in mijn hoofd te krijgen. Toch wist ik dat ik geen andere keus had dan doorgaan.
'Mannen,' zei hij. Hij probeerde het weer in de taal waarvan hij wist dat ik hem zou kunnen verstaan. 'Slechte mannen. Jij – ik – lopen?' Hij maakte gebaren om deze boodschap aan mij over te brengen en ik kreeg de aanvechting om te giechelen, ondanks de ernst van de situatie. Ik klemde mijn lippen stevig op elkaar, vastbesloten om geen zwakte te tonen, of welke andere emotie ook. Ik probeerde te bedenken wat de bedoeling was geweest toen de Vrouwe van het Woud me in een bootje het meer op had gestuurd, weg van het bos. Welke weg had ik moeten nemen? Waar was het verkeerd gegaan? Want dit was toch zeker de verkeerde weg, naar het oosten, steeds verder naar het oosten, met een bonzend hoofd en bloedende voeten, en een somber kijkende vreemdeling als gezelschap. Hoe moesten mijn broers me vinden, zo ver van huis?
Ik keek weer naar Red. Hij bestudeerde mijn voeten, en daarna mijn handen, en hij had een heel vreemde uitdrukking op zijn gezicht. Hij keek spottend, vond ik; maar zijn spot was niet op mij gericht, maar naar binnen.
'Jij weet van volhouden, hè?' zei hij, terwijl hij zijn rugzak van zijn rug liet glijden en erin begon te zoeken. Hij haalde er een oud kledingstuk van linnen uit en begon dat aan repen te scheuren

door een hoek tussen zijn sterke, witte tanden te klemmen. 'Maar deze voeten hoeven vandaag niet meer te verduren. Hier.' Zijn handen gingen aan de slag om mijn beide voeten te verbinden met repen stof die hij keurig vastknoopte. Hij deed het goed; ik had het zelf nauwelijks beter gekund. Ik liet hem begaan, dankbaar even te kunnen uitrusten. Het maakte niet uit dat deze zachte windsels niet zouden blijven zitten als ik er nog de hele dag op moest lopen. Ik nam aan dat hij het goed bedoelde. Natuurlijk, als ik het niet haalde, kon hij het ook niet halen. Tenzij hij me achterliet.

'Mooi,' zei hij, 'en nu moet je iets eten, en daarna lopen we het verdere stuk. Er groeien hier appels, had je dat gezien? Het lijkt erop dat ze hier vroeg rijpen. Misschien vallen die beter bij je in de smaak dan onze proviand.' Er waren inderdaad appels; kleine groene appeltjes met een vage, roze blos op de schil. Rond en volmaakt. Hij plukte er een en sneed hem keurig in vieren met een klein, vlijmscherp mes.

'Hier,' zei hij, terwijl hij me een part aanbood. Ik nam het aan, maar het bevreemdde me ten zeerste. Ze waren inderdaad veel te vroeg gerijpt, en op een vreemde manier. Er stonden verscheidene appelbomen op deze beschutte plek, maar er was er maar één waarvan de vruchten eetbaar leken te zijn. Aan de andere bomen hingen harde, groene appeltjes. In ons land zijn veel verhalen waar appels in voorkomen; het zijn de vruchten van het Feeënvolk, en ze worden meer dan eens gebruikt om sterfelijke mannen of vrouwen te verleiden veel langer dan goed voor hen is in de plaats onder de heuvel te blijven. Appels zijn een blijk van liefde, een belofte. Het was duidelijk dat Red nooit had gehoord wat het betekende als een man een appel deelde met een jonge vrouw. Misschien, dacht ik, werkte het niet zo bij Britten. Bovendien had ik honger en we moesten nog een heel eind lopen. Daarom nam ik zijn geschenk aan en at het op, en nog een stuk, en het was het lekkerste wat ik ooit had geproefd. Toen we klaar waren, stond ik op om verder te lopen, maar Red hield me tegen.

'Nee,' zei hij. 'Zo zal het sneller gaan.' Hij tilde me als een klein kind op in zijn armen.

'Je moet je wel vasthouden,' zei hij. 'Wees maar niet bang, ik bijt niet.'

Het was vanaf het begin een verloren wedstrijd. Misschien hadden we ons op tijd in veiligheid kunnen brengen als zijn voorspelling juist was geweest en de achtervolgers achter zijn twee metgezellen aan waren gegaan. De Brit liep onvermoeibaar door, schijnbaar moeiteloos mijn gewicht torsend. Hij zette me neer als hij een rotswand moest beklimmen en trok me dan met zijn ene arm omhoog terwijl hij zich vastklampte; hij hielp me om een overhangend gedeelte heen of hielp me langs een afbrokkelende helling naar beneden te komen. Maar het duurde niet lang voor het duidelijk werd dat ze ons begonnen in te halen. Ik wist niet hoe ver we nog moesten. Er hing een vochtige, frisse geur in de lucht die erop wees dat er een groot wateroppervlak in de buurt was, en boven ons scheerden veel vogels door de lucht. We kwamen door lijsterbesbosjes en onder het lopen scheurden braamstruiken onze kleren open, en takken en doorns zwiepten en schramden onze armen en ons gezicht. We bewogen met grote snelheid; ik voelde het regelmatige bonzen van het hart van de Brit toen hij met onhoorbare voeten onder de bomen begon te rennen. Hij vloekte binnensmonds. En ik hoorde het onmiskenbare geluid van vele laarzen die rechts, en links, en achter ons door dorre bladeren knerpten, en het suizen van een pijl die over zijn schouder vloog om trillend in de stam van een majesteitelijke lijsterbes, getooid met een vracht bessen, te blijven staan. De Brit uitte een gefluisterde vloek en zette me op de grond.
'Rennen,' zei hij terwijl hij zijn korte zwaard trok en met zijn rug tegen de boom ging staan. 'Toe dan, rennen!' Hij maakte een dringende armbeweging; hij wilde dat ik alleen verder ging, terwijl hij hen vechtend tegenhield. 'Ga dan, vervloekt, ga!' Ik merkte dat ik me niet kon bewegen; en toen was het al te laat. Ze waren aan alle kanten om ons heen; ze kwamen te voorschijn uit hun dekking, mannen in dezelfde veldwapenrusting die mijn broers droegen, mannen met het lange, verstandige gezicht en het donkere krullende haar van mijn eigen volk. Mannen met haat en wraak in hun ogen. Een van hen was bezig een handboog opnieuw te spannen; de anderen hadden hun zwaard getrokken. Langzaam kwamen ze naar ons toe.
'Er zit een mes in mijn linkerlaars,' mompelde Red, terwijl hij zijn zwaard nu eens in zijn ene, dan weer in zijn andere hand nam.

'Pak het. Gebruik het. En vlucht als je kunt.'
Ik greep snel het mes en hij wierp me een scherpe blik toe voor hij naar voren stapte en mij achter zich duwde, en de eerste van onze aanvallers deed een uitval, schreeuwend en zwaaiend met zijn zwaard in een manoeuvre die ik herkende van het oefenveld thuis. Mijn broers zouden gereageerd hebben door weg te duiken en uit te halen naar de knieën van de tegenstander. Red dook niet weg. In plaats daarvan schoot bliksemsnel zijn laars omhoog, en hij trapte het zwaard uit de hand van zijn tegenstander, en ving het handig op. Een ogenblik later, leek het, wankelde de man weg terwijl zijn rechtermouw rood kleurde van het bloed.
Ze vormden een halve cirkel, niet al te dichtbij. Er waren mannen bij die ik eerder had gezien, aan mijn vaders tafel. Ik bleef zoveel mogelijk achter Red.
'Vechten kan hij wel,' zei er een. 'De schoft kan vechten. Wie volgt?'
Het leek op het verhaal van Cu Chulainn, wanneer zijn zoon in de slag gaat. Maar ik had niet beseft dat mannen nog altijd dit soort dodelijke spelletjes speelden. Een soort tweegevecht, waarbij ieder op zijn beurt tegen de indringer streed, tot hij uiteindelijk verslagen was, of tot ze er genoeg van hadden en gezamenlijk opdrongen om hem af te maken. Op die manier kon het een langzame dood zijn.
'Ik probeer het,' zei een ander, terwijl hij zijn zwaard ophief. 'Mijn broer is gedood in de hinderlaag op Ardruan; en daarbij nog een stel goede vrienden. Laat hem in bloed betalen voor het bloed dat daar vergoten werd.' De boogschutter stond wat naar achteren met gespannen boog; al besloten ze misschien ieder op hun beurt tegen de Brit te vechten, het was duidelijk dat er maar één afloop mogelijk was. De tweede man begon met een verbeten gezicht te vechten; hij was er beter in dan de vorige en zijn tactiek was duidelijk – hij wilde Red weglokken van zijn rugdekking, van de lijsterbes in zijn rug naar een meer kwetsbare positie. Maar Red was qua lengte en gewicht in het voordeel, en hij kon zelf ook aardig met het zwaard overweg. Bovendien was hij snel ter been voor zo'n grote man, en het kletteren van de klingen en het geluid van hun zware ademhaling ging een tijd door. De mannen die toekeken, leverden commentaar op de gang van zaken; ze bespotten

hun eigen man toen hij een fout maakte en Reds zwaard een dunne rode lijn over zijn wang trok, en gebruikten grove en beledigende termen wanneer ze het over de Brit hadden. Ze beschuldigden hem van de vreselijkste dingen. Het was een wreed tijdverdrijf.

Red vocht door zonder een woord te uiten en hij leek onvermoeibaar. Ik nam aan dat hij begreep wat ze bedoelden, al verstond hij hun woorden niet. Ik geloof dat zijn zwijgen zijn tegenstander van zijn stuk bracht, zodat hij zijn blik een ogenblik van de Brit afwendde. Dat ogenblik was genoeg; de vlakke kant van Reds kling kwam met een klap neer op zijn onderarm en hij liet zijn zwaard vallen; de arm was plotseling onbruikbaar geworden. Waarschijnlijk was hij gebroken.

'Schoft,' siste hij knarsetandend. 'Je vecht gemeen, zoals jullie allemaal.' Toen drong de rest op, en opeens was het een gevecht van vier of vijf man tegen één, en om mij heen was het een enorme verwarring. Red had me achter zich gehouden, maar nu was hij genoodzaakt zich nu eens naar deze kant en dan weer naar die kant te wenden, terwijl de een na de ander hem aanviel. Op enige afstand stond de boogschutter zwijgend te wachten. Ik hield het kleine mes in mijn hand en vroeg me af of ik het zou willen gebruiken als ik de kans kreeg. Er vielen lichamen op de grond, ik hoorde kreunen en vloeken, en ik kon zien dat er in elk geval één man dood was; zijn hoofd maakte een onwaarschijnlijke hoek met zijn romp. Red was bij de boom weg en draaide rond temidden van zijn tegenstanders. Het kon volgens mij nog maar enkele ogenblikken duren.

'Rennen!' schreeuwde hij zonder naar mij te kijken. 'Rennen, verdomme!' Toen deed een van de mannen een uitval die hij pareerde, en tegelijkertijd haalde een ander laag uit naar zijn benen, en een derde naderde hem van achteren, en hij ademde met een sissend geluid uit toen zijn wapen op de grond viel. En ik voelde een hand die mijn schouder en mijn haar greep, en ik werd omgedraaid en keek van dichtbij in het gezicht van een van Seamus' mannen.

'Ik ken jou,' zei hij langzaam. 'Ik ken jou ergens van, dat weet ik zeker. Wat doet een braaf meisje zoals jij hier buiten in de wildernis met een Britse griezel? Zeg? Of misschien toch niet zo'n

braaf meisje. Verkoop je hem soms geheimen, tegelijk met je lichaam? We zullen eens zien wat mijn heer daarover te zeggen heeft.' Hij trok met een pijnlijke ruk aan mijn haar.
'Wacht eens,' zei een van de anderen. 'Is dat niet... nee, dat kan niet. Die is gestorven. Nu alweer twee jaar terug, of langer. Zij kan het niet zijn.'
'Bedoel je...'
'Maar het ís haar. Kijk maar eens naar die groene ogen. Kattenogen. Ze is het.'
'Bind haar handen op haar rug. We nemen haar mee.'
'Als gevangene? Daar zou je last mee kunnen krijgen. Je weet wiens dochter ze is. En je weet hoe Liam is. Denk even aan wat haar broers met je zouden doen, als ze het hoorden. Ze hoort bij ons volk.'
'Weinig kans dat die ooit terugkomen. Trouwens, wat doet ze dan hier bij die kerel? Bind haar handen.'
Toen de man met een touw in zijn hand mijn polsen wilde pakken, haalde ik naar boven uit met het mesje, en hij uitte een vloek en liet me los. Er welde bloed uit zijn hand. Ik liet het mes vallen. Red werd van alle kanten aangevallen; hij scheen moeite te hebben om te blijven staan, alsof zijn ene been het begaf. Een van de grotere mannen hield een mes bij Reds keel; Red greep de man bij de pols en hield het mes van zich af, terwijl zijn spieren zich spanden. Boven het blinkende lemmet ontmoetten zijn ogen de mijne, en nu lag er een andere uitdrukking in dan ijzige kalmte. Hij zou sterven, en ik zou naar huis worden gebracht. Naar huis, waar vrouwe Oonagh wachtte, en een zekere dood voor mijn broers.
Ik riep om hulp. Als ik ooit het Feeënvolk nodig had om in te grijpen, was het nu. Niet dat ze tot nu toe veel hadden geholpen. Ik riep hen, ik riep iedereen te hulp die het kon horen, met een stilzwijgende kreet vanuit het diepst van mijn hart. *Help hem. Hij mag niet sterven, niet zo. Help mij. Want als ik ten onder ga, zullen ook mijn broers sterven.*
Toen kwam de regen. Hij kwam uit een heldere hemel die plotseling grijs werd, terwijl de warme dag in een oogwenk zo koud werd alsof het midden in de winter was. Een alles doordringende, griezelige, druïdische regen die de ogen verblindde en de oren verdoofde; die elke man van de wereld afsneed. Het was alsof je

onder een grote waterval stond; het was alsof je midden in een storm stond. Ik kon niemand zien en geen geluid horen behalve het brullen van de stortregen die naar beneden donderde, me in een oogwenk doorweekte, de grond onder mijn blote voeten in modder veranderde. Toen stak ik mijn hand uit door de watergordijnen, en een grote hand pakte de mijne, en samen renden we weg, struikelend, door de modder glijdend, blindelings tussen struiken en bramen doorschietend, hijgend naar lucht; het water stroomde van ons gezicht en ons lichaam af, onze voeten maakten zuigende geluiden in de natte aarde. Ik kon de ademhaling van Red nu horen; het zwoegende, hijgende geluid van een man die ernstig gewond is, die te veel van zichzelf vergt. Ik dacht dat we niet veel verder konden gaan, en toen was er geen grond meer onder onze voeten, en we gleden, of vielen, langs een steile helling, probeerden takken te grijpen, vielen krakend door gebladerte en stuiterden over stenen die ons beurs beukten. Tot we uiteindelijk neerkwamen op harde, droge grond. Het geluid van onze overhaaste afdaling stierf langzaam weg; er kwamen nog wat steentjes van boven vallen, die door ons in het voorbijgaan van hun plaats waren geraakt. Toen was het stil, afgezien van het geluid van de regen en van ons beiden die naar adem snakten.

'Gaat het?' vroeg Red na een tijdje met een vreemd klinkende stem.

Ik knipperde het water uit mijn ogen, gebruikte mijn beide handen om de doornatte krullen die aan mijn gezicht plakten, naar achteren te duwen en probeerde mijn haar uit te wringen. We bevonden ons in een grot; als ik naar boven keek, zag ik de nauwe spleet waardoor we in deze beschutte ruimte waren gevallen. De grond bestond uit hard gesteente. Achter ons leek een nauwe gang naar een grotere grot te leiden, maar hij maakte een bocht zodat je er niet ver in kon kijken. Ik keek naar de andere kant. Er stroomde licht naar binnen door een gordijn van verhullend gebladerte; de regen leek even plotseling te zijn opgehouden als hij begonnen was. Ik liep naar de ingang.

'Voorzichtig,' zei Red en hij pakte een slip van mijn hemd toen ik langs hem kwam. Ik rukte me los, maar liep langzamer, want de rotsen werden in de buurt van de ingang glad van het water. Ik tuurde naar buiten door het netwerk van wingerd en bosrank. En bleef stokstijf staan van verbazing.

'De zee, die had je zeker nog nooit gezien,' merkte Red kalm op. Dat was waar. Hoewel mijn broers me hadden verteld over het geweldig wijde vlak van wild water, en de duizenden vogels, en het licht dat glinsterde en veranderde en op het bewegende oppervlak speelde, had niets me hierop kunnen voorbereiden. Onze grot bevond zich hoog in een steile helling, die verder naar beneden overging in een loodrecht klif, en ik kon over een enorme afstand uitkijken, en die hele afstand bestond uit water, helemaal tot aan de horizon. De lucht was stralend blauw; er was geen spoor van wolken te bekennen. De stenen om me heen dampten zachtjes in de zon. Elk spoor van de plotselinge regenbui zou over korte tijd verdwenen zijn. Behalve misschien later, in verhalen. En onze achtervolgers zouden weggaan. Ik draaide me weer om naar de Brit.

Hij zat met zijn rug tegen de rotswand, en zijn ene been stak naar voren uit. Hij had bloed aan zijn kleren, veel bloed. Nu ik hem goed bekeek, was zijn gezicht erg bleek, en zijn lippen waren grimmig op elkaar geperst. Mannen kunnen soms raar doen over wonden die ze in het gevecht oplopen. Ze doen alsof er niets aan de hand is, en denken dat het dan weg zal gaan, of dat niemand het zal merken als ze zich maar stil houden.

'Ze zullen naar ons op zoek gaan,' zei hij. 'En we hebben nu niet eens een mes meer, zelfs geen stukje metaal. We hebben geen andere keus dan hier te blijven tot het donker is. Misschien kunnen we er dan langs sluipen. Er is een eind verderop langs de kust een nederzetting, daar liggen bootjes afgemeerd.'

Ik staarde hem met grote ogen aan; ik dacht aan die enorme watervlakte en wilde niet accepteren wat zijn woorden inhielden. Maar als ik dat been zo zag, zou het voor hem al heel wat zijn als hij naar de ingang van de grot kon hinken, laat staan langs het klif afdalen om bij een of ander dorp te komen. En wat was hij dan van plan? Ik besloot dat zijn vriend Ben gelijk had gehad. Hij was niet goed wijs. Nu ik dat had vastgesteld, had hij mijn hulp nodig, en ik was vastbesloten die te geven. Want ik twijfelde er niet aan of hij had mijn leven gered, in elk geval één en waarschijnlijk twee keer. Ik was hem iets verschuldigd, ongeacht zijn beweegredenen.

Ik had mijn rugzakje nog en hij de zijne. Dat was een geluk bij een ongeluk. Hij keek naar me toen ik bij hem neerknielde en de wond bekeek. Hij was zijn zwaard dus kwijt, en ik had zijn tweede wapen verloren. Dat was lastig. Maar wacht. Het kleine mes waarmee hij zo keurig een appel in stukken had gesneden, waar was dat? Ik rommelde in zijn rugzak. Hij keek zwijgend toe. Ik vond het mes en de resten van het oude hemd dat hij had gebruikt om mijn voeten te verbinden. Ik keek spijtig omlaag; de windsels waren helemaal verdwenen en mijn voeten waren één klont bloed en aarde.

'Water,' zei hij behulpzaam. 'Je hebt waarschijnlijk water nodig. Je kunt me verstaan, nietwaar?'

Ik knikte; het leek me dat de tijd om te doen alsof voorbij was. Hij had het al geweten, dacht ik, toen hij zei dat ik zijn kleine mes moest pakken om mezelf te verdedigen, en ik had gedaan wat hij zei. Ik wees naar de grot; er was een geluid van stromend en druppelend water, en ik wist dat ik daar verderop fris water zou vinden. Wat moest ik eerst doen? Zijn kleren waren al opengescheurd; ik sneed ze verder open en trok voorzichtig zijn kapotte laars uit. Dit moet veel pijn hebben gedaan, maar afgezien van een plotselinge zucht liet hij niets merken. Er was genoeg licht om de gapende wond te kunnen zien die zijn kuit van knie tot enkel spleet; om het verse bloed te zien dat er nog steeds uit welde, de diepte van de wond te zien en het glinsteren van metaal dat diep in de wond was blijven steken. Ik keek op naar zijn gezicht. *Jij weet van volhouden, hè?* De wond zou niet dodelijk zijn; als hij tenminste meteen werd behandeld, door een genezer die met een mes kon omgaan, en als hij daarna behoorlijk werd verpleegd. Maar hier, gevangen in een grot, zonder de nodige hulpmiddelen, en terwijl we beiden bedekt waren met modder en vuil, en ons stil moesten houden, was het een andere kwestie.

'Dat ziet er niet best uit, hè?' zei hij toonloos. 'Kun je het een beetje oplappen? Er iets omheen wikkelen?' Ik knikte en probeerde er vakkundig en geruststellend uit te zien. Ik geloof niet dat het lukte; ik zag de ene hoek van zijn strakke mond heel even omhoogtrekken in wat misschien een poging tot glimlachen was. Bij nader inzien was het vermoedelijk een onwillekeurige grimas van pijn. Britten hadden geen gevoel voor humor; hoe kon een volk

zonder magie, zonder spiritueel leven, ooit echt weten wat lachen was?
Ik vond de leren waterfles in Reds rugzak en liep verder de grot in. Een stuk verder naar beneden opende hij zich tot een schitterende ruimte. Het was er donker, maar ik zag de schimmige vormen van grote rotspilaren die omhoog reikten, en andere die langgerekt neerhingen om hen te ontmoeten; ik voelde dat er kleine wezentjes sliepen, hoog boven me in het duister. En ik vond vers water, dat omlaag drupte om zacht neer te komen in met steen omrande poelen. Ik vulde de fles en ging terug.
Ik had wel gewild dat pater Brien, of iemand anders met zijn kundigheid die dag aanwezig was. Het was tenminste mogelijk mijn handen te wassen en daarna de wond schoon te maken. Het was gunstig dat er nog vers bloed vloeide, maar zacht, niet als een dodelijk onstuimige vloed. Dit zou de kwade sappen helpen het lichaam te verlaten. Ik dacht aan de man die ik een jaap had gegeven met Reds mesje; die had misschien ook veel bloed verloren. Ik had hun kunnen vertellen hoe ze het bloeden moesten stelpen, maar dat had ik niet gedaan. Toen ik zag hoe ze met zijn allen op Red afgingen, was ik vergeten dat ik genezeres was.
Ziezo, dit was gebeurd. Mijn mimevoorstelling werd steeds moeilijker. Ik probeerde Red te beduiden dat er iets in zijn been zat; iets dat ik zou moeten verwijderen. Het zou geholpen hebben als hij zich wat minder stoïcijns had gedragen, of als er wat mede of bier was geweest, of een paar goed gekozen kruiden voor een slaapdrank.
'Ik weet niet precies wat je probeert te zeggen,' zei hij. 'Moet je er nog iets anders aan doen? En dat zal pijn doen? Ja, doe het dan maar.'
Ik gebaarde dat hij moest proberen niet te bewegen, want ik had alleen de scherpe punt van het mesje om het stuk metaal mee los te wurmen. Hij knikte grimmig. Ik vroeg me af waarom hij niet had gezegd dat ik op moest houden met mijn geklungel en hem met rust moest laten. Hij had geen reden om me te vertrouwen.
Het duurde wel even. Ik leerde een nieuwe vloek in de Britse taal. Afgezien daarvan hield hij zich stil, maar ik hoorde zijn ademhaling veranderen, en op zijn gezicht parelde zweet. Mijn handen waren niet zo vaardig als ze vroeger waren geweest, maar het was

intussen alweer een tijd geleden dat ik sterrenkruid had gesponnen of geweven, want in mijn ellendige toestand had ik mijn taak verwaarloosd, en de zwelling in mijn vingers was weer wat afgenomen. Gelukkig maar. Het was een lastig werkje. Het scherfje metaal, waar een mes of zwaard tegen het bot was gestoten en afgebroken, zat diep en mijn beide handen waren tot boven de polsen bedekt met bloed voor ik het eruit had gehaald. Ik maakte de wond weer schoon met vers water en maakte hem zo goed mogelijk droog. Er was geen kamille, geen zoete lavendel of een kompres van jeneverbessen. Er waren geen ervaren handen, en geen dun garen om de wond mee te hechten. Ik haalde een paar keer diep adem, en haalde toen een benen naald te voorschijn, de kleinste die ik had, die ik gebruikte om de hals van de hemden te omboorden wanneer ik ze af had. En in mijn rugzak zat één spoel met goed garen, garen dat niet gemaakt was van sterrenkruid maar dat zacht en sterk was, dat een van mijn broers in die midzomernacht voor me gestolen had. Ik klemde mijn kiezen op elkaar en ging aan het werk, en lette intussen op zijn ademhaling. Hij ademde langzaam en regelmatig, maar met enige moeite. Ik deed het niet haastig; het werd zo netjes en zorgvuldig gedaan als ik kon. Hij zou een litteken houden, maar het been zou herstellen. Ik was klaar en beet de draad af; toen voelde ik zijn grote hand om de mijne sluiten.

'Vertel eens,' zei hij op neutrale toon, 'waarom heeft een welopgevoed meisje, met een huid zo blank als verse melk, handen als een viswijf? Wie heeft je zo bestraft? Je misdaad moet wel verschrikkelijk zijn geweest.'

Toen was het gedaan met mijn kracht, vrees ik. Opeens raakte ik overmand door honger, schrik en uitputting, en ik liet me op de grond zakken, zo ver mogelijk van hem af, en drukte mijn arme handen tegen mijn gezicht terwijl bittere, zwijgende tranen over mijn wangen liepen. Ik was niet boos op hem, of op de mannen die ons hadden aangevallen, of op wie dan ook in het bijzonder. Ik was nat en ik voelde me ellendig en moe, en ik verlangde naar mijn broers, en ik verlangde naar mijn tuintje en mijn hond, en ik wilde weer verhalen kunnen vertellen en kunnen lachen. Ik huilde uit zelfmedelijden, en omdat ik wist dat teruggaan nooit mogelijk was. Je koos je weg, en daarmee uit. Ik huilde om pater

Brien en om Linn, en om wat mijn broers hadden kunnen zijn, en om mijn eigen verloren onschuld. Ik huilde omdat ik lelijke handen had. Ik was tenslotte pas veertien.

'Het spijt me,' zei hij onhandig. Dat hielp niet erg. Ik merkte dat nu ik eenmaal begonnen was met huilen, ik niet kon ophouden. Ongeveer zoals het gaat bij een klein kind, bij wie het verdriet vaak langer duurt dan de pijn, alsof het huilen zelf meer tranen oproept. Ik huilde tot mijn hoofd pijn deed en ik sterretjes zag, en uiteindelijk ging ik liggen op de harde steen en viel, nog snuffend, in slaap. Daarna moet hij zich hebben gedwongen om op te staan, een mantel over me heen te leggen, en een opgevouwen hemd onder mijn hoofd, want zo werd ik wakker, veel later. Het was overal donker, buiten was het nacht. Even had ik geen idee waar ik was en tastte ik in paniek om me heen. Ik dwong mezelf om stil te zitten en langzaam te ademen. En na een tijdje zag ik toch iets van bleek maanlicht, dat met dunne vingers door het gebladerte bij de ingang van de grot drong, en in dat flauwe licht kon ik zien dat de Brit tegen de verste muur lag te slapen; zijn gezicht was wit, zijn oogleden zwaar, hij sliep de slaap van volkomen uitputting. Zijn verband zag er voor zover ik kon zien redelijk schoon uit. De wond was niet opnieuw gaan bloeden. Dat was een goed teken.

Ik bleef daar een poos zitten terwijl het licht helderder werd en er langzamerhand kleine geluidjes tot mijn bewustzijn doordrongen. Een uil die kraste, tamelijk dichtbij. Ver boven me moest de spelonk nog een ingang hebben, want ik voelde meer dan dat ik hoorde dat er talloze kleine schepsels naar binnen en naar buiten bewogen met een krakend, ritselend geluid. En achter dit alles, een van verder komend, allesomvattend geraas, een grote, gedempte, oneindige beweging. De zee. De zee die zo breed was dat hij geen begrenzingen had; de zee die zich in het westen uitstrekte tot de eilanden uit de oude verhalen. De zee die naar het oosten een glinsterend, door de maan verlicht pad vormde; naar het land van de Britten. Ik hoefde niet uit de grot naar buiten te kijken; de ontzaglijke wildheid van de zee was in mijn geest gegrift en ik vreesde hem ook al werd mijn ziel erdoor geboeid. Werden vroeger onze eigen misdadigers niet uitgestoten tot voorbij de negende golf, om te gronde te gaan of ergens op een onherbergzame kust aan te spoelen, al naar gelang de wil van de goden? En was deze vreemdeling, die aan mijn voeten lag te slapen, niet juist van achter de negende golf gekomen, en niet van vlak daarachter, maar van vele malen verder daarachter? Hij had over schepen gesproken, en had het land vervloekt dat hem geen antwoorden had gegeven. Hij was op weg naar huis. Een koud gevoel kroop door mijn lichaam, zodat de haartjes in mijn nek rechtop gingen staan. Hij ging naar huis, en hij zou mij bij zich houden tot ik hem vertelde wat hij zo zielsgraag wilde weten. Ik begreep met een zekerheid die als een steen op mijn hart drukte dat ook ik tot achter de negende golf zou reizen, en dat ik mijn broers zou achterlaten.

Je zou nu weg kunnen gaan, zei mijn innerlijke stem. Je zou weg kunnen gaan terwijl hij slaapt; je zou terug kunnen gaan naar het bos, en je daar weer kunnen vestigen. Hij zal voorlopig nog niet wakker worden, en wanneer hij wakker is, zal hij niet snel ter been zijn. Dat hoorde ik mezelf zeggen, en ik antwoordde mezelf. Ik kan hem niet achterlaten. Zijn been is gewond, zijn vijanden zijn in de buurt. Ik zal niet bij hem weggaan.

Er zaten nog een paar appels in zijn rugzak. Ik pakte er een en at hem op, met pitten en klokhuis en al. Ik nam een slokje water uit de fles; het was koud en zoet. En toen hoorde ik de stemmen. Van diep in de grot, zacht en dwingend, weerklinkend vanuit het duister van de gewelfde ruimte. *Kom hierheen. Kom naar beneden, Sorcha.* En er waren lichtjes, flikkerend als goud en zilver, verlokkende lichtjes vlak om de bocht, die me overhaalden hen te volgen.

Ik voelde me genoodzaakt achter hen aan te lopen, met mijn handen uitgestrekt tastend langs de rotswanden, en mijn blote voeten licht op de harde vloer van de grot. Naar beneden, steeds verder naar beneden naar waar de lucht koel en vochtig was, en het gewicht van de aarde zwaar boven me hing. Naar beneden waar boomwortels in de lucht hingen boven het gewelf; waar kristalhelder water sijpelde en druppelde en donkere poelen vormde onder de stenen pilaren. De lichtjes wenkten, toortsen, lantaarns die steeds net om de volgende bocht bleven. Ik struikelde, en meende dat ik gelach hoorde. En muziek, het zwakke murmelen van een harp, het kwelen van een vedel, en een fluit die een slinger van tonen weefde rond een oude melodie. Dus zelfs zo ver naar het oosten, zelfs op de verste kust had het Feeënvolk zijn verblijfplaatsen. Want ik twijfelde er niet aan of deze plaats waar we bij toeval in waren beland was een van die toegangspoorten waarvan in vele oude verhalen wordt gesproken, een van die poorten tussen onze wereld en de hunne. Ze werden vaak genoeg op dit soort plaatsen aangetroffen, in een grot of een kloof, een opening in de aarde, waar de twee rijken elkaar heel even raakten, wanneer de tijd daarvoor geëigend was.

Uiteindelijk kwam ik bij een zaal, ruimer en grootser dan alle voorafgaande, waar de pilaren van levende steen van de gladde vloer helemaal tot aan het gewelfde plafond reikten, terwijl hun machtige vormen weerspiegeld werden in een langwerpige, roerloze poel. Hier waren ze, en hun lachen en zingen hield plotseling op toen ik naar voren kwam in het licht van hun toortsen. Vele ogen waren op mij gericht. Ik zag een gelaat dat ik kende, bleek en schoon, met een donkere, intense oogopslag en haar als golvende zwarte zijde. Ze knikte ernstig. Maar om haar heen waren nog velen van haar soort, allen groter van gestalte dan een mens, en gekleed in een doorschijnende stof, in gewaden van gaas als vlindervleugels, of zwart en glanzend als het verenkleed van een raaf. Hun hoofden waren bekroond met vreemde versiersels, van veren en schelpen en zeewier, van noten en bessen en bladeren. Hun ogen waren vreemd, diep, wetend, onderzoekend; hun gelaat was tegelijkertijd prachtig en verschrikkelijk. Ze sloegen me zwijgend gade. Toen vernauwde de kring van toortsen zich een weinig en de grootste van de mannen trad naar voren.

'Zo, zo,' zei hij terwijl hij me van top tot teen opnam. 'Hier ben je dan eindelijk, zie ik. Kom naar voren, laat jezelf eens zien.' Ik keek met grote ogen naar hem op. Hoog naar hem op. Zijn gelaat was heel licht, veel lichter dan de toortsen het konden maken; een licht van binnenuit leek zijn huid in goud en zilver te veranderen. Zijn haar stond van zijn gelaat af als een krans van vlammen, en het was stralend rood, behalve bij de slapen waar het door rijp bedekt was, en ook zijn volle baard vertoonde sporen van wit. Zijn ogen hadden geen kleur, en alle kleuren. Hij droeg een eenvoudig, wit gewaad, maar waar het licht erop viel vonkte de stof als door talloze edelsteentjes.

Mijn heer. Ik groette hem zwijgend. Ik wendde me tot de Vrouwe van het Woud, die naast hem stond. *Vrouwe. Wat bedoelt u, eindelijk hier?* Hij wierp het hoofd achterover en lachte, zodat het geluid weergalmde door de grote stenen zaal. Er volgde een geroezemoes van stemmen, dat onmiddellijk wegstierf toen hij ophield met lachen. De Vrouwe lachte niet, maar bleef ernstig naar me kijken.

'Je dacht toch niet dat je hier per ongeluk was?' vroeg de Stralende. 'Of wel? Ik vergeet altijd hoe weinig jouw soort kan begrijpen, hoe beperkt jullie begrip is. Jullie tijd in de wereld is kort, en jullie kennis is navenant.'

Ik ben hier niet gekomen om me te laten beledigen. Ik merkte dat ik snel aangebrand was. Ze hadden me tot nu toe weinig hulp geboden, afgezien van die regenbui, die goed van pas was gekomen, moest ik toegeven. Maar ze mochten dan Feeënvolk zijn, ik was niet van plan me door hen te laten koeioneren. *Wat wilt u van mij?*

'Van jou niets, kind van het woud.' Nu deed zij het woord, de Vrouwe, en in haar stem was tenminste een spoor van warmte. 'Niets buiten dat wat je al weet, dat wat je moet doen. Laat me je handen zien, Sorcha.'

Ik stak ze naar voren en knipperde met mijn ogen toen er een lantaarn dichterbij werd gehouden. Mijn handen werden bekeken.

'Deze handen vertonen geen sporen van recente arbeid,' sprak hij met het vlammende hoofd ontstemd. 'Hoe zullen je broers in leven blijven, als je je taak verwaarloost? Hoe zullen de hemden gemaakt worden, zonder spindel of weefraam?'

Ik keek woedend naar hem op. *Dat is gemeen.* En allen lachten ze weer, de heren en dames, en hun welluidende stemmen vulden mijn oren met zoete verachting.

'Gemeen!' hijgde de Stralende, tussen het lachen door. 'Gemeen, zegt ze? Wat is het nog een kind! Bent u er zeker van, vrouwe, dat dit het goede meisje is? Want ik krijg de indruk dat ze dom is, en lui bovendien.'

Hij kwam naar me toe, nam mijn kin in zijn hand en boog mijn hoofd achterover om me beter te bekijken. Zijn ogen waren heel licht, en veranderden voortdurend. Het was moeilijk om erin te kijken zonder verblind te worden.

'Het is niet nodig mij dat te vragen,' zei de Vrouwe van het Woud.

'U weet heel goed dat zij het is. Ze maakt zich boos over uw vrolijkheid en ze houdt het hoofd geheven, na alles wat haar overkomen is. Er is geen reden om te twijfelen aan haar geestkracht.'
'Ze verwaarloost haar werk. Er is niet veel tijd meer,' zei hij, en nu hield hij mijn handen vast en draaide ze naar alle kanten. 'Is dat uit ijdelheid, vraag ik me af? Huil je omdat je handen nooit meer zacht en blank zullen zijn?'
'Laat haar los.'
Ik keek geschrokken om; de Heer en de Vrouwe en hun gevolg wendden allen hun vreemde, lichtende ogen naar de ingang van de grot waardoor ik was binnengekomen. In het flakkerende licht van hun toortsen zag ik Red die daar wankelend stond, met een krijtwit gezicht; zijn ene hand zocht steun aan de rotswand. De uitdrukking op zijn gezicht was woest.
'Ik zei, laat haar los.'
De handen van de Stralende lieten de mijne los en hij glimlachte, een gevaarlijk lachje dat de Brit volkomen ontging.
'Als je haar nog eens aanraakt, zul je je tegenover mij in bloed moeten verantwoorden,' zei Red uiterst kalm en hij hinkte naar voren om naast me te komen staan. Er volgde een korte stilte; toen bracht het gevolg de handen op elkaar in een traag, spottend applaus. Red wilde zijn arm opheffen, en ik stak mijn hand uit en hield hem tegen. Hij had kennelijk geen flauw idee met wie of wat hij hier te maken had.
De Stralende vouwde zijn armen over elkaar en bekeek ons met een vage glimlach. Ik kan me niet herinneren of hij de taal van de Brit sprak of een andere taal, maar ik weet wel dat we hem allemaal verstonden.
'Heer Hugh van Harrowfield, dat is jouw naam geloof ik? Ze zeggen dat stille wateren diepe gronden hebben; onder dat beheerste masker draag jij een enorm gewicht aan woede met je mee, jongeman. Je bent ver van huis; te ver, zouden sommigen misschien zeggen. Wat brengt je naar de overzijde van de zee, en in het bos, en alleen in het donker tussen vreemden?'
Red keek hem recht in de ogen. Hij steunde nu op mijn schouder; het scheen dat het been zijn gewicht niet veel langer zou kunnen dragen.
'Ik hoef me tegenover u niet te verantwoorden,' zei hij.

'Toch zul je antwoorden,' antwoordde de Stralende, en ik zag een lichtflits als een kleine bliksemschicht uit zijn ogen naar de Brit schieten. Reds ademhaling stokte even; wat het ook was, het had hem pijn gedaan.
'Je zult antwoorden.'
De Brit bleef zwijgen; hij schoof mij opzij zodat ik een beetje achter hem kwam te staan. Ik zag het gelaat van de Stralende verstrakken, en zijn ogen kregen een roodachtige tint. Hij had wel zin in een gevecht van wil tegen wil, maar ik wist dat de uitslag al vaststond. Wie een spelletje speelde met het Feeënvolk hoefde niet te verwachten er ongedeerd vanaf te komen.
Laat hem met rust. Ik zond mijn boodschap naar de drager van de vlammende kroon, maar ook naar de Vrouwe. *Hij weet niet hoe dit spel gaat. Laat hem gaan.*
'Vertel mij dit, heer Hugh.' Nu was het de Vrouwe die sprak. 'Waarom neem je ons meisje met je mee, terwijl je weet dat ze niets anders wil dan naar huis gaan? Ze hoort niet in jouw wereld thuis.'
Dit prikkelde hem om antwoord te geven. 'Het meisje is niet van u, of van mij, of van wie dan ook. Maar voorlopig reist ze onder mijn bescherming, en hij die haar met een hand aanraakt, heeft zich tegenover mij te verantwoorden.'
'Mooie woorden,' zei de Vrouwe. 'Maar je hebt je zwaard en je mes verloren. Je been is tot op het bot opengelegd, je hebt honger en slaapgebrek, en je bevindt je in vijandelijk gebied. Je dreigementen hebben dus weinig om het lijf.'
'Ik heb mijn twee armen, en mijn wilskracht,' zei Red, en hij deed een stap opzij zodat hij mij afschermde van hen beiden. 'Dat is genoeg. Laat hij die durft maar opkomen.' Zijn rug was in elk geval stevig; zelfs als ik op mijn tenen ging staan kon ik met moeite over zijn schouder kijken. Jammer van dat been, dat vrijwel meteen zou bezwijken als het zover kwam. Hij was een dwaas; wel dapper, maar toch een dwaas.
'Ga opzij,' zei de Stralende vermoeid. 'Laat het meisje zich vertonen. We willen haar geen kwaad doen; ze is een van de onzen.' En het moment van spanning leek voorbij te zijn.
'Je hebt een goede keus gemaakt, dochter van het woud,' merkte de Vrouwe op, terwijl ze eerst naar Red keek en toen naar mij.

Wat bedoelt u, ik heb een goede keus gemaakt? Een keus gemaakt? Ik heb niets van dit alles gekozen. Zou ik hier zijn, als ik een keus had gehad?

'Stil, kind. Er is altijd een keuze; dat wist je toen je deze weg insloeg.'

'Je hebt nog geen echt antwoord gegeven, heer Hugh van Harrowfield,' zei de Stralende. 'Je hebt helemaal geen antwoord gegeven. Waarom neem je het meisje weg uit haar bos? Waarom steekt ze de zee over? Wat wil je van haar?'

'Zeg de waarheid,' zei de Vrouwe, en er lag een waarschuwende klank in haar stem.

'Ik ben u niets verplicht, wie u ook bent,' zei Red. 'Ik zal u geen antwoorden geven.'

'Je bent een idioot.' De Stralende hief zijn handen in een gebaar van ergernis. 'Ik dacht dat je wilde weten wat er met je broer gebeurd is, dat dacht ik echt. Maar hou je mond maar als je niets wilt zeggen; als je de goede vragen niet kunt stellen, kun je ook geen zinnige antwoorden verwachten.'

Deze toespraak had een schokkende uitwerking op de Brit. Hij deed plotseling een stap naar voren, zonder aan zijn gewonde been te denken; hij struikelde en viel half; daarna dwong hij zich weer rechtop te gaan staan, terwijl het zweet op zijn gezicht parelde. Er was een nieuwe uitdrukking verschenen in zijn bleke, koele ogen.

'Mijn broer!' hijgde hij. 'U weet iets over mijn broer! Vertel het!'

'Ho, ho, ho... niet zo heetgebakerd,' zei de Stralende sluw. 'Hier beneden krijg je niets voor niets, ook geen inlichtingen. Bovendien is zij degene die je iets kan vertellen, niet ik.' Hij wees met een lange vinger in mijn richting. 'Daarom wil je haar meenemen, hè? Niet omdat ze alleen en hulpeloos is, en omdat ze bescherming nodig heeft; maar om wat ze je kan vertellen. En ze kan je iets vertellen; ze heeft hem gezien, ze heeft met hem gesproken, en hij heeft haar het voorwerp gegeven dat je in je zak hebt en dat je zo angstvallig bewaakt. Vraag het aan haar, zij zal je alles over je lieve broer vertellen wat je wilt weten; en ook nog het een en ander dat je niet wilt weten.'

'Het meisje kan niet spreken,' zei Red, en ik merkte dat hij zijn uiterste best deed om zijn stem te beheersen, 'of ze wil het niet. U

zegt dat ze met mijn broer heeft gesproken; nu spreekt ze niet.'
'O, ze spreekt heel goed,' zei de Heer luchtig. 'Wij horen haar. Ze vraagt ons om op te houden jou te kwellen. Ze zegt dat je te dom bent om gevaarlijk te zijn.'
'Maar ik hoor niets,' zei Red. 'Ze zwijgt. Ze zwijgt altijd.'
De Vrouwe keek hem aan. 'Dat komt doordat je nog niet geleerd hebt hoe je moet luisteren,' zei ze. 'Maar eens zal ze tot je spreken. Kun je goed wachten?'
Red keek woest van de een naar de ander.
'Zeg me alleen dit,' zei hij. 'Leeft mijn broer nog? Zal ik hem vinden?'
Maar de toortsen begonnen uit te doven, en het stralende volk doofde tegelijkertijd uit, en de klanken van gelach en ruisende zijde en de vage tonen van de harp leken opwaarts te verdampen in de koele vochtige atmosfeer van de grot, vergankelijk als de geur van een herfstbloem.
De Vrouwe stond nog voor me toen alle anderen weg waren.
'Neem dit om je weg te verlichten, dochter van het woud,' zei ze. 'Je zei dat je er genoeg van had sterk te zijn. Misschien zul je nu niet meer zo sterk hoeven te zijn.' Ze plaatste een kleine, ronde kaars, die kruidig geurde, in mijn geopende hand. Ze wendde zich tot de Brit.
'Je hebt haar gekwetst met je onnadenkende woorden,' zei ze, en haar ogen hadden alle warmte verloren die ze eerder hadden gehad. 'Zorg dat ze niet nog eens gekwetst wordt.' En voor hij adem kon halen, draaide ze zich om en was weg.
We liepen in volkomen stilte naar boven, naar de oppervlakte; onze handen raakten elkaar om elkaar niet kwijt te raken in de diepe duisternis, die alleen werd verlicht door het flauw flakkerende kaarslicht. Ik hield het kleine lichtje in de palm van mijn hand; het geurde naar rozemarijn, spirea en karwij. Net als het delen van een appel had ook dit allerlei verborgen betekenissen. Ik vroeg me niet voor het eerst af wat voor spel het Feeënvolk speelde.
Boven in de buitenste grot was het ijskoud, want er woei een felle bries uit het oosten naar binnen. Onze kleren waren nog vochtig van de regen, en de mantel was niet veel droger. Het zou een oncomfortabele nacht worden. Niet dat het ernaar uitzag dat ik zou kunnen slapen. Mijn geest draaide alles om en om en gaf me

geen rust. Ik ging aan mijn kant van de grot liggen en sloot mijn ogen, maar ik kon niet ophouden met rillen. En ik dacht: zijn broer! Dat had ik moeten begrijpen. Zijn broer! Geen wonder dat hij zo met oogkleppen op aan het zoeken is. En toen dacht ik: heer Hugh. Heer Hugh van... van ergens. Hoe wisten ze zijn naam? Hij zag er beslist niet uit als een heer van waar dan ook, met zijn kort afgeschoren haar en zijn versleten kleren; en zijn vrienden spraken tegen hem als tegen een gelijke. Aan de andere kant herinnerde ik me hoe mijn vader zijn mannen had gewaarschuwd er zorg voor te dragen dat Simon die nacht in leven bleef. Hij was een belangrijke gevangene geweest; misschien iemand die in de toekomst bij onderhandelingen van waarde zou kunnen zijn. Dus misschien was zijn broer werkelijk heer Hugh van de een of andere plaats. Ik vond dat Red beter bij hem paste. Bij de Vrouwe, wat was het koud. Ik wilde maar dat de ochtend kwam; maar mijn geest schrok terug voor de problemen van de volgende dag. Ik draaide me op mijn andere zij, in een poging een gemakkelijke houding te vinden.

'Je rilt,' zei de Brit vanaf de andere kant van de grot. 'Je kunt beter hier bij mij komen liggen. Die mantel kan ons allebei bedekken.' Maar ik schudde mijn hoofd en trok de natte mantel strakker om me heen. Na wat me was aangedaan dacht ik niet dat ik ooit naast een man zou kunnen liggen, zelfs niet om te slapen, zelfs niet bij iemand die ik vertrouwde. En hem vertrouwde ik niet, met zijn koele ogen en zijn zwijgende stemmingen.

'Je hoeft niet bang voor me te zijn,' zei hij. 'Het zou een stuk warmer zijn.' Maar ik trok me terug in mezelf, sloeg mijn armen om mijn borstkas en trok mijn knieën hoog op; ik maakte me klein onder de mantel. Ik staarde naar de kaars; hij brandde nog met een kleine, gouden vlam in de ruimte tussen ons in. Het bleef een tijd stil.

'Doe maar wat je wilt,' zei Red. Hij lag op zijn rug en staarde omhoog naar het gewelfde plafond van de grot, en het kaarslicht blonk flakkerend op zijn neus met de hoge neusbrug, en zijn gespannen kaak, en zijn sombere, strakke mond. Ik sliep bij vlagen, met flarden van half geziene nachtmerries, met fragmenten van pijnlijke herinneringen en beelden van een onvoorstelbare toekomst. En elke keer dat ik wakker werd, keek ik naar de andere kant en zag hem uitgestrekt liggen met zijn hoofd op zijn rugzak, en zijn gezicht wit in het maanlicht, en zijn ogen wijdopen. Maar één keer werd ik wakker en zag dat hij roerloos rechtop zat en naar de opening van de grot staarde. Toen ik die kant opkeek, zat daar op een donkere tak die zich dwars voor de opening uitstrekte een volmaakt witte uil, die met een fijne snavel zorgvuldig haar veren poetste en van tijd tot tijd naar ons keek met haar glanzende, oeroude ogen. Met ingehouden adem keek ik naar haar, en toen ze ten slotte haar grote vleugels spreidde en opvloog, kreeg ik een gevoel van eindigheid van alles, een voortgaan en vertrekken dat niet kon worden tegengehouden door het verbranden van magische kruiden, door tussenkomst van de mensen- of van de geestenwereld. Het was even onvermijdelijk als de dood, en ik drukte mijn handen tegen mijn mond om geen geluid te maken.

'Wat is het toch,' zei Red fluisterend, 'wat is dit voor vuur in mijn hoofd, dat me niet wil laten rusten?' Ik keek even naar hem; maar hij had het niet tegen mij.

Tegen de ochtend vielen we beiden in een uitgeputte slaap. Het was maar goed dat we, toen de eerste stralen zonlicht zich in de hemel begonnen te verspreiden, door een van zijn eigen mannen gevonden werden, en niet door Seamus' mannen. Ik kwam met een schok tot bewustzijn en stond beverig op, en hij was ook bezig op te staan, maar langzamer door zijn been; we waren allebei wakker geworden van een ritselend geluid in de struiken buiten. Er was nauwelijks tijd om na te denken. Toen hoorden we de roep van een zeevogel, vlakbij; en Red verbaasde me door zijn handen aan zijn mond te zetten en dezelfde roep te herhalen. Het was een signaal; een minuut later verscheen er in de opening van de grot een gestalte met vlasblond haar, in bevlekte reiskleding en op afgesleten laarzen; hij hield het groen opzij om lichtelijk buiten adem naar binnen te stappen.

'Een steile klim,' zei Ben, want het was de metgezel van de Brit; hij boog voorover om op adem te komen, met zijn handen op zijn knieën. En achter hem verscheen de andere man, John. Hij keek naar mij, en toen naar Red, met een vragende uitdrukking op zijn gezicht.

'Je hebt haar dus nog steeds bij je,' zei hij.

Red fronste zijn voorhoofd. 'Ik heb toch gezegd dat jullie zonder mij verder moesten gaan,' zei hij. 'Hoe zit het met Roodbaard en zijn mannen? Hebben die jullie niet achtervolgd?'
Ben grijnsde. 'Jawel, maar we zijn snel en stil en we hebben een paar handigheidjes toegepast. Er was even een probleempje in de baai, maar niets wat we niet aankonden.'
'Ik heb toch gezegd dat jullie zonder ons verder moesten gaan,' herhaalde Red. Het klonk alsof hij het niet op prijs stelde als zijn bevelen niet werden opgevolgd. Zelf was ik nog nooit zo blij geweest iemand te zien als toen ik dat tweetal zag. Nu was er tenminste een kans hem heelhuids langs het klif naar beneden te krijgen, zelfs met dat been.
'We zijn vannacht voor anker blijven liggen,' zei John. Het klonk absoluut niet verontschuldigend.
'Het was ruig genoeg om je maag binnenstebuiten te keren,' voegde Ben er beeldend aan toe. 'En hier zijn we dus weer. Misschien wil je graag zelfmoord plegen door de held uit te hangen, maar je hoeft niet van ons te verwachten dat we je daarbij helpen.'
'De boot ligt klaar onder de rotsen beneden,' zei John. 'Volgens mij hebben we nog tijd genoeg voor zonsopgang; als het een beetje wil, kunnen we weg zijn voor ze wakker worden. Maar dan moeten we nu wel gaan, en snel. Het was een bof dat we jullie zo snel vonden.' Red zei niets, maar grabbelde naar zijn rugzak, en hinkte naar voren.
'Fantastisch,' zei Ben, met een blik op het geïmproviseerde verband, en Reds gezicht. 'Hoe had je eigenlijk verwacht hier weg te komen zonder ons? Je was dit pad nog niet voor de helft af gekomen; het is zo steil als een kerkdak, en het brokkelt onder je voeten af.'
'Het zou best gelukt zijn,' zei Red. Zijn metgezellen keken mij en elkaar aan, maar er werd niets meer gezegd.
Terwijl we de grot uitgingen, keek ik om me heen naar de rest van de kaars, want er hing nog iets van de kruidengeur in de ochtendlucht. Maar ik was te laat. Red bukte zich al, moeizaam, om het kleine restant van de rotsbodem op te rapen. Hij hield het even in zijn hand en stopte het toen in een van zijn zakken.
'Onzin, natuurlijk,' zei hij bij zichzelf. De anderen waren al bij de ingang van de grot; Ben stond op de uitkijk en John haalde tak-

ken weg om de doorgang veiliger te maken. 'Het waren maar dromen. Maar wat voor dromen. Een man zou zijn verstand kunnen verliezen in dit vervloekte land.'
Toen draaide hij zich om en ging naar buiten, en ik volgde hem, want er scheen niets anders op te zitten.

HOOFDSTUK ACHT

Ik heb me later afgevraagd waarom mijn hart niet brak toen ik wegging over zee, ver van het bos, zonder een teken achter te laten dat mijn broers zouden kunnen interpreteren, een landkaart of tekening om aan te geven waar ze me zouden kunnen vinden. De boot voer naar het oosten en iets naar het zuiden; ik nam aan dat we op weg waren naar Brittannië. Maar waar? Als ik in staat was geweest om te denken, als ik mezelf was geweest, zou die dag bijna onverdraaglijk zijn geweest. Maar de zee was niet alleen onvoorstelbaar groot, hij werd ook woelig gemaakt door rukwinden, en het duurde niet lang of ik hing over de zijkant van de kleine zeilboot, krampachtig kokhalzend terwijl mijn lichaam het beetje voedsel dat in mijn maag zat uitstootte. Tussen de krampen door hoorde ik het bijtende commentaar van de twee mannen, Ben en John, en van de norse schipper die het roer vasthield. Red was met andere dingen bezig en zei niets. Ik vroeg me af hoe ver hij hen zou laten gaan, voor hij besloot hun mee te delen dat ik hun grappen en vloeken kon verstaan. Ondanks al die grappen hielden ze om beurten mijn hoofd vast, en veegden ze mijn gezicht af, en beschutten ze me tegen de wind. De reis leek een eeuwigheid te duren, en ik zwoer in stilte dat wanneer ik uiteindelijk naar huis terugkeerde, dat de allerlaatste keer zou zijn dat ik over zee zou reizen. Ik voelde me zo ellendig dat ik bijna aan niets anders kon denken dan mijn opstandige ingewanden en mijn pijnlijke hoofd. En zo gleed mijn vaderland weg bijna zonder dat ik de pijn van het scheiden voelde.

Eindelijk hield het deinen op en lag de boot stil. Het schemerde al, en ik kon meeuwen horen schreeuwen. De mannen praatten met gedempte stemmen. *Noormannen*, zeiden ze, en *hou je gedeisd*. Toen werd ik uit de boot getild en de beschutting van een ondiepe grot binnengedragen, niet veel meer dan een rotsplaat waaronder de wind minder fel woei. Ik lag daar in mijn mantel gewikkeld te rillen. Ik had niet eens genoeg energie om bij het laatste licht om me heen te kijken om te proberen vast te stellen waar we geland waren.

'Geen vuur,' zei Red. 'John, jij neemt de eerste wacht. Daarna wek je mij. We moeten voor zonsopgang weer vertrekken; hoe minder aandacht we hier trekken hoe beter. We kunnen hier op de eilanden veilig voor anker liggen, maar zodra we weer op open zee zijn, vormen we een gemakkelijke prooi, zowel voor Noormannen als voor Picten.'

De moed zonk me in de schoenen. We zouden bij zonsopgang weer vertrekken. Er kwam dus nog meer. Dit was maar een punt halverwege, en we moesten doorvaren, op en neer, op en neer...

'Het meisje is er niet best aan toe,' zei John onomwonden. 'Je moet proberen haar tenminste een beetje water te laten drinken, als je wilt dat ze de reis overleeft.'

Hierop volgde geen antwoord, maar enige tijd later werd er een beker water naast me neergezet, en ik pakte hem en dronk eruit, want ik wist wat goed voor me was. Het lukte me het binnen te houden, en ik begon me iets beter te voelen. Maar ik had het koud, en mijn ledematen waren verstijfd en pijnlijk. Ik ging rechtop zitten en keek om me heen.

De bleke zandvlakte en de puntige rotsen eromheen baadden in koel maanlicht. We bevonden ons vlak bij het water, want het stuk strand dat schuin opliep naar deze halve schuilplaats was maar smal; en boven het zachte gefluister van de golfjes die aanrolden en zich terugtrokken meende ik de diepe, holle stemmen van vreemde wezens te horen, die ver buiten in het donker naar elkaar riepen. Op de plaats waar de rotsen de zee in liepen, stond John over het water uit te kijken.

'Hier.' De andere twee, Ben en Red, zaten niet ver van me af met hun rug tegen de rotswand, en ze aten. De schipper lag te slapen. Nu bood Ben me een reep gedroogd vlees aan, en ik huiverde bij het zien ervan.

'Ze eet appels,' zei Red. 'Hier, probeer dit eens.'
Mijn maag begon tot rust te komen en ik besefte dat ik enorme honger had. Hij sneed de vrucht keurig in stukken en gaf me partje voor partje aan, tot ik alles op had.
'Goed zo,' zei hij goedkeurend. 'Sta nu op en ga wat lopen om de kramp uit je benen te verdrijven, want we hebben morgen nog een zeereis voor de boeg. Maar doe het wel stil. We liggen hier wel veilig voor anker, maar we mogen geen risico nemen.'
Ik liep over het zand en strekte mijn pijnlijke benen, en ik keek uit over het water en probeerde te zien wat er in de verte lag. Maar het was nacht, en ik wist niet zeker of ik land zag, of dat ik alleen wenste dat daar land was in het donker. Later sliep ik, ook al had ik het koud, en toen brak de dag aan en was het tijd om weer te vertrekken.
Ik hoorde Red tegen de schipper zeggen dat hij recht op de priorij af moest koersen. Ik hoorde de mannen over paarden praten; ze hadden het erover hoe snel ze naar huis konden rijden, en genoten bij voorbaat van eten en wijn en een warm haardvuur. Toen keek ik achterom naar waar we vandaan waren gekomen. Ik keek achterom naar de plek waar we overnacht hadden en ik besefte wat het was. De zee was kalm en de dageraad kleurde het water parelmoerachtig blauw en grijs en roze. Enigszins ten noorden van ons lag een groot eiland; laag, bebost en bespikkeld met tekenen van menselijke bewoning. Maar dat was niet het eiland waar we aan land waren gegaan.
'Daar gaan we nooit heen,' zei Red, die naar me keek. 'Als je in een van die baaien landt, heb je evenveel kans een Ostman of een Noorman tegen te komen als een vriend. Daarom gebruiken wij het Kleine Eiland.'
Ik had het eerder niet begrepen, toen hij erover sprak. Ik was te moe en te misselijk geweest om te denken. Maar daar achter ons in de glanzende zee lagen drie eilanden, die al uit het gezicht verdwenen nu ons bootje in oostelijke richting voer. Het waren niet veel meer dan rotsen in de grote zee, plaatsen waar vogels konden nestelen en waar zeewier zich kon vasthechten aan gladde oppervlakken. Het waren plekken die een visser misschien zou passeren zonder er veel aandacht aan te besteden, behalve om voorzichtig te zijn in de buurt van de scherpe klippen die het groot-

ste eiland omgaven. Maar zelfs zonder naam wist ik wat dit voor eilanden waren. Het Grote Eiland, het Kleine Eiland en de Naald. Ik had op de mystieke grond van de Eilanden geslapen, en ik had het niet eens geweten, tot ik alweer weg was. Ik bleef achter ons kijken tot de hoge steenpilaar die de Naald heette, uit het gezicht verdwenen was; toen begon mijn maag te golven en ik leunde overboord en het begon weer.
Het duurde nog bijna een hele dag; we zeilden naar het oosten en toen nog een stuk naar het noorden, voor er weer land in zicht kwam. Er waren klippen en branding, en daarachter rees een golvende, groene heuvel op, bespikkeld met bosjes van eiken en beuken. Hoog op de heuvel stond een lang, laag gebouw, en een toren met een kruis. Het scheen dat we daar zouden overnachten, voor we verder gingen.

Het was een huis vol vrouwen; heilige zusters, die net als pater Brien het christelijk geloof beleden, maar die hier in tegenstelling tot mijn eenzame vriend, als gemeenschap samenleefden. Wat ze ervan vonden dat wij plotseling bij hen aanklopten, was moeilijk na te gaan. Ze schenen heer Hugh te kennen, en ze behandelden hem met eerbied, zelfs bijna onderdanig. Ik werd al snel zorgzaam mee naar binnen genomen en de mannen trokken zich ergens anders terug om op eten en drinken te wachten. John had me van de landingsplaats naar boven gedragen; de brave zusters hoefden maar even naar me te kijken om hem te zeggen dat hij me aan hun zorg kon overdragen. Terwijl ze me meenamen, keek ik radeloos om me heen of ik mijn rugzak zag; hij had in de boot gelegen, dat wist ik, maar toen ik zo naar was, had ik hem vergeten. Van nu af aan mocht ik mijn taak niet meer verwaarlozen, dat had het Feeënvolk duidelijk gezegd. Waar waren mijn drie sterrenkruidhemden? Ze moesten goed worden bewaard, dat was het enige wat van belang was. Zwanen konden erg gemakkelijk sterven; door de pijl van een jager, in de kaken van een wolf, door de vorst in de winter. Hoe was het mogelijk dat ik er zo lang niets aan had gedaan? Terwijl de zusters me meenamen, probeerde ik nog achterom te kijken. De mannen gingen juist het gebouw uit. Terwijl hij de deur uitliep, draaide Red zich even om. Hij zag mijn radeloze blik en maakte een gebaar naar zijn eigen rugzak, waar hij mijn kleine tas bovenin had gestopt. Toen was hij weg. In het eigenlijke klooster mochten alleen vrouwen komen. We zouden de mannen later zien, vertelde de zuster, bij het avondmaal. Nu moest ik met haar mee komen, want, zo zag ik aan haar opgetrokken neus, ik moest hoognodig gewassen worden.

Ik was misselijk en uitgeput. Ik liet hen begaan; ze goten warm water over me heen en wasten me van top tot teen; ze slaakten ontstelde kreten over de manier waarop mijn botten naar buiten staken, over mijn kapotte handen; met strakke lippen constateerden ze mijn andere verwondingen die nog niet helemaal genezen waren, en stelden vriendelijke maar intelligente vragen over wie ik was en waar ik vandaan kwam. Ze wasten mijn haar met rozemarijnolie en spoelden het uit met lavendel. Ze haalden een gewaad van zelfgeweven stof en een gordel voor me, en ze voerden me brood en melk terwijl een jonge novice met een fris, blozend gezicht zich aan de langdurige, ondankbare taak zette mijn haar te kammen. Ze pasten op dat ze me niet te veel lieten eten; ik wist zelf heel goed welke uitwerking dit zou kunnen hebben op iemand die lange tijd geen behoorlijke voeding had gekregen. Hierna rustte ik, met mijn pas gevlochten haar op mijn rug, en mijn schone kleren die onprettig schuurden tegen mijn huid. Langzamerhand hield het wervelen en draaien van de wereld om me heen op, en kwam mijn maag tot rust. Een zuster met een kalm voorhoofd kwam bij me zitten, maar toen ze dacht dat ik sliep, liet ze me alleen in de kleine cel met gewitte muren, waar als enige versiering een eenvoudig kruis van essenhout hing. Ik kon niet slapen, maar lag daar na te denken; later stond ik op en liep de tuin in die daar nu vaag en vredig in de schemering lag. Hij was goed onderhouden, met keukenkruiden in keurige rijtjes, met droogbloemen en groenten voor de tafel harmonieus bijeen in de kleine ruimte. Ik voelde me beter toen ik daar tussen de koolplanten op de aarde zat, met mijn handen om mijn knieën. Het was erg lang geleden dat ik binnenshuis had geslapen.

Ik rook de weldadige geur van versgebakken brood, en een hartige soep die stond te trekken. Aan de andere kant van de tuin zag ik licht branden in het gebouw, en ik hoorde vaatwerk rammelen. Een tijdje tevoren hadden klokken geluid; misschien waren de zusters in gebed. Maar nu hoorde ik stemmen buiten de tuinmuur.

'... het beste zijn haar hier te laten. Ze is niet sterk genoeg om verder te reizen. Ze heeft een tijd rust nodig, goed eten en geestelijke begeleiding.'
'Dat is niet mogelijk. We zijn al te lang weggebleven. Uw gastvrijheid voor vannacht is heel welkom, maar we moeten morgenochtend weer verder.'
Ik hoorde de zuster zuchten. 'Vergeef me, heer Hugh. Ik hoop dat u de raad van een oude vrouw ter harte zult nemen, en mijn woorden niet verkeerd zult begrijpen. Dit is nog maar een kind, en ze is gekwetst, denk ik, erger dan u misschien weet. Laat haar bij ons, en reist u zelf verder als het niet anders kan. Het zal beter voor haar zijn als ze hier is, en beter voor u als u haar achterlaat.'
Het bleef een tijd stil.
'Ik kan dat niet doen,' zei hij. 'Het meisje reist met mij mee.'
'Hebt u eraan gedacht hoe het voor uw familie zal zijn, als u met haar terugkomt op Harrowfield? Haar soort is hier niet welkom; en u hebt machtige vijanden.'
'Denkt u dat ik haar niet kan beschermen?'
'Heer, ik twijfel niet aan uw kracht en uw integriteit. Maar ik denk wel dat u niet helemaal begrijpt waar u aan begint. Misschien bent u niet helemaal op de hoogte van de felheid van de gevoelens tegen deze mensen. Als u een verweesde uil tussen uw kippen huisvest, kunt u niet verwachten dat het bij opgezette veren blijft. Als u dit doorzet, stelt u niet alleen het meisje bloot aan agressie, maar riskeert u uw eigen veiligheid en die van uw familie.'
Hierop volgde geen antwoord. Ik hoorde hen heen en weer lopen op een kiezelpad, dat waarschijnlijk vlak buiten de moestuin lag.
'Ik moet u een vraag stellen,' vervolgde de non op eerbiedige toon, 'en dit moet u niet verkeerd opvatten. Ik ken u al heel lang, heer, en daarvan ben ik me bewust, als ik een zo gevoelige kwestie aanroer. Ik zei al dat het meisje gekwetst is. Ze is amper meer dan een kind; vermoeid, hongerig en verdrietig. Maar toch is ze ook een vrouw; en ze is niet lang geleden door een man misbruikt. Ik moet u vragen in hoeverre u uw metgezellen vertrouwt. Ik zal u niet beledigen door te suggereren...'
Red vloekte krachtig en ik hoorde het knerpen van laarzen op de steentjes van het pad, alsof hij een plotselinge, heftige beweging maakte.

'Gezien dit feit,' vervolgde de zuster kalm, 'bent u misschien bereid nog eens te overwegen of het verstandig is haar mee terug te nemen naar uw huishouden? De stilte en contemplatie die wij hier beoefenen kunnen genezend werken op lichaam en geest. En hier zal ze niet bang hoeven te zijn.'
Er viel weer een lange stilte.
'Ik dank u voor uw advies,' zei hij ten slotte, en aan de vormelijke klank van zijn stem hoorde ik dat hij afstand van haar nam. 'Ik zal misschien nog een nacht wachten, tot het meisje uitgerust is. Dan gaan we door naar Harrowfield.' En daarmee scheen het gesprek beëindigd te zijn, en ze liepen weg tot ik hen niet meer kon horen.
Gedurende de dag en de twee nachten die ik daar doorbracht verkreeg ik twee dingen. Ik wandelde 's morgens vroeg in de tuin, en daar achter de keurige rijtjes groenten, de met touwtjes bespannen staken die klaarstonden voor hun kruipende bedekking van erwten of bonen en de vers omgezette mesthoop, zag ik een bekende plant staan. Hij was niet helemaal misplaatst in dit huishoudelijke tafereel, want de bladeren leveren een mooie gele verfstof op, als je bereid bent de gemene stengels te hanteren. Er waren twee zusters die zwijgend bezig waren in de tuin, en ik kon hun in gebarentaal duidelijk maken wat ik wilde hebben. Er werd ernstig onderling beraadslaagd en een van de twee liep weg, misschien om de raad van de priores te vragen, of om het aan Red te vragen. Hoe dan ook, toen ze terugkwam, had ze een zak en een mes bij zich, en die gaf ze aan mij zonder verdere vragen te stellen. Mijn blijdschap was waarschijnlijk op mijn gezicht te lezen, want de zusters glimlachten terug en gingen door met hun werk terwijl ik met al mijn kracht op de planten aanviel. Tegen het einde van de ochtend had ik een flinke zak vol sterrenkruid, genoeg om tot midwinter mee te doen, dacht ik. Ik probeerde er niet aan te denken wat er zou gebeuren als ze me niet zouden toestaan te spinnen, weven en naaien, op de plaats waar we heen gingen.
Het tweede wat ik kreeg was een naam. De priorij mocht dan een plaats van kalme contemplatie zijn, maar het ontbrak de heilige zusters niet aan opgewektheid, en de avondmaaltijd bood gelegenheid om zich te ontspannen, en zelfs geanimeerde gesprekken te voeren. Sommige zusters beleefden, dacht ik, veel plezier aan

de onverwachte aanwezigheid van drie mannen aan hun tafel, en ik vermoedde dat de oudere zusters van mening waren dat een beetje vrolijkheid geen kwaad kon voor de ziel, na de lange dagen van stille meditatie. Toen we de tweede avond aan tafel zaten, begon een van de zusters erover.

'Uw jongedame moet een naam hebben,' zei ze. 'U kunt haar niet 'meisje' blijven noemen alsof ze een hond is die u op de voet volgt. Heeft ze een naam?'

'Als ze er een heeft, kan ze ons niet vertellen hoe hij luidt,' zei John. 'Maar u hebt gelijk, zuster. Elk levend wezen moet een naam hebben.'

'We moeten zorgen dat ze er een krijgt voor u naar huis terugkeert,' zei de priores. 'Een nette, christelijke naam. Elizabeth misschien, of Agnes. Agnes lijkt me wel geschikt.'

Een van de jonge novices mengde zich in het gesprek. 'Ze doet me denken aan een klein vogeltje, een winterkoninkje misschien,' zei ze glimlachend, 'met haar fijne bouw en haar heldere ogen. Wij noemen de winterkoning *jenny*. Jenny zou een goede naam zijn.' Ze zag dat de moeder-overste naar haar keek en zweeg blozend.

'Eerder een kleine, felle roofvogel, eentje met een scherpe snavel,' mompelde Red, die naast me zat. 'Een uil misschien, die alleen spreekt wanneer de rest van de wereld slaapt.' Toen zei hij luider, zodat de rest het kon horen: 'Jenny is goed wat mij betreft.'

En zo werd ik Jenny, een vreemde kleine naam die helemaal niet op mijn eigen naam leek, maar het was beter dan met een vingerknip te worden opgecommandeerd. En op de tweede ochtend stonden er paarden voor ons klaar en we reden kort na zonsopgang weg en lieten de zusters achter, die zwijgend bij de poort stonden, en van wie er tenminste één haar voorhoofd bezorgd had gefronst. Maar het leek weer alsof alles gebeurde zoals Red het wilde. En dus reden we verder naar Harrowfield.

Stelt u zich voor: een groene geplooide vallei, waar zachte vegen van essen en beuken hier en daar doorbroken worden door de krachtiger vormen van eiken, die nog hun bonte herfsttooi dragen. Onder in het dal kronkelt een blinkende rivier waarvan de oevers zacht zijn afgebiesd met treurwilgen. Het pad volgt de gang van de rivier en maakt telkens bochten tussen verzorgde velden, langs huisjes en schapenweiden, stallen en schuren. De boerenmensen komen naar buiten om de langstrekkende reizigers met grote ogen te bekijken, en hun gezichten stralen een hartelijk welkom uit wanneer ze de drie mannen herkennen, die nu ieder een witte mantel over hun bevlekte reiskleding dragen. Dit kledingstuk, dat ze kort voor de vallei begon onder uit hun rugzak hadden gevist, heeft op rug en borst een blauw blazoen. Het is een teken van wie zij zijn en waar ze vandaan komen; het is de afbeelding van een eik met forse, gespreide takken, met een cirkel eromheen, en eronder golvende lijnen die water zouden kunnen voorstellen. De landlieden roepen: 'Welkom terug, heer!' 'Het was een goede oogst, heer Hugh! En uw terugkeer maakt hem nog beter!' Degene tot wie dit gericht is, glimlacht niet; het lijkt erop dat hij zelden glimlacht. Maar hij neemt hun groet met beleefde ernst in ontvangst, en houdt een enkele keer zijn paard in om een uitgestoken hand te pakken, om een baby aan te raken die hem wordt voorgehouden met het verzoek of hij hem wil zegenen. En wanneer hij langzamer rijdt, kunnen de mensen ook een blik werpen op de bleke jonge vrouw die achter hem zit, gewikkeld in een donkere mantel, en haar zwarte krullen die door de wind uit haar keurige vlecht zijn losgetrokken, en haar handen die zich aan zijn riem vastklemmen om haar evenwicht te bewaren na een lange, vermoeiende rit. Vragen zullen ze niet stellen; dat past hun niet. Maar ze zwijgen plotseling, en nadat de ruiters voorbij zijn gereden, mompelen ze onder elkaar, en hier en daar maakt iemand onopvallend met de vingers een teken om kwaad af te weren.

Zo was onze aankomst op Harrowfield. De vallei opende zich voor ons, en een lange, lage hofstede kwam in het gezicht. Er waren veel gebouwen, een fraaie schuur, stallen en een groep huisjes in de nabijheid van het grote huis. Er waren keurige stenen muren en een laan met hoge, rechte bomen. De ruiters stonden stil, en Red keek achterom.

'Gaat het?' vroeg hij. Ik knikte zwijgend. Het was allemaal nieuw, alles veranderde steeds. Ik was niet zozeer bang; maar ik had geen idee hoe het zou zijn wanneer we bij zijn huis aankwamen. Ik had genoeg gehoord en gezien om geen hartelijk welkom te verwachten. Was ik een gevangene, een gijzelaar? Was ik een dienares? Zou ik onder bewaking staan tot ik hem uiteindelijk de informatie gaf die hij wilde horen, en vrijgelaten kon worden? Of zouden ze proberen me met andere middelen te laten spreken, zoals mijn familie bij zijn broer had gedaan? Ik dacht niet dat ik daar goed tegen zou kunnen. De Vrouwe van het Woud had hem opgedragen te zorgen dat ik niet weer gekwetst werd. Maar voor een Brit was het niet mogelijk het onderaardse rijk en de wonderen die het bevatte te accepteren; Red deed het af als een droom. Hij zou nooit begrijpen waarom ik deed wat ik deed; het was veel gemakkelijker dit af te doen als een soort waanzin, een vreemde geestesziekte die mij ertoe bracht mezelf pijn te doen, zonder redelijke gronden. Hij mocht dan een intense liefde voor zijn broer koesteren; maar dat kon toch nooit te vergelijken zijn met wat ik voor mijn broers moest doen.

Zonder dat er een zichtbaar teken werd gegeven, zetten de drie mannen hun paarden gelijktijdig aan tot een pittige, korte galop en ik moest me steviger vasthouden dan ik prettig vond. We reden in snelle vaart tussen de hoge, goudgele populieren door, en Ben liet een kreet van vreugde horen en lachte breed terwijl zijn haar achter hem in de wind wapperde als een stralend banier. Johns ogen stonden verlangend. En zo klepperden we een binnenplaats op die even keurig was opgeruimd als alles hier en hielden stil voor een brede, stenen trap en een massieve eiken deur die open was gezet. Ze hadden op de een of andere manier bericht gekregen van onze komst, want op de trap stond een gezelschap ons op te wachten. Vanuit het niets verschenen er goedgetrainde knechten om de teugels aan te nemen en de vermoeide paarden weg te leiden, en er kwam een kleine menigte om ons heen staan. Het eerste wat Red deed nadat hij me van het paard had getild, was zijn eigen rugzak te pakken en tegen een knecht te gebaren dat hij hem zelf wilde dragen. Toen liep hij naar voren, en met zijn vrije hand hield hij mijn pols vast zodat ik hem wel moest volgen.

De vrouw die daar stond te wachten, zag mij niet. Ze had alleen ogen voor Red.

'Moeder,' zei hij zacht.

'Hugh,' zei ze, waarbij ze dezelfde zelfbeheersing toonde die ik van haar beide zonen kende. Ik zag aan haar dat ze weerstand bood aan de aanvechting om in huilen uit te barsten, of hem stevig te omhelzen, of zich op een andere manier ongepast te gedragen in het bijzijn van het voltallige huishouden. 'Welkom terug. Welkom, Ben, John. Jullie zijn lang weggeweest.' Er lag een wanhopige vraag in haar ogen, die onuitgesproken zou blijven tot een later ogenblik.

'Welkom thuis, meneer.' 'Welkom, heer.' Er waren veel mensen uit het huishouden die heer Hugh wilden begroeten; ze dromden om ons heen, sloegen hem op de schouder, pakten zijn hand. Hij had de rugzak neergezet, maar hield mij nog steeds vast; ik liep gevaar te verdwijnen in het gedrang. Ik ving een glimp op van Ben; hij grijnsde nog steeds breed en was omringd door een horde knappe meisjes. Wat verder weg zag ik John met een kleine, blonde vrouw die een paar jaar jonger was dan hij. Ze was zwanger; ik schatte dat ze over minder dan drie maanden zou bevallen. Zijn vrouw. Ze hing aan zijn arm, en hij keek op haar neer alsof de wereld voor hem niet bestond, behalve in haar. Ik dacht: ook hij toont diezelfde zelfbeheersing. Wat moet hij ernaar verlangd hebben thuis te komen, wat moet dit een kwelling voor hem zijn geweest, die lange maanden overzee. En toch was hij Red gevolgd zonder vragen te stellen. Er bestond hier een soort trouw dat mijn begrip te boven ging.

Pas toen we ons uit dit blijde, pijnlijke welkom hadden losgemaakt en ons binnen hadden teruggetrokken merkte de vrouwe mijn aanwezigheid werkelijk op. Er werd een bediende uitgestuurd om wijn te halen; we gingen naar een zaal in het huis, waar in de haard een grote hoeveelheid essen- en meidoornhout was opgestapeld, maar nog niet aangestoken, want het was een zachte dag. Ze nam plaats op een zittekist bij de haard en wenkte haar zoon om bij haar te komen zitten. Onze reisgezellen waren verdwenen. Voor beiden wachtte, nam ik aan, een eigen welkom. Red ging dus bij zijn moeder zitten, en strekte voorzichtig zijn gewonde been naar voren. De lange rit was allesbehalve de juiste behandelmethode geweest voor een goede genezing. En ik kon bij zijn stoel blijven staan en voelde me volkomen alleen in een kring van nieuwsgierig starende blikken. Hij hield me nog steeds bij mijn pols vast, zodat ik niet weg kon lopen. Zijn moeder keek me recht in mijn ogen. Haar gezicht was rond en zacht onder het dunne batist van haar sluier; er was een netwerk van fijne rimpeltjes om ogen en mond. Kleine krulletjes piepten onder de hoofdtooi uit en toonden een verbleekte goudblonde kleur. Ze had vroeger dezelfde kleur haar gehad als haar jongste zoon, en haar ogen waren hetzelfde stralende maagdenpalmblauw. In de uitdrukking op haar gezicht zag ik geschoktheid, en angst, en iets als afkeer. Ze sprak geen woord. Red liet mijn pols los.

'Het spijt me,' zei hij. 'Ik had gehoopt hem thuis te brengen. Zelfs na zo'n lange tijd hield ik het voor mogelijk. Zoals u ziet, heb ik hem niet gevonden. En ik heb geen bericht voor u. Ik betreur het dat ik niet heb kunnen... dat ik...'

'Ik heb geleerd niet te veel te hopen,' zei zijn moeder, en ze knipperde met haar oogleden om de tranen terug te dringen. Als ze zou huilen, zou dat later gebeuren, wanneer ze helemaal alleen was. 'Jij bent veilig thuis. Daar moeten we dankbaar voor zijn.'

'Het was alsof hij in rook was opgegaan,' zei Red. 'Het is werkelijk een heel vreemd land, en het wemelt er van de verhalen over zulke gebeurtenissen. Allemaal onzin natuurlijk. Maar we zijn heel dicht bij de plek gekomen waar zo velen van Richards mannen zijn omgekomen. Dat hij daar is geweest, staat buiten kijf. Er was alleen geen spoor, geen teken dat erop wees dat Simon ooit bij hen was geweest. We spraken met iedereen die we konden vinden, in het diepste geheim. Niemand had ooit gehoord dat er mensen gevangen waren genomen, en ook niet van vluchtelingen of gijzelaars. Ik kom met lege handen terug, moeder. Het spijt me; het spijt me dat mijn afwezigheid u heeft ontriefd; het spijt me dat ik geen antwoorden meebreng.'

'Ik moet bekennen dat ik op iets had gehoopt,' zei ze. 'Niet dat hij thuis zou komen, na al die tijd nog. Maar iets, een klein teken dat me zou zeggen of hij leeft of gestorven is, een of ander antwoord om een einde te maken aan dit verschrikkelijke wachten.'

Het bleef even stil.

'Er was niets,' zei Red. 'Helemaal niets.'

Ik merkte dat ik mijn adem had ingehouden, en dat ik nu opeens uitademde. Maar ik was nog niet veilig.

'Je schijnt niet helemaal met lege handen te zijn teruggekomen,' zei zijn moeder, en ze bekeek me van top tot teen alsof ze een stuk braadvlees inspecteerde dat niet naar tevredenheid was. Ik beantwoordde haar blik zonder te verblozen. Ik schaamde me niet voor het feit dat ik de dochter van heer Colum was, ondanks alles wat hij gedaan had. Mijn volk was oud, veel ouder dan het hare, en ik was de dochter van het woud.

'Hoe kun je een van die – een van hén in je huis halen? Hoe kun je het verdragen om zelfs maar in haar nabijheid te zijn? Deze mensen hebben je broer gevangen; ze hebben Richards mannen op de meest barbaarse wijze afgeslacht, met onvoorstelbare wreedheid. Hun gewoonten zijn niet alleen vreemd; ze zijn gespeend van elke goedheid. Hoe kun je haar in mijn huis binnenbrengen?' Haar stem beefde van emotie. Nu komt het, dacht ik. Nu gaat hij haar vertellen dat ik de enige schakel ben met haar jongste zoon. Nu wil ze meteen weten wat ik te vertellen heb, iets dat haar ervan kan overtuigen dat haar jongen nog leeft. En ze zullen proberen mij aan het praten te krijgen, op elke mogelijke manier. Hoe kan hij iets aan zijn eigen moeder weigeren? Vreemd genoeg begreep ik precies wat haar gevoelens waren.

Red stond op en ging achter me staan, en ik voelde zijn grote handen op mijn schouders.

'Haar naam is Jenny,' zei hij op vlakke toon. 'Ze is hier in mijn huis als mijn gast, zo lang als ze zelf wil. Het is mogelijk dat dat een hele tijd zal zijn. En zij zal met respect behandeld worden. Door iedereen.' Zijn moeder stond hem met open mond aan te gapen. Op mijn gezicht moet een soortgelijke uitdrukking te zien zijn geweest, want dit had ik niet verwacht. Een baantje in de keukens misschien, pannen schuren, dat was wat ik op zijn best had verwacht. 'Ik heb niet de bedoeling u te grieven, moeder. Ik zeg u alleen hoe het zal zijn.' Hij verhief zijn stem enigszins, net genoeg om er zeker van te zijn dat alle aanwezigen hem konden horen. 'Deze jonge vrouw is welkom in mijn huis. Zij zal behandeld worden als een lid van het huishouden. Jullie zullen haar de vriendelijkheid en gastvrijheid betonen die een gast toekomt. Laat dit duidelijk zijn.' Ik meende iets van dreiging te horen in deze laatste woorden, maar hij hoefde niet meer te zeggen. Er viel een doodse stilte in de zaal.

De bediende verscheen met wijn. Red verzocht me te gaan zitten en een bokaal te nemen, maar ik nam slechts een paar teugjes. Mijn maag was nog van streek, en ik was erg moe. En er waren hier te veel mensen, te veel licht, te veel geluiden. Het enige wat

ik wilde, was een tijdje alleen te zijn en te rusten. En daarna wilde ik een spinrokken en een spindel en een weefraam, en tijd, heel veel tijd.
'Ze zegt niet veel,' zei Reds moeder en ze maakte een snuivend geluid. 'Wat moet ze hier doen? Kan ze zich nuttig maken?'
Reds mondhoeken krulden omhoog in een glimlach die zijn ogen niet bereikte.
'Ik denk dat u zult ontdekken dat Jenny haar eigen bezigheden heeft,' zei hij. 'Ze kan goed overweg met naald en draad. Maar het is niet de bedoeling dat ze hier als dienares werkt; ik verwacht van uw vrouwen dat ze haar als gelijke verwelkomen.'
'Ik vind het ontstellend dat je dit vraagt, Hugh. Misschien hoopte ik tegen beter weten in dat je Simon veilig thuis zou brengen. In plaats daarvan kom je aanzetten met de vijand die hem heeft vernietigd, en vraag je me die vijand als vriend te behandelen.' Onder het masker van wellevendheid was ze woedend op hem.
Red keek haar aan, en vervolgens keek hij mij aan. 'Jenny spreekt niet,' zei hij, 'omdat ze niet kan spreken. Maar ze kan zich heel goed uitdrukken, dat zult u wel merken. En ze verstaat alles wat u zegt.' Met dat antwoord, dat helemaal geen antwoord was, moest ze het doen, maar er stond een fijne rimpel tussen haar gebogen wenkbrauwen, en ik zag de diepe smart in haar ogen.
'Je laat ons geen keus,' zei ze op vermoeide toon.
Ik dacht aan Simon en aan de dingen die hij over zijn familie had gezegd. In zijn verhaal over de twee broers was de jongste nooit goed genoeg geweest; hij was nooit gelijkwaardig geweest aan de oudste. Waarom had hij gedacht dat ze niet van hem hielden? Waarom had hij zichzelf beschouwd als minderwaardig? Zelfs nu hij er niet was, stond hij tussen deze moeder en haar zoon in, zo duidelijk alsof hij lijfelijk aanwezig was.
Nu spraken ze over minder pijnlijke onderwerpen. Over de stand van zaken op het landgoed, over gewassen en vee, hoe de oogst was uitgevallen en hoe de mensen het maakten. Red stelde de ene vraag na de andere; hij scheen te popelen om de teugels van zijn huishouden weer in handen te nemen. Mijn gedachten dwaalden af; ik beleefde opnieuw de dagen dat ik de zorg voor Simon had, en herinnerde me het eindeloze verhalen vertellen, de koortsige, door demonen geteisterde nachten, het langzame herstel van geest

en lichaam; ik herinnerde me zijn tranen van woedende zelfverachting. Deze geestesbeelden waren krachtig; ik zag nauwelijks wat er om me heen gebeurde. Bovendien begon ik slaperig te worden van de wijn en de lange dag, en daarom schrok ik toen ik iets kouds en nats tegen mijn been voelde, onder de zoom van de zelfgeweven jurk die de zusters me hadden gegeven. Ik keek omlaag. Van onder de houten bank waar ik op zat, keek een heel klein, tamelijk bejaard grijs hondje naar me op met treurige, waterige oogjes, zacht hijgend. Ik boog me voorover en bood haar mijn hand aan om te beruiken; ze bibberde en stak een roze tongetje uit voor een begroetingslik. Toen ging ze met een zucht zwaar op mijn voeten liggen, alsof ze daar voorlopig wilde blijven. Ik onderdrukte een geeuw.

'Je bent moe,' zei Red tegen mij. 'De vrouwen van mijn moeder zullen je een plek wijzen waar je kunt slapen. Het is een lange dag geweest.' Hij stond weer moeizaam op.

'Je been,' zei zijn moeder, die voor het eerst merkte dat hij blijkbaar gewond was. 'Wat is er met je been gebeurd?'

'O, niet veel bijzonders,' was het voorspelbare antwoord. 'Een sneetje. Niet de moeite waard om je druk over te maken.' Hij keek naar mij en zag de uitdrukking op mijn gezicht, en ik zag weer heel even die lichte trekking bij zijn mondhoek die bij een andere man een goed onderdrukte glimlach kon zijn geweest. Zijn moeder keek naar ons beiden, en de frons in haar voorhoofd werd dieper.

'Megan!' riep ze. Een jonge dienares met een hoofd vol slordige bruine krullen kwam naar voren en maakte een soort wiebelig buiginkje.

'Zoek een geschikte kamer voor... voor... onze bezoekster, Megan,' zei de vrouw des huizes, en ik voelde dat ze de woorden nauwelijks over haar lippen kreeg. 'Water om zich te kunnen wassen, iets eenvoudigs te eten. Laat haar zien waar ze ons morgenochtend kan vinden.'

'Ja, vrouwe,' zei Megan en ze wiebelde weer met zedig neergeslagen ogen. Maar toen we de zaal uitgingen, ik in haar kielzog en het grijze hondje achter me aan dravend als een kleine schaduw, was haar blik vol gezonde nieuwsgierigheid, vermengd met angst.

'Vergeet dit niet,' zei Red toen ik langs hem liep, en hij trok mijn kleine rugzak boven uit de zijne en gaf hem me aan. Ik knikte om hem te bedanken en ging weg. Achter me hoorde ik zijn moeder weer spreken, en ik geloof dat ik blij was dat ik niet kon horen wat ze zei.

Ik vermoed dat iemand een slaapkamer voor me heeft uitgekozen die geschikt werd geacht voor een barbaar: klein, verafgelegen, schaars gemeubileerd, dicht in de buurt van de bediendenkamers en binnen gehoorsafstand van het gekletter en geroezemoes van de drukke keukens. Als ze dachten dat ze me daardoor beledigden, hadden ze het mis. Want ik was onmiddellijk verliefd op de kleine, vierkante kamer met zijn stenen muren en zijn harde stromatras op een houten brits, met zijn zware, eiken deur die regelrecht opende op een verwaarloosd hoekje tuin vol verwarde, doorgeschoten bossen kruiden. Zodra het licht was, zou ik naar buiten gaan om te kijken of er ook sterrenkruid groeide. Vlak buiten de deur klom een oude roos tegen de muur op, en de stenen treden waren bekleed met een kleine kruipende plant met blauwe bloempjes. Er was een bemost pad, overwoekerd met onkruid. Door het enige raam, een rond venster dat hoog in de muur was geplaatst, zou de maan op me neerkijken als ik sliep. Er stond een houten kist met een kan en een waskom erop. Megan bracht me warm water, en een ander meisje, met een schichtige oogopslag, bracht een schaal met brood, kaas en gedroogde vruchten en rende meteen de kamer weer uit. Ik zette mijn tas op het voeteneind van het bed en wachtte tot Megan weg zou gaan. De hond begon zorgvuldig en op haar gemak in alle hoeken van de kamer te snuffelen; toen ze ten slotte tevreden was, raapte ze al haar krachten bij elkaar en wist met een heroïsche, spartelende sprong op de stromatras te komen, waar ze met de neus op de voorpoten ging liggen.

'Waar is je bagage?' vroeg Megan stuntelig. 'Je nachthemd, je andere spullen?' Ik schudde mijn hoofd en wees op mijn kleine rugzak.

'Is dat alles?' Het scheen schokkend te zijn. Ik kon de onuitgesproken vragen horen. Waar heeft hij jou in 's hemelsnaam gevonden? Wat heeft hem bezield om jou hierheen mee te nemen, met alleen de kleren die je aanhebt? Waarom?

Ik hoorde Megan weer iets zeggen, en dat verraste me. 'Dat was de hond van Simon,' zei ze. 'De broer van heer Hugh. Alys, zo noemde hij haar. Ze is nu oud; hij had haar sinds hij nog maar een peuter was. Sinds hij wegging, liet ze niemand meer in haar buurt komen. Ze scharrelt grotendeels haar eigen kostje op. Ze zou je vingers afbijten, als je haar wilde aaien. Tot nu.' Ze stak een voorzichtige hand naar de kleine jachthond uit; die reageerde met een diep grommen, en ontblootte haar tanden. 'Zie je wel?' zei Megan luchtig. 'Een vals beestje. Maar jou schijnt ze wel aardig te vinden.'

Het lukte me zo'n beetje te glimlachen, en ze grijnsde terug. Haar aangeboren nieuwsgierigheid was sterker dan haar voorzichtigheid.

'Ik ga wel met vrouwe Anne praten,' zei ze. 'Om een nachthemd voor je te halen en nog wat spullen. En morgenochtend kom ik je weer ophalen en dan laat ik je zien waar je wezen moet. We staan hier altijd vroeg op.'

Die nacht sliep ik; maar de uitputting en de uitwerking van de wijn waren niet genoeg om de nachtelijke schrikbeelden die me nog steeds kwelden volledig te verdrijven, en ik werd plotseling wakker uit een droom die beter niet verteld kan worden, een droom die ik vaak had, het soort droom dat zich ook overdag in mijn gedachten mengde, zodat ik nog altijd huiverde elke keer dat een man me aanraakte, het soort droom waardoor mijn hele lichaam ineenkromp en trilde, en mijn hart in mijn borst bonkte. Alys lag zwaar op mijn voeten; ze was niet wakker geworden. Een flauw licht van de afnemende maan scheen de kamer in. En ik hoorde zachte stemmen buiten.

Ik stond op en liep geruisloos naar het raam. Beide deuren waren vergrendeld, al had ik de ene liever op een kier open gelaten, om de nachtelijke geuren van lavendel en kamperfoelie te ruiken, en de koele wind op mijn huid te voelen. Maar ik had het vermogen om te vertrouwen verloren; ik werd niet meer beschermd door de zoete mantel van de onschuld. Daarom had ik de grendels op mijn deuren geschoven. Ik ging op mijn tenen staan op de houten kist en keek naar buiten in de tuin. Twee donkere gestalten stonden zacht te praten; beiden droegen donkere kleding en ik zag de glinstering van wapens in het zwakke licht. De ene ging door een poort in de muur naar buiten; hij had vlasblond haar en iets zwierigs in zijn loop, ook al was het midden in de nacht. De andere was groter en liep een beetje mank. Hij stelde zich op tegen de muur aan de andere kant van de tuin, ontspannen maar waakzaam; hij hield zijn ene been uitgestrekt en was nauwelijks zichtbaar in de schaduwen. Het was een lange wacht tot zonsopgang.

Ik wist eigenlijk niet of ik me beter of slechter voelde nu ik wist dat ik min of meer werd bewaakt. Waar dachten ze dat ik heen kon ontsnappen, midden in hun land zonder ook maar een paar laarzen of een waterfles in mijn bezit? Bovendien leek het, na de ontvangst die ik tot nu toe in Harrowfield had gekregen, niet waarschijnlijk dat de mensen ter plaatse me veel hulp zouden bieden als ik probeerde naar de kust te komen. En wat werd ik geacht dan te doen, naar huis toe zwemmen soms? Nee, ik zat hier vast, of ik het prettig vond of niet. Maar waarom werd ik dan bewaakt? Ik vroeg me even af of deze mannen ooit sliepen. Toen herinnerde ik me hoe Red in de grot had gelegen, met een gezicht dat bleek was van pijn en uitputting. Hij was ook een mens, dacht ik; hij vond het alleen vervelend als mensen dat wisten. En het scheen dat hij veel waarde hechtte aan de informatie die ik hem kon geven; hij zou ervoor zorgen dat die hem niet door de vingers glipte terwijl hij wachtte tot ik zou spreken.

Ze stonden hier vroeg op, maar niet zo vroeg als ik. Voor zonsopgang was ik al opgestaan; ik waste mijn gezicht in het laatste beetje schoon water, zocht het privaat, ontgrendelde de buitendeur en liep de verwaarloosde tuin in. De kleine Alys volgde me, maar langzaam, want haar gewrichten waren stram van ouderdom. Iemand had deze tuin ooit goed aangelegd. Maar er stond hier geen sterrenkruid; later, wanneer ik meer nodig had, moest ik buiten in het veld gaan zoeken. Ik verwenste mezelf omdat ik mijn taak had verwaarloosd voor ik uit het bos wegging. Er was een oude watertrog onder de alsemstruiken, halfvol modder. Die kon ik gebruiken om de vezels in te weken die ik uit de priorij had meegenomen. Er stonden hier nog heel wat kruiden; als ik ze wat fatsoeneerde waren het er genoeg om een kast vol zalven en oliën, tincturen en aftreksels te krijgen. Ik vroeg me af of ze me een vijzel en stamper, wat messen, bijenwas en olie zouden willen geven. Maar toen dacht ik: daar heb ik geen tijd voor. Denk even aan Finbar, Conor en de anderen. Hun tijd raakt snel op, en het is al herfst. Toch kon ik het niet laten, en toen Megan me kwam zoeken was ik bezig onkruid uit te trekken, er de uitgezaaide nakomelingen van doorgeschoten planten tussenuit te halen en al voor me te zien hoe het zou worden als ik snoeide, en spitte, en zaaide. Ik was bijna vergeten waar ik me bevond. Van mijn nachtelijke bewakers was niets te zien, behalve de sporen van hun laarzen in de zachte aarde. Ze waren bij het eerste licht verdwenen.

De houding die de mensen van Harrowfield tegenover mij aannamen zou het beste beschreven kunnen worden als een soort ijzige beleefdheid. Vrouwe Anne gaf het voorbeeld. Het viel niet te ontkennen dat haar zoon het hoofd van dit huishouden was en dat hij verwachtte dat hij zijn zin kreeg, en zelfs zij wilde daar niet aan tornen. Daarom sprak ze alleen tegen mij wanneer dat door de omstandigheden onvermijdelijk was. Wanneer ze naar me keek, was de vijandigheid in haar helderblauwe ogen nauwelijks bedekt. Ze verschafte me wat ik nodig had, maar niet meer dan de elementaire gastvrijheid voorschreef. Ik hield mezelf voor dat dit mij heel goed uitkwam. Ik had nu bijna twee jaar buiten in de natuur geleefd; ik was luxe ontwend, als je ons leven in Zeven Wateren al luxueus kon noemen, want in ons huishouden van zeven mannen was het leven heel eenvoudig. Ik verlangde geen fraaie gewaden, of tarwebrood, of een met ganzendons gevulde peluw. Dat hield ik mezelf voor, en het was ook wel waar.
De omgang met de mensen, die was moeilijk. Ik was lange tijd alleen geweest, alleen op die paar kostbare nachten na wanneer mijn broers een mensengedaante konden aannemen, wanneer we met elkaar konden praten van geest tot geest, wanneer we elkaar mochten aanraken en aankijken en herinneringen mochten opslaan voor de lange, eenzame perioden ertussen. Nu werd ik omringd door vrouwen, vrouwen die onafgebroken met elkaar kwebbelden, die altijd aanwezig waren, die mijn gedachten onderbraken en mijn werk moeilijker maakten, en trager, en pijnlijker, omdat ik ook nog moest werken om me te herinneren waarom ik daar was en wat ik moest doen. En de blikken; altijd zijdelingse blikken, die verbitterd waren en vol angst. Ik was de vijand; het deed er eigenlijk weinig toe wat heer Hugh had gezegd, want de lange, zon-

nige ruimte waar we elke ochtend bijeenkwamen om te naaien, te spinnen en te weven was het terrein van de vrouwen, en ik las op de gezichten van de vrouwen wat ze van mij vonden.

Ik ben de dochter van het woud, hield ik mezelf voor wanneer ik de lange, stekelige slierten sterrenkruidvezels uit mijn rugzakje haalde en begon te spinnen, met geleend spinrokken en spindel. *Ik ben de dochter van heer Colum van Zeven Wateren. Ik heb een broer die een geboren leider is, en ook een broer die ingevoerd is in mysteriën, ouder dan jullie volk zich kan voorstellen. Ik heb een broer die een onbevreesde krijger is, en een broer die bevriend is met de wilde dieren. Ik heb een broer die – die vroeger een glimlach had waarmee hij de vogels uit de bomen zou kunnen lokken, en dat ooit weer zal doen.* En wanneer de draad weer eens afbrak, en ik de uiteinden weer in elkaar draaide, terwijl de fijne stekeltjes in mijn huid prikten als stukjes gloeiend ijzerdraad, zei ik bij mezelf: *ik heb een broer die de geest kan genezen, die van zichzelf zal geven tot er niets over is. Wat hebben jullie, met jullie gladde handen en jullie mooie borduurwerkjes? Met elke draaiing van deze scherpe draad, roep ik mijn broers. Met elke doorn die in mijn vlees prikt roep ik hen terug naar huis.*

De Britse vrouwen dachten dat ik getikt was. Na de eerste schok kwam het ongeloof toen ze mijn werk zagen en beseften dat het in volle ernst was dat ik de stekels van deze plant tussen mijn vingers draaide. Wanneer ze zagen hoe ik de schreeuw van pijn inslikte en mijn gezicht dwong tot een uitdrukking van kalmte, deinsden ze voor me terug en gingen op een kluitje staan terwijl ze van tijd tot tijd steelse blikken wierpen naar de hoek waar ik in mijn eentje zat. Ik hoorde wat ze zeiden, al hadden ze hun stem gedempt. Omdat zijn moeder erbij was, durfden ze niet openlijk kritiek te uiten op de handelwijze van heer Hugh. Maar ze vertelden verhalen, verschrikkelijke verhalen over hoe de hoofdmannen van Ierland deze man hadden gedood, en die hadden verminkt, hoe de bloem van hun volk in het ongeluk was gestort tijdens de lange vete tussen ons. Terwijl ze over hun schouder naar me keken, vertelden ze over brave mannen die behekst en verraden waren door vrouwen van mijn soort, vrouwen met een lichte huid en haar zo donker als de nacht, die zoete woorden spraken. Het was de bedoeling dat ik dit allemaal hoorde. Ik had hun onze kant van het verhaal kunnen vertellen – het verhaal van mijn vader. Want Colum was een zevende zoon, en hoe vaak gebeurt het dat zo iemand het land van zijn vader erft? Pas wanneer al zijn broers in de oorlog zijn gebleven, een voor een gesneuveld tijdens de verdediging van wat zij als kostbaar beschouwen. Maar ik zweeg.

Temidden van de opgetrokken wenkbrauwen, de samengeperste lippen was er een die durfde af te wijken. Dat was de vrouw van John. Ze had naar me gekeken, en haar ogen waren de enige die geen oordeel velden. Toen ik op de derde dag in mijn hoek op een hoge kruk zat te worstelen met spindel en spinrokken, terwijl ik probeerde mijn tranen in te houden, kwam ze bij me zitten en bracht haar handwerk mee. Ze was bezig een piepklein jurkje te zomen; het lijfje en de mouwtjes waren al geborduurd met een rand van blaadjes, met hier en daar een gele bij of een rood bloempje. In elke steek aan dit kleine kledingstuk zag ik haar liefde voor haar ongeboren kind. Ik stak mijn arme, gezwollen handen uit om het aan te raken, en glimlachte.

'Jij heet Jenny, hè?' zei ze zacht. 'Ik ben Margery, de vrouw van John.'

Ik knikte, en pakte mijn spindel weer op. Er was een plotselinge stilte gevallen bij de andere vrouwen; nu begonnen ze weer te praten.

'Ik heb gehoord dat je goed bent als genezeres,' vervolgde ze, terwijl ze me van opzij aankeek. 'Het was daarginds vast niet gemakkelijk om die enorme wond van Red – van heer Hugh – te behandelen. Hij is je heel wat verschuldigd.'

Ik keek haar aan, en mijn verbazing was waarschijnlijk op mijn gezicht te lezen. Ze vond het grappig.

'Deze mannen praten ook weleens, hoor kind,' zei ze. 'Het zou je verbazen wat ik allemaal hoor. En hoewel John geen prater is, blind is hij niet. Hij is al heel lang de vriend van Red – van heer Hugh, sinds lang voor ik op Harrowfield ben komen wonen. Hij begrijpt de dingen die Hugh niet hardop zegt. Jouw komst heeft in dit huishouden een deining veroorzaakt die niet snel tot rust zal komen.'

Ik dacht hierover na. We hadden de mannen bij het avondmaal gezien, en de drie die ik kende hadden me allemaal beleefd gegroet. Ben had gelachen en even aan mijn lange vlecht getrokken, bijna zoals Cormack ook had kunnen doen. John had me begroet met mijn nieuwe naam en was bij mij aan tafel komen zitten, zonder aandacht te besteden aan vrouwe Anne, die afkeurend haar voorhoofd fronste. Ik vroeg me af of de bewaking in de een of andere vorm ook overdag moest worden voortgezet. Van Red, die aan het hoofd van de tafel zat, zoals het hoorde, zag ik het minst, maar ik voelde zijn ogen die op me gericht waren tijdens het verloop van de maaltijd, terwijl ik me onderwierp aan het lawaai en de luchtjes en de nabijheid van al die vreemdelingen, en verlangde naar de komst van de nacht.

John zei niet veel, maar ik zag dat hij de bedienden een wenk gaf geen gebraden vlees op mijn bord te leggen, en zorgde dat ik wel iets at, en toen een paar jonge mannen luidruchtig werden van het bier en baldadige opmerkingen in mijn richting begonnen te maken, legde hij hun met enkele goedgekozen woorden het zwijgen op. Als vriend van Red had hij gezag. Hij was, zo hoorde ik na verloop van tijd, een soort verre achterneef van de familie, en had zijn hele leven op Harrowfield gewoond. Ik was natuurlijk blij met zijn bescherming, en ik zou in de komende tijd weer opmerken dat, terwijl de houding van het huishouden ten opzichte van mij niet milder werd, er altijd iemand op me lette. Wanneer ik bij de vrouwen zat, was Margery er, altijd vriendelijk, altijd bereid om uit de kring eensgezinden naar mij toe te komen en bij me te gaan zitten; ze vond het niet erg dat het gesprek maar van één kant kwam en keek met begaanheid naar mijn pijnlijke arbeid met spinrokken en spindel zonder ooit een veroordeling uit te spreken. Ik was ervan overtuigd dat ze dit uit goedaardige motieven deed, maar vroeg me toch ook af of iemand haar had gevraagd een oogje op me te houden. De nachtelijke bewaking bleef. Een van hen hield de wacht vanaf het tijdstip dat ik naar mijn kamer ging tot middernacht, een ander van middernacht tot zonsopgang. Ik nam aan dat ieder van hen één op de drie nachten goed kon uitslapen. Ik lette op hen zonder dat ze het wisten, en zag dat alleen Ben, John en Red deze taak vervulden. Ik vroeg me af of er in dit hele grote en gehoorzame huishouden maar twee mensen waren van wie Red dacht dat hij ze echt kon vertrouwen.

Ik merkte ook op dat ze nooit ver uit mijn buurt waren, ongeacht het uur van de dag. Ik kon mezelf niet dwingen aan één stuk door te spinnen en te weven, al had ik dat misschien gewild, want mijn handen, die al gedeeltelijk genezen waren doordat ik mijn werk had laten liggen, werden nu weer rauw en gezwollen, en ik was genoodzaakt elke middag een tijd vrijaf te nemen van mijn taak, voordat ik na het avondmaal alleen en bij kaarslicht mijn trage arbeid hervatte. Ik probeerde aan de tuin te beginnen, maar schoot niet erg op, want mijn handen zouden weer gehard moeten zijn voordat ik een mes of een schoffel kon hanteren. Toch deed ik wel iets; de aarde was donker en rul en het onkruid was vrij gemakkelijk uit te trekken. Wanneer ik niet meer kon, ging ik naar buiten, met de onverstoorbare Alys achter me aan dravend, en verkende de omgeving zo ver als ik kon, waarbij ik probeerde zo min mogelijk op te vallen. Het was verbluffend hoe vaak een van dat drietal toevallig in de buurt was; Ben die met een jong paard zijn gangen inoefende, precies in het veld waar mijn wandeling langs voerde; John, die leiding gaf bij het opslaan van de voorraad wintergroenten in de schuur, juist wanneer ik die kant opging. Heer Hugh zelf die op een vroege morgen op een oud bankje in de appelboomgaard zat met een inktpot naast zich, en in een boek of dagboek schreef dat op zijn knie balanceerde. Alys gromde naar hem.

'Ze heeft nooit veel met me opgehad,' merkte hij op; hij leek niet in het minst verrast mij te zien. 'Je bent vroeg op pad. Ik wil niet dat je in je eentje te ver weg gaat.'

Ik voelde plotseling irritatie. Hij was er zo van overtuigd dat hij gelijk had, zo gewend dat iedereen altijd maar deed wat hij zei. Ik dacht: het kan toch niet goed voor hem zijn dat hij altijd zijn zin krijgt. Waarom zou ik er niet alleen op uit mogen gaan? Was hij soms bang dat ik er voorgoed tussenuit zou knijpen, met medeneming van wat ik wist?

Hij las iets van deze onuitgesproken boodschap in mijn gezicht, en legde boek en ganzenveer zorgvuldig neer. Ik zag regels in een klein, ordelijk handschrift, en hier en daar een keurige tekening of schema.

'Er zijn gevaren. Ik wil dat je in de buurt van het huis blijft. Ik kan niet voor je veiligheid instaan als je je verder weg waagt.'

Ik wilde tegen hem zeggen: *je hebt me weggehaald uit het bos.*

Laat me dan tenminste onder jouw bomen wandelen, de rivier over mijn blote voeten voelen stromen, in je velden liggen en de wolken boven me langs zien drijven. Laat me tenminste ergens echt alleen zijn. Want in je huis kan ik de lucht niet voelen en het vuur niet aanvoelen. Ik kan er de aarde niet ruiken en het water niet horen. Ik zal niet weglopen; dat kan ik niet. Want zonder jouw bescherming kan ik mijn taak niet afmaken.

'Dit is niet gemakkelijk voor jou, hè?' zei hij. 'Je zou natuurlijk kunnen besluiten tegen me te praten. Dat zou al een stuk helpen. Maar ik zie aan de uitdrukking op je gezicht dat je dat niet wilt doen.'

Ik kan het niet doen.

'Vertel me een ding,' zei hij, terwijl hij me aandachtig aankeek. 'Zou je, als je wilde, nu tegen me kunnen spreken? Zou je tegen me kunnen praten over mijn broer, en over wat er van hem geworden is?'

Ik heb nooit kunnen liegen. Ik knikte met een ellendig gevoel, want ik wilde niet dat hij hierop doorging.

'Waarom vertel je het me niet?' zei hij heel zacht. 'Dan zou ik je laten gaan, weet je. Wat er ook met Simon is gebeurd, het kan niet door jouw toedoen zijn geweest. Je bent nog maar een kind. Ik zou je laten gaan. Maar ik moet het eerst weten. Als hij dood is, kan ik dat aan mijn moeder vertellen, en dan wordt zijn schim te ruste gelegd, en daarmee is het dan hopelijk afgelopen. Deze vete is niet door mij gewild, en ik zal er niet mee doorgaan. Ik heb er geen behoefte aan bloed met bloed te wreken. Als hij leeft, kan hij gevonden worden, en dan zal ik hem vinden. Zou jij het niet willen weten, als het jouw eigen broer was?' Ik knikte en wendde me toen snel af, zodat hij mijn gezicht niet zou zien. Er volgde een lange stilte. Ik had het gevoel dat ik niet kon doorlopen; maar zijn woorden hadden me ernstig verontrust. Ik begreep niet waarom hij me dit vroeg, terwijl hij datgene wat hij over me wist voor zich had gehouden, en het niet aan zijn moeder had verteld en, zo leek het, ook niet aan zijn beste vrienden. Misschien, dacht ik, had het Feeënvolk hem die nacht werkelijk betoverd. Misschien was het zijn taak geworden mij te beschermen terwijl ik mijn opdracht voltooide, en handelde hij dus tegen zijn eigenlijke wil in. Anders zou hij toch zeker zorgen dat ik hem vertelde wat ik wist, zou hij het toch met geweld afdwingen. Hij hoefde geen geduld te hebben, hij hoefde niet vriendelijk te doen. Maar zelfs als ik had kunnen spreken, had ik toch geen echte antwoorden voor hem gehad. Toen ik weer naar hem keek, had hij het boek gesloten en zijn pen en inkt opgeborgen.

'Ik moet dit been in beweging houden,' zei hij terwijl hij opstond. 'Loop met me mee, deze kant op, ik wil je iets laten zien.' Hij liep nog steeds mank en dus kon ik hem bijhouden, ondanks zijn lange benen. We volgden het pad dat langs de met korstmos bedekte muur van de boomgaard liep en een heuvel op ging onder jonge eiken die nog de laatste roodbruine blaadjes droegen. Alys hobbelde dapper achter me aan.

'Ik was een jaar of zes toen mijn vader en ik deze bomen plantten,' zei hij. 'Hij had diepe eerbied voor bomen. Wanneer je een boom velde, plantte je een nieuwe. Het duurt een mensenleven voor een eik een volwassen boom is. Net als zijn vader voor hem had hij een vooruitziende blik.' Het pad ging verder omhoog, en de bomen strekten zich aan weerskanten uit in geordende rijen. Alys werd moe en raakte achterop, en we wachtten tot ze ons weer had ingehaald. Ze was te oud om verder te gaan, maar weigerde zich te laten dragen. Uiteindelijk kon ik haar met gebaren en gelaatsuitdrukkingen duidelijk maken dat ze hier op me moest wachten, en ze ging mopperend in het afgevallen blad naast het pad liggen. Haar vochtige ogen volgden ons verwijtend toen we het pad verder beklommen. Er stond een frisse ochtendwind; toen ik omkeek, zag ik de eerste rook opkrinkelen van net aangemaakte vuren in huis en hutjes. De mensen begonnen wakker te worden. We bereikten de top van de heuvel, waar een grote steen stond, bedekt met wilde kruipplanten. Hier had je een weids uitzicht; het viel me weer op hoe keurig verzorgd zijn land was, hoe netjes en beheerst en – nou ja, precies zoals het moest zijn, dat was de enige manier waarop ik het kon formuleren. Geen wonder dat ze allemaal zo verbaasd waren geweest over zijn besluit om mij mee naar huis te nemen. Dat paste niet in dit keurige patroon. De rivier slingerde zich loom door de vallei; vanaf dit hoge punt kon je zien hoe enorm ver zijn domein zich uitstrekte, de brede stoppelvelden met hun keurige, kegelvormige hopen stro, de golvende weiden, hier en daar bespikkeld met grazend vee, de molens

en schuren en de witgekalkte huisjes, verscholen tussen de bomen. Heel veel bomen; en er waren niet alleen jonge eiken, zag ik, maar ook half en volledig volgroeide eiken, en in het oosten waren ze dik en oud en vormden bijna een oerbos.
'Toen Simon leerde lezen en schrijven, was ik daar boven met mijn grootvader; we verzamelden eikels, ik keek naar hem terwijl hij een stapelmuur bouwde, terwijl hij de ooien hielp bij het lammeren. Toen Simon stokken weggooide voor zijn hond, was ik met mijn vader bezig bomen te planten, en leerde ik stro te binden, en een dak te bedekken om de stormen buiten te houden. Toen Simon ontdekte hoe je geluidloos en zonder een spoor achter te laten een man doodt, bracht ik de dorpelingen brandhout voor de winter, en leerde ik de namen van alle mensen op het landgoed. Mijn broer en ik waren vreemden voor elkaar. De tijd verandert alles. Mijn vader stierf jong, en dat brak het hart van mijn grootvader. Nu zijn ze allebei dood.' Hij zei dit heel nuchter; er was niet uit op te maken of het hem aan het hart ging of niet. Ik dacht dat dat wel het geval moest zijn. Het valt niet mee je zonder woorden verstaanbaar te maken, tenzij het iets heel eenvoudigs is wat je wilt zeggen. Toch probeerde ik het, gebruik makend van mijn handen en mijn ogen. Die bomen; ze zijn zo oud, ze beschikten zeker over de kennis en de wijsheid van alles wat er in deze vallei was gebeurd. Dit probeerde ik Red te laten zien. *Bomen – oud – jong. Mensen – oud – jong. Groeien. Hart. Vallei – hart.*
Hij lachte me tenminste niet uit, maar keek ernstig naar me en knikte toen ik klaar was met mijn pogingen. 'Simon begreep het nooit,' zei hij. 'Hij was altijd ergens anders bezig, altijd strevend naar meer, iets uitdagends, iets nieuws. Wat we hadden, scheen nooit genoeg te zijn. Terwijl we toch zoveel hebben.' Hij liet zich op de grond zakken; zijn been was kennelijk nog steeds gevoelig. Ik wees erop en trok mijn wenkbrauwen op terwijl ik naast hem ging zitten, niet al te dichtbij.
'De wond ziet er goed uit,' zei hij. 'Maak je niet ongerust, ik roep je wel wanneer het tijd is om je werk ongedaan te maken. Ik zou niet willen dat iemand anders er aankwam.' Ik gebruikte mijn vingers om het hem te vertellen. Twintig dagen. Mijn hechtingen moesten twintig dagen ongestoord blijven zitten. De wond moest telkens opnieuw worden verbonden. Een kompres. Misschien kon

ik... En dan zou ik mijn werk ongedaan maken, en dan moest het been beter zijn. Red knikte; ditmaal was het gemakkelijker geweest de boodschap over te brengen.
We bleven een tijdlang zwijgend zitten, kijkend naar het rijzen van de dag; we hoorden zwak de geluidjes terwijl huishouden en boerderij ontwaakten en tot leven kwamen. Het was een fijne plek, dichtbij de hemel, ver weg van de mensen.
'Ik wil je waarschuwen,' zei Red, terwijl hij een grasspriet tussen zijn vingers in elkaar draaide. 'Want ik weet niet of je wel begrijpt hoe belangrijk het is dat je doet wat ik zeg; dat je dicht bij huis moet blijven en er niet alleen op uit moet gaan. Het is hier redelijk veilig, al ben ik bang dat niet iedereen in mijn huishouden je vriendelijk behandelt. Maar dat kan veranderd worden. Ik maak me niet ongerust over dit huishouden.' Hij wees naar het noorden, naar het einde van de vallei. 'Naar die kant liggen de landerijen van mijn oom Richard,' zei hij. 'Hij is de broer van mijn moeder, een machtig man, een man van grote rijkdom en invloed. Om in zijn strijd mee te vechten, daarvoor is mijn broer weggegaan; het is zijn vete die zoveel vrouwen hun zonen, hun echtgenoten en geliefden kost. Mijn volk is verbitterd; het zal hun zwaar vallen jou te verwelkomen. Ze kunnen niet inzien dat de oude oorlog blijft voortduren ten gevolge van deze man, zijn streven naar macht, zijn bloeddorst; daarmee vergiftigt hij het denken van de mannen, zodat ze hem volgen naar dood en vernietiging. Mijn broer was jong; te jong om zich aan een dergelijk streven te verbinden. Hij had het niet nodig zo'n haat te koesteren. Maar Richard verblindt hen, deze jonge mannen, met zijn fraaiklinkende woorden. Misschien weet je dat al. Misschien heb je dit verhaal uit de mond van mijn broer gehoord.'
Ik schudde mijn hoofd, verbaasd dat hij me dit had willen vertellen. *Niet dit verhaal.* Voor een man die meestal zo weinig zei, had hij meer van zichzelf blootgegeven dan hij zelf wist.
'Je vraagt je af waarom ik je dit vertel,' zei Red, die mijn gedachten scheen op te vangen. 'Ik vertel het je omdat de broer van mijn moeder binnenkort wel zal horen dat je hier bent. Hij heeft overal verspieders, en heeft een scherp gehoor voor geruchten. Het zal hem interesseren. Meer dan dat. We kunnen verwachten dat hij hierheen komt. Je zult het moeilijk vinden, maar er zijn mensen

in mijn huishouden die je zullen helpen. Ik wil je verzekeren dat we op zijn komst zijn voorbereid. Daarom wil ik altijd weten waar je bent. Hij is heel slim. Het zou hem goed uitkomen als hij je zogenaamd toevallig ergens tegenkwam, wanneer je alleen te paard of te voet buiten was, met alleen dat armzalige hondje om je te beschermen. Ik wil dat je me belooft dat je zoiets niet zult laten gebeuren.'

Dat is toch gemakkelijk, zei ik stilzwijgend, en ik beeldde het in gebarentaal uit. *Waarom sluit je me niet in mijn kamer op, en bewaar je de sleutel in je zak?*

Er kwam even een heel vreemde uitdrukking op zijn gezicht, alsof hij probeerde zijn lachen in te houden.

'Dat lijkt me niks,' zei hij terwijl hij opstond. 'Je hebt daar geen goed licht om te spinnen. Bovendien, hoe moet ik Ben en John dan aan het werk houden, als ze 's nachts niets meer te doen hebben? Ledigheid is voor hen geen gezonde toestand. Nee, dat zou naar mijn inzicht helemaal niet werken. Nou, beloof je me dit?'

Ik knikte. Ik was ervan overtuigd dat hij niets anders verwachtte. Iedereen deed toch altijd wat hij zei?

Het gesprek scheen geëindigd te zijn. Hij stak me zijn hand toe om me overeind te helpen, en ik nam hem aan zonder erbij te denken, en onderdrukte een kreet van pijn toen hij mijn hand stevig beetpakte. Dit ontging hem niet. De lichtblauwe ogen richtten zich op mijn handen terwijl hij ze uitspreidde om ze te bekijken. Zijn eigen handen waren zo groot dat ze zich helemaal om de mijne konden sluiten; maar hij hield ze nu heel voorzichtig vast en bestudeerde de roodheid van mijn huid, een plek waar een open wond begon te ontstaan, de stekeltjes van het sterrenkruid die er nog inzaten. Mijn handen waren niet prettig om te zien. Ik voelde me niet op mijn gemak nu ik zo dicht bij hem stond. Aan zijn gezicht was niet goed te zien wat hij dacht.

'Dit bevalt me helemaal niet,' zei hij zonder nadruk. 'Misschien zou ik je toch moeten opsluiten. Maar ik betwijfel of het je zou doen ophouden. Het zou eigenlijk niet veel uitmaken wat ik deed, hè?'

Ik schudde mijn hoofd. *Stel niet te veel vragen. Er zijn dingen die ik niet mag vertellen. Kom niet te dichtbij.*

'Ik moet krankzinnig zijn geweest,' zei hij bij zichzelf; hij liet mijn

handen los en we begonnen de heuvel weer af te lopen. 'Dat denken ze allemaal. Krankzinnig, of behekst. Er doen allerlei theorieën de ronde. Ik hou me daar niet mee bezig. Maar het moet toch tenminste beter kunnen.'
De terriër was uitgerust en begroette ons met scherp geblaf en heftig gekwispel. Op de terugweg naar huis sprong ze vrolijk voor ons uit, en voelde zich blijkbaar heel gewichtig. Er werd naar ons gekeken toen we samen terug liepen, maar er werd niet meer gezegd dan: 'Goedemorgen, heer!' en 'Het ziet ernaar uit dat we mooi weer krijgen vandaag.' Ik dacht: er is een betoverde ruimte om hem heen, en zolang ik daarbinnen blijf, ben ik veilig. Waag ik me erbuiten, dan is het een ander verhaal. Dit troostte me niet, want ik had niet het verlangen om afhankelijk te zijn van een man, en al helemaal niet van deze Brit met zijn scherpe blik die me geen andere keus had gelaten dan weg te gaan van waar ik thuishoorde. En ik maakte mezelf niet wijs dat de moeite die hij zich gaf om mij te beschermen een ander belang diende dan dat van hemzelf. Uiteindelijk zou hij van mij verkrijgen wat hij wilde, en daarmee zou het afgelopen zijn. Je zuigt het sap uit een rijpe vrucht en daarna gooi je de schil weg, en de kraaien komen en pikken de resten uit elkaar tot er geen spoortje leven meer in zit. Toch deed dit er eigenlijk weinig toe. Want ik zou geen woord tot hem spreken tot de hemden klaar waren. En wanneer ze klaar waren, dan – dan zou alles veranderen. Wanneer mijn broers kwamen. Als ze kwamen.

Naarmate de tijd verstreek en de maan waste en weer afnam raakte ik er meer van overtuigd dat er een klein maar heel doeltreffend net van bescherming om me heen was, waarvan Red de touwtjes stevig in handen had, zoals van alles in zijn domein. Daar was Margery, die algauw een vriendin werd. Dat was iets nieuws voor mij. Ik had nooit een vriendin gehad, tenzij je Eilis meetelde, die ik altijd tamelijk saai en onnozel had gevonden, hoewel ik geen kritiek kon hebben op haar smaak wat mannen betreft. Margery was lief, maar ze was ook sterk op een manier die me duidelijk werd terwijl de dagen elkaar opvolgden en ze de opmerkingen van de andere vrouwen beleefd maar beslist afweerde en doorging met kleine daden van vriendelijkheid jegens mij. Ze was sterk toen ze het meisje terechtwees dat, maar half voor de grap, zei dat Margery maar liever moest zorgen dat ik haar buik niet aanraakte, waarin het ongeboren kind nu groot en zwaar werd, want anders zou ik er een vloek over brengen zodat het dood of misvormd geboren werd. Ze was sterk toen ze heel beleefd aan vrouwe Anne vroeg of ik schone kleren kon krijgen en een goede olielamp voor 's avonds in mijn kamer. Ze begon over andere dingen tegen me te praten; ze vertelde hoe ze John had gemist toen hij weg was, en over het kind dat snel groeide in haar schoot. Ze vertelde hoe gretig ze op de komst van dit kind wachtten, want ze had al eerder een kind gekregen dat maar enkele ogenblikken in de wereld had geleefd, en het was nu al vele maanden geleden dat ze hun kleine dochtertje te rusten hadden gelegd onder de grote eiken. Ze vertelde dat Red niet had gewild dat John met hem meeging over het water, want, zei hij, een man hoorde in deze periode bij zijn vrouw te blijven, en hij zou zich ook wel redden met Ben aan zijn zijde. Ze vertelde dat John toch was gegaan, want hij had vreemde dromen gehad, en hij had bange voorgevoelens over het hele plan en vreesde voor Reds veiligheid. En ze vertelde dat John zich ongerust maakte nu Red het zoeken halverwege had gestaakt, zodat zijn makker op tijd naar huis kon gaan.

Het was niet zo dat niemand had geprobeerd Simon te zoeken toen hij verdwenen was. Richard, de broer van vrouwe Anne, had een zoektocht op touw gezet, en niet tevergeefs, want hij had twaalf van zijn eigen mannen gevonden die gedood waren. Maar de jongste zoon van Harrowfield was daar niet bij. Daarom had Red na verloop van tijd besloten zelf te gaan kijken. En ook voor zijn moeder. Margery vertelde dat ze erg opgelucht waren geweest dat Red niets ergers was overkomen dan een houw in zijn been, en zijn thuiskomst met mij. John had gezegd dat hij hoopte dat er geen verrassingen meer zouden komen. Bij Red verwachtte je gewoonlijk geen verrassingen. Hij was het krachtige, onveranderlijke middelpunt waar heel dit kleine wereldje om draaide. Langzamerhand begon ik te beseffen dat het een zware beslissing was geweest, mij mee naar huis te nemen.

Het netwerk bleef stevig gesloten om mij heen. Ik hield woord en waagde me niet in mijn eentje buiten de naaste omgeving van het huis. De ochtend werd doorgebracht in de naaikamer, en de ge-

fluisterde opmerkingen en steelse blikken van de vrouwen gingen door, maar Margery was er ook en haar kalme aanwezigheid en lieve glimlach maakten het gemakkelijker hun kwetsende houding te verdragen. 's Middags nam ik altijd een rustpauze, want mijn handen waren te pijnlijk om de hele dag te kunnen werken. Op de ene dag zat ik bijvoorbeeld in de tuin en dan verscheen Ben opeens met een spade in zijn hand. Het was niet moeilijk hem te laten zien wat er nodig gedaan moest worden. Hij had sterke armen en een breed repertoire aan flauwe grappen. Op een andere dag verscheen John misschien terwijl ik op de stenen muur zat om de schapen te bewonderen, die er wit en zuiver uitzagen na de scheerbeurt in de herfst, en hij liep met me naar beneden naar de rivier, pratend over koetjes en kalfjes, en ging gezellig op de stenen zitten terwijl ik mijn handen en voeten door het water haalde en Alys achter eekhoorns aanjoeg over de oever. Maar ik vergat mijn taak niet, en was me er pijnlijk van bewust hoe traag ik vorderde, ondanks de gunstige omstandigheden: goed eten en onderdak en een echt spinrokken, spindel en weefgetouw. Ik had het derde hemd, dat voor Cormack bedoeld was, afgemaakt en was bezig het garen te spinnen voor dat van Conor. Er was geen sprake van dat ik voor midwinter klaar zou zijn.
Red zag ik weinig, en ik vroeg me af of hij er spijt van had dat hij zoveel tegen me had gezegd. Ik had het idee dat hij door mijn stilzwijgen, door het feit dat ik hem geen antwoord kon geven en evenmin zijn woorden kon herhalen, bijna tegen me sprak alsof hij in zichzelf praatte. Hij ging me niet echt uit de weg; hij was vaak in de buurt, en hield zich bezig met het werk van het landgoed, en hij keek naar me, maar hij sprak niet meer met mij alleen. 's Nachts bleven ze de wacht houden buiten mijn raam.

Het duurde nog enige tijd voor de broer van vrouwe Anne kwam. Het was kort voor Samhain, er zat kou in de lucht en de laatste blaadjes vielen van eiken en beuken af. Heer Richard kwam met pracht en praal de laan met kale populieren afrijden, met zijn gezelschap op eender uitziende paarden, en zijn gevolg was indrukwekkend gekleed in fraaie zijden en fluwelen kleren. We keken naar hen vanuit de ramen van de lange kamer, Margery en ik, terwijl vrouwe Anne en de andere vrouwen hun werk neerlegden en wegsnelden. Voor zulk bezoek moesten voorbereidingen worden getroffen, en snel ook.

'Dat is zijn dochter,' zei Margery, en ik zag het lange, vorstelijke meisje dat naast de leider op een paard reed, met sluik bruin haar dat naar achteren was getrokken in een met edelstenen bezet haarnet. 'Ze heet Elaine. Elaine van Northwoods. Richard heeft geen zonen. Wanneer zij met Red trouwt, zullen de twee landgoederen samenkomen. Degene die daarover heerst, heeft het grootste deel van de noordwestelijke kustlijn in zijn greep.'

Ik zag het gezelschap oprijden tot voor de trap. Vrouwe Elaine had een kaarsrechte rug; ze zag er elegant uit in de wijde rok van haar rijkostuum en haar zwarte laarsjes. De meester van dit huis hielp haar zelf van haar paard afstijgen. Hij was niet op het bezoek voorbereid en droeg dus nog zijn werkkleding; hij rook waarschijnlijk naar de stal. De ochtendzon scheen op zijn kortgeknipte haar en gaf het de kleur van een net aangestoken vuur.

'Een strategische verbintenis,' merkte Margery droog op. 'Ze zijn als kind al aan elkaar toegezegd. Zo'n huwelijk, tussen volle neef en nicht, is doorgaans niet toegestaan. Maar haar vader heeft hooggeplaatste vrienden. Men heeft de bisschop overgehaald toestemming te geven. Het zal vermoedelijk komende zomer plaatsvinden. Het had al eerder moeten zijn, maar in plaats daarvan is Red toen weggegaan. Dat vond Richard niet prettig.'

Ik keek naar Richard van Northwoods toen hij in één soepele beweging afsteeg en de wachtende paardenknecht zijn teugels toewierp. Hij was in het zwart gekleed en bewoog met dezelfde moeiteloze elegantie als zijn dochter. Ik zag dat hij Red begroette en hem bij de arm pakte, en toen gingen ze naar binnen, waar ik hen niet meer kon zien.

Ik ging die dag niet terug naar mijn eigen kamer. In plaats daarvan nam Margery me mee naar het deel van het huis waar John en zij woonden, en liet me de houten wieg zien, waarin aan hoofd- en voeteneinde eikels en bladeren waren uitgesneden; hij was kort geleden vanbinnen bekleed met zacht linnen en wol; ook liet ze me de kleertjes zien die ze gemaakt had. Ze hield me daar een tijd om me van alles te laten zien, en ik maakte me enigszins bezorgd toen ik haar zo bezig zag. Ze maakte zich veel te druk, vond ik, voor iemand die hoogzwanger was, en haar gezicht en haar en-

kels waren een beetje opgezet, wat ik eerder had gezien bij vrouwen kort voor hun bevalling; het was geen goed teken. Ik wilde dit met haar bespreken en misschien vragen of ik haar mocht betasten om te voelen hoe het kind lag; maar ik was de woorden van die vrouw nog niet vergeten. *Laat haar maar liever niet in de buurt van je kind komen, anders wordt het misschien dood of misvormd geboren.* En ze had al één baby verloren.
Ze maakte het me gemakkelijk, wat later. 'Jenny,' zei ze, terwijl ze bij me kwam zitten, met in haar handen een pot zalf en een instrument dat ik niet kende, en dat naar ik later hoorde door vrouwen werd gebruikt om ontsierende haren uit te trekken, uit hun wenkbrauwen of uit hun kin, of te verwijderen van andere plaatsen waar ze niet gewenst waren. 'Ik hoop dat je me dit niet kwalijk neemt,' zei ze een beetje verlegen. 'Maar we... ik dacht dat je handen niet zo erg zouden hoeven te lijden, met een beetje hulp. Ik zou liever zien dat je met dit werk ophield, maar ik heb gehoord dat je dat niet wilt en dat het geen zin heeft je dat te vragen. Laat mij tenminste een paar van die stekels verwijderen en je huid inwrijven met deze zalf. Op die manier zul je je vingers beter kunnen bewegen, denk ik, en wordt de pijn misschien minder.'
Ze begon mijn handen te bewerken, en ik gaf me over aan haar behandeling en sloot mijn ogen. En ik zag Finbar, zoveel jaren geleden die met zijn tong tussen zijn tanden twee puntige stokjes gebruikte om de doorns uit te trekken terwijl ik, het kind, luidkeels tranen met tuiten huilde, en Conor zijn verhaal vertelde. *Haar naam was Deirdre, Vrouwe van het Woud...*
'Doe ik je te veel pijn?' vroeg Margery bezorgd, en ik schrok en knipperde met mijn oogleden.
Ik had tranen in mijn ogen. Ik schudde mijn hoofd en probeerde te glimlachen.
'Het moet wel vreselijk zwaar zijn voor jou,' zei ze, terwijl ze geduldig een voor een de fijne stekels uittrok. 'Niet te praten, bedoel ik. Je moet je wel heel erg eenzaam voelen. En dan nog zo ver van huis te zijn. Ik neem aan dat je zelf ook familie hebt, broers en zusters. Je zult hen wel vreselijk missen.'
Ik knikte. *Kom niet te dichtbij.*
'Ik heb een zus,' zei ze. 'Maar ik ben met John getrouwd en hier komen wonen, en zij is thuisgebleven. Het is ver weg. Ik heb haar

de laatste twee jaar niet gezien, niet meer sinds...' Niet meer sinds je je baby hebt verloren, dacht ik. Dit was de gelegenheid om het te vragen. Maar ik kon me niet uitdrukken zonder mijn handen, en die hield zij vast tot het werkje gedaan was en het genezende mengsel van smeerwortel en vrouwenmantel met bijenwas en aromatische olie stevig in mijn beschadigde huid was gemasseerd.
'Ik zal dit elke middag voor je doen,' zei ze. 'Het is niet nodig het erger te laten worden dan nodig is.' Plotseling begon ze met wijdopen mond te gapen. 'O hemeltje. Neem me niet kwalijk. Ik schijn de laatste tijd een beetje moe te worden.'
Ik maakte zo duidelijk mogelijk gebaren. *Je moet eigenlijk rusten. Kind – nu erg groot. Rusten, slapen.* Margery grinnikte.
'Daar kom ik echt niet aan toe! Ik heb te veel te doen; ik moet vrouwe Anne bedienen en het John naar de zin maken. Het is een goede man; het was zwaar toen hij weg was. Nu wil ik geen ogenblik verloren laten gaan.'
Ik probeerde het nog eens en gaf te kennen dat ik haar graag wilde betasten om te voelen hoe het ervoor stond met het kind. Ze werd ogenblikkelijk ernstig.
'Als je wilt,' zei ze met een spoor van bezorgdheid in haar stem. 'Jij weet vermoedelijk meer van deze dingen af dan ik, ook al ben je nog maar zo'n klein meisje. Er is hier een vroedvrouw; die zal me waarschijnlijk goed kunnen helpen wanneer het zover is.' Het kind lag nog hoog in de baarmoeder, en het hoofdje zat vlak onder haar borsten. Het kind had nog tijd om te keren, maar niet veel tijd meer. Het trappelde en worstelde, omdat het te groot begon te worden en niet prettig meer lag. Ik deed mijn best om geruststellend te glimlachen. *Het kind maakt het goed.* Dat was in elk geval waar, op dit moment tenminste. *Maar jij – jij moet rusten. Rusten. Slapen.* Het was gemakkelijk genoeg om haar dit met handen en ogen te beduiden. Of ze het ook zou doen was een andere kwestie.
Ik had mijn werktas bij me, en nu haalde ik het kleine bundeltje sterrenkruidvezels te voorschijn dat ik nog overhad. Ik trok aan haar arm, wees op wat ik in mijn hand had en probeerde vervolgens een groeiende plant uit te beelden die kniehoog of iets hoger was. Stevige stengels die zich uitspreidden. Daarop liep ik naar het raam, wees naar buiten in de vallei en draaide me weer

om met een vraag in mijn ogen. *Waar? Waar groeit deze plant?*
'O, Jenny,' zei ze verwijtend. 'Het kan toch niet dat je hiermee door wilt gaan? Je handen doen toch al zo'n pijn.'
Ik pakte haar bij de schouders en knikte. *Ja. Toch wel. Help me.*
'Ik zou liever niet degene zijn die je dit vertelt,' zei ze, en mijn hart stond even stil, want ik dacht dat ze zou zeggen dat de plant daar helemaal niet groeide. 'Het bevalt me niet wat je jezelf aandoet, en het bevalt Red ook niet. Maar deze plant, wij noemen hem spillekruid, groeit hier overvloedig. Niet dicht bij het huis; meer naar het noorden in de vallei, aan de overkant van de rivier, wat hoger in een kloof waar een beekje doorheen stroomt. Er is een brug. Het is nogal ver weg. Als je er meer van moet hebben, kun je beter aan John of Ben vragen of ze het voor je willen halen. Ik vraag het aan John, als je wilt.'
Maar ik schudde mijn hoofd, want alleen ik mocht de plant afsnijden en oogsten. Dat had de Vrouwe van het Woud duidelijk gezegd. Ik omhelsde Margery om haar gerust te stellen en te bedanken.

Vroeg of laat moest heer Richard mij ontmoeten. Ik werd bij hem ontboden door Megan, die minder bang voor me scheen te zijn dan de andere dienaressen. Ik moest in de zaal komen, zei ze. Ik en mevrouw Margery. Vrouwe Anne zei dat we allemaal aanwezig behoorden te zijn, als teken van respect voor onze bezoekers. En nu meteen, zei vrouwe Anne. Margery trok een gezicht en zei tegen Megan dat vrouwe Anne toch maar even moest wachten. Ze leek geen haast te hebben. Ze maakte mijn haar los en borstelde het en vlocht het weer netjes terwijl ze mompelde: 'Ik heb nog nooit zulk weerbarstig haar gezien! Ik heb het nauwelijks netjes gemaakt of er komen alweer krulletjes uit piepen alsof ze een eigen leven leiden. Nou ja, een beetje netjes moet maar goed genoeg zijn. We kunnen vrouwe Anne niet eeuwig laten wachten. Ze heeft een scherpe tong en kan boos uitvallen als ze wil. Kop op, Jenny, je kan er zo best mee door.'
Ik volgde haar door de gang en de brede stenen trap af naar de benedenverdieping. Dit valt misschien nog best mee, hield ik mezelf voor. Iedereen zal tenslotte aanwezig zijn; we kunnen gewoon onopgemerkt achteraan binnenkomen en onze opwachting maken

om de vrouw des huizes tevreden te stellen, en dan weer ongemerkt weggaan. Mijn handen voelden beter; misschien kon ik naar mijn kamer teruggaan en nog wat spinnen. Dat zou vast niemand opvallen.

Mijn hoop vervloog zodra we de zaal binnenkwamen. Want hier was alleen een uitgelezen gezelschap bijeen. Ongemerkt binnenkomen was uitgesloten. Vrouwe Anne zat aan de ene kant van de open haard, en Elaine aan de andere kant. Ze hield haar hoofd geheven als een koningin, en haar gezicht was mooi en verfijnd als de meest gekoesterde bloem van een hovenier. Haar grote blauwe ogen namen me kalm op, zonder een oordeel te geven. Naast haar voelde ik me volkomen het onhandige, wilde kind, dat ik volgens hen natuurlijk was.

Red stond bij het raam met zijn rug naar de zaal. Bij hem stond heer Richard, en van dichtbij gezien was een spoor van de familiegelijkenis te zien; niet veel, maar er was iets in het blonde, grijzende haar met een lichte slag erin, en de sluwe, taxerende blik, die ik ook in de ogen van vrouwe Anne had gezien. Het was niet zo'n grote man; Red was ruim een hoofd groter. Maar hij straalde gezag uit, een aanwezigheid die je onmiddellijk voelde. Het was iets dat me op mijn hoede deed zijn. Je zult het moeilijk vinden, had Red gezegd toen hij over zijn oom sprak en hoe het zou zijn als ik met hem kennismaakte. Dat maakte me niet uit. Ik was de dochter van heer Colum van Zeven Wateren. Waarom zou ik bang zijn voor de een of andere Brit, ook al heette die Northwoods?

'Dus dit is het meisje,' merkte heer Richard op. Hij sprak weloverwogen met een zachte stem. Zacht, dacht ik, als de voorpoot van een kat die met een muis speelt. 'Zo, kom eens naar voren. Laat me je bekijken, meisje.' Margery gaf me een klein duwtje in mijn rug en trok zich terug aan de andere kant van de kamer, waar haar man stond te kijken alsof hij in het wandtapijt wilde verdwijnen. Ben was er ook, zag ik; hij gaf me een geruststellende knipoog, en vrouwe Anne fronste haar voorhoofd. Er waren ook nog een paar mannen in de kamer die de kleuren van het huis van heer Richard droegen, roodbruin met een schuine baan zwart, en ze keken allemaal naar mij. Red had zich niet omgedraaid. Ik keek even naar vrouwe Anne. Ze gaf me een soort stijf knikje, en ik deed een, twee stappen naar voren. Ik hield mijn hoofd hoog en keek hem recht in de ogen. *Ik ben de dochter van het woud. Ik ben niet bang voor u.*

'Ze is jonger dan ik verwachtte,' zei heer Richard, terwijl hij me aandachtig opnam. 'Niet dat het veel uitmaakt. Het is hun aangeboren, ze krijgen het met de moedermelk binnen. Een soort woede; een blinde toewijding die moordenaars, fanatici en krankzinnigen kweekt. Ik betwijfel of ze ooit zullen accepteren dat datgene wat we hun hebben afgenomen, nooit hun rechtmatig eigendom was. Een paar waardeloze rotsen in de zee, een paar grotten, wat kromgegroeide bomen. Maar ze zijn bereid ervoor te moorden. En ervoor te sterven. Tot de allerlaatste onder het zwaard valt. Het is hun aangeboren. Kijk maar eens naar haar houding, en de haat in die ogen. Een verloren zaak. Maar ze zou ons van nut kunnen zijn, zuster. Ik heb vernomen dat ze geen onopgevoed dienstmeisje is. Ze zou je goud kunnen opleveren, genoeg om een aardig stuk grond aan je zuidgrens te kopen, of een sterke wachttoren te bouwen. Genoeg om een flinke hoeveelheid wapentuig aan te schaffen, of een krachtige dekhengst. Wie is zij? Welke familie heeft haar lang genoeg losgelaten om jou zo'n uitgelezen brok in handen te laten vallen? Hoe heet je, meisje?'

Ik bleef hem aankijken zonder met mijn ogen te knipperen.

'Ze kan niet spreken,' zei vrouwe Anne. 'Het meisje heeft een soort – ziekte. Ze is niet helemaal goed bij haar hoofd, geloof ik, en staat erop zichzelf pijn te doen. We weten niet wie ze is.' Ze sprak op verontschuldigende toon; ik had de indruk dat ze zich een beetje schaamde en ook een beetje bang was. Maar dit was haar eigen broer. Misschien had ik haar toon verkeerd geïnterpreteerd.

'Kan ze niet spreken?' vroeg Richard zacht, terwijl hij me van alle kanten opnam. 'Of wil ze het niet?' Ik had mijn handen achter mijn rug in elkaar geklemd. Ik hield ze ontspannen en ademde langzaam. Ik keek even naar Red. Hij had toch gezegd dat hij me zou helpen? Hij scheen hevig geïnteresseerd in het uitzicht uit het raam.

'Waar heb je haar gevonden, Hugh? Is ze een trofee van de een of andere strijd?'

'Vader.' Het was Elaine die het woord nam, waarmee ze vermoedelijk iedereen verraste. 'Het past je niet op die manier over het meisje te spreken, alsof ze je niet kan verstaan. Alsof ze er niet bij is.'

Richard lachte. Het was geen prettig geluid.

'Je goedhartigheid strekt je tot eer, lieve. Maar je vergeet dat deze mensen anders zijn dan jij en ik. Als je de dingen had gezien die ik heb gezien, als je getuige was geweest van de wreedheden – de Heer geve dat je nooit aan zulke gruwelen mag worden blootgesteld. Je hoeft niet te denken dat een meisje zoals dit denkt en voelt zoals jij, de dochter uit een van de voornaamste families in Northumbrië. Ze is minder dan de aarde onder de zool van je laarsje, lieve. Bovendien kan ik niet geloven dat een meisje van haar leeftijd onze taal zou beheersen. Haar opleiding is waarschijnlijk uiterst gebrekkig, als ze al onderwijs heeft genoten. Tenzij ze natuurlijk als spionne is opgeleid. Dat geeft aanleiding tot interessante vragen. Heb je daaraan gedacht, zuster, toen je haar in je huishouden opnam?'

Elaine wilde nog iets zeggen, maar zag ervan af. Richard begon weer heen en weer te lopen.

'Ze kan ons niet vertellen wie ze is,' mompelde hij. 'Dat komt goed uit. Heel handig. Op die manier kun je geen losprijs voor haar krijgen. Ik kan er misschien naar raden. Misschien heeft het meisje weleens gehoord van Seamus Roodbaard, de man wiens barbaren goede mannen uitmoordden in de passen boven het lange meer?' Hij staarde me aan, en plotseling moest ik aan vrouwe Oonagh denken, en raapte al mijn wilskracht bij elkaar om niets te laten merken van wat ik wist, om mijn gezicht strak te houden als steen. 'Misschien kent ze Eamonn van de Moerassen, de schoonzoon van Roodbaard; zijn specialiteit is de toepassing van vuur, in de nacht. Een gloeiend vuur dat alleen beenderen overlaat.' Hij liep weer in een boog om me heen. 'Misschien kent ze heer Colum van Zeven Wateren, de meest ongrijpbare van hen allemaal, de ergste doorn in mijn vlees. Door zijn toedoen is de bloem van mijn mannen verloren gegaan. Misschien kent zij deze mannen. Want elk meisje is een dochter, of een zuster; tenzij we geloof gaan hechten aan wisselkinderen. Kijk mij aan, meisje. *Wiens dochter ben jij?*'

Zwijgen. Zwijgen was mijn enige verdediging. Inademen; uitademen. Proberen aan niets te denken. Proberen de woede te bedwingen die in mijn borst opkwam; proberen het verdriet uit mijn gezicht te houden. *Je gedachten stralen als een baken uit je ogen; bij jou en Finbar*. Hou het weg. Kalm. Kalm als een steen.

'Je bent te zachtzinnig, Hugh. Dit zou kinderspel zijn. Maar jij hebt nooit bloed aan je handen kunnen velen.'

Hij wendde zich tot vrouwe Anne. 'En je jongste zoon, zuster? Wat zou je ervoor geven, hem veilig thuis te hebben? Als zij je naar hem toe kon brengen, zou je haar dan niet dwingen te spreken, met alle mogelijke middelen? Ze kan ertoe gebracht worden te spreken, met het grootste gemak. Maar Hugh hier schijnt, om redenen die hij zelf het beste kent, niet bereid te zijn dat te doen. Daardoor ga ik me het een en ander afvragen. Dat roept weer allerlei nieuwe vragen op.'

Niet naar vrouwe Anne kijken. Me concentreren op mijn ademhaling. In. Uit.

'Ze is nog maar een kind,' zei Red heel rustig. Ik besefte plotseling dat het eigenlijk helemaal niet om mij ging. Het was allemaal voor hem bedoeld. Het maakte deel uit van een spel dat alleen deze twee mannen begrepen. Het was een soort proef. Maar wie van de twee werd op de proef gesteld?

'Ze heeft niets te vertellen. Ze kwam mij te hulp toen ik in moeilijkheden was; ik bood haar een onderdak aan. Dat is alles.'

Er viel een volkomen stilte in de kamer. Richard trok spottend zijn wenkbrauwen op.

'Toch niet helemaal een kind, denk ik,' zei hij op suikerzoete toon. Hij stond met zijn rug naar zijn dochter en vrouwe Anne toe en raakte zacht mijn wang aan; daarna reisden zijn vingertoppen naar beneden langs mijn gezicht, mijn hals en het gedeelte van mijn borst dat de halsopening van mijn eenvoudige jurk onbedekt liet. Ik voelde het bloed wegtrekken uit mijn gezicht, en mijn binnenste krampte ineen door de herinnering aan die verschrikking, en ik hield mijn adem in. Ik zag niet dat Red bewoog, het gebeurde te snel; maar opeens was hij er en zijn grote hand sloot zich met kracht om Richards arm en nam hem weg.

'Genoeg,' zei hij zacht. Hij hoefde zijn stem niet te verheffen; de intonatie had alles uitgedrukt. 'Dit is mijn huishouden, oom. De vrouwe is mijn gast. Dat heb ik misschien niet goed duidelijk gemaakt.'

'O, je maakt het heel duidelijk, Hugh, jongen. Overduidelijk.' Hij wreef over zijn pols en had nu een komisch-spijtige uitdrukking op zijn gezicht. Hij beschikte blijkbaar over een heel repertoire. 'Ik hoop maar dat het je moeder even duidelijk is, dat is alles wat ik kan zeggen. Zij vindt het misschien minder geslaagd om onderdak te bieden aan, eh, de vrouwe.' De korte hapering voor het laatste woord was precies uitgekiend. Maar hij had zijn publiek minder goed ingeschat dan hij dacht. Elaine had haar voorhoofd licht gefronst, alsof ze diep nadacht. Vrouwe Anne was van streek. Toch wenkte ze me, terwijl ik verstijfd midden in de kamer stond, en ik raapte alle waardigheid die ik overhad bijeen en ging op de kruk met het geborduurde kussen naast haar zitten. Met dat ene gebaar had ze meer gezegd dan veel woorden hadden kunnen uitdrukken. Ze keurde misschien af wat Red gedaan had; maar hij was haar zoon, en dit was zijn huishouden, en ze zou ervoor zorgen dat zijn gasten behandeld werden zoals het hoorde, hoe zwaar het haar ook viel.

Ik doorstond de avondmaaltijd. Ditmaal was ik beter beschermd, want de familie zat bij elkaar; vrouwe Anne zat op haar gewone plaats aan de rechterkant van haar zoon, en Elaine zat links van hem. Heer Richard zat naast zijn zuster, en als ik voelde dat zijn ogen op mij gericht waren, deed ik mijn best om niet naar hem te kijken. Ik zat aan het andere einde van de tafel tussen John en Ben, met Margery tegenover me. Die situatie maakte het onnodig om te luisteren naar wat er gezegd werd, of de uitdrukking op mijn gezicht in bedwang te houden. Met zijn drieën voerden ze een levendig gesprek over uiteenlopende onderwerpen, van de winterjaarmarkt in Elvington en de vraag welke houtsoort het beste was voor fraaie meubelstukken, sycomorenhout of walnoot, tot de voortreffelijke eigenschappen van Reds nieuwe fokzeug. Ze wisten mij ook bij het gesprek te betrekken, zodat er een hele reeks fantasierijke gelaatsuitdrukkingen en gebaren in gebruik kwam die af en toe aanleiding waren tot vrolijkheid in ons groepje. Van tijd tot tijd ving ik als ik naar de andere kant van de tafel keek, Reds blik op, die geen goedkeuring of afkeuring uitdrukte maar alleen vaststelde hoe het ging. Ik zag hem een groot deel van de tijd rustig praten met Elaine. Ze pasten goed bij elkaar, vond ik. Ze waren van jongsaf met elkaar bevriend, kenden hun plaats in de wereld en zouden goed met elkaar samenwerken om te behouden wat ze hadden. Zij had indruk op me gemaakt met haar poging tegen haar vader in te gaan. Bovendien waren ze beiden groot en knap, en ze zouden mooie kinderen krijgen. Alleen herinnerde ik me de uitdrukking op de gezichten van Liam en Eilis op de avond van hun verloving; hoe ze elkaar in de ogen hadden gekeken alsof er verder niemand op de wereld bestond. Die uitdrukking zag ik niet op Reds gezicht, en ook niet op dat van Elaine. Misschien gaat het zo bij de Britten, dacht ik. Je laat niet zien wat je voelt. In plaats daarvan hou je het binnen, stevig weggesloten, anders zou het weleens aan het licht kunnen komen. Toch waren er uitzonderingen, dacht ik, toen ik naar Margery keek die samen met John om een grap lachte, en Johns gezicht zag terwijl hij haar een schaal met brood voorhield en zij een stuk nam en zijn hand aanraakte. Er waren mensen bij wie de liefde in elk gebaar tot uiting kwam, en dus zichtbaar was voor ieder die hen kende. Maar zulke mensen waren zeldzaam.

Ik sliep slecht; de nachtelijke demonen waren sterk en hielden me zelfs in mijn slaap in hun greep, en het was een opluchting toen ik eindelijk wakker werd, koud en klam van het zweet, en door mijn ronde venster de eerste vage sporen van de dageraad in de hemel zag oplichten. Ik waste me met koud water en deed een mantel aan over mijn nachthemd, want de muren kwamen op me af en ik moest nodig frisse lucht hebben. Ik schoof de grendel van de buitendeur en liep zacht de tuin in, op blote voeten over de koude stenen van het pad. Alys volgde me wat onwillig, ze liep stram in de kou van de vroege morgen. Het zou binnenkort wel gaan vriezen, dacht ik. Dat was goed; misschien zou de aarde in het voorjaar bedekt zijn met een tapijt van narcissen en crocussen. Vandaag zou het mooi weer worden; ik kon nog steeds sterren zien in de lichter wordende hemel, waarin het paars verbleekte naar roze en het eerste vleugje goud van de dageraad.

Toen we onder aan de tuin kwamen, begon Alys even te grommen. Op de houten bank onder de muur lag Red te slapen. De bank was nauwelijks groot genoeg voor zijn lange lichaam; hij had zijn armen onder zijn hoofd gevouwen, zijn ene been was uitgestrekt op de bank en het andere hing op de grond. Wanneer hij straks wakker werd, zou hij wel pijnlijk en stijf zijn. Hij had zijn zwaard, en het mesje in zijn laars, maar zoals hij daar lag zou elke passerende vreemdeling hem kunnen doden. Ik bleef stil op die plaats staan, terwijl de dageraad zijn gezicht bescheen met een rozeachtig licht, en over de rechte neus, en de geprononceerde beenderen, en de brede, ontspannen mond speelde. *Sommigen vinden dat mooi*, dacht ik.

Het duurde niet lang voor hij wakker werd. Dat gebeurde in één soepele beweging, of hij zich nu stijf en pijnlijk voelde of niet; hij sprong waakzaam overeind, met zijn hand al op het gevest van zijn zwaard. Alys kefte van schrik. Toen zag Red wie het was en hij ging weer zitten, terwijl hij spijtig op zijn hoofd krabde.

'Geslapen onder het werk. Niet zo best,' zei hij terwijl hij met zijn ogen knipperde. 'Ik was zeker vermoeider dan ik dacht. Het was gisteren geen gemakkelijke dag.'

Ik knikte. Het was zacht uitgedrukt. Nu keek hij pas echt naar mij, onderzoekend.

'Jij ziet er ook vreselijk uit.'

Bedankt. Hij zag waarschijnlijk aan mijn gezicht hoe ik me voelde.

'En je hebt waarschijnlijk ijskoude voeten. Kom hier zitten.' Ik ging zitten op de houten bank en trok mijn voeten op onder me, en trok mijn mantel om me heen om ze te bedekken. Het was koud op het stenen pad, maar het was een goede koude, de winterse koude die slaap brengt voor de tuin, om te dromen van de nieuwe groei in de lente.

'Je hebt niet geslapen,' zei Red, en hij stak zijn hand uit naar mijn gezicht. Ik ontweek hem met een snelle beweging, en hij liet de hand zakken zonder me aan te raken. 'Je hebt donkere schaduwen onder je ogen en je ziet krijtwit. Het spijt me erg van gisteren. Ze gaan straks weg. Ik wil niet dat je bang bent.'

Wat ik wilde zeggen, kon niet in gebaren worden uitgedrukt. *Je hebt me niet erg geholpen. Waarom heb je hem niet eerder tegengehouden?* Ik kon geen manier bedenken om dit aan hem over te brengen. In plaats daarvan haalde ik mijn schouders op.

'Ik meen het, Jenny. Ik zal ervoor zorgen dat hij niet nog eens zoiets doet. Het was niet eerlijk tegenover jou, of tegenover mijn moeder.' Ik keek aandachtig naar zijn gezicht. Het leek me dat hij in tweestrijd was, dat hij niet goed wist hoeveel hij kon zeggen.

'Hij... nee, laat ik dit anders zeggen. Mijn oom is familie. Dat moet ik accepteren. Dat kan ik nog net doen, tot nu toe tenminste. Ik wilde hem laten praten, in de hoop dat – nee, hiermee hoef ik jou niet te belasten.'

Wat? Me waarmee te belasten? Over die man, met zijn gladde tong en zijn kruipende handen, met zijn vlotte glimlach en zijn giftige woorden zou ik alles geloven. Het leek me al erg genoeg om hem als oom te hebben. Ik zou hem niet als schoonvader nemen, als ik de keus had. Maar het scheen dat die keus voor Red al gemaakt was.

'Ik weet waarom Simon wegging,' zei Red halfluid. Ik had weer het gevoel dat hij eigenlijk tegen zichzelf praatte, niet tegen mij. Om zijn gedachten te ordenen. Om de dingen te zeggen die je niet hardop zei. 'Ik geloof alleen niet dat ik begrijp waarom hij niet is teruggekomen. Er zijn manieren om een veldtocht te voeren, en Richard kent ze heel goed; wat je ook van zijn beweegredenen zou kunnen vinden, hij is een krijger met vele jaren ervaring in het veld. Deze veldtocht was anders. Je slaat je kamp niet op midden in het gebied van je vijand, terwijl je weet waartoe hij in staat is. Je brengt niet al je mannen bij elkaar in een kwetsbare positie, om ze in één hinderlaag te verliezen. Wanneer je slaapt, zet je iemand op wacht. En meestal is het niet de jongste en minst ervaren recruut die wordt uitgezocht voor een speciale opdracht. Waarom is hij niet tegelijk met de anderen omgekomen?' Hij streek met zijn hand over zijn kort afgeschoren haar en fronste zijn voorhoofd. 'Simon was van waarde als gijzelaar, dat begrijp ik. Maar er is geen losgeld gevraagd, er is geen contact geweest, niets. En ik heb niets over hem gehoord, toen ik daar was. Niets, behalve...'

Behalve dat wat ik bij me had, dacht ik. *En daar had je ook niet veel aan.*

'En toen Richard zelf ging zoeken,' vervolgde Red, en ik dacht dat hij bijna was vergeten dat ik bij hem was, 'wat hij erover vertelde – het kon haast niet waar zijn. John zei dat ook. Wat hij ons vertelde, over hoe ze waren afgeslacht, hoe de mannen van Ierland hen 's nachts hadden overvallen – dat overkomt ervaren mannen niet. Niet op die manier. Richard zei – hij liet doorschemeren – dat het Simons schuld was, dat mijn broer hen op de een of andere manier had verraden, dat hij de overval van de vijand had uitgelokt. Maar ik ken mijn broer. Hij is misschien dwaas en koppig, erg jong voor zijn leeftijd. Maar hij is geen verrader.'

Ik knikte. Simon was geen spion. Ik had vertrouwen in hem gehad, ook toen hij het vertrouwen in zichzelf had verloren.

'Er is een waarheid te achterhalen, die ergens hierin schuilt,' zei Red. 'Van de vele versies van dit verhaal moet er een de juiste zijn. Ik hoopte door zelf naar Simon te gaan zoeken de waarheid te vinden, hoewel ik na zo lange tijd weinig hoop had dat hij nog in leven zou zijn. Maar er waren daar geen antwoorden. Ik kwam ervandaan zonder antwoorden, en met een hoofd vol vragen. Door gisteren mijn oom te laten praten, hoopte ik op een nieuwe aanwijzing. En daarom heb ik hem te ver laten gaan, en dat betreur ik. Ik heb jou gebruikt als pion in dit spel, en dat heeft jou pijn gedaan.'

Het werd al lichter. De hemel was licht en helder, en de stemmen van vogels spraken in de bomen om ons heen. Alys rolde op haar rug, ze rekte zich uit en krabde zich. Er was iets dat ik hem moest zeggen.

Je zou terug kunnen gaan. Dit kon worden overgebracht door te wijzen en mijn handen te bewegen. *Je zou daarheen terug kunnen gaan. Nog eens gaan kijken. Misschien hem vinden. Je zou mij mee terug kunnen nemen.* Dan, dacht ik, zal ik er zijn, wanneer mijn broers terugkomen, en op hen wachten.

Red keek me ernstig aan. Hij had me blijkbaar heel goed begrepen. 'Ik kan voorlopig nog niet gaan. Er is hier veel te doen; ik ben te lang weggeweest, en heb het toezicht op de oogst en de najaarsslacht aan anderen moeten overlaten. Het is mogelijk dat de rivier voor midwinter buiten zijn oevers treedt, en...' hij brak zijn zin af toen hij de uitdrukking op mijn gezicht zag. 'Ik wil niet teruggaan, nu nog niet,' zei hij. 'Bij mijn afwezigheid van Harrowfield blijft alles wat me dierbaar is in een kwetsbare positie achter. Er zijn veranderingen gaande; er is een nieuwe koning in het zuiden die zich nog niet bewezen heeft. Ik betwijfel of Ethelwulf de kracht van zijn vader heeft, en daardoor kunnen de Noormannen tot ons gebied doordringen. Mijn plicht ligt voorlopig hier thuis. Mijn broer heeft ervoor gekozen om weg te gaan. Dat was zijn keus. Ik wil niet alles wat ik heb verliezen in mijn zoektocht naar hem, in mijn poging hem terug te halen. Maar ik vergeet hem niet. Ik ben ook niet bang om bloed te vergieten, wat mijn oom ook zegt. Als Simon gevonden kan worden, zal ik hem vinden. Als ik moet wachten, dan zal ik wachten.'

Voor hij wegging, droeg hij me op weer naar binnen te gaan en de deur te vergrendelen, en daar te blijven tot het helemaal licht was.

'Doe wat ik zeg, Jenny,' zei hij. 'Er dreigt hier gevaar. Je hebt het al ervaren. Misschien vergis ik me; misschien beoordeel ik mijn oom verkeerd. Ik hoop dat ik me vergis. Hij vertrekt vanochtend, maar ik twijfel er niet aan of hij zal terugkomen en het weer proberen. Hij heeft je nu gezien. Ik weet hoe zijn geest werkt; jouw kracht zal een uitdaging voor hem zijn. Denk aan wat je beloofd hebt.'

Dat deed ik, en terwijl ik zwijgend in mijn kamer zat met alleen Alys als gezelschap dacht ik ook aan allerlei andere dingen. Ik dacht met name aan de Vrouwe van het Woud, toen ze tegen hem zei: *Zorg dat ze niet nog eens gekwetst wordt*. En toen ze tegen mij zei: *Misschien zul je nu niet meer zo sterk hoeven te zijn*. Wat voor spel speelde het Feeënvolk, dat ze zelfs de Britten als pionnen gebruikten? Dat ze heer Hugh opdroegen mij te beschermen, terwijl dat indruiste tegen elke logische keuze die hij eigenlijk zou moeten maken? Maar er was hier niemand aan wie ik dat kon vragen. Niemand behalve ik en de kleine Alys. Ik haalde mijn naald en het scherpe garen te voorschijn, en terwijl het ochtendlicht sterker werd begon ik moeizaam, steek voor pijnlijke steek de laatste hand te leggen aan de geweven lap die ik had gemaakt. Het eerste deel van Conors hemd.

Hierna bleef het een tijdlang rustig. Het weer werd winters, de vorstdagen die ik had voorzien vormden slechts een voorspel tot stormachtige dagen met een verkillende ijsregen die de grond in modder veranderde. Boerenkarren bleven in de modder steken, en de mannen werden smerig bij hun pogingen ze los te trekken. De rivier trad buiten zijn oevers, en het vee werd verplaatst naar hogere weiden. In de keukens stond voortdurend een ketel met soep te pruttelen op de kookplaat, klaar voor de volgende ploeg uitgeputte mannen. Ik zag zonder dat het me verbaasde dat heer Hugh en zijn vrienden met dorpelingen en boeren meewerkten; omgevallen bomen werden weggehaald, oevers werden geschoond, paarden die dol werden van angst wanneer de bliksem insloeg in de stallen werden gekalmeerd. Mijn mening over vrouwe Anne werd iets gunstiger toen ik zag dat ze manden met etenswaren inpakte en zich een enkele keer zelf naar buiten waagde om ze, vergezeld door een dienares, af te leveren. Hij werd nog gunstiger toen ze mijn naam begon te gebruiken, in plaats van 'meisje', en een bediende een standje gaf die opperde dat het feit dat de bliksem juist in de stal was ingeslagen, misschien iets te maken had met mijn aanwezigheid in het huis. Er stonden rijen bemodderde laarzen voor het haardvuur, en er hingen vele natte mantels in de keukens. In mijn kamer was het ijskoud, en ik vroeg om een extra deken.

Het slechte weer betekende dat we tenminste een tijdlang geen bezoekers kregen. De weg van Harrowfield naar Northwoods was onbegaanbaar, want hij was overstroomd door de gezwollen rivier. Voorlopig kon er niemand aankomen of weggaan. Het was de tijd van het jaar waarin ik thuis met mijn broers bijeen zou zijn gekomen om de schimmen te weren, en de zegen van de geesten te vragen voor het donkere seizoen dat zou komen. Er was een christelijke feestdag, die in huis werd gevierd, zonder veel ceremonieel. Er was hier geen priester aanwezig; er werd gebeden voor de doden, en er werden kaarsen aangestoken. Niemand sprak de naam Simon uit. Maar hij was aanwezig bij ons; je hoefde het niet te zeggen om het te voelen.

Die avond stak ik in mijn kamer mijn eigen kaars aan. Ik had me niet uitgekleed, daar was het te koud voor. De hond had de dekens tot een soort nest geschikt en lag er zacht te snurken. Het licht danste over de stenen muren die door de tocht fantastische schaduwen vormden. Stilzwijgend noemde ik hun namen. *Liam, Diarmid. Cormack, Conor. Finbar. Padriac.* Ik zag in gedachten hun gezichten, zes versies van hetzelfde gezicht, maar toch allemaal heel verschillend. Ze vervloeiden tot één gezicht, wazig door mijn tranen. Het zou spoedig midwinter zijn. Hoe zou ik hen vinden? Er zaten nog steeds maar drie hemden in mijn rugzakje, en een gedeelte van het vierde. Binnenkort zou ik geen sterrenkruid meer hebben. Hoe moest ik eraan komen, wanneer de wind buiten de struiken tegen de grond striemde, en het water hard bevroor in de voren van de kale velden? Ten slotte viel ik in slaap, terwijl ik nog in de kaarsvlam tuurde, ineengerold naast de kleine Alys voor de warmte; de namen van mijn broers weerklonken telkens weer in mijn hoofd, alsof ik hen door hun namen te zeggen nog wat langer in leven kon houden, nog iets langer. Net lang genoeg.

HOOFDSTUK NEGEN

Het weer werd nog slechter en de dagen werden korter. 's Morgens was de grond hard bevroren, en aan de dakbalken van de schuur hingen fonkelende ijspegels. In het warmere weer van de herfst was het voor mijn gezwollen handen al moeilijk genoeg geweest spinrokken en spindel te hanteren, de spoel door het weefgetouw te laten gaan, en een draad in de naald te steken voor het laatste naaiwerk. Nu voelde ik een doffe, kloppende pijn in mijn gewrichten die niet wegging, zelfs niet wanneer ik rustte. Op de ergste dagen, toen het buiten zacht sneeuwde en de kamer waar we werkten zelfs midden op de dag met kaarsen werd verlicht, moest ik met moeite mijn tranen bedwingen terwijl ik mezelf dwong door te werken. Margery was er intussen achter gekomen dat ik van niemand hulp wilde accepteren. Het enige dat ze kon doen, was bij me zitten en rustig over ditjes en datjes praten, en ik vond haar aanwezigheid geruststellend. Maar ik vorderde maar langzaam, te langzaam. In de haard brandde een vuur, en de vrouwen gingen er altijd dichtbij zitten om te werken. Maar ik bleef ver van hen af zitten, want ik had een hekel aan de argwanende blikken en de roddelende tongen, die alleen zwegen wanneer vrouwe Anne aanwezig was. Ik had een hekel aan de tekens die ze met hun vingers maakten wanneer ze dachten dat ik niet keek. Ik werkte zo hard mogelijk door, en ik keek door het raam naar buiten, want midwinter kwam steeds dichterbij, en omdat ik er niet langer aan durfde te denken hoe lang de hele taak nog zou duren, stelde ik mezelf een kleiner doel. Met Meán Geimhridh, de winterzonnewende, wilde ik Conors hemd af hebben.

Binnenshuis opgesloten vonden de mannen iets nieuws om zich mee bezig te houden. De houten banken en tafels werden verwijderd uit de grote zaal, zodat die geschikt werd als strijdperk voor verschillende vechtsporten, met en zonder wapens. Na een paar dagen en een paar keer dat het bijna raak was, liet vrouwe Anne de wandtapijten weghalen om ze op een veilige plaats op te bergen.

Ik begon te zien waar Red de vaardigheden had verworven die ik tijdens onze vlucht van het meer naar de zee had opgemerkt. De mannen oefenden met zwaarden, en met een combinatie van mes en zwaard, en met staven. Ze worstelden en gebruikten handen en voeten als wapens. Mijn broers hadden hier nog een paar nieuwe kunstjes kunnen leren.

Vaak waren de meisjes, die zich verveelden bij het naaien elke morgen, te vinden terwijl ze zich in de deuropening verdrongen en 'ooh' en'aah' riepen terwijl Ben met een diepe duik Johns zwaardslag ontweek en dat liet volgen door een flitsende trap waarmee hij het dolkmes van zijn aanvaller door de lucht liet vliegen, gevaarlijk dicht bij de bewonderende gezichten van de toeschouwsters. Of ze slaakten gilletjes wanneer Red zijn methode demonstreerde om een hoofdgreep van een zeer vastberaden vijand te breken – een weliswaar onethische, maar werkzame manoeuvre. En niet alleen dit drietal gebruikte zijn tijd op die manier. Red had een klein, maar dodelijk legertje, waarvan volgens mij elke man aan Cormack goed tegenspel had kunnen bieden. En dat wilde heel wat zeggen. Ik vond het merkwaardig dat deze koeherders en molenaars zich in een oogwenk konden transformeren tot bedreven en dodelijk doelgerichte krijgers. Heer Richard had Red gehoond om zijn aarzeling de vijand tegemoet te treden. Maar ik dacht: wanneer het zover is, zal hij er klaar voor zijn. Zoals hij het de vorige keer ook was. Als ik zijn vijand was, zou ik geen beledigende opmerkingen maken. Ik zou eerder zorgen dat ik klaar was voor de strijd. Het duurde even voor ik me herinnerde dat ik en mijn volk de vijand waren; ik was bijna in de val gelopen, te denken dat ik hier thuishoorde.

Dat dit bij lange na niet het geval was, werd me algauw duidelijk gemaakt. Vrouwe Anne was een beetje ontdooid sinds het bezoek van haar broer, maar niet veel. Ze deelde mijn zorg, denk ik, bij het kijken naar haar zoon, die zijn pas genezen been zo fel gebruikte. Ik was tevreden geweest over mijn werk, want de hechtingen waren er netjes uitgekomen, en de wond zag er gezond uit. Het lange litteken dat de kling van zijn aanvaller in zijn been had gesneden, zou nooit meer weggaan, maar hij toonde dagelijks aan dat het been zelf weer zo goed als nieuw was. Dat was een beetje een opluchting voor me. Maar met dit succes verdiende ik nog geen respect van het huishouden. In plaats daarvan vroegen ze zich mompelend af hoe ik dat had gedaan, met de half uitgesproken suggestie dat zo'n jong en onnozel iemand dit spectaculaire resultaat nooit had kunnen bereiken zonder gebruik te maken van hekserij, of iets dat er zo dichtbij kwam dat het eigenlijk hetzelfde was.

Nu midwinteravond steeds dichterbij kwam, wist ik dat ik een nauwgezet plan moest maken. Want die nacht tussen avond- en ochtendschemer moest ik klaar zijn en wachten op de terugkeer van mijn broers. Ongeacht het feit dat ik de zee was overgestoken en hen had achtergelaten, ongeacht onder wiens dak ik nu verbleef. Ik moest de wetenschap opzij zetten dat ze geen landkaart, geen teken, geen lichtbaken hadden om hen naar mij toe te brengen. Ik had deze weg genomen en zij zouden moeten volgen. Er waren vreemde dingen gebeurd; er zouden nog vreemdere dingen kunnen komen. Daarom hield ik hun namen in mijn geest als een soort klaagzang, en beraamde ik mijn ontsnapping. Als ze kwamen, zouden ze water opzoeken, dus de rivier. Ik kon ongezien niet ver komen, en had maar een kleine tijdsspanne om het te doen. Ik kon niet bij het vallen van de avond ter plaatse zijn. Het moest gebeuren tussen de avondmaaltijd en het moment dat de wacht werd betrokken bij mijn kamer. Ik zou in mijn kamer een kaars aansteken en Alys opdragen zich stil te houden. Dan zou ik de deur dichtdoen en door de tuin sluipen. Ik kon in het donker de weg vinden naar de rivier. Ik hoopte dat ze zouden wachten. Daarna zou ik de volgende ochtend afscheid van hen nemen, hen veilig op de lange weg naar huis sturen, en zorgen dat de wacht weg was voor ik weer ongemerkt mijn kamer in glipte. Zo moest het lukken. Het móest lukken. Ik probeerde er niet aan te denken dat ze misschien niet zouden komen, dat ik een hele, lange, lege nacht zou moeten wachten.

De ochtend van midwinterdag brak aan; het was koud en helder weer. Er brandde een flink vuur in de lange kamer, het lage zonlicht viel schuin door de ramen naar binnen en met moeite zetten we onze verstijfde vingers aan het werk. In de grote zaal was een groot blok eikenhout in de haard gelegd, dat die avond plechtig zou worden aangestoken, en boven elke deuropening hingen takken groen: hulst, klimop en maretak. Deze gebruiken kende ik ook van thuis. Ik verwachtte niet dat ik grote vuren zou zien branden op de heuvels, of dat deze mensen eromheen zouden dansen en om middernacht een dronk zouden uitbrengen op de geesten van veld en boom. Ze zouden veilig in hun warme bed blijven liggen en de deuren afsluiten. Dat was in mijn voordeel. Daardoor moest het mogelijk zijn in de nacht ongezien naar buiten en naar binnen te glippen.

De naaibijeenkomst duurde die dag maar kort; halverwege de ochtend vertrokken de vrouwen naar de keukens, waar gezamenlijk voorbereidingen werden getroffen voor het feestmaal van die avond. Er zou geroosterd vlees zijn, cider en pruimentaart. De mannen deden hun vechtspelletjes of deden het gewone boerderijwerk. Het vee was voor de winter in schuren ondergebracht, en de beesten moesten dagelijks met graan worden gevoerd. Het was een drukke dag, zo druk dat niemand tijd had om op mij te letten, en ik bleef dus waar ik was en genoot van de eenzaamheid, en ik naaide de tweede mouw aan het hemd. Het was bijna af. Onder het werk zwierf mijn geest weg uit de lege kamer en bij het uitdovende vuur vandaan. Ik riep in gedachten het beeld van mijn broer Conor op: verstandige, vriendelijke ogen; een smal, fijnbesneden gezicht, lang haar dat glansde als een rijpe kastanje; een sterke, jonge man met een oude geest. Ik zag hem in onze keuken, waar hij de voorraden telde; ik zag hem bij kaarslicht, omringd door vreemde schaduwen. Ik zag hem zoals hij op het strand stond en de vuurgeesten aanriep. Ik zag hem wegzwemmen over het meer, met de grote witte vleugels langs zijn zijden gevouwen. *Conor. Ik ben hier. Waar ben jij?* Ik zat daar lange tijd; mijn vingers in de weer met naald en draad, mijn geest ver weg. Ik trachtte hem te bereiken met alle kracht die ik kon opbrengen, hem te roepen. Maar er kwam geen antwoord, althans geen antwoord dat ik kon horen. Misschien vliegen ze op ditzelfde ogenblik hierheen, hield ik mezelf voor. Misschien zijn ze boven het grote water, of schuilen ze voor de kou op de een of andere verlaten plek tussen daar en hier. Ik zal wachten; er zal een tijd komen dat hij zal antwoorden wanneer ik roep.

Vaag registreerden mijn oren dat de drukte buiten de kamer toenam, luide stemmen en snel lopende voeten. Het licht was te slecht om te werken, en mijn geest was verdoofd en uitgeput van mijn vergeefse pogingen. Ik liep naar de deur, keek naar buiten en zag Megan snel voorbijlopen met haar armen vol linnen doeken. Ik pakte haar bij de mouw en trok mijn wenkbrauwen vragend op.

'Het is meesteres Margery,' zei ze ademloos. 'Ze heeft al de hele middag weeën, ze zijn heel krachtig, maar de vroedvrouw zegt dat er iets niet goed is. Het kind ligt verkeerd, zegt ze, en u weet wat dat betekent. Arme meesteres Margery. Haar eerste kindje is gestorven, weet u. Het ziet ernaar uit dat dat weer zou kunnen gebeuren.'

De schrik om haar woorden bracht me terug in deze wereld. Het kind van Margery, dat zoveel voor haar betekende. John en zij hadden een kind verloren, ze mochten er niet nog een verliezen. Ik kon helpen. Ik had dit al eerder gedaan, ik wist precies wat ik moest doen. Dat kon ik hun niet vertellen, maar ik kon het wel laten zien. Ik volgde de snel lopende Megan naar de kamers van Margery, waar een drom vrouwen bij de deur stond. Binnen brandde licht. Megan verdween naar binnen met haar schone doeken. Maar ik werd tegengehouden door een van de vrouwen van het gevolg van vrouwe Anne.

'Jij niet,' zei ze beslist. Ik aarzelde maar even, toen probeerde ik langs haar te komen. Dit was belachelijk. Als Margery in moeilijkheden was, had ze mij nodig. Ze wilde mij er vast bij hebben. En ik wist wat ik moest doen, dat dacht ik tenminste. De vrouw stak snel haar arm uit om me de weg te versperren.

'Jij mag daar niet naar binnen,' zei ze. 'We zullen niet toestaan dat jij je vloek brengt over een barende vrouw, of dat je haar ongeboren kind aanraakt met je smerige handen. Scheer je weg. Jouw slag is hier niet welkom.' Ik had haar graag een klap in het ge-

zicht gegeven, als ik niet had geweten dat dat het alleen maar erger zou maken. Ik haalde diep adem.
'Wat is er aan de hand?' kwam een stem vanbinnen in de kamer. Het was vrouwe Anne, die nu naar de deur kwam omdat ze haar vrouwen tekeer hoorde gaan. 'Jenny. Wat doe jij hier?' Ze zag er moe en bedroefd uit, en allerminst blij om mij te zien. Ik gebruikte mijn handen om tot haar te spreken. *Ik kan helpen. Ik heb verstand van deze dingen. Laat mij helpen. Laat mij binnenkomen.*
Vrouwe Anne keek me vermoeid aan. 'Het lijkt me beter van niet, Jenny,' zei ze terwijl ze zich alweer omdraaide. 'We hebben hier onze eigen vroedvrouw. Die is heel bekwaam; als zij dit kindje niet kan redden, vrees ik dat niemand het kan.' En weg was ze.
'Je hebt gehoord wat onze vrouwe zei,' zei een andere vrouw. 'Weg jij. We hebben jouw soort niet van node. Hier is behoefte aan een genezeres, niet aan een moordenares. Waarom ga je niet terug naar je eigen land, heks?'
Ik ging weg. Wat had het voor zin? Maar ik had wel kunnen huilen als ik aan Margery dacht die mijn vriendin was geworden, en die nu gevaar liep datgene te verliezen waarop ze met zoveel liefde had gewacht. Ik ging terug naar mijn kamer, zorgde dat ik alles klaar had voor de nacht en liep toen door de tuin op en neer terwijl Alys onder de lavendelstruikjes snuffelde. Ik voelde de kou toenemen naarmate de lucht donkerder werd, en de avond naderbij kwam. Een angstig voorgevoel drukte zwaar op mijn hart. De dood was die dag heel dichtbij; ik voelde haar in mijn botten. Noch een warme haard, noch een beschermende tak hulst konden haar buiten houden waar zij wenste binnen te komen. Ik wilde dat ik nu al mijn mantel en laarzen kon aantrekken en naar de rivier gaan, dat ik daar kon zijn op het ogenblik dat de zon onder de horizon zakte en het land grijs, paars en zwart werd. Maar ik kende Red. Ik moest aan tafel verschijnen, anders zou er een zoektocht op touw worden gezet. Ontsnappen was pas mogelijk als het helemaal donker was. Hij had geen slot of sleutel nodig om me gevangen te houden.
Het had een feestelijke maaltijd moeten worden, maar er heerste weinig vreugde onder diegenen van het huishouden die die avond in de grote zaal bijeenkwamen. Het was al donker. Ik keek naar het zwart buiten de ramen, en mijn geest riep weer. *Conor! Fin-*

bar! Waar zijn jullie? Wacht op mij. Ik kreeg een beeld voor ogen van mijn broers in de kou onder de wilgen, niet wetend of ik in de buurt was of niet. Alleen en midden in het gebied van hun vijand. Uitgeput in het donker. Een hoekje van mijn geest registreerde wat ik zag: de radeloze John die een bokaal wijn kreeg aangereikt die hij in één teug ledigde, zich ternauwernood bewust van wat hij deed of waar hij was. En Red die met strakke mond en koude ogen zacht maar woedend tegen zijn moeder sprak. Ik dacht dat ik wel kon raden waarom hij boos was. Hij wist dat ik genezeres was. Hij was de vriend van John en van Margery. Hij besefte dat ik misschien in staat was hen te helpen. Maar vrouwe Anne wilde niet dat ik aan het bed van Margery verscheen om met mijn handen, de handen van een tovenares, het kind te verlossen. Ze leek zich niet op haar gemak te voelen onder de woede van Red, maar er lag een koppige trek op haar zachte gezicht. Ben zat bij mij en zei weinig. Niemand had veel trek.
Zo snel als mogelijk was zonder onbeleefd te zijn ging ik van tafel, en liep meteen naar mijn kamer. Vrouwe Anne en haar zoon waren nog steeds in discussie; ik geloof niet dat een van beiden mij zag. Ik had nog veel tijd. Ik stak mijn voeten in mijn laarzen voor buiten en pakte de mantel op. Alys bewoog zich nauwelijks, ze had zich lekker in de dekens genesteld. De kaars brandde met een vaste vlam op de kist. *Ik kom eraan. Nog even wachten.* Ik hief mijn hand op om de grendel van de buitendeur te schuiven. Op dat moment werd er hard geklopt, en ik hoorde Megans stem bij de andere deur. 'Jenny! Jenny, ben je daar?' Het was alsof een koude hand zich om mijn hart sloot. Nee, niet nu. Kom me nu niet roepen. Maar het was voor Margery, dat wist ik, en ik had geen andere keus dan de deur open te doen en Megan te volgen door het huis. Het had al lang genoeg geduurd voor ze eindelijk inzagen dat ze dit kind zonder mij niet konden verlossen. Zelfs vrouwe Oonagh had het moment niet beter kunnen kiezen.
Vrouwe Anne had de vrouwen toegesproken, of iemand anders. Hun ogen volgden me nog steeds angstvallig terwijl ik door de kamer liep, en meer dan een van hen maakte heimelijk een kruisteken. Maar ze zeiden geen woord. Margery was uitgeput. Ze had grote donkere kringen onder haar ogen, en haar huid voelde koud en klam aan.

'Jenny! Daar ben je eindelijk!' zei ze met een zwak stemmetje. 'Waarom kwam je niet? Ik wilde dat je kwam. Waarom wilde je niet komen?'

Ik keek even naar vrouwe Anne, en ze wendde haar blik af, omdat ze me niet in de ogen kon kijken. Ik denk dat ze, ondanks zichzelf, besefte dat ze iets onvergeeflijks had gedaan.

De midwinternacht is lang, maar dit leek de langste nacht van mijn leven, terwijl we het uiterste deden om dit kind te helpen op de wereld te komen. Margery perste en perste maar werd steeds zwakker. En toch was het een nacht die snel, te snel voorbijging terwijl ik doorwerkte; buiten, boven de toppen van de winterse bomen, werden de sterren helder, en vast, en begonnen toen weer te verflauwen. En terwijl mijn handen nat werden van het bloed, en mijn lichaam doornat van het zweet, en terwijl ik bezig was de vrouwen aanwijzingen te geven en Margery gerust te stellen zonder woorden te gebruiken, riep een deel van mijn geest naar mijn broers: *Wacht op mij. Wacht nog even. Voor het ochtendgloren zal ik komen.*

Het was veel te laat om het kind te keren, want het was nu te ver ingedaald om verplaatst te kunnen worden. Het moest dus in stuitligging geboren worden, als dat mogelijk was. Margery had niet veel kracht meer. Ik kon de vrouwen niet aan het verstand brengen wat ik nodig had, dus uiteindelijk ging ik de kamer uit, en nam Megan mee, en ging naar de distilleerkamer om zelf de benodigde kruiden te zoeken. Ik moest dit precies goed zien te krijgen. Eerst iets om te zorgen dat ze zich kon ontspannen, een korte rustpauze om op krachten te komen. En dan iets om die krachten te versterken, juist lang genoeg voor een, twee, drie keer kort persen. En de godin bidden dat de navelstreng niet om de nek van het kind gewonden was. Het leed geen twijfel wie er de schuld van zou krijgen als dit kind nooit begon te ademen. Bovendien dacht ik niet dat ik het zou kunnen verdragen Margery's of Johns gezicht te zien als ik hun kindje niet veilig in de armen van zijn moeder zou kunnen leggen.

Megan hield de lamp vast terwijl ik aan de slag ging. Het huis was van alles voorzien, maar degene die deze kruiden zo netjes had weggeborgen was vermoedelijk niet op de hoogte van hun werkzaamheid om een bevalling te helpen, en ook niet van de juiste combinatie ervan. Er was nog wat tijd voor zonsopgang, maar niet veel. *Wacht op mij.* Ik schepte het droge mengsel dat ik had samengesteld in een kleine beker en ging op weg naar de keukenvuren. Deze kruiden dienden in heet water te worden geweekt. Ze moesten eigenlijk langer trekken, maar Margery had niet veel tijd meer. Ook het kindje zou intussen verzwakt zijn, uitgeput door het gevecht. Terwijl ik naar de trap liep, zag ik de drie mannen bijeen in het halfduister voor de haard in de grote zaal. John had zijn hoofd in zijn handen, en Ben stond zacht te praten met zijn hand op de schouder van zijn vriend. Red stond naast de haard, en hij was de enige die mij zag. Zijn ogen stelden een vraag. De mijne konden niet liegen. *Ik zal hen beiden redden, als ik kan, Ik zal mijn best doen.* Ik geloof dat hij me begreep, maar hij zei niets, om John te sparen. Hij knikte even dat hij het begreep, en ik liep de trap op en was niet meer te zien; Megan liep voor me uit met de schommelende lamp.

Het vuur gloeide warm in Margery's kamer. Op mijn wenk maakte Megan de bos gedroogde lavendel die ze van beneden had meegenomen los en gooide de zilvergrijze stengels en verbleekte bloempjes op de gloeiende kool, en er steeg een zoete, geneeskrachtige geur op in de lucht. Het aftreksel was ver genoeg afgekoeld; ik hielp Margery te gaan zitten en keek toe terwijl ze het gehoorzaam opdronk. Er zat tijm in en steentijm. En beekpunge, een kruid dat als laatste redmiddel geldt. Ik had geen tijd gehad om het mengsel zoet te maken, om de smaak te verbeteren met honing of specerijen. Maar ze dronk het helemaal op, en haar vermoeide ogen keken in de mijne, zo vol vertrouwen dat ik er bang van werd. Toen rustte ze even.

Toen de hemel buiten paarsblauw kleurde en daarna zachtgrijs werd, werd het kind eindelijk geboren. De drank had Margery net genoeg kracht gegeven voor een laatste, geweldige keer persen. Mijn handen, hoe ruw ze ook waren, kenden hun taak en voorzichtig trok ik haar zoon naar buiten in de wereld. Hij was slap en stil.

'Wat is er?' zei Margery met een zwak stemmetje. 'Waarom is het kind zo stil?' En de vrouwen mompelden onder elkaar. Vrouwe Anne bette Margery's voorhoofd, en ze had tranen in haar ogen. Terwijl het steeds lichter werd in de kamer, plaatste ik mijn mond

over het gezichtje van de baby, en blies voorzichtig lucht in zijn lijfje. En nog eens. En nog eens.
De vroedvrouw greep mijn arm beet en probeerde me te laten ophouden, maar vrouwe Anne zei: 'Nee, laat haar begaan.' Nog een ademtocht. Nog eentje maar. En eindelijk maakte het kindje een hikkend geluid, en hoestte even, en toen begon hij woedend te schreeuwen. Toen was er opeens geroep van veel stemmen, en er waren vele handen om het kind in doeken te wikkelen en hem op de borst van zijn moeder te leggen, en er vloeiden tranen van vreugde. Er waren vele helpsters om de nageboorte op te vangen en het vuur op te stoken en weg te hollen om de mannen het goede nieuws mee te delen. Niemand lette op mij terwijl ik geluidloos in mijn bebloede jurk de trap af rende, en de grote grendelbalk van de voordeur schoof, en wegrende, de laan tussen de hoge populieren afrende, langs de keurige muren en de beschut bij elkaar staande schapen, naar beneden naar de glanzende bocht van de rivier waar het eerste licht van de dageraad het water onder de overhangende wilgen in vloeibaar zilver veranderde. Maar voor ik bij de waterkant was, drongen de zonnestralen al door de kale takken van de bomen boven me, en de zon bescheen de vallei en de wereld was vol licht. Allerlei dieren hadden hun sporen op deze zachte rivieroevers achtergelaten, eenden en ganzen, vossen en otters. Maar het was nog vroeg; de eenden sliepen nog. En er waren geen zwanen op het rimpelende water. Er waren geen menselijke voetsporen, behalve de mijne. Als ze hier waren geweest, waren ze er nu niet meer.
Mijn hart was koud van verdriet en woede. *Waarom hebben jullie niet op me gewacht? Ik heb mijn uiterste best gedaan. Waarom hebben jullie geen teken voor me achtergelaten? Nu kan ik niet zien of jullie gekomen zijn of niet!* Ik merkte dat de tranen me over de wangen stroomden, alle tranen die ik tot nu toe niet had vergoten, een overweldigend huilen dat mijn lichaam deed schokken, en ik ging met mijn hoofd tegen de stam van een wilg staan en bonkte tot bloedens toe met mijn vuisten op de bast. Als ik mijn verdriet had kunnen uitschreeuwen zou ik het gedaan hebben, tot de hele vallei galmde van mijn ellende. Ik bleef daar een hele tijd staan. Uiteindelijk liet ik me naast de grote wilg op de grond zakken en bedekte mijn gezicht met mijn handen. Mijn

schouders schokten, er liep snot uit mijn neus en de tranen hielden maar niet op. Als ik daar lang genoeg bleef zitten, zou ik misschien deel gaan uitmaken van deze boom, een treurboom-meisje dat elke nacht bij het water zat te huilen. Misschien zou ik verdwijnen in de zachte aarde van de rivieroever, en zou er in mijn plaats riet opschieten, slank en zilvergrijs, en als een man van dit riet een fluit maakte, zou die zingen: *te laat, te laat.*

'Dit zijn geen tranen van één nacht.'

Misschien had ik onbewust geweten dat hij zou komen. Ik hoorde laarzen knerpen op het berijpte gras toen hij naderbij kwam. Toen voelde ik de warmte van zijn mantel, die hij om mijn schouders legde, heel voorzichtig zodat zijn handen me nauwelijks raakten. Het was een prettig gevoel, heel prettig. Ik had niet beseft dat ik het zo koud had, buiten in de vriesmorgen met alleen mijn jurk en mijn muilen voor binnen aan. Het was alsof de mantel de warmte van zijn lichaam overbracht in het mijne.

'Ik zou graag de reden voor deze tranen weten,' zei Red zacht, en hij kwam bij me zitten, maar niet te dichtbij. 'Er zal een dag komen dat ik het zal weten. Op dit moment kom ik je namens John, en mezelf, bedanken voor wat je gedaan hebt. We zijn je veel verschuldigd. Kom je mee terug naar huis?'

Ik snoof, en opende mijn ogen, maar hij keek niet naar mij. Hij zat een grasspriet tussen zijn vingers rond te draaien, en hij keek uit over het water. Twee wilde eenden, een woerd en zijn vrouwtje zwommen kalm, in het eerste daglicht, langs het riet. De veren van zijn kop glommen glanzend groen boven zijn sneeuwwitte halsband. Het vrouwtje zwom achter hem aan, ingetogen in haar gespikkeld bruine kleed.

De stilte duurde voort, maar het was geen pijnlijke stilte. Na een tijdje haalde Red het kleine mes uit zijn laars, en een nog kleiner stuk hout uit zijn zak, en begon in het hout te snijden, terwijl hij zijn ogen dichtkneep tegen de zon. Hij werkte zeer geconcentreerd. Ik kon niet zien waar hij aan werkte. Ik vroeg me af wie hun deze vaardigheid had bijgebracht, heer Hugh en zijn broer. De dag werd steeds lichter en het glimmende watervlak werd algauw doorbroken door drukke eenden, ganzen en waterhoentjes. Mijn gedachten begonnen langzamerhand rustiger te worden. Een halfjaar. Nog eens twee seizoenen voor ik hen weer zou zien. Giste-

ren was het mijn vijftiende verjaardag geweest, en daar had ik tot dit moment niet eens aan gedacht. Het leek om de een of andere reden niet meer van belang te zijn. Thuis was ik nu misschien al getrouwd geweest. Ik vroeg me af wie mijn vader voor me gekozen zou hebben. Een strategische verbintenis natuurlijk. Maar dat was een weg die intussen zo ver van me af lag dat het iets uit een verhaal leek, een verhaal over een ander meisje. Niet mijn verhaal. Ik was hier, en mijn broers waren niet hier, en weer was er voor mij maar één keuze mogelijk. Ik kon doorgaan met spinnen en weven en naaien; ik kon doorgaan met wachten. Als ik heel hard werkte, als ik sneller werd, zou de taak tegen midzomer misschien al bijna voltooid zijn. Dan zou ik weer bij de rivier komen, in de nacht van Meán Samhraidh. Maar zouden zij er ook zijn? Konden ze hier wel zijn? Het was heel ver vliegen. Hoe moesten ze, voor de zon onderging en ze weer mannen werden, weten dat ze deze reis moesten maken? Want zolang ze in hun betoverde toestand waren, hadden ze geen menselijk bewustzijn.
Behalve Conor. Hoe sterk waren Conors vermogens? Was misschien zelfs de kunde van een druïde niet genoeg om op die manier invloed uit te oefenen op de wil van wilde dieren? Dan zou alles vergeefs kunnen zijn. Waarom zou ik dan hier blijven zwoegen, en de verbitterde blikken van de huisgenoten verduren, en aanhoren voor welke lelijke dingen ze me uitmaakten? Waarom zou ik mijn handen aan flarden scheuren aan het sterrenkruid, tot zelfs ik begon te geloven dat ik krankzinnig was; waarom zou ik alle dagen binnen zitten, terwijl ik naar het bos verlangde? Want diep in mijn hart moest ik erkennen dat ik voor niets halsoverkop naar de rivier was gevlucht. Ze waren hier niet geweest. Ze zouden niet komen en weggaan zonder een boodschap voor me achter te laten, Oghamtekens gekerfd in een wilgenstam, een patroon in stenen uitgelegd op de rivieroever, of een witte veer. Als ze hier waren geweest, zou ik de innerlijke stemmen van Conor en van Finbar gehoord hebben. *Sorcha, Sorcha, ik ben hier*. Het was lang geleden. Maar ik was hun zus, en wij zevenen waren even zeker van hetzelfde vlees en bloed, en van dezelfde geest, als de zeven stromen uit onze jeugd samenvloeiden en zich vermengden in het grote, glanzende hart van het meer. Ze waren niet gekomen. En het zou weer lang, zo vreselijk lang, duren tot midzomer.

'Wil je zo graag terug naar huis?' vroeg Red zacht, nog steeds aandachtig werkend. 'Is het hier zo moeilijk voor je?'
Ik was verrast. Hij had lange tijd gezwegen. Een andere man zou tegen me zeggen wat ik hoorde te voelen; dat ik blij moest zijn dat Margery en haar kind in leven waren gebleven. Hij zou zeggen dat ik moest ophouden met huilen en mijn ogen drogen. Een andere man zou tegen me gezegd hebben dat ik niet op midwinterdag op de bevroren grond moest blijven zitten, dat ik meteen terug moest gaan naar huis. Hij zou gezegd hebben dat ik ermee op moest houden zijn tijd te verspillen. Ik had geen antwoord op Reds vragen. Natuurlijk wilde ik naar huis. Mijn hart smachtte naar het bos, en mijn geest verlangde ernaar bij mijn broers in de buurt te zijn, of ze me nu konden zien of niet. Maar ik was niet dom. Mijn gezonde verstand zei me dat de kans om mijn taak te voltooien het grootst was als ik hier bleef. Ik had een dak boven mijn hoofd, ik kreeg goed te eten, en kreeg meer bescherming dan ik wilde of nodig had. Ik had het benodigde gereedschap en ik had zelfs een paar mensen die ik vrienden kon noemen. En ik had wel erger meegemaakt dan de scherpe tongen en zijdelingse blikken van het gevolg van vrouwe Anne. Mijn ziel zei dus: weg. Maar mijn verstand zei: blijf, voorlopig. Als je broers de volgende keer niet komen, kun je hen gaan zoeken. Midden in de winter zou je niet ver komen. Bovendien zou hij je volgen en terughalen. Altijd.
Ik kwam een beetje stram overeind en hinkte naar de waterkant. Daar knielde ik neer om met mijn handen wat helder water op te scheppen, eerst om te drinken en daarna om mijn gezicht nat te maken. Toen het water tot rust was gekomen zag ik mijn spiegelbeeld op het oppervlak, met rode ogen, vlekkerig van de tranen en bleek van uitputting. Het water was ijskoud.
'Ik zal je iets beloven,' zei Red, en toen ik me omdraaide en naar hem keek, had hij zijn werk weggelegd en keek hij naar mij. Ik vroeg me af waarom ik had gedacht dat zijn ogen blauw waren. Vandaag leken ze dezelfde kleur te hebben als het water van de rivier, een lichte, veranderlijke tint tussen grijs en groen. 'Ik beloof dat ik je terug zal brengen, wat er ook gebeurt. Ik beloof dat ik zal zorgen dat je veilig thuiskomt, wanneer de tijd gekomen is. Zodra ik de waarheid over mijn broer weet, zal ik je erheen brengen. Ik hou mijn beloften altijd, Jenny. Ik weet dat je het moei-

lijk vindt mij te vertrouwen. Als ik ooit de man vind die je dit heeft aangedaan, die je zo angstig heeft gemaakt, maak ik hem met mijn blote handen af. Maar je kunt mij vertrouwen.'

Ik staarde hem verbaasd aan. Hoe kon hij een dergelijke toespraak houden op zo'n alledaagse toon, alsof hij me vertelde hoe je een hooiberg bouwde, of wat de beste manier was om een rij rapen te rooien? Maar er was iets in zijn ogen, iets dat zo diep verborgen lag dat het je gemakkelijk kon ontgaan, een intensiteit die me zei dat hij het woord voor woord meende. Ik voelde een rilling over mijn rug lopen. Er was iets veranderd; ik wist alleen niet wat. Het was alsof de wereld gekanteld was, en niets meer helemaal was zoals het was geweest. Alsof er een kleine bocht in het pad was, een geringe afwijking, maar als je die insloeg, hield dat in dat je heel ergens anders uit zou komen. En het was al te laat om terug te gaan.

Mijn reactie kwam zonder erbij na te denken. Ik maakte een gebaar dat beduidde: *Ik weet het. Ik geloof je.* En toen hij zijn hand naar me uitstak om me tegen de oever op te helpen, nam ik die zonder blikken of blozen aan, zoals ik één keer eerder had gedaan in een zondvloedachtige regenbui, toen die hand mijn enige houvast aan de werkelijkheid was geweest, op de vlucht voor de dood. Ik vertrouwde hem. Hij was een Brit, en ik vertrouwde hem. Misschien zou hij werkelijk mijn veiligheid waarborgen tot ik de hemden af had, en dan... maar op dat punt stuitte mijn geest op een blinde muur. Op dit moment was Red misschien een en al vriendelijkheid, met zijn beloften en zijn bescherming. Maar hij wachtte ook nog steeds. Hij wachtte tot ik hem het verhaal over Simon zou vertellen. Hij wachtte tot ik hem zou vertellen hoe zijn broer door mensen van mijn volk gebrandmerkt, geschonden en half krankzinnig was gemaakt. Hoe ik Simon alleen had gelaten in het bos, alleen met zijn demonen, hoe ik hem in het donker naar buiten had laten gaan om van kou en honger en angst om te komen onder de grote eiken. Wat zou de vriendelijkheid van heer Hugh nog voorstellen, wanneer hij dit verhaal had gehoord? Hoe gemakkelijk zou het zijn om zijn belofte te houden, als hij wist wat we zijn jongere broer hadden aangedaan? Ik had de kracht in die onverzoenlijke mond gezien, de hardheid in die vastberaden kaaklijn. Ik had gezien hoe koel die ogen konden zijn. En één keer had

ik de hartstocht in zijn stem gehoord, toen het Feeënvolk hem plaagde door over Simon te praten. Hij zou niet veel meer om mijn veiligheid en die van mijn familie geven, wanneer hij de waarheid hoorde.
Nu gingen we op weg naar huis, langzaam, omdat ik merkte dat ik opeens ontzettend moe was, zo moe dat mijn voeten me nauwelijks rechtuit wilden laten lopen.
'Ik zou je kunnen dragen,' bood Red aan. 'Dat ging de vorige keer heel goed.' Maar ik schudde mijn hoofd op dit aanbod. Mijn vertrouwen was niet onbeperkt. Hij was tenslotte een man. 'Ook goed,' zei hij terwijl ik koppig doorliep, 'ik denk dat je nu trouwens toch te zwaar bent. Verbluffend wat een beetje goed eten uithaalt.' Toen ik snel naar hem keek, zag ik nog net een vluchtig spoor van een glimlach op zijn gezicht, heel even maar.
Ik haalde het bijna helemaal naar het huis. Er waren mensen buiten, ondanks de kou; een tuinman, goed ingepakt met een wollen muts op en wanten aan, die een haag snoeide; een jongen met een lange staf van essenhout die een lastige troep ganzen hoedde. We gingen geruisloos naar binnen, niet door de hoofddeur, en het lukte ons geen aandacht te trekken. Vlak bij de ingang van mijn tuintje begaven mijn benen het van pure uitputting, en tot mijn grote ergernis moest hij me toch die paar laatste meters dragen. Toen hij de deur naar mijn kamer opende en me naar binnen bracht, sprong Alys op ons af, grommend en blaffend in razende beschermingsdrift. Red legde me vlug neer op het bed en trok zich terug in de deuropening. De kleine terriër bleef pal tussen ons in staan, met haar pootjes stevig op de grond, en gromde zo dreigend als ze maar kon.
'Goed, goed,' zei Red toegeeflijk, met opgetrokken wenkbrauwen. 'Ik weet waar ik niet gewenst ben. Ik zal iemand sturen om je te helpen, Jenny. Zorg dat je wat slaapt. Je hebt een lange nacht achter de rug.' Ik keek naar hem op en vond dat hij er ook vermoeid uitzag. Het was gemakkelijk om te denken dat hij onvermoeibaar was, want hij scheen weinig te rusten en leek er niet onder te lijden. Maar die ochtend was hij een beetje bleek, er was een schaduw diep in zijn ogen die ik daarbuiten in de zon niet had opgemerkt. Ik wees naar hem, vouwde mijn handen, legde mijn hoofd erop en sloot even mijn ogen. *Jij – ook – slapen.*

'Het werk van de dag moet worden gedaan,' zei hij, en hij leek wat verlegen met mijn voorstel. 'En ik heb een appeltje te schillen met mijn moeder. Maar...' en hier kon hij een reusachtige geeuw niet bedwingen, 'misschien heb je gelijk. In elk geval, welterusten, Jenny.' Hij liep snel de deur uit, en Alys kefte een paar maal scherp om hem weg te sturen.
Korte tijd later kwam Megan met warm water en een schoon nachthemd. Terwijl ik me waste en me verkleedde, haalde ze warme wijn en fijn tarwebrood met krenten erin. Ze bleef bij me staan tot ik gegeten en gedronken had, en ze ging Alys uitlaten in de tuin en bracht haar weer terug. Ze vertelde dat meesteres Margery en de kleine Johnny het allebei goed maakten, en dat het geweldig van me was dat ik hun leven had gered, en dat ze niet wist waar ik dat allemaal had geleerd. Toen stopte ze me in en liet me alleen en ik sliep tot de avond, en als ik dromen had, was ik die vergeten voor ik wakker werd.
Tegen de tijd van het Imbolcfeest, dat de christenen Maria-Lichtmis noemen, had ik het vierde hemd af. Ik bewaarde de hemden nu in de houten kist in mijn kamer, met lagen gedroogde kruiden ertussen. *Liam, Diarmid, Cormack, Conor*. Nu was het sterrenkruid op. Vrouwe Anne had met haar scherpe blik opgemerkt dat ik geen eigen werk meer had, en ze vond een saai naaiwerkje voor me om me bezig te houden. Ik werkte langzaam, want mijn handen hadden niet meer de fijne beheersing die voor dat werk nodig was, als ze die al ooit bezeten hadden. Hechtingen aanbrengen in een menselijke huid, of een kind op de wereld halen, dat ging wel. Maar omgaan met een naald die zo klein was dat je hem nauwelijks kon zien en piepkleine, gelijkmatige steekjes maken, dat was iets heel anders. Vrouwe Anne keek met opgetrokken wenkbrauwen toe, terwijl ik me steeds ongelukkiger ging voelen. Toen we klaar waren voor die dag, nam ze me apart. Ik voelde dat haar houding jegens mij sinds de geboorte van Margery's kind nog koeler was geworden. Dit was vreemd. Er zat haar iets dwars, dat zag ik wel aan de manier waarop ze vanonder haar oogleden naar me keek. Toch had ik niets gedaan om haar te grieven. Ik kreeg bijna het gevoel dat ze bang voor me leek te zijn. Ik had geen flauw idee waarom.
'Je schijnt het moeilijk te vinden om een zoom te maken,' merk-

te ze op, terwijl ze mijn naaiwerk oppakte en het met een zucht weer liet vallen. 'Toch is dit een werkje dat ik een kind van acht zou toevertrouwen. Je opvoeding op huishoudelijk gebied is kennelijk heel beperkt geweest. Zelfs dit eenvoudige werk schijnt nog te moeilijk voor je te zijn. Maar als je zo lang bij ons in huis zult blijven, zul je jezelf toch nuttig moeten maken, Jenny. Misschien kan ik iets nog simpelers voor je vinden.'

Dit bood me een kans die ik kon aangrijpen. Ik had nog een sterrenkruidstengel over in mijn mand, die ik voor dit doel had bewaard. Ik slikte mijn ergernis in en liet haar zien wat ik wilde. *Nee, niet uw werk. Dit. Ik moet dit werk doen. Maar ik heb meer van deze plant nodig. Ik – naar buiten – deze plant zoeken. Afsnijden – verzamelen.*

De mond van vrouwe Anne verstrakte. 'Daar kan ik je niet bij helpen. In mijn huishouden is geen plaats voor zo'n – zo'n afwijking. Ik heb je zelfopgelegde waanzin gedoogd omdat mij geen andere keus werd gelaten. Maar ik ga je niet helpen ermee door te gaan. Genoeg is genoeg. Als je hier geaccepteerd wilt worden, moet je proberen meer te worden zoals wij, Jenny. Als je daar tenminste toe in staat bent.'

Het scheen helemaal niets uit te maken dat ik Margery en de baby het leven had gered. Ik draaide me om en wilde weggaan. Ik had nog wel genoeg trots in me om niet te gaan smeken. Bovendien zag ik wel dat het zinloos zou zijn.

'En ga niet naar heer Hugh toe met je problemen,' zei ze tegen mijn rug, met een scherpe klank in haar stem die een andere boodschap leek in te houden, die niet in woorden werd uitgedrukt. 'Hij heeft meer dan genoeg te doen, zonder zich bezig te houden met jouw slag. Het is een zware last voor hem, jou hier te hebben.'

Toch was er niemand anders tot wie ik me kon wenden. Red had het druk, dat zag ik ook wel. Er moest geploegd worden, en er moesten voorbereidingen worden getroffen voor het inzaaien, en bovendien moesten er geschillen worden bijgelegd, het soort ruzies dat ontstaat wanneer mensen in de winter te dicht op elkaar opgesloten zitten, en gaan vallen over de kleine onrechtvaardigheden in hun leven. Er bestond een systeem om deze dingen af te handelen. Er werd regelmatig, een dag of tien na volle maan, een hoorzitting gehouden, die hier de volksrechtbank werd genoemd.

De beledigde partijen kwamen dan naar de grote zaal van Harrowfield en legden hun geschil aan heer Hugh voor, en hij bemiddelde dan tussen hen.
Op de volksrechtbank kwamen altijd veel pachters van heer Hugh af, want behalve dat er recht werd gesproken, konden ze ook rekenen op amusement. Bijvoorbeeld de keer dat de varkens van de ene dorpeling op een stukje grasland waren gekomen dat zijn buurman had bestemd om later pompoenen op te planten. Ze hadden het helemaal ondersteboven gewroet, en als Ned Thatcher zijn varkens niet op zijn eigen erf kon houden, moesten ze hem maar worden afgenomen, dan kon er worst van worden gemaakt; en hij, Bill Eenoog, zou dat doen ook, zodra Ned die beesten weer liet ontsnappen. Hij had er een geslepen mes voor klaar liggen, reken maar. Op dit punt deed Ned een duit in het zakje door de wens uit te spreken dat Bill terugging naar Elvington, waar hij vandaan kwam, en dat hij zijn mooie vrouw en zijn zes kinderen mee mocht nemen. Als hij niet wist dat varkens eigenzinnige beesten waren die zelf uitmaakten waar ze heen gingen, dan had hij nog een hoop te leren. Bovendien hadden zijn varkens niets anders opgegeten dan wat wilde haver en een brok verdroogde havermoutpap dat Bills vrouw over de muur had gekieperd, want zo'n slons was ze wel.
Red was een toonbeeld van diplomatie. Hij kalmeerde beide partijen met enkele goedgekozen woorden over hun onbetwiste talenten en hun deskundigheid op hun eigen gebied. Hij wees erop dat het nuttig was als een stuk grond alvast omgespit en bemest was, zodat je op het juiste moment niet meer hoefde te doen dan je zaden erin te leggen en wachten. Vervolgens legde hij uit dat Ned, als tegenprestatie voor het gebruik van het land door zijn varkens tot zaaitijd, misschien later in het seizoen een paar fikse pompoenen kon verwachten, en een paar manden vol rapen. Daar kon zijn vrouw een uitstekende soep van maken, met een hambeen om er meer smaak aan te geven. De varkens moesten natuurlijk op de eerste warme voorjaarsdag het veld ruimen. Hij zou hulp sturen om een sterkere muur te bouwen. Alle partijen gingen voldaan huns weegs.
Er waren ook ernstiger geschillen. Een gevecht om een vrouw, waarbij een man een ernstige hoofdwond had opgelopen en een

ander een gebroken arm. Een vechtpartij na de snelle inname van een vat bier, waarna twee families elkaar bleven uitschelden wanneer ze elkaar in het oog kregen. Reds rechtvaardigheid viel me op en ook zijn gezag. Hij kon tamelijk hard zijn wanneer het noodzakelijk was. Maar ik zag niet een keer dat zijn beslissingen werden aangevochten. Ik dacht: deze mensen treffen het. Dit was wat mijn broer Finbar wilde, dit was wat we op Zeven Wateren nodig hadden. Maar mijn vader had zich laten meeslepen in dezelfde verbitterde vete als heer Richard. Die strijd had hen met lichaam en ziel gegrepen en liet geen ruimte voor iets anders. Daarom hadden onze dorpelingen honger geleden en waren hun muren afgebrokkeld, en daarom vreesden ze heer Colum, maar respecteerden ze hem niet. Ik vroeg me af hoe het intussen met hen ging. Mijn broers waren begonnen een paar maatregelen te nemen om het evenwicht te herstellen. Maar mijn broers waren er niet meer. Alleen mijn vader en vrouwe Oonagh waren er nog. Na verloop van tijd besloot ik het zelfstandig op te lossen. Vrouwe Anne had gezegd dat ik Red tot last was. Maar ik had er niet om gevraagd hierheen te worden gehaald. Niemand had tegen hem gezegd dat hij elke nacht een wacht buiten mijn deur moest zetten, en dat hij me dicht bij huis moest houden waar hij me kon zien. Niemand had hem gevraagd om bij me te komen zitten en te wachten terwijl ik huilde, en me veilig thuis te brengen. Niemand vroeg hem mij te dragen als ik moe was, en te zorgen dat ik behoorlijk at. Niemand anders dan hijzelf. Tenzij... ja, dat was mogelijk. *Zorg dat ze niet meer gekwetst wordt. Je hebt een goede keus gedaan.* Maar aan de andere kant... Red was zo sterk. Was het werkelijk mogelijk dat hij betoverd was, dat hij handelde op grond van een soort bevel dat hem die nacht door het Feeënvolk was gegeven, om mij te beschermen tot ik mijn taak had vervuld? Kon hij op die manier een last dragen zonder het te weten? Hoe langer ik erover nadacht, hoe sterker ik geloofde dat het zo was. Het verklaarde veel. Het verklaarde vooral het moeilijkste feit, waarom Red bereid scheen zo lang als nodig was te wachten tot ik hem iets over zijn broer zou vertellen. Hij leek er geen haast mee te hebben. Wachten ging mannen meestal niet zo goed af. Een andere man zou het antwoord uit zijn gevangene hebben geslagen op dezelfde dag dat hij haar gevangen had. Ik twijfelde er niet aan dat heer Richard dat gedaan zou hebben. Ik had gezien dat mijn vader het probeerde. Er was geen andere reden waarom Red me zo lang hier zou houden. Ik nam graag aan dat ik een last was. Ik was nog steeds allesbehalve welkom. En de angst en het wantrouwen die iedereen hier tegen mij koesterde, konden gemakkelijk op hem overgaan. Waarmee er een einde zou komen aan de harmonie en het vertrouwen die deze kleine gemeenschap bij elkaar hielden. Er zouden vragen worden gesteld over de reden waarom hij me hierheen had gebracht. Waarom hij deze kwade invloed in de kern van zijn gebied handhaafde en zo zijn eigen mensen in gevaar bracht. Waarschijnlijk hadden alleen de liefde en het respect die ze hem toedroegen, hun tong al die tijd in bedwang gehouden. Volgens vrouwe Anne was ik langer gebleven dan iedereen lief was. Het zou niet lang meer duren of anderen zouden dit hardop zeggen.

Daarom besloot ik Red niet om hulp te vragen. Op een ochtend pakte ik een lege zak en een scherp mes, en ik wachtte tot Ben hevig gapend zijn wachtpost in mijn tuin verliet en op weg ging naar de keukens om te kijken of er een vroeg ontbijt te halen was. Toen ging ik ongezien op pad. De vorige avond had ik tegen Margery gezegd dat ik me niet lekker voelde en dat ik misschien lang uit zou slapen. Mijn maandstonden waren weer begonnen, en dat leverde een goed excuus voor een korte ongesteldheid. Ik had deze dag gekozen omdat ik wist dat ze, de mannen, bezig waren velden op de helling in het westen gereed te maken voor het inzaaien, een eind verderop in de vallei. Ze zouden de hele dag weg zijn, en niemand zou naar mij zoeken. Als het meezat, zou ik terug zijn voor mijn afwezigheid werd opgemerkt.

Ik volgde de loop van de rivier stroomopwaarts, waarbij ik gebruik maakte van verborgen paadjes onder de wilgen. Ik droeg mijn jurk van zelfgeweven stof en een grijze mantel, en gebruikte mijn beproefde methoden om ongezien te blijven. Alys bedierf het een beetje, want zij had de neiging om naar eekhoorns te blaffen en ritselende geluidjes te maken in de onderbegroeiing. Maar ik kon het niet over mijn hart verkrijgen haar achter te laten, want ze wilde dolgraag mee op zo'n tocht, net als vroeger waarschijnlijk, lange jaren geleden met haar jonge meester. Ik liet haar dus achter me aan komen en hield rekening met haar korte pootjes door wat langzamer te lopen.

Hoe verder we van huis gingen, hoe vrolijker ik me voelde. Het was een mooie, heldere dag, met al iets van warmte in de lucht; nog niet echt voorjaar, maar de belofte daarvan. Rafelige wolkenslierten strekten zich uit over de hemel. Ik keek naar een torenvalk die doelgericht biddend in de lucht hing, voor ze pijlsnel neerdook op haar prooi. Uiteindelijk klommen we boven de oevers van de rivier uit, omhoog door een kloof waarin een beekje omlaag klaterde om zich bij de grotere stroom te voegen. En eindelijk, op de oevers van dat beekje, onder een uitstekende rots, vond ik wat ik zocht. Het groeide in weelderige massa's aan weerskanten van het water en verstikte de kleinere varens en waterkers. Ik rustte even uit, en Alys liet zich hijgend neervallen in de schaduw. Toen ging ik aan het werk.

Ik had de techniek nu onder de knie. Ik legde de zak op de grond en hield hem open, dan sneed ik met een flinke haal de planten onderaan af, een, twee, drie, en de stengels vielen naar me toe. Als ik dit voorzichtig deed, bezeerde ik mijn handen niet al te erg, en het geoogste sterrenkruid kon tot een nette bundel worden gerold die ik op mijn rug kon dragen. Ik werkte snel. De zon stond al hoog en het was een heel eind terug naar het huis. Ik nam zoveel mee als ik kon dragen, genoeg voor een heel hemd, misschien nog iets meer. Zo zou ik hier niet terug hoeven te komen tot in de zomer. Toen ik vond dat ik genoeg had, bond ik de bundel met touw dicht en tilde hem op mijn schouder. Voor ik thuis was, zouden de stekels door de zak prikken en in mijn kleren en huid haken. Daar was ik aan gewend. Maar ik droeg immers het leven van een van mijn broers op mijn rug? Dat was elke pijn waard.

We gingen op weg naar huis. Ik voelde me gelukkig, bij de gedachte aan de vier hemden die klaar lagen in de kist, en het vijfde waar ik morgen aan zou beginnen. Ik was gelukkig omdat de zon op mijn gezicht scheen, en omdat ik buiten was onder de open hemel, en omdat Alys voor me uit huppelde als een jong hondje. Ze verdween onder een berkenbosje, en ik bukte me om te kijken hoe ik tussen de rotsen naar beneden moest komen.

Ik hoorde een zoemend geluid boven mijn hoofd, en een bons, en toen een vreselijke gil, een jankend, doordringend geluid van doodsangst. Ik rende naar voren onder de kale bomen. Mijn hart

bonsde. Niet weer, alstublieft, niet weer. Het hondje stond tegen de zilvergrijze bast van een berkenstam aangedrukt, en ze huilde en zwaaide met haar kop heen en weer. Ze probeerde ergens bij te komen, iets dat helderblauw oplichtte. Een ogenblik later was ik bij haar, liet mijn mes en de bundel vallen en knielde bij haar neer terwijl ze krijste van angst en pijn. Blauwe veren. Een pijl, die door haar schouder was gedrongen en haar aan de boom vastnagelde. De punt had zich diep in de bast geboord.
Er was geen tijd om na te denken. Bij een mens had je kunnen zeggen, niet bewegen, ik zal je helpen. Je had kunnen uitleggen wat je ging doen. Dat had zelfs zonder woorden gekund. Bij een hond moest je het gewoon maar doen. Ik maakte mijn bundel los, maakte van het koord een lus die ik om haar nek legde en zo vastbond dat ze er niet door gewurgd werd. Toen mijn hand voor haar bek kwam, hapte ze er woest naar en zette haar tanden in mijn vingers. Toen het koord eenmaal vastzat, kon ik het met mijn ene voet omlaag houden en op die manier haar kop min of meer opzij houden. Toen het mes. Ik probeerde het te pakken. Hield ze maar op met dat vreselijke gehuil. Hield ze maar op. Mijn vingers graaiden naar het mes. Ziezo, ik had het. En nu moest ik de pijl dicht bij de stam afsnijden, om vervolgens de schacht uit haar schouder te trekken. Ik hield haar zorgvuldig in het oog terwijl ik aan het werk ging. Ze was een heel oude hond. Misschien was het een goed teken dat ze zo'n verschrikkelijk kabaal maakte. Ze had tenminste de kracht om te protesteren. Ik begon in de pijlschacht te zagen en knipperde tranen weg, want met elke wrikkende beweging stuurde ik een scheut van pijn door haar lijfje. Het was een onhandig karwei, en ze probeerde haar kop naar me toe te draaien, met rollende ogen en happende kaken.
'Heb je soms hulp nodig?'
Ik verstijfde. Ik kon me niet vergissen: dit was de gladde, hoffelijke stem van Reds oom, heer Richard. Ik draaide me niet om, maar ik voelde een rilling van angst over mijn ruggengraat lopen.
'Hemeltje. Dat lijkt me een lastig klusje. Mijn excuses. Het ziet ernaar uit dat een van mijn jagers slecht kan mikken. Hij zal berispt worden.'
Hij kwam naar voren zodat ik hem kon zien, een plaatje in onberispelijke rijkleding, met handschoenen en laarzen van het bes-

te zachte leer, en een tuniek en beenkappen van diep donkerblauw. Op zijn gezicht, onder de krullen van verbleekt goud, lag een uitdrukking die een toonbeeld van spijtige verontschuldiging was, met een spoortje geamuseerdheid.

'Laat mij het proberen, kind. Wat een domme, oude hond toch. Ik heb altijd al tegen de jongen gezegd dat hij beter af zou zijn met een deerhound, of zelfs met een pointer. Kom, mijn handen zijn hiervoor beter geschikt.'

Ik schudde mijn hoofd; ik wilde niet dat hij bij mij, of bij Alys in de buurt kwam. Maar hij kwam toch dichtbij, heel dichtbij, en plotseling had hij een uiterst scherp mes in zijn hand. Ik deinsde voor hem terug. Hij trok met een half lachje zijn wenkbrauwen op.

'Iedereen zou denken dat je bang voor me was,' merkte hij op terwijl hij de pijlschacht met een snelle haal doorsneed. Alys deed een paar wankele stappen, en ik greep de geïmproviseerde halsband nog steviger vast.

'Wat was je verder van plan?' vroeg hij terwijl hij opzij stapte. Ik negeerde hem, knielde neer en greep de pijl vlak bij de blauwe veren aan de achterkant. Ik zette mijn voet weer stevig op het touw zodat Alys zich bijna niet kon bewegen. Ik trok uit alle macht. De schacht kwam eruit met een gruwelijk zuiggeluid en ze jankte van schrik. Het was voorbij.

'Bravo,' zei heer Richard, die intussen vlakbij op een boomstronk was gaan zitten om toe te kijken. 'En nu?'

Ik wierp hem een blik vol afkeer toe. De wond bloedde; niet hevig, maar het was nog ver naar huis. Ik gebruikte mijn mes om een snede te maken boven de zoom van mijn jurk en scheurde toen rondom een reep af, waarmee ik de wond zo netjes mogelijk verbond. Alys probeerde me nu niet meer te bijten. Ze zat te rillen en keek naar me met ogen vol vertrouwen. Heer Richard had gezegd dat zijn man slecht had gemikt. Voor welk doelwit was deze pijl dan bedoeld, vroeg ik me af?

Hij zat daar naar me te kijken en zijn helderblauwe ogen volgden al mijn bewegingen terwijl ik haar wond verbond, het touw losmaakte en mijn bundel weer samenbond. Ik tilde hem op mijn rug en bukte me om de trillende Alys in mijn armen te nemen.

'Mm,' zei hij. 'Wat zijn we zelfstandig, zeg. Ik zou wel willen aan-

bieden je te helpen, maar ik ben bang dat ik gebeten zou worden. Door een van jullie tweeën in elk geval.'
Ik kon geen gebaren maken. Ik probeerde hem met een ruk van mijn hoofd en een kwade grimas te laten weten dat ik wilde dat hij me alleen naar huis zou laten gaan.
'O, nee, dat lijkt me niet,' zei hij zacht, en de uitdrukking in zijn ogen beviel me helemaal niet. 'Ik denk niet dat mijn neef dat goed zou vinden. Zijn beschermelingetje helemaal alleen in het bos achterlaten, met zoveel te dragen? Nee, nee, dat gaat niet. Ik zal je op zijn minst begeleiden tot je veilig thuis bent. Het zal zeker de moeite waard zijn, om straks de uitdrukking op Hughs gezicht te zien.' Hij stak twee vingers in zijn mond en floot schel. Binnen een minuut verschenen uit vier verschillende richtingen zwijgende mannen, ieder met een boog in de hand. Ze waren gekleed in grijs, groen en bruin, de kleuren van het bosland.
'Ik ga te voet met deze jonge... dame,' zei heer Richard, en weer duurde de pauze tussen de twee laatste woorden precies lang genoeg. 'Gaan jullie vast naar Harrowfield. Neem de paarden en ga openlijk over de weg. Mochten jullie toevallig tegen heer Hugh oplopen, deel hem dan mee dat iemand van zijn huishouden een klein ongelukje is overkomen. Niets om zich zorgen over te maken. Ik zal de man die zijn pijl heeft afgeschoten daar later op aanspreken.'
Ze verdwenen om zijn bevel uit te voeren, en mij bleef niets anders over dan in zijn gezelschap naar huis te gaan. Hij bood niet aan mijn bundel over te nemen, al keek hij er belangstellend naar. Het is vreemd dat sommige dingen je zo duidelijk bijblijven, terwijl andere vervagen. Ik kan me nog precies herinneren wat Richard die dag allemaal tegen me zei tijdens de lange wandeling naar huis. Ik kan elk zorgvuldig gekozen woord nog horen, elke nuance van zijn zachte stem, elke subtiele verandering in zijn insinuerende intonatie. Ik kan het gewicht van het hondje in mijn armen voelen, en het bloed op mijn handen, en de stekelige bundel sterrenkruid op mijn rug. Ik ril bij de herinnering aan de aanraking van heer Richards stiekeme handen op mijn armen, op mijn schouders of om mijn middel wanneer hij net deed alsof hij me over het ruwe terrein hielp. Ik walgde van hem. Ik verachtte hem. Maar hij was Reds oom, en de broer van vrouwe Anne. Ik had

wel in zijn sluw glimlachende gezicht willen spuwen. Maar ik hield mijn mond dichtgeklemd en keek recht voor me uit, en richtte mijn voeten huiswaarts.
'Het verbaast me dat mijn neef je alleen heeft laten gaan,' merkte hij op terwijl we door de kloof langs de beek afdaalden. 'Ik dacht dat hij zijn kleine investering wel wat beter zou weten te beschermen. En wat voor investering! Je waarde is beslist gestegen, lieve kind. Verbluffend wat een beetje behoorlijk eten voor het figuur van een meisje kan doen.' Ik keek snel opzij en betrapte hem op een blik die op en neer ging langs mijn lichaam, op en neer, alsof hij zich een voorstelling probeerde te maken van wat er onder de zedige, zelfgeweven jurk zat. Ik kreeg het koud vanbinnen. 'Je bent mooi aangekomen, jonge vrouw. Heel mooi.' Ik probeerde niet te luisteren, maar ik kon mijn oren niet voor hem sluiten. We bereikten de plek waar de beek in de rivier stroomde. 'Het is dom van Hugh, jou er in je eentje op uit te laten gaan. Heel dom. Beseft hij niet dat iemand misbruik van je zou kunnen maken? Hij heeft te veel vertrouwen in de mensen, onze Hugh. Dat is zijn probleem.' Zijn arm kroop als een slang om mijn schouders en ik rukte me los.
'Ah,' mompelde hij. 'Driftkopje, hè? Des te beter. Daar had die jongen vast niet op gerekend toen hij je meenam. Tweeëntwintig is hij en nog steeds even vol van belachelijke idealen als tien jaar geleden. Ik maak me ongerust over die jongen. Werkelijk waar. Wanneer wordt hij nou eens volwassen? Zelfs de jonge Simon had meer greep op de werkelijkheid. En toch – zo heel hoogstaand is onze Hugh nou ook weer niet, hè? Ik zag een bepaalde glinstering in zijn ogen, toen hij jou aan mij liet zien. Hij dacht waarschijnlijk dat al zijn wildste fantasieën werkelijkheid waren geworden, toen hij jou vond. Welke man droomt er nooit eens van een ongetemde Ierse vrouw te bezitten, glad als een aal en heet als het hellevuur onder die melkwitte huid, met stoute groene ogen en haar dat om haar lichaam warrelt als golvende zwarte zijde? Het was zeker een leerzame ervaring voor hem, hè? Ik heb namelijk gehoord dat hij thuiskwam met afdrukken van tanden op zijn lichaam. Hoe is mijn neef je bevallen, Jenny? Voldeden zijn prestaties aan je verwachtingen?'
Ik kon niets doen tegen de blos die op mijn gezicht kwam, de

schaamte en verontwaardiging die zijn woorden bij me opriepen. Waarom, o, waarom was ik alleen naar buiten gegaan. Waarom moest ik luisteren? En o, alsjeblieft, laat het niet waar zijn wat hij allemaal zei. Laat het niet zo zijn.

'Aha, ik zie het al,' zei hij langzaam terwijl hij mijn blozende gezicht nauwlettend opnam. 'We spelen nog steeds het onschuldige kind, hè? Of bijna. Hij bewaart je nog. Maar waarvoor? Ik heb geen flauw idee. Onze jongen mag dan aan de oppervlakte zo zuiver lijken als sneeuw, maar onder die koele buitenkant zit een viriele man, hoor kind. Hij heeft je dan misschien nog niet gehad, maar dat komt nog wel, daar kun je op rekenen. Vraag het maar aan sommige meisjes in het dorp, die zullen je heel wat kunnen vertellen. Ja hoor, hij zal je nemen. Vooral nu je wat meer vlees op je botten hebt. Verrukkelijk vlees, als ik zo vrij mag zijn. En dat mag ik. Ja hoor.' Hij lachte, en de bomen leken te huiveren bij het geluid ervan. Alys verborg haar snuit tegen mijn borst. Mijn armen deden pijn van haar gewicht.

'Het is wel ver naar huis, hè?' merkte heer Richard op. 'Zo'n eind voor kleine voetjes. Laten we toch even gaan zitten, dan kunnen we elkaar leren kennen. Zet de hond maar neer, lieve kind. Je zou het wel leuk vinden om mij een beetje beter te leren kennen, hè?' Zijn stem was als honing, als stroop, met daarin een flinke snuif nachtschade. Ik wilde hem een schop geven op een zeer gevoelige plek. Als Alys er niet was geweest, zou ik het gedaan hebben, ik zou hem in het gezicht hebben gespuwd. Maar ik strekte mijn rug, en hield mijn hoofd geheven, en liep door, terwijl ik probeerde de hond te verplaatsen naar een andere positie. *Ik ben de dochter van het woud*. Ze leek wel erg zwaar voor zo'n klein beest. Richard liep een pas achter me, en begon nu uit een iets ander vaatje te tappen. We kwamen op het pad onder de wilgen. De zon was zijn hoogste punt gepasseerd, en er scheen een goudkleurig licht op de kale takken. Het was nog steeds een prachtige dag.

'Ik neem toch aan dat dat de enige reden is waarom hij je hierheen heeft meegenomen,' zei hij op peinzende toon. 'Ik kan me geen andere reden voorstellen. Jij wel?' Hij wreef in zijn verzorgde handen. 'Je vindt het misschien vreemd dat ik me daar niet over opwind. Want hij zal met zijn nicht trouwen, moet je weten. Mijn eigen dochter. Maar een man moet zich kunnen uitleven, en zelfs een geremde idealist als Hugh moet zijn pleziertje hebben. En het brengt hem in een veel betere positie, wanneer hij uiteindelijk trouwt. Hij heeft dan een zekere voorsprong, als het ware. Hoe kan hij anders zijn nieuwe echtgenote opleiden in de verfijnde, de verrukkelijke kunsten van het huwelijksbed? Nee, ik denk dat onze Hugh tegen de zomer behoorlijk ervaren zal zijn. En daarvoor kan ik onder anderen jou bedanken, lieve kind. En ik mag wel zeggen dat Elaine er hard aan toe is. Wat komt het goed uit dat je niet kunt praten, popje. Dat maakt deze hele scène net wat – pikanter. Vind je ook niet?'

Hoe kon hij zo over zijn eigen dochter spreken? Kende de man geen schaamte? Mijn oren gloeiden door naar hem te luisteren, en ik wilde dat ik Alys kon neerzetten en wegrennen. Ik klemde mijn kiezen op elkaar. *Als mijn broers hier waren, zouden ze je laten boeten voor het feit dat je zo tegen mij praat. Zij zouden je laten zien wat het betekent, een echte man te zijn.* En o, wat had ik graag gewild dat ze hier waren.

'Toch vraag ik me af,' vervolgde hij, 'welke andere reden hij zou kunnen hebben om je zo lang in zijn huishouden te handhaven. Want het doet hem geen goed, moet je weten, helemaal geen goed. Er wordt geroddeld. Door machtige personen. Zijn moeder vindt dat vreselijk. En ik ook. Als je hier lang genoeg blijft, zul je zijn belangen echt schaden. Weet je wat ze zeggen? Wil je het horen?'

Ik wilde dat ik niets kon horen. Ik wilde dat ik niet alleen stom, maar ook doof was.

'Ze zeggen dat je hem betoverd hebt,' zei hij grinnikend. 'Dat je een tovenares bent, en dat je je net over hun lieve jongen hebt uitgeworpen en hem hebt ingehaald, zonder dat hij er iets aan kon doen. Zelfs zijn beste vrienden zeggen dat. Dat hij aan je gebonden is, en je niets kan weigeren. Terwijl jij een vrouw uit Ierland bent, verwant aan de mensen die zijn eigen broer hebben gedood. Wat denk jij daarvan, Jenny? Maar je heet natuurlijk niet echt Jenny, hè? Ik vraag me af wie die naam voor je heeft gekozen, want hij past helemaal niet bij je. Je heet eigenlijk Maeve, of Colleen, of misschien Deirdre. Je hebt een wilde, Ierse naam. Jenny is geen naam voor een kleine tovenares uit het westen. Je mag je net over mij uitwerpen wanneer je maar wilt, kleine Maeve. Ik zou je nog een paar dingen kunnen leren. Je moet me toch eens een keer proberen. Ik zou je van pas kunnen komen, weet je. Iemand bij wie je aan kunt kloppen als er ooit… moeilijkheden komen.' En hij pakte me bij beide armen en bracht zijn gezicht vlak bij het mijne, zodat ik gedwongen was hem aan te kijken. Hij had de ogen van zijn familie, fel maagdenpalmblauw zoals de ogen van zijn zuster. Zoals de ogen van Simon. Het puntje van zijn tong kwam naar buiten en streek langs zijn lippen, en ik zag de begeerte op zijn gezicht.

Mijn handen knepen zich onwillekeurig samen en Alys jankte. Toen stampte ik hard met de hak van mijn winterlaars op heer Richards voet, en hij liet me met een vloek los. Ik kon niet wegrennen, maar we waren dicht bij een bruggetje dat een verbinding vormde tussen dit pad en het grote karrenspoor, en ik stapte zo snel mogelijk weg zonder achterom te kijken. En toen hoorde ik het geluid van paardenhoeven, en stemmen die de weg afkwamen, en toen ik onder de wilgen uitkwam, zag ik een groep ruiters die snel voortreed. Ze draaiden en hielden stil, en toen gebeurde er snel een aantal dingen, terwijl er bijna geen woord werd gesproken. Verscheidene mannen stegen van hun paard af. Red maakte met een grimmig gezicht gebaren naar de anderen. Een van hen nam Alys uit mijn armen, zacht vloekend, want ze probeerde in zijn vingers te bijten. De bundel werd van mijn rug genomen en opgegooid naar Ben die hem opving, waarbij zijn gezicht pijnlijk vertrok. Hierna werd ik opeens als een baal groenten opgetild en op Reds paard gezet, en met een zwaai kwam hij achter me zitten. Ik denk niet dat iemand tot tien had kunnen tellen in de tijd die dit in beslag nam.

'Oom.' Reds stem klonk neutraal. Maar zijn handen sloten zich zo vast om de teugels dat zijn knokkels wit waren. 'U hebt ons niet laten weten dat u zou komen. Ik vrees dat we u daarom geen passend… welkom hebben kunnen bereiden.' Het leek alsof ook hij de veelbetekenende pauze wist te hanteren. 'Weest u ervan overtuigd dat zo'n nalatigheid niet meer zal voorkomen.'

'Hm.' Ik zag dat Richard een beetje mank liep. 'Je zat in de rats. Heel begrijpelijk. Je dacht dat je je vriendinnetje kwijt was, hè? Het hondje heeft een ongelukje gehad. Niets ernstigs. Maar je moet echt op het meisje letten. Als je haar te ver uit de buurt laat gaan, zou je kunnen merken dat informatie verkeerde oren bereikt. Je kunt niet voorzichtig genoeg zijn.'

'Mijn mannen zullen een passend rijdier voor u zoeken,' zei Red alsof hij niets had gehoord. 'Ik ga vast vooruit en zal mijn moeder vragen voorbereidingen te treffen voor uw komst. Ze zal zeker verheugd zijn u te zien.' Hierop schopte hij het paard fel in de flanken en we reden weg in een stevige galop. Ik twijfelde er niet aan of de mannen zouden de tijd nemen om precies het goede paard voor de bezoeker uit te zoeken.

Het was een snelle rit naar huis. Snel en ongemakkelijk. Red wachtte op niemand en zette het paard tot een woeste galop aan toen we de populierenlaan naderden. Ik zou eraf zijn gevallen, als hij zijn arm niet om mijn middel had gehad en me stevig tegen zich aan had gedrukt terwijl hij het paard met zijn knieën bestuurde en met zijn andere hand de teugels omklemde. Hij reed regelrecht naar het bordes voor het huis en steeg dadelijk af, tilde mij van het paard en zette me op de grond. Zoals altijd in dit zeldzaam geordende huishouden verscheen er uit het niets een paardenknecht om het paard weg te leiden. Ik moest meelopen, naar binnen en meteen de trap op naar de kamers van Margery en John. Red klopte, opende de deur en duwde me in de armen van een verbaasde Margery.

'Blijf hier,' zei hij. 'En ga niet weg tot ik terugkom. Dat is een bevel.' Daarna hoorde ik hem weer met grote stappen de trap af gaan, en vrouwe Anne roepen.

'Wat is er? Wat is er gebeurd? John? Er is toch niets met John?' Een bezorgde frons verscheen op Margery's kalme voorhoofd. Ik schudde geruststellend mijn hoofd. John was vermoedelijk nog boven op de westelijke akker aan het ploegen. Margery liep met me naar de haard, gaf me een stoel om te zitten en gaf me een beker mede in mijn hand. Ik merkte dat ik beefde, en mijn gevoelens waren zo verward dat ik ze niet goed onder woorden had kunnen brengen, zelfs als ik had kunnen spreken.

Johnny lag in zijn wieg, maar hij was wakker. Ik zag zijn kleine handjes door de lucht zwaaien en hoorde zijn stemmetje allerlei geluidjes proberen. Ze bukte zich om hem eruit te halen, met haar hand zacht steunend om zijn kale hoofdje. Ze legde hem tegen haar schouder en ging tegenover me zitten.

'Drink op,' zei ze. 'Ik weet niet wat er aan de hand is, maar je ziet zo wit als een doek, en Red ziet er niet veel beter uit. Ik zal het gauw genoeg horen, denk ik.'

Op hetzelfde ogenblik werd de deur met een klap opengeworpen en weer dichtgesmeten, en Red kwam met twee grote stappen door de kamer naar me toe en tilde me op uit mijn stoel, met zijn grote handen stevig om mijn schouders. Sinds we op Harrowfield waren, had ik hem nooit zijn stem horen verheffen. Nu schreeuwde hij.

'Hoe durf je!' Hij schudde me hardhandig door elkaar. 'Hoe durf je me zo ongehoorzaam te zijn! Je hebt me je woord gegeven! Moet er eerst zoiets gebeuren, voor je begrijpt hoe stom je bent? Wat haalde je je in je hoofd?'

Johnny begon te huilen, en Margery zei op tamelijk strenge toon tegen Red: 'Je doet haar pijn.'

Red vloekte en liet me los, en draaide ons zijn rug toe, met zijn beide handen op de schoorsteenmantel. Ik voelde aan de plekken waar hij me had vastgehouden. Er zouden weer blauwe plekken komen. Ik had hem nog nooit zo boos gezien. Zelfs niet toen hij ruzie had met zijn moeder, in de nacht dat Johnny geboren was.

'Het spijt me,' zei hij heel zacht. 'Het spijt me. Maar wat bezielde je in vredesnaam om er zo alleen op uit te gaan? Ik dacht toch dat ik het had uitgelegd. Bij God, als... heeft hij je aangeraakt? Heeft hij je iets gedaan?' Nu liep hij op en neer door de kamer, keek om zodat hij mijn gezicht kon bekijken en zoekend in mijn ogen kon kijken. Vandaag waren zijn ogen zo blauw als schaduwen op diep ijs.

Ik schudde mijn hoofd. Ik wilde niet huilen. Ik wilde niet denken aan wat heer Richard had gezegd. *Welke andere reden zou hij kunnen hebben om je hier te houden?* Ik wilde het uit mijn hoofd zetten. *Ze zeggen dat je hem betoverd hebt. Hij kan je niets weigeren.* Ik wilde het vergeten. Het was onzin. Ik wilde niet huilen. Ik knipperde met mijn ogen en snoof, en een enkele verraderlijke traan ontsnapte en rolde over mijn wang naar beneden. Praktisch als hij was graaide Red in zijn zak en haalde er een vierkante linnen doek uit. Toen zijn hand mijn gezicht naderde, deinsde ik onwillekeurig terug, en mijn armen kwamen afwerend om mijn lichaam. Red keek naar me alsof ik hem een klap had gegeven. Hij wendde zich af en schermde zijn ogen even af met zijn hand, alsof hij niet wilde dat ik de uitdrukking zag die erin lag. Het is waar, dacht ik. Ik ben hem tot last. Ik had hier nooit moeten komen. Ik heb problemen veroorzaakt in deze familie, en onenigheid gezaaid in een vreedzaam huishouden. Hij had me nooit mee moeten nemen. En dat weet hij zelf ook.

'Wát heeft hij tegen je gezegd?' Red stond met zijn rug naar me toe, en hij sprak zo zacht dat ik hem nauwelijks kon horen. Ik schrok van de dringende toon waarop hij het zei, en ik kon alleen naar de vloer of naar de muur kijken, maar niet naar hem. Op deze vraag zou ik nooit antwoord kunnen geven.

'Wil iemand me alsjeblieft vertellen wat er eigenlijk aan de hand is?' vroeg Margery vriendelijk, terwijl ze van Red naar mij keek, en weer naar Red. Johnny was nu stil, hij hikte zacht tegen haar schouder. 'Wat heeft ze voor verschrikkelijks gedaan, Red? Hoe heeft Jenny in hemelsnaam iets kunnen doen dat zo erg was dat je haar zo ruw aanpakt, en tegen haar tekeer gaat, en haar aan het huilen maakt? Ik dacht dat we hier volwassen mensen waren, geen boze kinderen. Ik hoop dat je je in mijn huis nooit meer zo zult gedragen.'

Red staarde haar aan. Ik kreeg de indruk dat er lijnen om zijn mond waren die er eerder niet waren geweest. 'Het spijt me, Margery,' zei hij mat. 'Het was onredelijk van me. Als iemand hier schuld heeft, ben ik het. Maar ze is alleen hier veilig, zolang mijn oom er is. Ik heb niet veel tijd; ik moet beneden zijn wanneer hij aankomt. Nu, Jenny,' zei hij terwijl hij zich naar mij wendde, en ik zag wel dat hij nog boos was, heel boos, maar met veel wilskracht zijn stem in bedwang hield. 'Ik moet weten waarom je in je eentje zo ver weg bent gegaan. Ik moet weten waarom je je belofte hebt gebroken.'

Mijn schouders deden pijn. Ik had pijnlijke voeten van het lopen, en ik had geen gevoel meer in mijn armen omdat ik Alys zo lang had gedragen. Mijn hand bloedde waar ze me had gebeten. Zijn oom was een beest, en op dit moment had ik ook niet veel achting voor de neef. Mijn handen bleven bewegingloos langs mijn zijden hangen. Red balde zijn ene vuist en stompte ermee in de palm van zijn andere hand, terwijl hij binnensmonds vloekte.

'Verdomme, Jenny, zeg het!'

'Ik denk dat ik het wel weet,' merkte Margery op, terwijl ze me bezorgd opnam. 'Jenny vraagt al een tijdje om een nieuwe voorraad van de plant die ze gebruikt, de plant die wij spillekruid noemen, waar ze lappen van weeft. Ze is door de voorraad heen die ze had meegebracht. Ik ben bang dat ik haar niet heb willen helpen, omdat ik hoopte dat ze met dat gruwelijke werk zou ophouden. Maar ik weet dat je een sterke wil hebt, Jenny. Ik neem aan dat je zelf naar deze plant op zoek bent gegaan.'

Reds ogen vernauwden zich. 'Jij had de opdracht op haar te letten,' zei hij, en zijn stem had zo'n koude klank dat Margery bleek werd. 'Ze moet sinds vanmorgen vroeg weg zijn geweest. Waarom heb je niet iemand achter haar aan gestuurd? Waarom heb ik er geen bericht van gekregen tot Richards mannen op de weg werden gesignaleerd?'

'Het spijt me,' zei Margery. Ze vertelde hem niet dat ik tegen haar had gelogen. Het was waarschijnlijk voor het eerst in mijn leven dat ik had gelogen.

'Grote god, kan ik dan niemand vertrouwen?' Red bleef heen en weer lopen door de kamer.

Ik wilde dat hij maar wegging, en mij rustig ongelukkig liet zijn.

'Jenny, waarom heb je het niet aan mij gevraagd?' vroeg hij ten slotte. 'Ik weet waar die plant van jou groeit, ik ken elke uithoek van deze vallei. Ik kan dat kruid voor je gaan halen wanneer je maar wilt, het voor je deur neerleggen als je dat liever hebt. Het is niet nodig dat je je naar buiten waagt, buiten de bescherming van deze muren. En je zult het nalaten in de toekomst. Begrijp je dat? Je doet het niet meer.'

Ik moest proberen hier zo goed mogelijk op te antwoorden. *Jij – plant snijden – nee. Is niet goed. Ik. Ik snijden, spinnen, weven, naaien. Alleen ik.*

'Dan breng ik je erheen,' zei hij, en zijn stem klonk weer wat rustiger, al hield hij zijn handen nog tot vuisten gebald op zijn rug. 'Ik breng je erheen, en kijk toe terwijl je de stengels afsnijdt, en dan breng ik je weer naar huis. Ga niet meer zonder mij naar buiten. Nu ga ik naar beneden. Margery, ik wil dat jij zorgt dat ze hier blijft. Jullie hoeven niet present te zijn bij het avondmaal. Mijn moeder is me een gunst verschuldigd.' Hij wilde al weggaan, maar draaide zich in de deuropening om. 'Ik heb een man opgedragen de hond te verzorgen,' zei hij. 'Een van mijn staljongens is goed in dat soort dingen. Ze zal goed worden verzorgd.' En daarmee was hij weg.

'Nou,' zei Margery. Ze ging de baby, die nu sliep, weer in zijn wieg leggen, en zette een ketel op het vuur. 'Hij maakt zich wel druk om je, hè?' Verder zei ze er niets meer over, maar terwijl de middag verstreek en we muntthee zetten, en ik haar hielp wol te winden en platte koeken te bakken op het vuur, merkte ik vaak dat ze met een taxerende blik naar me keek, en ik vroeg me af wat ze dacht.

Dit keer bleef Richard langer dan ons allemaal lief was, behalve misschien vrouwe Anne. Zijn aanwezigheid had een subtiele, maar onmiskenbare invloed op het huishouden. De bedienden behandelden Red en zijn moeder met een respect dat tot uiting kwam in de wens hen te plezieren, een dienst die altijd meer was dan de zuivere plicht vereiste, maar de eerbied die ze heer Richard betoonden kwam voort uit vrees. Niet dat hij ooit duidelijk woede liet blijken, of zijn ongenoegen in woorden uitdrukte. Het was eerder iets in de uitdrukking op zijn gezicht, zijn opgetrokken wenkbrauwen of dat sluwe lachje. Het was de manier waarop hij een bokaal aannam van een dienstmeisje waarbij hij dan even haar hand aanraakte. Het was zijn intonatie wanneer hij een knecht iets opdroeg of een van zijn eigen mannen met een hooghartig gebaar wegstuurde. Volgens mij verachtte hij ons allemaal; geloofde hij dat hij op de een of andere manier boven ons verheven was. Niemand bleef gespaard voor zijn krenkende zinspelingen, zijn terloopse beledigingen, zelfs niet de kern van dit huishouden. Maar zoals ik al zei, hij deed het heel subtiel. Hij wist te kwetsen op een manier die misschien alleen zijn slachtoffer begreep.

Maar de mensen hier waren sterk. Wanneer Richard spottend aan Ben vroeg waarom hij er weinig voor voelde mee te gaan op een veldtocht, waarom hij liever bij heer Hugh bleef dan zijn vaardigheden te beproeven in een echte strijd, lachte Ben er maar om. Als hij zich beledigd voelde in zijn mannelijkheid, liet hij dat naar buiten toe niet merken. Het wapen dat Richard tegen John gebruikte, was slinkser. Meer dan eens hoorde ik hem pogingen doen een reactie van John uit te lokken, hem in een gesprek te betrekken over het beheer van het landgoed, en de verantwoordelijkheid van de eigenaar voor de verdediging van de hele streek. Hugh, zei heer Richard, was te veel gericht op de toekomst van zijn landerijen, de kwaliteit van zijn veestapel, en het onderhoud van zijn muren en afrasteringen. Maar de westkust als geheel moest toch verdedigd worden? Was hij dat niet aan zijn buren, of meer dan dat, aan zijn moeder verplicht? Wanneer ging hij nu eindelijk iets doen met de mensen die de jonge Simon hadden vermoord? John was van nature een zwijgzaam man. Het was zijn gewoonte te doen wat gedaan moest worden, en alleen te spreken wanneer dat nodig was. Hij reageerde op Richard zoals ik had verwacht door te zeggen dat hij in Hughs dienst was en dat hij nooit reden had gehad om aan Hughs oordeel te twijfelen. Het gevaar dreigde trouwens van de kant van de Noormannen, niet van de Ieren. Toen Richard een stap verder ging en John begon te vragen hoe hij dan dacht over de veiligheid van zijn vrouw – zo'n lief meisje, met de frisheid van een mooie roos – en zijn pasgeboren zoontje, stond John gewoon op en ging de kamer uit.

Maar vrouwe Anne was Richards zuster. Tijdens de lange dagen die zijn oom op Harrowfield doorbracht deed Red herhaalde pogingen om te voorkomen dat ze elkaar vaak alleen spraken. Maar dat lukte hem toch niet helemaal. Hij kon niet voortdurend in huis zijn, want het begon zachter weer te worden en het werk op het land was in volle gang, ploegen, zaaien, lammeren. Op een middag wandelden vrouwe Anne en haar broer samen een tijd in de tuin, diep in gesprek, en ik keek naar hen vanuit het raam van de lange kamer waar ik alleen zat en vroeg me af wat ze tegen hem zei. Die avond bij het avondeten merkte ik dat Richards blik, scherp en doordringend, van mij naar Red ging en weer terug, en ik vroeg me af hoe lang het zou duren voor hij me de volgende keer alleen zou treffen.

Eindelijk kondigde Richard, op een avond tijdens het eten, aan dat hij en zijn mannen de volgende dag weggingen. Er werd bijna hoorbaar gezucht van opluchting. Misschien was hij ooit welkom geweest, maar hij was veel te lang gebleven. Iedereen in huis stond voortdurend onder spanning en ik dacht dat niemand het jammer zou vinden hem te zien gaan. Zelfs vrouwe Anne protesteerde niet. Wel sprak ze de wens uit dat we later die avond samen een beker warme punch zouden drinken om afscheid van hem te nemen, en dit verzoek scheen ook betrekking te hebben op Margery en mij. Bij vorige gelegenheden waren er voor mij verschillende fantasierijke uitvluchten gevonden, maar dit keer kon ik me er niet aan onttrekken, en dus zat vrouwe Anne wat later in de zaal met haar broer en haar oudste zoon, terwijl ik me in een donkere hoek ophield en probeerde niet op te vallen. Red zat bij het raam, en zijn handen waren bezig met mesje en hout. John stond achter de stoel van Margery. Een jonge dienares was naar boven gestuurd om op Johnny te passen, maar hij sliep altijd goed en ze zou niet veel te doen hebben. Er was een landkaart uitgespreid op de lange tafel en twee mannen van Richard en Ben stonden eromheen en twistten over de juistheid van een of andere grens. Het twistgesprek had een vriendschappelijke toon.

'Wat denk jij ervan, jonge Benedict?' Richard maakte deze opmerking achteloos, terwijl hij even achterom keek. Hoewel hij deed alsof het hem niet interesseerde, had hij aandachtig naar hun gesprek geluisterd. 'Denk je dat we die wachttoren aan de noordkant van de baai voor midzomer kunnen innemen? Als je die hebt, heb je een sterke basis, en kunnen je mannen veilig landen. Dat was steeds een van de problemen waar we mee zaten; die toren en hun listige vaarmethoden. Ik ben er nog altijd niet achter hoe ze het klaarspelen. Ze verschijnen uit het niets, doemen op uit de mist in hun slimme bootjes. Je weet nooit wanneer je hun komst moet verwachten.'

'Ze zeggen dat er hekserij aan te pas komt.' Dit was een van Richards mannen; hij zei het op verachtelijke toon. 'Dat elke clan een tovenaar heeft die storm, mist en wind kan oproepen door de macht van de duivel aan te roepen. Ze zeggen dat hele legers op deze manier verdwenen zijn. Niet dat ik dat geloof, natuurlijk. Maar er gaan verhalen over.'

'Verhalen die worden verspreid enkel en alleen met het doel de vijand angst aan te jagen,' zei Richard tamelijk cynisch. 'Een beproefd middel. Hetzelfde kunstje als je lichaam te beschilderen, of op de trommel te slaan tijdens de aanval. Het verrast de vijand, maakt hem zenuwachtig, jaagt hem de stuipen op het lijf. Dat is geen hekserij. Een beetje geluk is het, meer niet, en goede kennis van de plaatselijke weersomstandigheden. Deze lieden kunnen net zo min toveren als jij of ik.'

'Precies,' zei de andere man. 'Want er zijn daar ook christelijke priesters, die zulke gebruiken vast niet zouden dulden. Trouwens, wie heeft er ooit gehoord van hagelstenen zo groot als kippeneieren, of van een mist waar je in zou kunnen verdrinken? Wie heeft er ooit gehoord van een storm die zomaar uit het niets opsteekt, of een regenbui bij heldere hemel?'

Op dat moment keek ik naar Red, en Red keek naar mij, en ik herinnerde me de aanraking van zijn hand in een verblindende stortvloed van regen, de harde, warme greep van het enige werkelijke ding in die heftige, druïdische stortbui. Die regen had ons beiden het leven gered. Ik las in zijn ogen dat hij aan hetzelfde dacht.

'Deze verhalen gaan ver terug,' zei Richard peinzend, terwijl hij zijn elegante benen naar het vuur uitstrekte. 'Het is een vreemd land, met vreemde mensen. Hoe meer ik over hen te weten kom, hoe minder ik van ze begrijp. Eens zal het natuurlijk allemaal van ons zijn, en het restant van deze wilden zal domweg verdwijnen, door uitsterven of verval of vermenging met andere volken. Ze kunnen maar in beperkte mate weerstand bieden, met hun bijgelovige ideeën en hun irrationele geloof. Ze vechten met zoveel woestheid dat het erop lijkt dat ze weinig waarde hechten aan hun eigen leven. Ze hebben hun kostbare eilanden al verloren. Dat steunpunt is van ons. Ik hoop de volgende stap te zetten met mijn zomercampagne.'

'Hoe gauw denkt u hier terug te zijn?' vroeg John beleefd.

'Gauw genoeg,' zei Richard. 'Mijn mannen zijn altijd in staat van paraatheid. Ik ben van plan gebruik te maken van de eerste periode van gunstig weer. Dus terwijl jij buiten op het veld de boer staat te spelen, Hugh, kun je aan mij en mijn mannen denken, want dan zijn wij bezig het hier te beveiligen. Dan weren wij deze gesel van onze kusten, zodat jij rustig je vee kan weiden.'

'O, ik zal aan u denken,' zei Red. 'U kunt er zeker van zijn, oom, dat u nooit ver uit mijn gedachten bent.'

'Hm.' Richard scheen dit op te vatten zoals het bedoeld was. 'Het zou me genoegen doen als ik de jonge Ben kon overhalen dit keer met me mee te komen. Dan kan ik hem eens laten kennismaken met het echte werk. Maar als hij het niet wil, dan niet.'

'U kunt toch niet van plan zijn een enkel garnizoen op de verre kust te vestigen, als het u lukt dat stuk land te veroveren,' merkte John op. Ondanks zichzelf was hij kennelijk in de zaak geïnte-

resseerd. 'Daarmee vraagt u om moeilijkheden. De krijgsheren ter plaatse hebben een terreinkennis die de onze ver overtreft, en ze hebben flinke legers. Hoe zou u zo'n verre post kunnen bemannen? Hoe zou u hem van voorraden voorzien? Het zou een buitengewoon hachelijke positie zijn. En de Noormannen? Voor hen zou u een gemakkelijk doelwit zijn. En met welk doel zou u daar zo'n post vestigen?'
Richard lachte. 'Het lijkt misschien maar een kleinigheid, in het grotere geheel. Mijn voornaamste voordeel ligt in de eilanden zelf; je beseft vermoedelijk niet dat daar een behoorlijk groot leger een tijdlang in een veilige haven verborgen kan liggen. En ik ben heel goed in staat een buitenpost op de verre kust te ondersteunen. Het zal hun ijdelheid prikkelen, die kleine heren met hun onuitsprekelijke namen. Dat de vijand een steunpunt heeft op hun geheiligde vaderland, dat zal hen steken. Dat zal hen uit hun schuilplaatsen lokken. En dan zullen we weleens zien.'
Er viel een korte stilte.
'U kunt niet verwachten dat u verder zult komen dan de kust,' zei Red ronduit. 'Als u dat van plan bent, onderschat u uw vijand.'
'Onze vijand, jongen, ónze vijand,' zei Richard en hij stond op en ging tegenover zijn neef staan, die nog steeds wat verderaf zat en zich concentreerde op het precisiewerk met het mesje. 'Nee, ik ben misschien voor veel dingen uitgemaakt, maar nooit voor een idioot. Ik wil alleen niet zelfgenoegzaam zijn. Die eilanden zijn belangrijk. Wie de eilanden in zijn macht heeft, heeft zijn kust beveiligd. Zolang ik ze heb, heb ik de ziel van mijn vijand in mijn greep. Hij gelooft dat ze een bron van magie zijn, een bron van kracht. Zolang ik ze bezit, is hij verzwakt. Maar het is niet genoeg daar te zitten wachten tot hij ons aanvalt. Wij moeten de eerste zet doen, hun onze wilskracht tonen, hun laten zien uit welk hout wij gesneden zijn. En weet wel dat ik hierin niet alleen sta. Ik heb de steun van drie van onze naaste buren, en beschik over honderd van hun beste mannen om dat te bewijzen. Jouw eigen huishouden, Hugh, is het enige in deze streek dat geen afvaardiging wenst mee te sturen op mijn tocht.' Hij wierp een blik op vrouwe Anne. 'Dat is een schande voor mij, jongen. Mijn eigen vlees en bloed. Maar er is nog tijd. Tijd om een kleine eenheid uit te rusten. Ze zullen over zes dagen gepakt

en gezakt klaar moeten staan. Ik zou erg blij zijn met jouw steun.'
Red werkte nog steeds aan zijn stukje hout. Hij nam niet de moeite om op te kijken.
'U weet hoe ik over deze kwestie denk, oom,' zei hij. 'Ik ben niet van plan goede mannen hun leven te laten offeren voor niets. Dit is uw vete, niet de mijne. De oorsprong is zo goed als vergeten, zoveel jaren woedt hij al, zoveel levens heeft hij al gekost. Vergeef me als ik het mijne, of dat van mijn mensen, daar niet aan toevoeg.'
'De eilanden bezet houden, dat gaat nog wel,' zei Ben, die nog steeds op de kaart tuurde. 'Maar het is ondenkbaar dat u verder komt dan hier, en hier – ziet u dit grote bosgebied, dat zijn armen bijna uitstrekt tot aan de zee? Wij zijn daar geweest. Het is een heel vreemd gebied; diep, ondoordringbaar, en het wordt fel verdedigd. Het terrein is steil en verraderlijk. Achter deze bossen ligt een groot meer, en er ligt een kasteel middenin. Dat kan door niemand dichter dan op een dagreis benaderd worden. Het zit stampvol gewapende mannen, en als die je niet te pakken krijgen, raak je algauw uitgeput van honger en kou, en door het griezelige karakter van de hele streek. Als u iets zou willen bereiken, zou de inval veel verder naar het noorden moeten plaatsvinden. Hier bijvoorbeeld.'
Richards ogen vernauwden zich. 'Hier spreekt een ware veteraan,' zei hij. 'Weet je zeker dat je niet met me mee wilt komen, jongen? Je lijkt me een waardevolle kracht. Kun je de jongen niet een tijdlang missen, neef?'
Red blies wat houtschaafsel weg en deed zijn werk terug in zijn zak. Hij veegde het mesje af aan zijn tuniek en stopte het terug in zijn laars.
'Ik ben niet degene die voor Ben de beslissingen neemt,' zei hij vriendelijk.
'Nou, jongen?'
Ben lachte. 'Ik niet, dank u zeer. Ik heb hier werk te doen. Bovendien, als je tegen die lui vecht is het net of je tegen een stam van... van spoken, of van geesten vecht. Natuurlijk hebben we wel een paar keer een treffen gehad. Maar... ze hebben de neiging te verschijnen en te verdwijnen, en wanneer ze tegen je praten, is het allemaal in raadsels.'

'En dan het weer daar,' merkte John op. 'Het ene ogenblik is het stralend weer, het volgende regent het pijpenstelen. Je zou hun verhalen over toverkunsten en hekserij bijna gaan geloven, als je er lang genoeg blijft. Ik hoef niet zo nodig terug. Geef mij maar een kudde ooien en een scherpe schaar.'
Ze plaagden hem, dacht ik. Maar Richard was al met iets anders bezig; het leek alsof hij in zichzelf sprak.
'Toverkunsten en hekserij. Dat doet me ergens aan denken.' Hij ging bij de haard staan om zijn rug te warmen, met zijn armen gestrekt over de schoorsteenmantel. Zijn schaduw reikte tot ver in de zaal, zijn lichaam tekende zich af tegen de flakkerende vlammen. 'Je had het over dat meer, en die burcht in het bos. Ik heb daarover een heel vreemd verhaal gehoord, een verhaal dat het hele verloop van mijn veldtocht zou kunnen veranderen, als het ook maar een kern van waarheid bevatte. De heer van die contreien heet Colum van Zeven Wateren. Er doen talloze verhalen de ronde over zijn meer, en zijn bossen, en zijn fort; en nog meer verhalen over de woestheid van zijn soldaten, waartoe zijn eigen zonen behoorden. Die verhalen berusten trouwens op waarheid. Zoals jullie weten is Simon in die streken verdwenen, en werden daar mijn eigen mannen afgeslacht. Ik heb me vaak afgevraagd, of... maar dat doet er niet toe. De manschappen van Colum zijn geen barbaars tuig. Ze zijn sterk, gedisciplineerd en goed bewapend, en ze vechten alsof ze zich niet om de dag van morgen bekommeren. Zoals je al zei, jonge Ben, zou het dom zijn om een aanval in te zetten op een man die over zo'n hechte verdediging beschikt. Maar naar ik heb vernomen, is het een jaar of twee geleden allemaal anders geworden voor Colum. Hoe dat precies zit, kan ik niet zeggen; er zijn vele versies van wat er gebeurd is. De ene dag was hij een man met zes volwassen zonen. De volgende dag had hij niet één zoon meer.'
Hij zweeg even. Als je Richard een beetje kende, wist je dat hij nooit zomaar voor de aardigheid een verhaal vertelde. Er zat altijd een addertje onder het gras, een verborgen boodschap voor iemand.
'Wat is er met hen gebeurd?' vroeg vrouwe Anne.
'Nou, daar waren een paar theorieën over,' antwoordde Richard. 'Een daarvan was dat ze zich op de oever van het meer bevonden,

en dat een grote watergeest een plotselinge storm liet opsteken die hen meesleurde en verdronk. Een andere theorie luidde dat ze vergiftigd zijn door een vijand, iemand zoals ik, die de macht van hun vader wilde afzwakken; dat ze vergiftigd zijn en dat hun lichamen ergens verborgen liggen in dat uitgestrekte bos. Nog een theorie is dat de jongens op een vroege morgen paddenstoelen gingen zoeken, en gepakt zijn door het kleine volk. Ze geloven daarginds in het kleine volk, en in elfen en feeën. Vreemd, hè, dat ze een christelijke priester in huis kunnen hebben, en zondags de mis kunnen lezen, terwijl hun hoofd nog vol bijgeloof en fantastische ideeën zit? Ja, het was een vreemde geschiedenis. Als het waar is, zal Colum niet zoveel van zijn oude vechtlust meer hebben, zal hij niet zoveel weerstand meer willen bieden. Het zou nu een uitstekend moment zijn om toe te slaan.' Hij illustreerde het laatste woord door een scherpe armbeweging te maken, met gespitste vingers. 'O ja, dat vergat ik bijna,' zei hij, en nu keek hij naar mij, op de plek waar ik in het donker tegen de muur stond.
'Er was ook nog een dochter. Die is tegelijk met haar broers verdwenen. Grote opruiming. Ik heb gehoord dat hun moeder naar hen zocht. Of was het hun stiefmoeder? Ze heeft overal verkenners naartoe gestuurd. Maar geen spoor. Ze waren gewoon in rook opgegaan. Net als Simon. Misschien hebben de elfen hen allemaal meegenomen. Het was ongeveer in dezelfde tijd, dat hoorde ik tenminste.'
Dit keer hield de stilte langer aan. Ik huiverde. Ik dacht dat iedereen naar me keek, dat iedereen zag wie ik eigenlijk was en bij wie ik hoorde. Was dit zomaar een lukrake gissing geweest, die toevallig doel trof? Hoe had Richard bij toeval op de waarheid kunnen stuiten?
'Dat moet wel heel verschrikkelijk zijn, in één klap zeven kinderen te verliezen,' zei Margery zacht. 'Een man zou door zo'n slag krankzinnig kunnen worden.'
'Ik zou zoiets mijn ergste vijand nog niet toewensen,' zei vrouwe Anne. 'Maar het verdriet me je zo luchthartig over Simons lot te horen spreken, Richard. Ik hoop dat je zult proberen meer over hem te weten te komen, wanneer je daar weer bent. Ik kan niet geloven dat er helemaal geen spoor van hem te vinden is. Dat zegt Hugh namelijk.'

Richards gezicht veranderde in een toonbeeld van broederlijke bezorgdheid.
'Ik zal natuurlijk proberen iets over hem te weten te komen,' zei hij. 'Ik heb een uitstekend netwerk van informanten, dat me ook van dienst is wanneer ik ver uit de buurt ben. Het zou je verbazen wat ik allemaal te horen krijg. Maar ik geloof dat je moet beseffen, zuster, dat de opperhoofden van Ierland even wreed zijn als hun manschappen. Ze hechten niet veel waarde aan het leven van hun gevangenen zodra die... hun nut hebben gehad. En Simon was nog erg jong. Ik denk dat je na zo'n lange tijd niet te veel moet verwachten. Maar als er nu, zoals je zegt, een teken, een of andere aanwijzing zou zijn...'
Hij keek weer naar mij, met een lachje om zijn mond.
'Misschien heb ik u niet helemaal goed begrepen, oom,' zei Red kalm. 'Probeert u te laten doorschemeren dat mijn broer, als hij gevangengenomen en aan de een of andere vorm van marteling onderworpen was, niet in staat zou zijn geweest om daaraan weerstand te bieden? Het spijt me, moeder,' voegde hij eraan toe, 'dat ik dit zo openlijk te berde breng, maar het is geen tijd om spelletjes te spelen. Misschien kunnen we dit onder vier ogen bespreken,' zei hij tegen zijn oom.
'Dat is niet nodig, mijn jongen,' zei Richard op beminnelijke toon. 'We zijn hier toch onder louter vrienden, mag ik hopen. Afgezien dan van de kleine Jenny, misschien, die in dit huis zo'n unieke positie inneemt dat ik met de beste wil van de wereld niet zou kunnen zeggen wat die is. En aangezien zij niet kan spreken, behoeven we ons geen zorgen te maken over wat ze hoort, of wel soms? Jij schijnt dat in elk geval niet te vinden.'
'Simon was misschien het spoor bijster,' merkte John op, 'maar niemand zou hem er ooit van hebben kunnen beschuldigen dat het hem aan ruggengraat ontbrak. Zijn wilskracht was indrukwekkend voor zo'n jong iemand.' Dat was waar, dacht ik; ik herinnerde me de wanhopige kracht in die blauwe ogen, de haat die naar binnen was gericht. Hij kon het niet verdragen zichzelf als verrader te zien. Ik was ervan overtuigd dat hij er geen was.
'Hij was pas zestien,' zei vrouwe Anne. 'We kennen zijn karakter. Ik hoef maar naar jou te kijken, Hugh, en ik zie hem weer voor me. Maar hoe moedig en vastberaden hij ook was, hij was

nog maar een jongen. Misschien was dit meer dan een mens kon verdragen.' Haar stem klonk strak van de ingehouden tranen.
'Dit zijn toch alleen maar vermoedens,' zei Ben, terwijl er een kleine rimpel op zijn voorhoofd verscheen. 'Bovendien zou geen Ierse heer die meetelt zich kunnen veroorloven zo'n gevangene kwijt te raken. Er is toch ook nog zoiets als een losprijs? En ze moesten toch enig idee hebben wie hij was, of hij het nou vertelde of niet. Het klopt gewoon niet.'
Richard liep met sierlijke passen door de zaal. Hij wachtte even voor hij iets zei, alsof hij zijn woorden met zorg afwoog. 'Het is een onmiskenbaar feit,' zei hij ten slotte, 'dat al mijn mannen gedood zijn. Stuk voor stuk. Behalve Simon. Waarom zou onze vijand dat doen? De jongen is kennelijk niet gespaard om wie en wat hij was, want er is nooit een losgeld geëist. Is hij domweg uit angst gedeserteerd en uit zichzelf verdwenen? Vast niet. Zo iemand wordt niet gemakkelijk opgenomen in dat volk van zwartharige, bleekhuidige fanatiekelingen. Bovendien beschikte de jongen, zoals je zegt, naast zijn tekortkomingen over meer dan gemiddelde moed. Het is daarom meer dan een vermoeden dat ik uitspreek als ik zeg dat ze het met dwang uit hem hebben gekregen, de informatie waarmee hij zijn kameraden verried, en die de vijand in de nacht bij hun kamp bracht. Maar dat mogen we hem niet kwalijk nemen. Zoals je zei, zuster, was hij nog maar net zestien. Hij wilde een man zijn. Maar toen puntje bij paaltje kwam, was hij toch niet sterk genoeg.'
Ik merkte plotseling dat ik ontzettend boos was, en voor ik het kon tegenhouden maakte ik een gebaar met mijn handen dat duidelijk zei: *Nee. U vertelt leugens.* En plotseling waren alle ogen in het vertrek op mij gericht.
'Wat zou ik jou graag horen spreken, klein wild meisje,' zei Richard, en hoewel zijn stem zacht klonk, was zijn blik hard als koud ijzer. 'Waar kom je vandaan? Wat zou je ons kunnen vertellen? En waarom kijk je plotseling zo fel, als een moederwolf die haar jong verdedigt? Jij weet hier iets van af, dat weet ik wel zeker. Heel handig, om geen woorden te kunnen spreken. Ik vraag me af wat jouw mensen ervoor zouden geven, je weer veilig thuis te hebben.'
Het bleef even stil. Ik keek hem recht in de ogen. *Ik ben niet bang voor jou. Ik ben niet bang.*

'Ze is een lief meisje,' zei Margery onverwacht. 'Ze heeft geen kwaad in de zin, heer, dat weet ik wel zeker.'
'Dat niet alleen,' zei Ben met een scheve grijns. 'Ze zou helemaal niet hier zijn als we haar de keus hadden gelaten. Jenny houdt helemaal niet van zeereizen. Ze is hier eigenlijk meer per ongeluk.'
'Trouwens,' zei John, 'als u erop zinspeelt dat er wel een edele familie zal zijn die losgeld zou betalen voor haar terugkeer, dan vergist u zich toch echt. Dit is een kind dat al een tijd voor zichzelf heeft moeten zorgen, daar ben ik van overtuigd. Ze heeft geen familie om op terug te vallen, behalve deze hier.'
'Kind?' Richard leek wel een roofdier dat wachtte tot het zijn prooi kon bespringen. 'Het meisje is van huwbare leeftijd, en ziet er op haar wilde, onverzorgde manier nog best aardig uit. Wat heeft ze hier voor toekomst, als het waar is wat je zegt?'
'Mijn broer en ik hebben iets bedacht, Hugh.' Dit was vrouwe Anne, en ik kreeg het gevoel dat althans dit gedeelte van het gesprek goed was voorbereid. 'Hij... wij dachten dat Jenny, omdat we hier geen passend gezelschap voor haar hebben, een tijdje op Northwoods kon gaan wonen. Richard gaat morgenochtend terug, en hij zegt dat het geen probleem is als ze zich bij zijn gezelschap voegt. Elaine heeft verscheidene vriendinnen, en ze heeft gezegd dat ze er nog wel een bij wilde hebben. Dit zou mij een groot genoegen doen, Hugh.'
'Geen sprake van.' Red antwoordde onmiddellijk en kortaf.
'Niet zo snel,' zei Richard, met zijn ogen half toegeknepen. 'Je moet ook aan Elaine denken, jongen. Je verloofde. Vergeet niet dat ik binnenkort weer een tijd van huis zal zijn, en mijn dochter vraagt dit als speciale gunst van jou. Ze is daar eenzaam, als haar vader weg is. Ze zou blij zijn met iets nieuws.'
De moed zonk me in de schoenen. Ik twijfelde niet aan het werkelijke doel van dit verzoek. Het ging hem niet om gezelschap voor zijn dochter. Het ging om de informatie die ik hem kon geven. En ik voelde dat zijn belangstelling voor Simons lot niet gewoon de belangstelling van een bezorgde oom was. Nee, er zat iets anders achter, daar raakte ik steeds meer van overtuigd. Red had gelijk toen hij wantrouwen uitte over wat zijn oom bewoog. Richard wilde weten wat ik wist, en of ik het aan anderen zou vertellen. En hij zou me wel aan het praten weten te krijgen.

'Dit zou een goed idee kunnen zijn, Hugh,' zei zijn moeder voorzichtig. 'Het kan je niet zijn ontgaan dat Jenny's aanwezigheid hier een zekere... onrust heeft gebracht in het huishouden en onder de mensen van het landgoed. Nu Elaine zo vriendelijk is geweest haar uit te nodigen, kan het toch geen kwaad om Jenny een tijdje naar Northwoods te sturen. Het zou de druk hier een stuk verlichten. Misschien heb je je doof gehouden voor wat de mensen over haar zeggen en over... over jouw beweegredenen om haar hier te houden. Het is een gevoelige kwestie. Maar dit zou volgens mij toch een verstandige beslissing zijn.'
Reds mond werd een strakke streep. Ik dacht: wat kennen ze hem slecht, zijn eigen familie. Zelfs ik begrijp hem beter. Hij laat zich niet op deze manier dwingen.
'Dit is mijn huishouden, en mijn beslissing,' zei hij. 'Als Elaine gezelschap zoekt, kan ze ons komen bezoeken op Harrowfield. Zij is hier altijd welkom. Maar de andere mogelijkheid – die komt niet in aanmerking. En nu is dit gesprek beëindigd.' Hij liep naar vrouwe Anne toe en kuste haar op de wang. 'Goedenacht, moeder.' Hij keek naar Richard, die weer tegen de schoorsteenmantel leunde; zijn ogen gingen schuil onder halfgesloten oogleden, om zijn mond speelde een ondeugende, gevaarlijke trilling. 'U wilt morgenochtend natuurlijk vroeg vertrekken,' zei Red. 'We bieden u een escorte tot aan de brug.'
Richard trok zijn wenkbrauwen op. 'Word ik weggebracht? Hartelijk dank. Ik zal Elaine zeker laten weten dat je graag wilt dat ze op bezoek komt. Dan kan ze zelf zien hoe het er hier voorstaat. Ze moet natuurlijk tijdens mijn afwezigheid de leiding over Northwoods op zich nemen. Maar ik kan haar wel een paar dagen missen. Want de bruiloft zal natuurlijk hier plaatsvinden. Dit zal haar een goede gelegenheid geven de feestelijkheden voor te bereiden. De eerste mei zou bijzonder geschikt zijn, meenden Anne en ik. Het is niet nodig om tot midzomer te wachten. Ditmaal zal mijn veldtocht snel en dodelijk zijn. Ik zal terug zijn voor jullie tijd hebben om me te missen.'

HOOFDSTUK TIEN

Nu volgde wat achteraf gezien de laatste prettige tijd op Harrowfield was. Richard was weg en de lente overviel de vallei alsof ze zijn vertrek wilde vieren. In mijn tuintje bloeiden dappere krokussen, kleine, bleke narcissen en geurige kruiden. De zon verwarmde de stenen muren en de oude terriër strekte haar stramme leden en waagde zich naar buiten om onder de bloeiende seringen rond te snuffelen. Ik nam de gewoonte aan, vroeg op te staan en op pad te gaan terwijl de lucht fris en de dag jong was. Op deze manier kon ik me bijna inbeelden dat ik weer thuis was op Zeven Wateren, en dat alles weer in orde was. Bijna. Vaak liep ik naar de boomgaard, met zijn oude muur, bedekt met korstmossen, en trof Red aan die daar al met een mantel om zijn schouders tegen de kou en een inktpot naast zich op de bank in zijn boekje zat te schrijven. Soms ging ik een tijdje naast hem zitten, en dan knikte hij me ernstig toe en ging door met schrijven.

Ik dacht dat het boek een soort logboek was over het landgoed, waarin jaar na jaar systematisch aankopen en winsten werden genoteerd. Toch zag ik wel dat het meer was, want ik ving een glimp op van ingewikkelde diagrammen die de lagen onder de aarde schenen aan te geven, en de verschillende wortels van planten, en hoe de regen viel en ze voedde; ook was hier en daar een boom, blad of bloem afgebeeld, heel precies getekend. Dit was de man die door zijn oom werd verweten dat hij boertje speelde; de man wiens handen zo groot waren dat de mijne er helemaal in konden verdwijnen. Ik vond het prettig daar stil te zitten met mijn rug tegen de gladde stenen van de muur, en naar hem te kijken terwijl hij bezig was. Op andere ochtenden had ik de behoefte om in beweging te blijven, en dan borg hij zijn ganzenveer en inkt op en liep met mij omhoog door het bos van jonge eiken naar de heuveltop van waaraf hij me die eerste keer de omvang van zijn gebied had laten zien. Van de rivier tot aan de lucht, van het eind van de weg tot aan de verre horizon was de vallei gehuld in zijn eerste dappere groen. Dit was een goede tijd, een rustige, vredige tijd. Er waren geen woorden nodig tussen ons. Langzaam zakte het gif van Richards tong uit mijn geest weg, en ik begon weer vertrouwen te krijgen.

Elaine kwam, en haar gedrag was even onberispelijk als haar elegante, eenvoudige kleding en haar glanzende, soepel gevlochten haar. Ze was beleefd tegen vrouwe Anne, maar maakte het toch ook duidelijk dat ze haar eigen meningen had en haar eigen plannen voor de tijd dat ze meesteres over Harrowfield zou zijn. Ze was aardig voor Margery en bracht een speeltje mee voor de baby, een uit been gesneden diertje waar hij op kon bijten, want Johnny kreeg zijn eerste tand. Ik merkte wel dat ze erg nieuwsgierig was naar mijn rol in het huishouden, maar in tegenstelling tot haar vader temperde ze haar nieuwsgierigheid met een natuurlijke zwijgzaamheid en iets dat ik hield voor een sterk gevoel voor wat juist was. Ze kwam 's morgens bij Margery en mij zitten om te naaien, en keek naar wat ik deed zonder er een oordeel over te vellen.

Naderhand bekeek ze mijn handen, maar ze vroeg eerst of ik er bezwaar tegen had.

'Je weet dat sommige mensen zeggen dat je krankzinnig bent, of niet helemaal goed wijs,' zei ze, en ze keek me recht aan met haar grote blauwe ogen. 'Dat kan ik eigenlijk niet geloven. Ik denk dat je een doel hebt, een heel duidelijk doel, met wat je doet.' Ze keek naar de hemdsmouw die ik bezig was te weven, en naar de mand met doornige vezels.

'Hoelang?' vroeg ze. 'Hoeveel?' Ze was de eerste die me dit zo openlijk vroeg. Ik legde mijn vingers op mijn lippen, en bewoog toen mijn beide handen naar beneden en naar buiten. *Dat kan ik niet zeggen. Ik mag hier niet over spreken.*

'Ja, dat heeft Red me verteld,' zei Elaine ernstig. Ik dacht: uit het feit dat ze die naam gebruikt blijkt dat ze tot de kleine kring van ingewijden behoort, tot de paar mensen die hij vertrouwt. Waarom verbaasde dat me zo? Ze zouden immers binnenkort in het huwelijk treden.
'Maar je zult toch niet eeuwig met dit werk doorgaan? Het heeft een doel, een bestemming? Misschien kun je me dat wel zeggen.' Op haar kalme manier was ze even hardnekkig als haar vader. Als ik mijn hoofd zou schudden, had dat tot een misverstand kunnen leiden. Bovendien hoefde ik niet aan de woorden van de Vrouwe van het Woud herinnerd te worden. Zij had het heel duidelijk gemaakt dat er geen woord, geen stukje van mijn verhaal verteld mocht worden, als ik mijn broers van de betovering wilde verlossen. Niet in woorden, in geluiden of beelden. Niet in borduursels, liederen of gebaren. Hoe vriendelijk het ook gevraagd werd. En daarom wendde ik me af en wilde ik geen antwoord geven op Elaines vragen.
Ze bleef maar een paar dagen. Ze bracht wel veel tijd door met Red; ze wandelden door de tuin heen en weer, in ernstig gesprek. Het leek erop dat Elaine het vervelend vond om niets te doen; het lukte haar in de ochtenden samen met vrouwe Anne de hele bruiloft te plannen, terwijl ze intussen een sluier van fijne batist zoomde, wat haar geen enkele moeite leek te kosten. Ik hoorde dat ze zonder zichtbaar enthousiasme instemde met de eerste mei als huwelijksdatum, en dat ze snel en zonder veel belangstelling besliste over welke gasten uitgenodigd moesten worden, wat ze zou dragen en of zes of zeven gangen meer gepast waren voor een echt feestmaal. Ze deed dit allemaal af alsof ze onderhandelde over de verkoop van een kudde schapen, of over de herstelwerkzaamheden aan een schuur, alsof het een noodzakelijke, zakelijke aangelegenheid was die zo vlot mogelijk moest worden afgehandeld. De plechtigheid zelf leek haar helemaal onverschillig te laten. Dit vond ik wel een beetje treurig. Ze trouwt toch met een goede man, dacht ik. Ze had nauwelijks op een betere kunnen hopen. Misschien raakt het haar eigenlijk wel. Maar het is de gewoonte van deze Britten, de gevoelens diep vanbinnen weg te sluiten, waar niemand ze kan zien. Aan de oppervlakte zijn ze kalm en beheerst. Maar daaronder, wie weet wat daar broeide?

De paar keren dat ik Red en Elaine toevallig samen zag, terwijl ze in diep gesprek naar de rivier of over het grasveld wandelden, leken ze altijd even beheerst. Zijn manier van doen was beleefd, de hare ernstig. Ze hielden elkaar niet bij de hand, ze liepen niet gearmd, en raakten elkaar niet aan zoals ik mijn broer Liam had zien doen met zijn Eilis. En zoals ik het ook, de godin verhoede het, mijn vader had zien doen met vrouwe Oonagh. Ik merkte dat ik te veel op hen lette, en ging terug naar mijn werk, met een gevoel van onrust. Als buitenstaander in dit huishouden wilde ik dat Red gelukkig was. Het welzijn van deze kleine gemeenschap hing immers van hem af, redeneerde ik. Ik voelde me ongerust over hem en over haar, met het gevoel dat er iets niet in orde was. Er kwam een dag dat ze de hele ochtend met Red in de tuin doorbracht; ze zaten op een bankje onder de seringen en wandelden almaar rond langs de hagen. Zij praatte en praatte en maakte af en toe handgebaren om iets te benadrukken. Hem zag ik niet veel zeggen. Die middag pakte ze haar spullen in en vertrok. Enkele leden van haar gevolg bleven achter voor de bruiloft. Een kokkin, enkele knechten. Met de complimenten van Richard van Northwoods.
Hadden ze ruzie gehad? Het leek van niet. Red zei er niets over, maar dat was niet ongewoon. Hij was nu eenmaal een man van weinig woorden. De voorbereidingen voor de bruiloft gingen door. Het werk op het land was in volle gang, en de oefeningen met zwaard en boog werden opzijgezet voor nuttiger bezigheden. De mannen waren het grootste deel van de dag van huis en lieten ons over aan onze handwerken en ons geroddel. Niet dat er veel geroddeld werd; vrouwe Anne was sterk gekant tegen kletspraatjes en de gevolgen die ze konden hebben. Toch hoorde ik een paar dingen die ik liever niet had gehoord. Bijvoorbeeld dat ik een tovenares was die heer Hugh betoverd had zodat hij mij in huis moest houden, en dat Elaine hem had gevraagd mij weg te sturen, maar dat hij dat had geweigerd, zodat ze boos was weggegaan. Daarbij had ze gezegd dat ze niet met hem zou trouwen tot die barbaar van overzee teruggestuurd was naar waar ze vandaan kwam. Dit vond ik erg vervelend, al geloofde ik het eigenlijk niet, want ik had geen vijandigheid bemerkt in Elaines manier van doen ten opzichte van mij. Bovendien had ze haar gevoelens altijd zo

goed in de hand dat ik me nauwelijks kon voorstellen dat ze boos was op Red of op wie dan ook. Wat die betovering betreft, dat had ik al eerder gehoord. Als iemand heer Hugh al had betoverd, was ik niet degene die dat had gedaan. En hij had zijn eigen redenen om mij hier te houden, zoals ik mijn redenen had om hier te blijven. Het vijfde hemd was al half af en ik durfde eindelijk te geloven dat er binnen afzienbare tijd een eind zou komen aan dit gedeelte van mijn verhaal.

Er werd nog iets anders gezegd, en dat beviel me nog minder. Dat was dat de boze betovering waar ze over spraken, iets te maken had met het werk dat ik deed, het perverse, slinkse spinnen en weven van spillekruid (want zo noemden ze het). Door middel van deze vreemde handeling bracht ik het huishouden onder mijn invloed, en met name heer Hugh. Ze zagen natuurlijk dat ik hemden maakte. Ik had gedacht dat ze een volk zonder verhalen waren, maar nu ze eenmaal op dit idee waren gekomen, leek het alsof iedere hofdame, iedere dorpeling wel een oud verhaal kende over een kledingstuk met boosaardige krachten, dat de drager verbrandde, vergiftigde of krankzinnig maakte. Het idee verspreidde zich beangstigend snel en na een tijdje namen de mensen niet eens meer de moeite om hun stem te dempen, want het scheen dat het hun niet meer kon schelen of ik hoorde wat ze over me zeiden. Mijn vrienden in het huishouden probeerden me ertegen te beschermen, maar dat werd algauw onmogelijk.

Toen begonnen er kleine, vervelende dingen te gebeuren. Toen ik buiten wandelde, gleed ik uit in de modder en maakte mijn jurk vuil. Vrouwe Anne gaf hem aan een dienares om hem schoon te maken, maar er ging iets mis en ik kreeg de jurk terug met vreemde vlekken. Ik kon hem niet meer aan. Maar het was de enige jurk die ik had. Ik trok hem dus toch aan, tot vrouwe Anne, met gefronst voorhoofd, een andere voor me vond, nog lelijker en vormelozer dan de vorige. Toch droeg ik hem met geheven hoofd. Daarna was Alys opeens zoek. Ik werd verschrikkelijk ongerust, want het deed me denken aan vrouwe Oonagh, en de vreemde, wrede grappen die ze op Zeven Wateren met ons huishouden had uitgehaald; ik was bijna een hele dag kwijt met overal naar haar zoeken, zonder te laten merken hoe bang ik was. Mijn gedachten gingen uit naar mijn trouwe Linn, die in het bos was gedood toen ze mij probeerde te beschermen, en toen ik aan haar dacht, werd ik overspoeld door beelden van die vreselijke dag, toen ik haar lichaam door het bos naar huis had gedragen en daarna, huilend en bloedend, op de terugkeer van mijn broers had gewacht. Ik probeerde mijn gezicht zo goed mogelijk in bedwang te houden en zocht systematisch in het huis, in de stallen, in de schuur, onder hagen, in de boomgaard. Ik voelde me die dag totaal verlaten, want vrouwe Anne hield Margery binnen en de mannen waren bezig met het werk op de boerderij. Ik had Megan kunnen vragen me te helpen zoeken, want ze deed nog steeds best aardig tegen me, maar zij paste op Johnny en kon niet geroepen worden. Tegen het eind van de middag begon ik me neer te leggen bij het feit dat ik Alys niet zou vinden; dat haar een ongeluk was overkomen. Ik besloot in mijn tuintje te wachten, en Ben of John om raad te vragen wanneer ze thuiskwamen. Maar dit leek niet nodig te zijn, want toen ik de hoek bij de keukendeur omkwam, zat ze daar op de stenen treden voor mijn kamer; het leek of ze op me wachtte en ze had kennelijk niets. Ik slaakte een zucht van opluchting en ergernis. Waar had ze zich al die tijd verstopt? Hoe durfde ze me zo ongerust te maken om niets, die boef? Ik wist niet of ik moest lachen of huilen.

Pas toen ik dichterbij kwam, besefte ik dat het toch niet zo goed was afgelopen als ik dacht, en dat er meer aan de hand was. Want Alys ontblootte haar tanden en gromde naar me. Dit was voor haar natuurlijk heel gewoon; ze stond in het huishouden bekend om haar slechte humeur, een van de voorrechten van de ouderdom. Maar dat richtte ze nooit tegen mij. Ik bleef op een paar passen afstand staan, om haar niet te laten schrikken, en bekeek haar zorgvuldig. Ze leek niets te mankeren. Misschien was ze gewoon ergens van geschrokken. Wat het ook was dat haar dwarszat, ik moest er voorzichtig mee omgaan. Ik hurkte neer en kwam heel langzaam dichterbij. Ze gromde weer en trok haar bovenlip op. Ze beefde; heftige rillingen trokken door haar lijfje. Doodsbang. Wat ik ook probeerde, ze wilde me niet dichterbij laten komen.

Na een tijdje ging ik maar naar de keukens om een stukje reuzelkoek te halen. Terriërs zijn flinke eters en kunnen een traktatie moeilijk weerstaan. Langzaam, heel langzaam kwam ik dichterbij, tot ik nog maar een paar passen van haar af was. Toen ging ik op de grond zitten, met de koek naast me, en staarde in de verte. Het grauwen werd geleidelijk minder fel. Na een poosje kroop ze naar me toe en ik hoorde dat ze voorzichtig een hapje nam. Nu was het veilig om weer naar haar te kijken. Ze was niet gewond. Ze was alleen gevangengehouden en bang gemaakt. Om erachter te komen wie dat had gedaan zou ik misschien uit kunnen kijken naar handen met beetwonden. Want wat ze hadden gedaan, had haar erg aangegrepen. Ik zag nu dat er in het lange, stugge haar op haar rug een grof maar onmiskenbaar teken was uitgeschoren. Het was een symbool dat ik wel in krijt boven deuren had gezien, om heksen af te weren. Een teken dat ik met de vingers had zien maken, tegen de werken van de duivel. Een boodschap voor mij. Tovenares, scheer je weg. Dit keer hadden ze haar verder niets gedaan, misschien uit piëteit voor wiens hond ze was geweest.

Misschien waren het alleen kinderen geweest. Kattenkwaad. Misschien was het van weinig belang. Daarom zei ik er niets over bij het avondeten, en probeerde ik te doen alsof er niets aan de hand was, want ik wilde geen voedsel geven aan geruchten. Maar zoals Conor me meer dan eens had gezegd, was ik niet erg goed in het verbergen van mijn gevoelens. Niet zo goed als sommige anderen. Margery vroeg of ik me wel goed voelde, en ik knikte, en Ben zei dat ik er moe uitzag, en ik glimlachte. John probeerde me aan het eten te krijgen; ze probeerden altijd me aan het eten te krijgen, maar mijn lichaam was er lange tijd aan gewend geweest zich voedsel te ontzeggen, en het accepteerde alleen kleine hoeveelheden van de meest eenvoudige kost. Wat brood, wat fruit, een kom gerstsoep. Een enkele keer kaas. Ze dachten dat ik mezelf uithongerde, maar ik voelde me er goed bij. Bovendien kon je je gedachten beter concentreren als je niet at. Ik herinner me dat pater Brien dat een keer zei.

Toen ik de tafel langs keek, en alle leden van het huishouden zag zitten eten en drinken en onderling babbelen, vroeg ik me af hoeveel van hen me werkelijk als een gevaar zagen. Want het waren grotendeels brave mensen, hardwerkende, eerzame lieden die hun eenvoudige, geordende leventje op prijs stelden. Red zorgde goed voor hen, ze leefden veilig en verzorgd, en gaven in ruil daarvoor hun arbeid en hun trouw. Mijn aanwezigheid daar was als een

kleine maar constante verstoring in een stille vijver; de rimpels bleven zich verspreiden en verstoorden het evenwicht. Iemand had dit erg genoeg gevonden om tegen mij in actie te komen. Tot nu toe alleen met kleine dingen; maar ik voelde een diepe ongerustheid, want van kleine dingen konden grotere dingen komen, dat had ik maar al te goed gezien toen vrouwe Oonagh op Zeven Wateren kwam. En ik was al zo dicht bij het einde van mijn taak. *Liam, Diarmid, Cormack, Conor.* Finbar, wiens sterrenkruidhemd snel vorderde, want ik werkte lang en hard, en deed alsof ik de pijn niet voelde. Binnenkort zou er nog maar één hemd gemaakt moeten worden, en dan zou de betovering verbroken zijn, en zou ik naar huis gaan. Als ik de taak tenminste kon afmaken. Ik dacht er even over om naar vrouwe Anne toe te gaan en haar te vertellen wat er met het hondje was gebeurd, want ik wist dat ze zulke wandaden in haar huishouden streng zou bestraffen, ongeacht wat ze van mij vond. Maar als ik het haar vertelde, zou ik daarmee nog een argument aandragen om me naar Northwoods te sturen, en dat vooruitzicht maakte me pas echt bang. Er was iets boosaardigs aan Reds oom, een dreiging in zijn ogen en in zijn handige woorden, waardoor zijn aanwezigheid me deed huiveren. Ik zou hier nog liever zelf weggaan en weer voor mezelf zorgen, dan dat ik naar zijn huis ging. Ik besloot tegen niemand iets te zeggen over wat er met Alys was gedaan. Ik zou doen alsof het me koud liet. Daar kon niemand iets tegen inbrengen.
Ik had buiten Red gerekend. Dat was dom. Die avond zat ik bij het licht van een lamp in mijn kamer te naaien toen er op de buitendeur werd geklopt. Ik kon niet roepen: 'Wie is daar?' en na wat er gebeurd was, wilde ik niet opendoen zonder te weten wie het was. Maar toen hoorde ik zijn stem.
'Doe de deur open, Jenny.'
Ik liep naar de deur met mijn werk in mijn handen en schoof de grendel eraf. Wat deed hij hier trouwens? Deze avond hoorde Ben de wacht te hebben.
'Kom naar buiten,' zei Red. 'Ik wil je gezicht zien.' Want ik stond met mijn rug naar de lamp. Ik liet de deur open en stapte naar buiten in de tuin, waar de maan een zacht, koel licht wierp over het blauwgrijze blad van lavendel en boerenwormkruid.
'Kijk me nu aan,' zei hij. 'Kijk me eens echt aan.'

Ik keek in zijn ogen en dacht dat hij er vermoeid uitzag; ze hadden lange dagen op het veld doorgebracht, maar in de groeven rond zijn neus en mond zag ik nog iets meer dan de gezonde vermoeidheid van het lichaam na gedane arbeid, en hij leek ook magerder.

'Goed zo,' zei hij. 'Vertel me nu wat er aan de hand is.'

Ik kende hem inmiddels goed genoeg om te beseffen dat ik geen andere keus had dan het hem te vertellen. Zoals hij zei, hij speelde geen spelletjes. Ik beduidde hem dus: *hond – weggaan. Ik, kijken, zoeken, ongerust*. Ik gebruikte mijn hand om de baan van de zon langs de hemel aan te geven: *de hele dag*. Toen moest ik hem bij de mouw pakken en hem naar binnen leiden, waar Alys weer op haar plekje op de stromatras lag te slapen, opgerold tussen de dekens. Ze gromde diep toen we dichterbij kwamen, en het beven begon weer.

Red bekeek het teken op haar rug en zei niets, maar de lijnen op zijn gezicht waren heel duidelijk in het licht van de lamp en zijn lippen verstrakten. We gingen weer naar buiten, en hij gaf met een gebaar te kennen dat ik op de drempel moest gaan zitten, terwijl hij met zijn lange gestalte tegen de muur naast me leunde. We zwegen een tijdje.

'Je was niet van plan me dit te vertellen,' merkte hij na enige tijd op. 'Waarom niet?'

Ik haalde mijn schouders op. *Waarom zou ik het jou vertellen? Wat zou je eraan kunnen doen?*

Red stond met gefronst voorhoofd naar me te kijken. Hij zei een tijdlang niets; in het maanlicht hadden zijn ogen de heldere, lichte kleur van onze eerste kennismaking, ochtendblauw, en er lagen herinneringen in.

'Ik wil je iets vragen,' zei hij ten slotte, en nu stond hij naar zijn handen te kijken alsof hij mijn blik niet wilde ontmoeten. 'Die nacht – die keer in de grotten, voor we de zee overstaken. Het was een vreemde nacht. Ik heb me afgevraagd... ik heb gedacht dat ik die nacht misschien koorts had door de wond aan mijn been. Maar toch is de herinnering...' hij zweeg, schopte met zijn laars in de aarde; het lukte hem niet te zeggen wat hij wilde zeggen. Ik had de woorden voor hem kunnen vinden, als ik niet gedwongen was geweest te zwijgen. Na een tijdje wierp hij een snelle blik op mij en wendde zijn ogen weer af; toen probeerde hij het weer.

'Ik word soms 's nachts wakker,' zei hij, 'uit een droom die zo levensecht is dat het lijkt alsof díe donkere wereld de echte is, en deze wereld een fantasie. De laatste tijd is me dat vaak gebeurd. Ik vind het een verontrustend idee dat ik zo weinig beheersing heb over mijn geest. Heb jij dat gevoel ook weleens gehad?' Ik schudde mijn hoofd. Het Feeënvolk speelde met je gedachten, dat stond buiten kijf. Denk maar eens aan die man uit ons dorp, Fergal, die helemaal zijn verstand verloor nadat ze hem hadden meegenomen, en met hem hadden gespeeld, en hem toen weer hadden uitgespuwd. Maar ze hadden mijn geest nooit in bezit genomen, al was ik weleens bijna gek geworden van angst. Ik gebaarde naar Red: *Zeg het. Vertel me de rest.*

'Die nacht...' zei hij aarzelend. 'Dat was de levendigste droom van allemaal. En daarna heb ik even gedacht... maar nee, dat kan toch niet. Ik denk dat die beelden het product waren van koorts, van een ziekte ten gevolge van bloedverlies en uitputting. Ik ben meestal niet zo zwak. Maar toen dacht ik... zeg me, is het mogelijk dat jij een deel van die droom hebt meebeleefd? Is het mogelijk dat je weet wat... wat er tegen me is gezegd? Er was een kaars, die heb ik nog steeds. Maar hoe had er een kaars kunnen zijn? En waarom hoor ik hun stemmen nog altijd in mijn slaap? Ben ik bezig mijn verstand te verliezen? Ik heb gehoord dat dat gerucht gaat, en andere geruchten. Toch voel ik me beter bij zinnen dan ooit eerder in mijn leven.' Hij zuchtte. 'Het spijt me, Jenny. Maar tegen wie zou ik anders over dit soort dingen kunnen praten? Wie zou er naar me luisteren, zonder me een idioot te noemen?'

Nu moest ik glimlachen. Wie anders dan een geschift meisje zou geschifte gedachten kunnen begrijpen? Ik vroeg me af of ik het hem zou kunnen uitleggen. Mijn handen bewogen, en hij probeerde zacht sprekend mijn gebaren te vertalen. Twee handen, beide hol gemaakt, afzonderlijk, tegen elkaar geplaatst, als de helften van een schelp.

'Twee dingen. Twee werelden?'

Ik knikte. Bracht de handen tegen elkaar. Liet zien boven, beneden.

'Twee werelden, een boven, een beneden? De ene spiegelt de andere. Twee werelden die samenkomen, elkaar aanraken? En waar hoor jij dan bij? Ben jij soms ook een wezen van die andere wereld, het rijk van dromen en fantasieën? Zul je op een dag verdwijnen, zoals zij die nacht verdwenen, zodat ik in het donker achterbleef?'

Ik schudde mijn hoofd. Wees op mezelf, en toen op de hand die ik nog in de hoogte hield, met de holte naar beneden gericht. *Ik ben van deze wereld.* Gebaarde weer. *Net als jij.* Het volgende stuk was moeilijker. Ik probeerde te laten zien dat er een schakel was, een verbinding tussen de ene wereld en de andere. Maar ik moest oppassen; er waren dingen die ik niet mocht vertellen, ook niet in gebarentaal. Red knikte langzaam.

'Ik heb hun stemmen gehoord,' zei hij. 'Ik kon ze verstaan, al wist ik niet welke taal ze spraken. Wie waren ze, Jenny? En hoe konden ze jou verstaan, hoe konden ze je horen terwijl je geen stem hebt?'

Ik liet de benedenwereld weer zien. Twee. Twee mensen, heel groot. Ik trok een cirkel om mijn hoofd, probeerde een kroon uit te beelden. Beter kon ik niet benaderen wat ik hem probeerde te vertellen.

'Een koning en een koningin van dat andere rijk?' Ik knikte. Dat kwam er dicht genoeg bij in de buurt. Ik werd zeker beter in gebarentaal, of hij in het begrijpen ervan. Toen probeerde ik de volgende vraag te beantwoorden. *Mond, woorden – nee. Geest, gedachten – oor, horen. Horen zonder woorden.*

'Waarom kan ik je dan niet horen?'

Ik keek hem heel nuchter aan; toen wees ik op hem en liet mijn hand rondgaan om aan te geven waar hij thuishoorde. De plek die bij hem hoorde. *Jij bent een Brit.* Ik haalde even mijn schouders op. *Wat verwacht je dan?*

Ik geloof dat hij beledigd was. De mond werd net een tikje strakker, als dat nog mogelijk was, en de ogen werden ietsje koeler. Wat voor antwoord hij ook had willen horen, dit was het niet. Het duurde een tijdje voor hij weer iets zei. 'Als ik dit geloof,' zei hij, 'verandert alles. Alles.' Hij kwam op de onderste trede zitten, met zijn rug naar me toe, en staarde naar zijn in elkaar geklemde handen. Ik moest gaan verzitten zodat hij kon zien wat ik probeerde te zeggen.

Nee. Dat hoeft niet. Jij, hier; alles om je heen. Jouw bomen; jouw mensen. Alles goed. Ik – ga weg. Ver weg, over het water. Naar huis gegaan. Jij – vergeten.

Hij keek me alleen maar aan.

'Zo eenvoudig is het niet,' zei hij, 'en dat weet jij even goed als ik. Hoe zou ik dat kunnen vergeten? Ik zei het toch, hun stemmen zijn in mijn dromen, die wereld is vlakbij, hij is een deel van mij, of ik het wil of niet. Of ik het geloof of niet. En jij bent hier.'

Ik – ga weg. Ik wees op hem, kruiste mijn handen over mijn hart. *Je hebt het beloofd. Ik – over de zee, naar huis.*

'Dat heb ik niet vergeten,' zei Red zacht. 'Ik vergeet het niet, en ik zal deze belofte houden, en andere beloften die ik doe ook. Als je me iets over mijn broer vertelt, zal ik ervoor zorgen dat je veilig thuiskomt. Wat het me ook mag kosten. Maar – niets wordt ooit meer net zo als vroeger. Dat is onmogelijk. Dat is nu juist wat met de dag duidelijker wordt.'

Ik vond zijn woorden verontrustend. Ik wist al dat het feit dat ik hier op Harrowfield was, een huishouden had verstoord dat tot nu toe ordelijk en tevreden was geweest. Dat speet me, en ik zou willen dat ik er iets aan kon veranderen. Daarbij vond ik het erg verontrustend wanneer ik de mensen hoorde praten over hekserij en de betovering die hun heer in zijn ban hield. Want ik nam aan dat ze ongeveer met dezelfde gevoelens naar mij keken als ik destijds toen ik vrouwe Oonagh naar Zeven Wateren zag komen, en mijn vader in haar ban lokken. Alleen was ik hier de heks. Maar ik werd gedreven door de noodzaak mijn taak te voltooien en mijn broers te redden. Dat was het allerbelangrijkste. En om dat te doen, moest ik hier blijven, onder Reds bescherming. Daarna had ik gedacht weg te gaan, en dan zou de stille vijver weer tot rust komen alsof ik er nooit was geweest om die rust te verstoren. Ik had er nooit aan gedacht hoe Red erover zou denken. Misschien kwam dat doordat ik het te moeilijk vond om me voor te stellen dat ik hem over zijn broer vertelde, wat ik toch ooit moest doen, wilde hij me laten gaan.

Ik ging voor hem zitten, geknield, zodat hij naar me moest kijken. Ik speelde dat ik een spiegel was van zijn eigen gezicht. *Jij – moe. Jij – bedroefd, bezorgd.* Dit riep een soort vreugdeloze grimas op. Hij vond het niet prettig als het gesprek op zijn eigen gevoelens kwam.

'Ik kom wat slaap tekort, ja. Dat krijg je wanneer je 's nachts wakker wordt terwijl de demonen in je oor fluisteren. Maar hoe zou jij ook kunnen weten hoe dat voelt?' Hij maakte deze opmerking achteloos, maar zweeg onmiddellijk toen hij zag dat mijn gezicht veranderde. Heel even kwamen mijn eigen nachtelijke demonen me voor de geest en ik denk dat ik plotseling bleek werd.

'Het spijt me,' zei hij met een andere stem, zo anders dat hij wel van een andere man leek. 'Het spijt me. Wat heb ik gezegd?' Hij stak heel voorzichtig zijn hand uit, naar mijn wang; maar ik ging een eindje naar achteren, zodat hij me net niet aanraakte. Ik schudde mijn hoofd en bewoog mijn hand ontkennend heen en weer. *Niets. Het is niets.*

'Je bent nog altijd bang voor me,' zei hij heel zacht. 'Begrijp je niet dat ik jou nooit pijn zou doen?'

Maar dat heb je al gedaan, dacht ik. Met je handen, en met je woorden. Ik kruiste mijn armen voor mijn borst, en mijn handen raakten de plaatsen aan waar hij me ooit zo hard had vastgepakt. Toen hij zo boos was, bozer dan ik hem ooit had gezien.

Toen zei hij: 'Ik zou willen dat je tegen me sprak.' Zijn stem was nog zachter geworden, zoals soms gebeurde wanneer hij moeite deed om zich te beheersen. Ik had hem op de een of andere manier in de war gebracht. Natuurlijk zou je dat willen, dacht ik. Zodra ik praat, kun je je van me ontdoen, en doorgaan met je leven. Een zorg minder. Terug naar het gewone leven, ook al denk je nu misschien iets anders. Want je zult vergeten, zoals alle mannen.

'Ik wil je stem horen,' zei hij. 'Ik wil... maar wat doet het er ook toe?' Het was alsof hij zijn woorden beetpakte en terugstopte in een kanaal waar ze volgens hem hoorden te zijn. Terug naar veilig terrein. Beheers je. Zeg niet wat je voelt, maar alleen wat gezegd moet worden. Ik kon me wel voorstellen dat hij er later spijt van zou hebben dat hij deze avond zo vrijuit gesproken had. 'Je veiligheid, daar gaat het om,' zei hij. Nu was het weer heer Hugh van Harrowfield die aan het woord was. 'Ik denk dat ik wel meer kan doen. Om te beginnen zal ik met mijn moeder spreken. Zij zal dit soort praktijken ongetwijfeld afkeuren, en ze kan de boosdoener opsporen en zorgen dat het zich niet herhaalt. Op langere termijn... is er misschien een oplossing. Ik heb wel een bepaalde handelwijze voor ogen, maar die zou jou niet aanstaan.'

Wat? Wat voor oplossing? Ik begon me ongerust te maken. Hij

zal me toch niet naar Northwoods willen sturen? Of wel?
'Het is misschien niet nodig,' zei Red, en hij stond op. 'Laten we gewoon op onze hoede zijn. Als het nodig blijkt meer te doen, zullen we dat doen. Maar mijn oom is weg, en ik weet verder niemand die een ernstige bedreiging voor jou zou kunnen vormen.' Hij keek me vragend aan. Ik haalde mijn schouders op. De gedachte dat vrouwe Oonagh me zelfs hier op Harrowfield zou kunnen komen zoeken, was te beangstigend. Dat weigerde ik te geloven. 'Voorlopig moet je in mijn huis veilig zijn. Als ik dat niet kan beloven, stelt mijn bescherming niet veel voor.'
Mijn handen bewogen snel. *Niet doen. Doe geen eed op iets waar je niet zeker van bent. Doe geen belofte die je niet kunt houden.* Ik weet niet of hij het begreep.
'Het begint koud te worden,' zei hij. 'Je moest maar liever naar binnen gaan. Vergrendel je deur, en slaap wat. Ik hou vannacht de wacht.'
Ik mocht blijkbaar gaan. Ik stond op, ging naar binnen en wilde de deur dichttrekken.
'Jenny,' zei hij. Hij stond onderaan de treden, en door het verschil in lengte tussen ons keek hij me nu recht in de ogen. Ik trok vragend mijn wenkbrauwen op.
'Zeg het de volgende keer tegen me. Kom het me meteen vertellen. Hou het niet voor je. Hoe klein, hoe onnozel het ook is, je moet het tegen me zeggen.' Het leek misschien alsof hij de bedreiging van mijn veiligheid van zich af had gezet, maar hij maakte zich wel degelijk zorgen. Ernstige zorgen.
Ik knikte, en sloot de deur. Maar, zoals zou blijken, was het de volgende keer niet nodig het tegen hem te zeggen. Want de volgende keer was het geen kindergrap, geen kattenkwaad dat mijn onbekende vijand met me uithaalde. Het was iets veel ergers, en het leidde tot een tragische wending die een diepe verschrikking van de geest opriep, die de kracht van het kwaad deed uitbarsten over de stille vallei en het huishouden van Harrowfield voorgoed tekende. En ik was er de oorzaak van.

Het gebeurde in twee fasen. De eerste was, voor mij althans, zwaar te dragen. De eerste was een gemene, wrede grap. De tweede was moord.

Het voorjaar was gekomen, en plotseling naderde de eerste mei, en was de bruiloft op handen. Rondom me in de lange kamer was het een en al bedrijvigheid; vrouwen naaiden fijne stoffen en kwebbelden over dansen en feestmalen en over sommige andere kanten van het komende huwelijk waar ik liever niet over had horen praten. Ik probeerde me af te sluiten voor hun gepraat. Ik weefde en naaide mijn sterrenkruid, en zette Finbars hemd in elkaar. Onder het werk stelde ik me mijn broer voor, boven op het leien dak van Zeven Wateren, met zijn donkere lokken verwaaid door de westenwind en zijn heldere ogen vol dromen. Ik zag ons beiden op een stralende lentedag door het bos rennen, en ik zag Finbar wachten tot ik hem weer had ingehaald. En dan zag ik me bij hem zitten in de vork van een eik en zwijgend luisteren naar de adem van het bos om ons heen. Ik dacht aan Finbar zoals ik hem het laatst had gezien, nadat hij me zoveel van zijn kracht had gegeven dat er niets meer voor hemzelf over was. Met elke pijnlijke steek naaide ik mijn liefde voor mijn broer in dit hemd. Ik werkte hard, en het hemd vorderde snel.

Ik probeerde niet te luisteren naar de vrouwen die fluisterden boven hun werk, wat ze altijd deden wanneer vrouwe Anne er niet bij was. Maar ik kon hen niet helemaal buitensluiten. Daardoor hoorde ik allerlei meningen over heer Hugh, bijvoorbeeld dat alle dorpsmeisjes een oogje op hem hadden – hij was ook een grote, sterke man, en nog aardig ook – en alles in proportie, als je wist wat ze bedoelde. Trouwens, je wist wel wat ze over roodharigen zeiden. Jammer eigenlijk dat hij nooit eens – nou ja, dat hij zo op zichzelf leefde. Er werd gezegd, tenminste ze had een vriendin die iemand kende die een nicht had die het een keer... en die zei, een meisje dat een nacht met hem doorbracht zou wel merken hoe ze het getroffen had. Als je een keer met zo'n man naar bed was geweest, hoefde je geen ander meer.

'Geschapen als een stier, zacht als een lam,' grinnikte een van de oudere vrouwen. 'De droom van elk meisje. Zijn broer was ook zo, al was hij pas zestien. Die arme jongen.'

Er werden een paar scherpe blikken in mijn richting geworpen, en daar werd ook bij gefluisterd.

'Die?' zei een van hen smalend. 'Welnee. Waarom zou hij naar

haar kijken, terwijl hij Elaine kan krijgen? Terwijl hij elk meisje zou kunnen krijgen dat hij maar wilde?'
'Wie zou er trouwens een van dat soort willen?' zei een ander. 'Bovendien is het zo'n miezerig, bleek schepsel, bijna als een kind. Niks waar een man houvast aan heeft. Borsten als groene appeltjes, heupen als die van een vogel. Wat moet een echte man zoals hij nou met zo'n onderkruipsel? En dan die grove, lelijke handen.'
'Sst!' Vrouwe Anne was in aantocht, en het gesprek ging opeens over de vraag wat lekkerder was, honingsnoepjes of geconfijte viooltjes. Ik voelde dat mijn lippen een dunne streep vormden, en ik zag alles een tijdlang een beetje wazig, maar ik liet de tranen niet lopen. Ik vond het vreselijk hen zo te horen praten, want de gedachte aan Red en een of andere vrouw die samen in bed lagen en... en dat deden, maakte me misselijk. Hoe konden deze vrouwen zo over het paren van man en vrouw praten, alsof het... alsof het iets fijns was, iets waarnaar je kon verlangen en waarom je kon lachen? Ik kende die daad als grof, pijnlijk, een ervaring waardoor je je bevuild voelde, beschaamd, angstig. Toch moest ik in mijn hart erkennen dat het meer was, want ik had John en Margery naar elkaar zien kijken, en elkaars hand zien vasthouden, en ik was getuige geweest van datzelfde woordenloze, ademloze contact tussen mijn broer Liam en zijn verloofde. Maar dit was niet voor mij weggelegd. Ik zou nooit een man in de ogen kijken zoals Eilis Liam in de ogen had gekeken, met een stralende vurigheid die een blos op haar wangen bracht. Ik zou nooit met mijn hand zacht over de nek van een man kunnen strelen zoals Margery bij haar man deed, wanneer ze dacht dat er niemand keek. Ik was beschadigd; een bevuild artikel. Ik bedacht dat als er een toekomst was voor mij en mijn broers, dit een probleem zou kunnen zijn. Mijn vader zou ongetwijfeld willen dat ik een voordelig huwelijk sloot, teneinde de strategische positie van Zeven Wateren te versterken. Maar het zou niet meevallen om gegadigden te vinden. Bovendien zou ik er nooit mee instemmen. In plaats daarvan zou het zijn zoals ik ooit tegen Diarmid had gezegd, zo lang geleden dat ik het me nauwelijks meer kon herinneren. Ik zou een oud vrouwtje worden dat mompelend en monkelend met haar kruiden in de weer was en middeltjes brouwde tegen allerhande kwaaltjes. Dat was toch ook wat

ik altijd had gewild? Op de een of andere manier leek het nu niet meer genoeg.

Mijn vingers werkten stug door, maar door de stekels van de plant werden ze rood, kregen ze blaren, werden ze hard. De vrouwen hadden gelijk. Het waren erg lelijke handen. Onder het werk vertelde ik mezelf een verhaal over zo'n paar handen. In mijn verhaal moest het meisje zeven jaar lang werken in de keukens van een groot huis, om haar geliefde terug te winnen. Na zeven jaren vloeren schrobben en potten en pannen schuren waren haar vingers gezwollen, en haar handpalmen ruw en eeltig. Aan het eind van dit verhaal werd het trouwe meisje eindelijk herenigd met haar liefste. Toen hij haar tegen zich aan hield, en haar handen naar zijn lippen bracht, en zijn tranen erop vielen, zie, toen waren haar vingers opeens weer slank en klein, en toen ze haar handen ophief om zijn gezicht aan te raken, waren haar handpalmen zo wit en zacht als die van een koningin. Maar haar geliefde keek haar verbaasd aan toen ze hem haar verhaal vertelde, dat ze heksenwerk had moeten doen en zo haar handen lelijk en afschuwelijk had gemaakt. Want toen hij haar eindelijk had teruggevonden, en haar in zijn armen had genomen en zijn lippen op haar ruwe handpalmen had gedrukt, waren die handen voor hem de mooiste van de wereld geweest.

Op een middag nam Margery me mee naar haar kamers boven en bood me een geschenk aan. Van John en haar, zei ze, want ze wilden me graag nog eens zeggen hoe dankbaar ze waren voor wat ik haar en hun kind had gegeven, het leven. Ze had een nieuw gewaad voor me gemaakt dat beter geschikt was voor de bruiloft dan mijn vormeloze jurk van zelfgeweven stof. Het was een prachtig werkstuk, wel eenvoudig maar in volmaakte pasvorm gesneden, van zachte, dunne wol in een tint tussen blauw en lila in, als de eerste schemering op een zomeravond. Langs de halsopening en zoom was in donkerder blauw een fijn patroon van ranken en bladeren en kleine gevleugelde wezentjes geborduurd. Het was een geschenk dat liefde uitdrukte, en ik sloeg mijn armen om mijn vriendin heen en drukte haar tegen me aan. Ik zei niet tegen haar dat ik liever niet zo'n jurk droeg, die mijn figuur zou benadrukken en de blikken van mannen zou aantrekken. Ik voelde me meer op mijn gemak, veiliger, in die oude jurk van grove stof, die net zo goed een zak had kunnen zijn, zo slecht zat hij. Maar dit was toch een kostbaar geschenk dat met een glimlach gedragen moest worden. Daarom paste ik hem aan, en ze ging aan de slag, en trok hier en maakte een steekje daar tot ze zei dat ze tevreden was. Johnny keek naar ons op vanaf het vloerkleed, met grote ogen. Hij deed zijn best om van zijn buik op zijn rug te rollen. Hij had deze kunst nog niet helemaal onder de knie, maar te oordelen naar zijn vastberaden geluidjes zou het niet lang meer duren.

Margery maakte een vlecht in mijn haar die op mijn rug hing, en vlocht er zachtlila linten in. Dit was om alvast te oefenen voor de bruiloft, legde ze uit.

'Ziezo,' zei ze. 'Kijk nu maar eens in de spiegel, Jenny. Je doet mijn werk eer aan, meisje. Je zult ermee moeten ophouden jezelf te verbergen.'

Ik wilde mezelf eigenlijk niet bekijken, want sinds vrouwe Oonagh had ik iets tegen spiegels. Maar ik keek toch, in de verwachting het bleke onderkruipsel te zien waar de vrouwen het over hadden gehad. In plaats daarvan zag ik een kleine, slanke vreemdelinge – of misschien toch niet helemaal, want de persoon die me ernstig vanuit de spiegel aankeek had iets van de visionaire, verre blik van mijn broer Finbar, en de grillig gebogen wenkbrauwen die ik in Diarmids gezicht had gezien en... nou ja, ik was duidelijk de dochter van heer Colum. Maar ik was veranderd. Ze hadden gelijk, ik was gegroeid, en ik was nu een vrouw. De zachte japon sloot hier en daar strak om het lichaam, en viel in sierlijke plooien neer tot op mijn enkels. Klein en tenger zou ik altijd blijven, maar deze jurk toonde de ronde zwelling van mijn borsten, blank boven de lage halsuitsnijding. Ik was niet meer het wilde kind dat met haar broers door de bossen had gezworven. Mijn gezicht was nog altijd te mager, maar de grote groene ogen, de kleine neus en gewelfde lippen waren niet die van een kind. Ik had de lichte huid van mijn volk, en er waren alweer plukjes donker haar aan de keurige vlecht ontsnapt om rond voorhoofd en slapen te krullen.

'Hij staat je goed,' zei Margery, tevreden over haar werk. Ik glimlachte weer en kuste haar op de wang, en speelde overtuigend dat ik er heel blij mee was. En ik was werkelijk blij; ik stelde haar geschenk op prijs omdat het mooi was en omdat het van liefde ge-

tuigde. Ik wilde het alleen niet aan. Nog niet. Zeker niet voor Reds bruiloft.
De zaak werd er niet beter op doordat, voor ik tijd had om mijn oude, grove jurk weer aan te trekken, de drie mannen thuiskwamen en meteen naar boven kwamen, vol plannen voor de eerste dag van de voorjaarsscheerbeurt. John kwam voor de anderen binnen en keek naar ons beiden; hij begroette zijn vrouw met een kus en nam zijn zoontje op in zijn armen.
'Dat ziet er goed uit, Jenny,' zei hij op zijn nuchtere manier. 'Heel goed zelfs.'
En Ben, die na hem binnenkwam, begon te fluiten zoals mannen doen wanneer ze een aantrekkelijk meisje langs zien komen. Ik kende Ben zo langzamerhand; ik wist dat hij het niet kwaad bedoelde; en dus kon ik naar hem glimlachen voor ik mijn ogen afwendde. En recht in Reds ogen keek, die nog in de deuropening stond en me aanstaarde. Hij was pratend aangekomen, maar hij was midden in een zin opgehouden. Ook de anderen werden geleidelijk stil, en er hing een soort spanning in de kamer. Plotseling had ik het gevoel dat ik Red niet meer wilde aankijken, uit angst voor wat ik misschien in zijn ogen zou lezen, en ik graaide mijn oude jurk mee, en rende langs hem naar mijn eigen kamer en deed de grendel op de deur. Daar trok ik de blauwe jurk uit en trok de oude weer aan, en ik rukte de linten uit mijn haar, terwijl het hondje naar me keek, met haar ronde, waterige oogjes vol eenvoudige genegenheid. Ik vouwde Margery's geschenk op en legde het weg in de houten kist, en ik legde de zijden linten erop, en ik sloot het deksel. Binnenkort zou ik het vijfde hemd erin leggen, en dan ontbrak er nog maar één. Deze eenvoudige, eikenhouten kist bevatte de levens van mijn familie. *Liam, Diarmid, Cormack, Conor. Finbar. Padriac. Sorcha. Want jij bent die vrouw in de spiegel*, hield ik mezelf voor. *Je bent geen kind meer, of je wilt of niet. Je bent een vrouw met een vrouwenlichaam, en je denkt en voelt niet meer zoals vroeger op Zeven Wateren, toen je door de bossen rondzwierf en de bomen hun bladerdak spreidden om je te beschutten. Mannen zullen naar je kijken. Je moet het onder ogen zien, Sorcha. Je kunt je niet eeuwig blijven verstoppen. Ze zullen naar je kijken met begeerte in hun ogen. Je bent tegen je wil genomen, en dat heeft je beschadigd. Maar het leven*

gaat door. Het klonk logisch. Toch dacht ik nog steeds dat ik nooit zonder angst de aanraking van een man zou kunnen voelen. Het gepraat van die vrouwen deed me huiveren. Als ik mijn lichaam toonde, schaamde ik me. Ik kon mijn vriend niet meer in de ogen kijken uit angst voor wat ik daar misschien in zou zien. Later ging ik naar buiten in de boomgaard, na eerst gekeken te hebben of er niemand in de buurt was. Ik ging op het gras zitten onder een oude appelboom met een brede kroon, met knoestige takken waaraan juist nu de bloesem plaats maakte voor de eerste kleine groene vruchtbeginsels. Red en ik hadden een keer samen een appel gedeeld. Dat leek heel, heel lang geleden, in een andere wereld. In een ander verhaal. Ik sprak in gedachten tot het Feeënvolk. Ik sprak tot de Vrouwe van het Woud. Als er in dit verre buitenland iemand van hun soort bestond, als iemand van hen me kon horen, zou het op een plaats zijn zoals hier, onder de bomen. Ik wilde wel dat ik diep in het eikenbos had kunnen zijn, maar het was me verboden daar alleen heen te gaan. Ik concentreerde mijn gedachten op de volgende boodschap, en richtte hem met al mijn kracht op haar. *Laat hem gaan*, zei ik. *Verlos hem van uw betovering. Het is niet eerlijk. Hij kende de regels niet.* Het was heel stil. Ik kon nergens aan merken of iemand me had gehoord. Geen feeëngelach, geen stemmen in het ritselen van de bladeren. *Hij is een goede man. Volgens mij de beste van zijn hele volk. Hij gaat binnenkort trouwen, en heeft een plicht tegenover zijn volk. Wat u doet is verkeerd, en ik wil het niet. Laat hem vrij. Ontsla hem van zijn verplichting jegens mij, en geef hem zijn slaap terug, en zijn eigen wil.* Ik wachtte een tijdje, en ik hoorde geen geluid, behalve een zuchtje wind in de takken, en de ademhaling van Alys. *Het doet hem pijn, dat vuur in zijn hoofd. U doet hem pijn. U hebt hem onrecht aangedaan door hem tot mijn beschermer te maken. Bovendien kan ik wel voor mezelf zorgen. Hij loopt gevaar zijn eigen mensen te verwaarlozen; zij hebben hem harder nodig dan ik. Verlos hem van uw betovering.*
Toen ik klaar was, bleef ik daar stil zitten terwijl het daglicht vervaagde. Ik hoopte tegen beter weten in dat ik een antwoord zou horen, een bevestiging dat de andere wereld nog bestond, hier in dit land van twijfelaars en ongelovigen, van praktische, nuchtere mensen en – wat had Richard ook weer over zijn neef gezegd? –

geremde idealisten? Dat was niet eerlijk geweest. Red liet zich niet zo gemakkelijk kennen; maar ik had hem uit het hart horen spreken, ik had hem vanuit zijn onzekerheid en verwarring horen spreken. Ik wist dat hij in staat was tot woede en woestheid, en tot grote moed. Hij was kwetsbaar, net als ik. Zijn oom beoordeelde hem verkeerd, en zou dat nog eens ontdekken, tegen een hoge prijs.

Hier in de boomgaard waren geen antwoorden te vinden. Als het Feeënvolk me had gehoord, lieten ze het niet merken. Vandaag niet. Niet dat dat veel betekende, want ze waren altijd grillig en onberekenbaar in hun omgang met ons soort. Maar ik had gezegd wat ik te zeggen had, en dat moest maar voldoende zijn. Voorlopig.

Of het te wijten was aan een onhandige bediende, of aan een plotselinge windvlaag, of aan iets kwaadaardigers, daar is niemand ooit achter gekomen. Ik sloot mijn geest af voor de gedachte dat vrouwe Oonagh er misschien achter had gezeten, want dat idee was te beangstigend om aan te denken. De kracht van het kwaad is sterk en kan niet gemakkelijk worden beteugeld. Het gebeurde toen we die avond aan tafel zaten, ik zat lusteloos reepjes wortel en raap te eten; Margery zat tegenover me en keek naar me; John en Ben hadden een gemoedelijk meningsverschil over de wolopbrengst. Ik herinner me niet meer wat er het eerst was, de rooklucht of de luide stem van Megan die uit de gang naar binnen kwam rennen.

'Brand! Er is brand boven in de lange kamer!'

Dit huishouden was even gedisciplineerd als de meester ervan. Mannen stonden snel en kalm van hun plaats op. Er verschenen emmers en er vormde zich een keten, terwijl vrouwe Anne de overigen naar buiten loodste. John was bij het eerste woord de deur uit en naar boven gerend, met een gezicht zo wit als een doek; hij kwam terug met het krijsende zoontje in zijn armen, tot Margery's grote opluchting, want hun kamers lagen er dicht genoeg bij om gevaar te lopen. Johnny vond het niet prettig dat hij zo plotseling was wakker gemaakt; zijn vader suste hem met kleine, binnensmonds geprevelde woordjes, en gaf hem toen hij weer stil was, aan zijn moeder, waarna hij weer naar binnen rende. We wachtten op de binnenplaats en keken naar de donkere rook die uit de bovenste ramen wolkte. Er liepen gestalten voor het flakkerende schijnsel langs, toen werd de rook wit, en ten slotte was er niets meer dan een scherpe geur in de lucht. Het was een efficiënte oefening geweest. Niemand was gewond. Snel en doeltreffend. Nauwelijks schade.

'Je kunt beter even meegaan naar boven,' zei Red die naast me opdook, met een grimmige trek om zijn mond. 'Je moet dit zelf zien. Ik vrees dat het geen goed nieuws is.'

'Heer?' Een van de bedienden bleef in zijn buurt rondhangen. 'Wilt u dat de rommel nu wordt opgeruimd?'

'Nog niet,' zei Red. 'Ga de rest van je eten opeten en neem een beker bier. Ik roep je wel.'

Ik volgde hem naar boven naar de lange kamer, en durfde nog niet te denken. We waren daar korte tijd alleen. De brand was uit. Beneden waren mensen bezig emmers op te ruimen, en gingen weer aan tafel, opgewonden pratend.

Het was een vreemde brand geweest. Hij had een vreemde weg gevolgd. In de ene kant van de kamer was helemaal geen brand geweest. Daar stond de rechte, eikenhouten zetel van vrouwe Anne, met de gebeeldhouwde rugleuning; daar lag haar borduurraam met het erop gespannen borduurwerk, een ingewikkeld patroon met een eenhoorn en wingerdranken, helemaal intact. Daar stonden de manden met wol en de spinwerktuigen en de kleine handweefgetouwen. Maar er hing een dikke rook in de lucht, en aan de kant van de kamer waar Margery en ik altijd zaten te werken, was alles zwart. De brand had de vloerplanken en de ruw houten banken langs de muren en de balken bovenin geblakerd. Spinnen hingen levenloos in de flarden van hun webben. Mijn spindel en spinrokken waren verkoolde stokjes, mijn kruk een hoop houtskool. De mand die de laatste hoeveelheid geoogst sterrenkruid had bevat, was tot as verbrand. En daar op de grond, nog net herkenbaar, lag het broze, verbrande restant van het gedeeltelijk genaaide hemd voor Finbar, dat ik over de mand had gehangen, klaar om er de volgende morgen weer aan verder te gaan. Ik liep er als in een droom naartoe, hurkte neer en stak mijn hand uit om het aan te raken. Het verkruimelde onder mijn vingers. Ik haalde me een beeld van Finbar voor de geest, zoals ik hem het laatst had gezien, hangend tussen zijn twee broers alsof het leven uit hem was weggelopen. Een broos omhulsel van een mens. Ik zag zijn ogen, ooit van een diep, helder grijs als de hemel in de winter, nu wild en verward en angstig terwijl hij de kloof tussen dier en mens probeerde te overbruggen. Ik hield de as van zijn hemd in mijn handpalm; ik voelde hem door mijn vingers gaan en zich verstrooien tot niets.

'Jenny, kindlief.' Ik keek geschrokken op. Vrouwe Anne kon even onhoorbaar naderen als haar zoon, wanneer ze dat wilde. Nu stond ze met gefronst voorhoofd naast hem. 'Ik betreur dit zeer. Maar het is waarschijnlijk een ongeluk. Het vuur is onvoorzichtig behandeld; of een windvlaag. Ik zal deze dingen natuurlijk vervangen. We hebben genoeg spindels en spinrokkens.' Red zei niets; hij keek naar de haard, die een eind van ons af in het midden van de binnenmuur zat; hij keek naar de weg die het vuur had genomen. Hij keek naar mij. Ik wilde beslist niet huilen. Ik had mijn kiezen stevig op elkaar geklemd, zodat ik niet kon huilen.

'Hugh,' zei vrouwe Anne. Haar stem klonk zoals hij misschien had geklonken toen zijn broer en hij jongetjes waren, en zij hen ter verantwoording riep omdat ze te laat waren opgebleven, of pasteitjes uit de keukens hadden gestolen. 'Hierna moet je toch overwegen haar weg te sturen. Dit kunnen we hier niet hebben. Je moet ook om de veiligheid van je huishouden denken. Waarom kun je het meisje niet naar Northwoods sturen? Nu zul je zelf toch ook wel inzien dat ze hier niet kan blijven.'

Reds ogen waren koud. 'Dat zie ik helemaal niet in,' zei hij toonloos. 'Ziet u dan niet dat Richard hier de hand in heeft?'

'Wat zeg je daar?' Zijn moeder was geschokt. 'Mijn eigen broer? Waarom zou hij proberen het huis van zijn naaste familie te laten afbranden, waarom zou hij zijn toevlucht nemen tot kinderachtige streken? Ik weet dat hij de aanwezigheid van het meisje hier niet goedkeurde, maar om te suggereren dat dit... dat is belachelijk. Bovendien is hij overzee, en al heel lang. Of je moest geloven dat ook hij zijn toevlucht neemt tot zwarte kunst om zijn doel te bereiken. Werkelijk, Hugh, soms verbaas ik me over jou.'

Hij liet haar uitspreken.

'Als het uw broer niet was, wie dan wel?' zei hij. 'Welke andere vijand heeft ze zo dichtbij? Want deze klap is niet voor ons bedoeld, moeder. Dit treft Jenny in haar hart, en in haar wilskracht. Deze brand kost haar drie, vier maanden zwijgen. Een extra seizoen wachten.'

Ik vrees dat ik bij die opmerking toch in huilen uitbarstte. Ik huilde in stilte, maar heftig genoeg om mijn schouders te doen schokken en mijn neus te doen lopen. Misschien waren ze mij vergeten, want ik zat daar op de grond ineengedoken bij de verkoolde resten van mijn werk. Maar ik had me niet kunnen afsluiten voor hun stemmen. Ik deed mijn handen voor mijn gezicht.

'Ik moet bekennen dat ik wel met het meisje te doen heb,' zei vrouwe Anne, terwijl ze een zakdoek zocht. 'Hier, gebruik deze,' zei ze. Red zei niets en keek naar me. 'Ga maar, Hugh,' zei zijn moeder beslist. 'Jij bent hier niet nodig. Ik zal dit verder afhandelen.' Maar hij negeerde haar, en ik hoorde meer dan dat ik zag dat hij naar me toe kwam en naast me knielde, waar ik huilend op de vloer zat.

'Morgen,' zei hij. 'Ik kan je er niet zelf heen brengen, maar John zal je te paard naar de plek brengen waar deze plant groeit. Je kunt precies zoveel mee naar huis nemen als je nodig hebt. Dit doet pijn, dat weet ik. Maar je bent eerder sterk geweest, en je zult het nu ook zijn. Wat verbrand is, kan vervangen worden; wat vernietigd is, kan opnieuw worden gemaakt. Uiteindelijk zul je je stem terugverdienen. Uiteindelijk... uiteindelijk zul je je weg terug naar huis vinden.'

Ik wilde niet rechtstreeks naar hem kijken, maar ik nam mijn handen weg van mijn natte wangen, en gebruikte mijn vingers om tegen hem te spreken. Mijn gedachten waren verward door verdriet, mijn gebaren allesbehalve duidelijk. *Lang. Lange tijd. Ik – moe. Jij – ook – moe.* Daarmee bracht ik een wrange uitdrukking op zijn gezicht, een scheve trekking van zijn mond.

'Wachten, daar ben ik goed in. Het zou je verbazen hoe goed,' zei hij.

Er was nog iets. Ik moest het hem vragen. Het was niet gemakkelijk uit te beelden. *Hoe weet je – spinnen, weven – stem?* Hij begreep het in elk geval wel. Een glimp van een lachje, meteen weer weg.

'Ik leer te luisteren,' zei hij. 'Langzamerhand.'

Over zijn schouder heen zag ik het gezicht van vrouwe Anne, gestold tot een afkeurend masker terwijl ze naar ons keek. Maar het kon mij niet schelen wat zij vond. Ik zou al mijn kracht en wilskracht nodig hebben om weer te beginnen, om het werk dat vernietigd was over te maken. Ik zou geen energie hebben om over de toekomst te piekeren. Morgen zou ik naar buiten gaan, en ik zou genoeg sterrenkruid verzamelen voor twee hele hemden. En ik zou dag en nacht, nacht en dag doorwerken tot ik de taak had voltooid. Geen vijand zou mij tegenhouden. Ik was de dochter van het woud, en al haperden mijn voeten af en toe op het pad, ze liepen tenminste recht naar voren het donker in. En misschien was ik niet helemaal alleen.

Terwijl ze samen de kamer uit gingen, praatte ze met gedempte stem tegen haar zoon. Haar woorden waren niet voor mijn oren bedoeld, maar ik hoorde ze toch, want in mijn ellendige toestand vergat ik beleefd weg te gaan van de plek waar ik stond, vlak bij de deur.

'Zeg me één ding. Welke plaats zal er in jouw huis voor dit meisje zijn, wanneer je getrouwd bent? Geloof je ook maar een moment dat je echtgenote haar aanwezigheid hier zal dulden? Bij alles wat de mensen zeggen over... over jou, en over haar?'

'Ik zie het probleem niet,' zei Red, en zijn stem klonk afstandelijk, alsof hij nauwelijks naar haar luisterde. 'Waarom zou er iets moeten veranderen?'

Vrouwe Anne verloor heel even haar zelfbeheersing. 'Lieve hemel, Hugh! Soms kan ik me toch zo aan je ergeren! Zie je dan helemaal niets, ben je op dit ene punt helemaal verblind? Ik wou dat je even afstand kon nemen. Dat je even naar jezelf keek. Want zoals je met haar praat, praat je met niemand anders. Je praat met haar als – als met een tweede zelf. Het is tijd om wakker te worden uit deze droom. Ik vrees voor je veiligheid, voor ons allemaal als dit zo doorgaat. Het meisje moet hier weg.'

Ik stond aarzelend in de lange kamer en wilde maar dat ze zich herinnerde dat ik daar was, en ermee ophield. Ik hoorde Reds stem, heel zacht, heel ver weg.

'Hebt u ooit meegemaakt dat ik een slechte beslissing nam, moeder? Heb ik ooit een situatie onjuist beoordeeld?'

Ze antwoordde niet, en na een tijdje dacht ik dat ze misschien weg waren gegaan. Maar toen ik me naar buiten waagde, ston-

den ze er nog. Vrouwe Anne keek naar haar zoon, met een gezicht waarop liefde streed met boosheid, en Red stond in het niets te staren, met het bekende uitdrukkingsloze masker op zijn gezicht.
'Dit is iets anders,' zei vrouwe Anne. Toen loodste ze me naar beneden, en gaf me te eten en te drinken, en was de vriendelijkheid zelve, want ze wist wat de plicht van haar eiste, hoewel haar ogen me iets anders zeiden.
De volgende dag begon goed. Hoewel het verlies van zoveel werk zwaar op me drukte, was ik nu vastberaden op mijn weg voorwaarts, en verbood mezelf stil te staan bij hoe het geweest had kunnen zijn. John verscheen al heel vroeg, met zijn eigen grote, grijze paard en een kleinere merrie die ik kon berijden. Er gingen nog twee mannen mee. Misschien was het een overdreven reactie van Red op de dreiging van gevaar. Ik was ingenomen met deze kans om zelf te kunnen rijden, in plaats van voor- of achterop te worden getild als een zak graan. De merrie was mak, maar liep in een stevig tempo, en we bereikten het beekje met zijn mantel van sterrenkruid al halverwege de ochtend.
Het was niet nodig John de regels uit te leggen. Hij stuurde de ene man de heuvel op om de wacht te houden, en de andere naar beneden naar de bosrand. Zelf ging hij dicht bij mij in de buurt op de stenen zitten, en toen mocht ik mijn gang gaan. Margery had waarschijnlijk met hem over mijn werk gepraat, want hij scheen te begrijpen dat ik alle handelingen zelf moest verrichten, hoewel ik kon zien dat het hem zwaar viel toe te kijken terwijl ik moeizaam de vezelige stengels afsneed en tot bossen bijeenbond. De zon was warm, en er was veel activiteit van bijen, zwaluwen en kleine, kruipende insecten. Ik herinner me duidelijk hoe die dag rook, want de lucht bevatte de zoete geur van de eerste meidoornbloesem en het koppige parfum van wilde rozen in vroege bloei. Bij het water hadden een paar wilde viooltjes zich tussen het woekerende sterrenkruid weten te handhaven en rekten hun dappere gezichtjes naar het licht. Ik sneed de stengels die hun groei belemmerden kort af, zodat ze nog een seizoen van de zon konden genieten.
Ik werd moe, en John liet me pauzeren om te drinken uit een fles die hij in zijn zadeltas had, en brood en kaas te eten. Hij riep de

mannen terug, deelde hun eten uit en stuurde hen weer weg. Geen van beiden had iets te melden. Hij keek toe terwijl ik de kleine maaltijd nuttigde, met een scheef lachje op zijn gezicht.

'Goed zo,' zei hij. 'Je vergt te veel van jezelf, Jenny; het lichaam kan niet altijd maar doorwerken, als je het verwaarloost. Ik wou dat ik je met deze taak kon helpen. Je bent een klein meisje om zulk zwaar werk te doen. Hoeveel nog?'

Ik had een bos gebonden en wel klaar liggen, een eind verderop in de kloof. Ik gaf aan: nog zo een, dan zouden we naar huis kunnen. John knikte.

'Probeer je mes op deze manier vast te houden,' zei hij, terwijl hij het voordeed. 'Ja, zo. Zo krijg je een scherpere snede, en dan hebben je handen minder te lijden. Bij God, degene die je deze taak heeft opgelegd, heeft veel te verantwoorden.'

Zo fel had ik hem nog nooit horen spreken. Zijn vriendelijke, verweerde gezicht was geplooid van bezorgdheid. Ik gaf hem een geruststellend klopje op zijn arm. *Het gaat wel. Ik kan het wel aan.*

Ik hield het mes vast zoals hij het me had voorgedaan. Het hielp wel wat. Er ontstonden nieuwe blaren op de gedeelten van mijn handen die nog niet te eeltig waren om beschadigd te worden. Ik voelde zweet over mijn rug lopen, en tussen mijn borsten en over mijn voorhoofd. Maar het was gemakkelijk om de pijn opzij te zetten. Ik moest gewoon mijn geest op het doel richten: mijn broers, veilig en weer als mannen terug in deze wereld. Het uiteengerafelde wandkleed hersteld, de zeven stromen samenvloeiend, de samenkomende wegen weer bijeengevoegd tot één weg. Ik ging een eindje stroomafwaarts om vlakker terrein te zoeken waar ik gemakkelijker bij de plant kon komen.

Ik voelde het aankomen voor het gebeurde, want er was opeens een kilte in de lucht, een ogenblik waarin niets meer klopte, waardoor mijn haar overeind ging staan en mijn ruggengraat ijskoud werd. Maar heel snel; geen tijd om in beweging te komen, om adem te halen; zelfs geen tijd om te bedenken wat er op handen kon zijn. Toen het donderende, krakende geluid van een grote hoeveelheid aarde en stenen die snel bewoog; iets dat me omver wierp, me tegen de grond smeet. Ik stootte mijn hoofd en heel even werd alles zwart. Toen een besef van het geluid, dat even snel wegstierf als het was begonnen; mijn hart dat bonsde in mijn borstkas, een scherpe pijn in mijn linkerenkel. Ik deed mijn ogen open, knipperend en hoestend, want mijn gezicht, mijn hele lichaam was bedekt met aarde en zand, en de lucht om me heen was vol stofdeeltjes die als goud schitterden in de zon. Boven mijn hoofd zongen de vogels nog, en wolkjes dreven in een stralend blauwe hemel. Dichterbij was het griezelig stil.

Ik probeerde te gaan zitten, maar mijn enkel zat ergens onder vast. Voor me zag ik de zak nog uitgespreid liggen, de sterrenkruidstengels lagen er netjes overheen, het mes blonk waar ik het had laten vallen. De andere bundel, netjes opgerold om mee te nemen. Daarachter waren de bedding van de beek, de varens, de boompjes; ze stonden er nog. Ik draaide me half om. En achter me was alles weg. Alles. Ik keek er verbijsterd naar, ik kon het bijna niet bevatten. Waar de kloof de helling had doorsneden, met in het midden het groen omrande beekje, lag nu een enorme massa stenen, aarde en blote wortels. Bovenaan was de helling geschonden met een grote, kale plek, alsof een stuk levend gesteente ruw was afgehakt en achteloos naar beneden gesmeten. Als het twee passen verder was gebeurd, zou ik verpletterd zijn. Het was zo snel, zo snel gegaan.

In dat ogenblik van besef kwam ik er dichterbij mijn stilzwijgen te verbreken dan ooit tevoren. Want er was geen beweging, geen geluid behalve het rollen van kleine steentjes, van hoopjes aarde die zich ophoopten en verder rolden. Ik zette mijn tanden in mijn onderlip om niet te gaan schreeuwen: *John! John! Waar ben je?* Op de een of andere manier wist ik mijn voet onder de steen die erop drukte uit te wrikken; ik merkte wel dat ik het hiermee erger maakte, maar dat kon me niet schelen. Op de een of andere manier klauterde ik op en over de aardverschuiving heen, op zoek naar de plek die volgens mij het dichtste bij de plaats was waar hij zoëven was geweest; ik veegde het stof uit mijn ogen en dwong mezelf om verder te gaan, ondanks de pijn. Achter me hoorde ik eindelijk geluiden. De man die bij de bosrand was opgesteld kwam de heuvel op rennen, met een doodsbleek gezicht. Van de andere man, die boven aan de helling op wacht had gestaan, kwam taal noch teken.

Het was een wanhopige zoektocht, zonder geschikt gereedschap; we klauwden naar stenen, gebruikten onze blote handen om aarde weg te graven, allebei hijgend naar adem, terwijl we niet eens wisten of we wel op de goede plek groeven. De grotere stenen waren met geen mogelijkheid van hun plaats te krijgen, hoewel we het probeerden; tegen de tijd dat we het benodigde bij de hand zouden hebben, namelijk touwen, trekpaarden en een negental sterke mannen, zou het al veel te laat zijn.

Uiteindelijk vonden we John. Een hand, een arm. Na eindeloos, pijnlijk zwoegen hadden we een opening naar de plek waar hij lag, nagenoeg verpletterd door een reusachtig rotsblok waaronder zijn lichaam van het hoofd tot de voeten vastzat. Hij ademde nog, en was nog bij bewustzijn, want door een driehoekige ruimte tussen opeengestapelde stenen was er net een hoeveelheid lucht. We konden verder niets weghalen; met geen mogelijkheid konden we hem bevrijden.

Ik stuurde de man weg om hulp te gaan halen. Van de ander was geen spoor te zien, ik kon niet zien waar hij lag onder deze opeenstapeling van stenen. Het zou niet erg lang duren om naar Harrowfield te rijden, om mannen, touwen en gereedschap te halen. Niet erg lang. Maar toch te lang.

Ik zat doodstil op de ruwe stenen, want door een verkeerde beweging kon er weer meer neerkomen om hem heen, of zou het gewicht zwaarder op zijn lichaam komen te drukken. Johns gezicht was grauw onder het laagje stof, en een klein, maar gestaag stroompje bloed vormde een rode lijn op zijn wang en een plasje op de steen onder zijn hoofd. Ik luisterde naar zijn ademhaling, en voelde het gewicht van de rotsen in mijn eigen borst. Ik huilde niet, want dit was te erg voor tranen.

'Jen...' Hij probeerde te spreken. Ik gebaarde *nee, niet praten. Ademen. Alleen ademen.*

'Nee,' wist hij uit te brengen, en in zijn ogen was al de donkerte van het afscheid. 'Zeg – zeg tegen...'

Voor elk woord moest hij adem scheppen. In elke ademhaling was de pijn van die verpletterende druk, van de aarde die langzaam het leven uit hem perste. 'Red,' zei hij. 'Is goed... goede keus... goed... jij... zeg ja...' Hij sloot zijn ogen enkele ogenblikken, en toen hij ze met moeite weer opendeed, met een haperend, rochelend hijgen naar lucht, zag ik het waas van de dood dat zijn eerlijke blik al benevelde. Hij bloedde nu ook uit zijn neus, heldere druppels die steeds sneller begonnen te stromen. Hij probeerde zijn keel te schrapen, maar het ging niet; in plaats daarvan kwam er een vreselijk geluid, een wreed, hartverscheurend geluid. Ik hield zijn hand vast, streelde zijn voorhoofd, verlangde naar woorden. Het is verschrikkelijk om genezeres te zijn en te weten dat je niets, helemaal niets kunt doen.

'Zeg...' bracht hij nog uit. 'Zeg haar...' en toen werd hij overvallen door een stuiptrekking, en nog een, en hij stierf, terwijl hij zijn levensbloed uithoestte over de massa stenen. Zonder af te maken wat hij wilde zeggen. Maar dat hoefde niet. Ik wist dat ook zonder dat hij het me zei.

Het duurde niet lang voor er hulp kwam. Maar toch duurde het een eeuwigheid, terwijl ik Johns hand steeds kouder voelde worden in mijn hand, terwijl het bloed op de stenen drupte en stolde tot kleine plasjes. Er was geen geluid rondom me, behalve de roepen van vogels en het ritselen van een lentebriesje in de berken. Mijn stem zweeg; maar mijn ziel schreeuwde het uit, en iedereen mocht het horen. *Waarom? Waarom hij? Hij was een goed mens; iedereen hield van hem. Hij had hier part noch deel aan. Waarom moest hij worden weggenomen?*

Ik was zo lang alleen geweest, afgesneden van elke kennis van de geestenwereld, dat ik niet wist of het stemmetje dat antwoordde, in mijn hoofd, mijn eigen stem was of die van iemand anders.

Zo werkt het nu eenmaal niet, Sorcha. Je wist dat het zwaar zou zijn. Nu merk je pas hoe zwaar.

Maar waarom John? Hij was gelukkig. Waarom geeft u hem een zoon en neemt u dan die zoon zijn vader af?

Een lach. Niet wreed, alleen maar zonder begrip. *Had je liever gehad dat een ander was weggenomen? Het kind misschien, of hij met het haar als vuur, en de koele ogen? Wil je het verhaal soms herschrijven?*

Ik hield mijn handen voor mijn oren en sloot mijn ogen, maar de stem ging door in mijn hoofd.

Hoe sterk ben je, Sorcha? Hoeveel keer kun je een afscheid verdragen, voor je hardop gaat huilen? En weer dat gelach. Ik wist niet of ik tegen feeën sprak of tegen demonen, of alleen tegen de verwarde stem van mijn eigen ziel. *Ik luister niet naar jou. Ik wil dit niet horen.* Stilzwijgend noemde ik telkens weer de namen van mijn broers, een beproefd middel om demonen weg te houden. *Liam, Diarmid. Cormack, Conor. Finbar, Padriac. Ik kan jullie niet missen. Ik heb jullie nodig. Ik zal jullie terughalen. Het zal me lukken.*

Er kwam hulp. Met bleke gezichten hielden Red en Ben zwijgend toezicht op het wanhopige, moeizame weghalen van stenen en aarde, het optillen van het gebroken lichaam van hun vriend uit de verwoesting. Paarden trokken rotsblokken weg, mannen gingen grimmig aan het werk met schop en spade en met hun blote handen. Maar ze vonden geen spoor van het lichaam van de andere man. Of hij lag te diep begraven, onder het laatste grote, onwrikbare rotsblok, of... maar dat alternatief was ondenkbaar.

Reds gezicht was als een in steen gehouwen beeld. Hij beval me weg te gaan, maar ik wilde niet gaan tot John was opgetild, en in een mantel gewikkeld, en dwars over zijn paard gelegd. En zo reden we allemaal naar huis, ik voor Ben uit, met een geïmproviseerd verband om mijn enkel, die nu brandde als vuur. De schemering viel, en de mannen die voor de kleine stoet uitliepen, droegen toortsen. Niemand sprak. Ik wilde dat iemand zei: het is goed. Ik wilde dat iemand tegen mij zei: het is niet jouw schuld. Maar het was wel mijn schuld. Ik was hier gekomen, en had vriendschap gesloten met deze mensen, en nu was een onschuldige gestorven omdat hij mij moest beschermen. Op een mooie voorjaarsdag als deze had hij een dak moeten dekken, of vee naar de weide moeten brengen, of op het gras moeten spelen met zijn zoontje. Hij had niet een geschift meisje moeten bewaken terwijl ze bossen doornige planten afsneed. Hij had veilig moeten zijn. Nu was hij dood. En ik zag dat heer Hugh, die kaarsrecht op zijn paard zat en het paard leidde dat het gebroken lichaam van zijn meester droeg, de twee bundels sterrenkruid aan zijn zadel had gebonden die ik had geoogst voor de aardverschuiving de plek waar de plant groeide had vernietigd. De prijs van die kleine oogst was het leven van zijn vriend. En de aard van de last die hij droeg, de zwaarte van de opdracht van het Feeënvolk was zodanig dat hij ook hierna nog verplicht was mij te helpen. Hij stond zichzelf niet toe dit verdriet te tonen, daarom had hij elk gevoel van zijn gezicht gewist. In het licht van de toorts leek het op een masker van as, met lege gaten als ogen. Ben huilde openlijk; zijn verdriet

was voor iedereen zichtbaar, en vele van de mannen die meereden hadden rode ogen. Maar heer Hugh niet. Hij hield zijn verdriet diep vanbinnen verborgen, zo diep als de donkere, geheime plek onder in een put.
Ik was misschien vergeten dat Margery ook een Britse was. Het werd me weer duidelijk, toen we de binnenplaats opreden en haar gezicht zagen; het was nog lief, en kalm; maar plotseling ouder geworden, zodat je het netwerk van lijntjes om haar ogen en mond kon zien dat ze zou hebben als oude vrouw. Ze droegen het lichaam van haar man naar binnen en naar boven, om gewassen en opgebaard te worden, en ze sprak niet één woord. Niemand keek naar mij, of beter gezegd, iedereen leek zijn best te doen om niet naar mij te kijken. Ben tilde me van het paard, en ik merkte dat ik niet op mijn enkel kon lopen, want die was onrustbarend opgezwollen. Daarom droeg hij me naar binnen, maar niemand scheen er veel voor te voelen mij te helpen, dus ik ging zelf maar naar mijn kamer, met een hand steunend tegen de muur, hinkend op één voet, terwijl de andere pijnscheuten door mijn been en mijn rug omhoog stuurde naar mijn hoofd, dat al uit elkaar leek te barsten. Ik deed de grendel op beide deuren en ging met mijn armen om Alys heen op de stromatras zitten en staarde in het donker. Wat stelde deze pijn voor, in vergelijking met die van Margery?
Wat later stak ik toch maar een lamp aan. Ik bekeek de enkel, dwong mezelf de voet te bewegen, wikkelde er een strook linnen omheen om wat verlichting te geven. Hij was niet gebroken. Ik haalde water en waste me, en borstelde stof en aarde uit mijn haar. In de verte hoorde ik het huishouden; iedereen was nog wakker en bezig. Nu zou hij me toch zeker wegsturen. Hoe zou hij me niet kunnen wegsturen?
Na heel lange tijd werd er op de deur geklopt, en het was vrouwe Anne.
'Margery wil je spreken,' zei ze kortaf. Ik volgde haar langs de ogen van zowat alle leden van het huishouden, leek het wel; ze stonden of zaten in groepjes bijeen, niet in staat om rust te vinden, verenigd in hun verdriet en ontzetting. Ik strompelde, en niemand bood hulp aan, al wachtte vrouwe Anne wel op me op de trap.
Hij was opgebaard in hun eigen kamers, al zou hij wat later naar beneden worden gebracht, waar een wake zou worden gehouden,

met kaarsen. Het was stil; heel erg stil. Wisten deze mensen niet hoe je moest rouwen om een goede man? Konden ze hier niet huilen en krijsen van woede, en de machten der duisternis vervloeken in hun verdriet? Konden ze elkaar niet omhelzen, en elkaars tranen drogen, en verhalen vertellen over zijn daden, en over wie hij was geweest, om hem behouden op weg te sturen? Waar waren de grote vuren, en de heildronken in krachtig bier, en de geur van brandend jeneverbeshout?
John was gekleed in een gewaad van zachte, grijze stof, en zijn lichaam was schoon, maar er kon niets gedaan worden om de verschrikkelijke blauwe plekken te verhullen, of de schade aan de beenderen van zijn ribbenkast en bekken. Hij had enorm gevochten, om het nog zo lang vol te houden.
'Jenny,' zei Margery. Ze had niet gehuild. Ze zag eruit alsof ze ver weg was, een schim van zichzelf. Haar ogen waren kalm en leeg. Ik wilde mijn armen om haar heen slaan, haar tegen me aan drukken en samen met haar huilen, want ze was mijn vriendin. Maar ze bracht afstand tussen ons, zonder iets te zeggen. Ben was er ook; hij zat tegen de muur en had tenminste een pul bier in zijn handen. Red stond in het donker aan de andere kant van de kamer. Ik nam aan dat er een reden was waarom ik daar was. Ik nam aan dat ik daar was omdat ik hem had zien sterven, en ze wilde weten hoe het geweest was. Zonder woorden was dit een ontzaglijke opgave.
John – spreken – jij. Mijn handen beefden; ik kon haar lege, uitdrukkingsloze blik nauwelijks verdragen. Ze gaf er geen blijk van dat ze me begreep.
John – zegt tegen mij – jij, de baby.
'Wat heeft dit voor zin?' snauwde vrouwe Anne. 'Deze gebaren zijn betekenisloos, en oneerbiedig op deze plaats van rouw. Je maakt Margery van streek, meisje. Wat denk je wel?'
Ik keek over het roerloze lichaam van John naar zijn vrouw, en dacht dat ik misschien een flikkering in haar ogen zag, heel even. Ik probeerde haar te bereiken. *Alsjeblieft. Luister alsjeblieft.*
'Probeer het nog eens, Jenny.' Red stond naast me en keek naar mijn handen. 'Misschien kan ik helpen.'
Ik deed het dus nog een keer, en terwijl ik mijn handen bewoog, sprak hij mijn gedachten hardop uit.

'John wilde... John had een boodschap voor jou.' Ogen sluiten, handen opzij, wang op handen leggen. 'Hij is vredig gestorven. Met moed.' Ik bracht mijn hand van de man die stil voor me lag, naar mijn hartstreek, en vervolgens in de richting van zijn vrouw, die me onbewogen aanstaarde.
'Hij zei: zeg tegen Margery dat ik van haar hou,' zei Red. 'Zeg haar dat ze in mijn hart is.' Het was moeilijk voor mij om door te gaan, maar ik hield mezelf voor: vergeleken met wat zij voelt, is dit niets. Niets. En dus bleven mijn handen bewegen en zeiden de dingen die ik wist dat John wilde zeggen, die hij gezegd zou hebben als er tijd voor was geweest, en Reds rustige stem vertaalde mijn gebaren in woorden.
'Hij zei: zeg haar dat ik weet dat ze mijn zoon zal opvoeden tot een goede man, sterk en wijs.' Ik keek nog een laatste keer naar John; zijn gezicht kalm onder de verkleuringen, zijn schone, witte voeten die net onder het kleed uitstaken. Ik bracht mijn vingertoppen naar mijn lippen, en bewoog mijn hand zacht naar haar toe.
'Hij zei: neem voor mij afscheid van hen. En... en vertel mijn verhaal aan mijn zoon.' Reds stem haperde. Ik keek niet naar hem. Margery's gezicht bleef nog een ogenblik kalm, en ze keek me aan.
'Dank je,' zei ze met een zacht, beleefd stemmetje. 'Ik ben blij dat er iemand bij hem was toen hij – en nu wil ik graag alleen zijn, als jullie het goed vinden.'
'Denk je wel dat dat verstandig is?' Dit was vrouwe Anne, die alles met een afkeurend gefronst voorhoofd had aangezien.
'Alstublieft.' Margery's stem trilde een beetje, en toen ik me omdraaide om weg te gaan, zag ik dat haar gezicht vertrok, en dat er langzaam tranen over haar wangen begonnen te lopen.
Buiten op de overloop zag Red mijn gestrompel en hij tilde me zonder iets te vragen op.
'Je bent het koppigste, meest eigenwijze...' mompelde hij. 'Hoe ben je in hemelsnaam boven gekomen?'
'Lopend,' zei zijn moeder die een stap achter ons liep met een gezicht als een donderwolk. 'En dat kan ze nu ook heel goed.'
Red bleef halverwege de trap staan, met mij in zijn armen. We waren in het volle gezicht van het beneden verzamelde huishouden. Ik kon de gedachten van vrouwe Anne op haar gezicht le-

zen, even duidelijk alsof ze ze had uitgesproken. Er is vandaag een man gestorven, door haar schuld. Een van ons. Iemands echtgenoot, iemands vader. Zij heeft jouw vriend gedood. En toch draag je haar rond alsof ze een kostbare bloem is, een prinses die te breekbaar is om met haar voeten op de grond te staan. Wat zullen ze wel van je denken? Wat doe je dit huis aan? Red keek ook naar haar, en toen hij sprak, was zijn stem heel zacht.
'Dit is een meisje dat elke dag willens en wetens door een hel gaat, dat blootsvoets over rotsen loopt tot haar voeten bloeden, dat haar eigen behoeften altijd op de laatste plaats laat komen. Maar in mijn huishouden zal ze niet de laatste zijn. Als Jenny niet kan lopen, is er echt iets aan de hand, moeder. En daar zal ik mee omgaan zoals het mij goeddunkt.' Heel kalm en beheerst. Misschien hoorde alleen ik de lichte onvastheid in zijn stem. Zijn moeder was woedend. Maar de mensen konden haar gezicht zien, en dus volgde ze ons de trap af met kalme waardigheid, en zei ze niets meer. Ikzelf was liever alleen terug naar mijn kamer gestrompeld en gehinkt. Maar niemand vroeg het aan mij. Ik hoefde niet om me heen te kijken om te weten wat iedereen die daar aanwezig was dacht. John is dood. Met hem sterft een stukje van Harrowfield. Wat zal ze hierna kapot maken? En toch beschermt hij haar nog steeds. Heks; moordenares. Het werd niet hardop uitgesproken; niet zolang hun heer het kon horen. Nog niet.
In mijn kamer zette hij me op het bed en liep terug om de deur te vergrendelen. De buitendeur was open, en op de bovenste trede lagen de twee bundels sterrenkruid, en mijn mes.
'Je enkel,' zei hij, 'is hij...?'
Ik gebaarde: *niets. Het is niets.*
'Ik geloof je niet,' zei Red. 'En ik zou je helpen, als ik kon. Maar ik kan niet hier blijven, er zijn dingen die ik moet doen, ik...'
Hij liep naar de buitendeur en stapte over de bundels heen. Hij bewoog alsof het donker was, alsof hij alleen op de tast bewoog. Toch hing er een brandende lantaarn. Ik dacht dat hij weg was, en ging naar de deur om hem achter hem te vergrendelen. Maar toen ik naar de deuropening hinkte, stond hij zwijgend onder aan de trap, met zijn ene hand vlak tegen de muur, zijn voorhoofd daarnaast tegen de koude stenen, en zijn andere vuist zo hard tegen zijn mond gedrukt dat de knokkels wit waren. Zijn schouders schokten.

Ik denk dat ik op dat moment vergat dat ik hem niet durfde aan te raken. Misschien dacht ik helemaal nergens aan. Mijn hand kwam omhoog, en ik legde hem zacht achter in zijn nek, waar de huid licht en kwetsbaar te zien was tussen de tuniek en het kort afgeknipte haar, waar de beenderen zichtbaar waren onder de huid. Zijn reactie was onmiddellijk en heftig. Zijn lichaam werd bewegingloos, alsof hij verstijfde van schrik; toen ademde hij explosief uit en in die adem werden woorden uitgesproken op een toon die ik nog nooit had gehoord, rauw, onbeheerst.

'Ik wil geen medelijden van jou.'

Als door een wesp gestoken trok ik mijn hand terug en liep achteruit de treden op, zo snel als mijn gekwetste enkel toeliet. Heel even wendde hij, voor hij in de duisternis verdween, zijn gezicht naar me toe, en ik zag wat het uitdrukte, wanneer het masker van zelfbeheersing weg was. Lijden, woede, verdriet; en een verbitterde zelfverachting, een weerspiegeling van het gezicht van zijn broer Simon. En hieronder nog iets anders, iets veel ongrijpbaarders dat diep in de ogen huisde, bewaakt door barrières die alleen door de meest stoutmoedigen, of de meest dwazen te doorbreken waren.

Ik sliep die nacht niet. Mijn ziel was zwaar en mijn hart was ziek. Terwijl ik lag te kijken naar de bewegende schaduwen om me heen, en te luisteren naar het zachte gesnurk van Alys, dacht ik: als ik hier blijf, zal ik hem kapotmaken. Misschien maak ik iedereen hier kapot. En ik dacht: als ik wegga, zal ik de taak niet voltooien. Want de krachten van het kwaad spannen hun net om me heen. Als ik hier niet blijf, zal ik mijn broers verliezen. En dan zal alles voor niets zijn geweest. Mijn geest ging van de ene gedachte naar de andere, en weer terug, en er was een pijn in mijn hart die streed met de scherpe pijn in mijn gewonde enkel. Hij haat me, dacht ik. Ze haten me allemaal. En met reden, want in dit huishouden ben ik niets dan een vernietigende kracht. Toen hoorde ik het stemmetje in mijn hoofd. *Wat krijgen we nu? Zelfmedelijden? Die luxe kun jij je niet veroorloven, Sorcha. En je kunt niet van twee walletjes eten. Zet je voet weer op de weg. Doe een stap voorwaarts. En snel, want de vijand is nabij.* Voor dit stemmetje kon ik me niet afsluiten. Maar er was eerst nog iets dat ik moest doen.

Voor zonsopgang stond ik op en ging de tuin in, en ik verzamelde de dingen die ik nodig had. Ben lag in diepe slaap op de bank, met een lege bierpul als gezelschap. Ik trok een cirkel in de zachte aarde, en zette er vier kaarsen omheen. In het midden maakte ik een heel klein vuurtje, met takjes meidoorn en vlier. Iemand moest Johns ziel helpen vrij te komen, en haar nieuwe weg te zoeken. Ik kon er niet van op aan dat deze mensen de juiste dingen zouden doen, ook al hielden ze van hem. De vlammetjes brandden klein, maar helder en vast. Ik concentreerde mijn geest op zijn verweerde, plechtige, standvastige gezicht, en op alles wat hij geweest was, en ik strooide handenvol dennennaalden en tijmblaadjes op mijn vuurtje, zodat het niet lang duurde voor zich een zoete, reinigende geur in de tuin verspreidde. Mijn geest vormde zich een beeld van John als een grote, sterk vertakte boom, die velen beschutting en bescherming bood onder zijn brede bladerkroon. Ik dacht aan de wortels van deze boom, die zich stevig hechtten in de aarde van de vallei, als levend onderdeel van de diepe kern daarvan. Hij was een man van deze vallei. Waar hij ook heen reisde, welke weg zijn ziel ook zou nemen, een deel van hem zou altijd hier blijven. Toen de zon opging, doofde ik de kaarsen en veegde de cirkel uit, en ik verspreidde de laatste sintels van het vuurtje en bedekte ze met zand. Er was een nieuwe dag aangebroken, en er moest gewerkt worden.

Vanaf die dag tot de eerste mei, toen alles opnieuw veranderde, hield ik me afzijdig van het huishouden, alsof ik me in een onzichtbaar, beschermend omhulsel bevond. Ik legde me met al mijn wilskracht toe op mijn taak. Want ik voelde dat mijn vijand overal om me heen was, en steeds naderbij kwam, terwijl de lente opbloeide en uitbotte in de zomer, terwijl de struiken bessen kregen, en jonge vogels hun vleugels beproefden, en het huishouden van Harrowfield zijn verdriet wegslikte en zich dapper hield, om zich op een bruiloft voor te bereiden.

In plaats van 's morgens vroeg buiten te gaan wandelen, zat ik te spinnen in mijn tuin, want vrouwe Anne had me een spinrokken en spindel verstrekt, zoals ze had beloofd. Als ik me al eens naar buiten waagde, ging ik niet naar de boomgaard of naar het bos met jonge eiken. 's Nachts bleef iemand de wacht houden buiten mijn deur. Ik keek niet meer wie het was, en de deur bleef gesloten. Ik nam de gewoonte aan in mijn kamer te werken, ook op de tijden dat de vrouwen boven bijeenkwamen; ik had geen zin om hen te horen praten, of het fronsende wantrouwen van vrouwe Anne te verduren, of, nog erger, bij Margery te zitten terwijl ze automatisch haar werk deed, met lege ogen. Ze vroeg niet meer of ik kwam, en ik wilde niet ergens heen gaan waar ik niet gewenst was. Daarom zat ik alleen in mijn kamer en vertelde mezelf verhalen, en wanneer ik daar de energie niet meer voor had, herhaalde ik zwijgend de namen van mijn broers, telkens weer. Mijn handen gingen achteruit door het langdurige werken zonder rustpauzes; zonder de dagelijkse behandeling die Margery ze had gegeven, waren ze pijnlijk en akelig. Ik werkte toch door. De pijn was onbelangrijk.

Ik kon me niet helemaal afzonderen. Vrouwe Anne eiste mijn aanwezigheid bij het avondmaal. Ik verscheen, en zat zwijgend aan tafel, en at wat ik niet kon laten staan. Er was geen John om me aan te sporen op te eten wat me werd voorgezet; wel merkte ik een paar keer dat Ben zonder dat iemand het zag een extra puntje kaas of plakje fruit op mijn bord legde, met de opmerking dat ik al bijna onzichtbaar was, zo mager, en dat er binnenkort helemaal niets meer van me over zou zijn. Ik keek hem onderzoekend aan, en hij knipoogde. Misschien werd ik niet door iedereen gehaat. De brutale grijns en de stroom flauwe grappen waren weg, sinds John er niet meer was, maar Ben was niet tot haatdragendheid in staat en ik geloofde dat hij zich nog altijd een beetje verantwoordelijk voelde voor mij, misschien omdat hij getuige was geweest van mijn onwaardige redding van de verdrinkingsdood. En ook omdat het hem niet gelukt was Hugh van Harrowfield te weerhouden van de enige verkeerde beslissing die hij in zijn leven had gemaakt.

Een paar keer kwam ik Red tegen in een gang, want we konden elkaar niet helemaal ontlopen. Ik sloeg mij ogen neer en liep hem voorbij als een schaduw, dicht langs de muur. Wanneer hij iets tegen me moest zeggen, gedroeg hij zich beleefd maar afstandelijk; over wat er die nacht tussen ons was gebeurd, werd geen woord gesproken, geen blik gewisseld. Het had nooit gebeurd kunnen zijn, behalve dat het tussen ons een kloof had doen ontstaan die geen van ons beiden probeerde te overbruggen. Het was beter zo. Ik had werk te doen, en geen tijd voor dingen die me zou-

den afleiden. Hij had zijn huis dat in orde moest worden gebracht, en snel ook, want de eerste mei naderde met verontrustende snelheid.
Ik hoorde van anderen dat hij een onderzoek had ingesteld naar de aardverschuiving en Johns dood. Dat ze de tweede man, die boven de wacht had gehouden, bij wijze van spreken te leen hadden van Northwoods; hij had tot het gevolg van Elaine behoord toen ze op bezoek was, en was daarna op Harrowfield gebleven. Dat hij op de dag dat het gebeurd was, de plaats van een ander had ingenomen, zonder John daarvan in kennis te stellen. Dat er sindsdien taal noch teken meer van hem vernomen was. Het bleef een open vraag, want het kon nog zo zijn dat zijn lichaam onder die laatste grote steen lag. Er werden geen beschuldigingen geuit. Maar alles veranderde haast onmerkbaar. Er waren meer mannen in huis, en de meesten daarvan waren gewapend. Etenswaren werden gecontroleerd en geproefd. Red en Ben zaten 's avonds lang te praten, en begonnen landkaarten te bekijken. Af en toe kwamen er andere mannen, van wie sommigen vreemdelingen waren. Die werden uitvoerig ondervraagd, kregen te eten en te drinken, en werden weer weggestuurd. Ik zag dit allemaal zonder het te begrijpen, maar ik wilde er niet naar vragen. Ik spon en ik spon, en ik telde de dagen.

HOOFDSTUK ELF

Het was de vooravond van de eerste mei, en het weer was volmaakt. Thuis zouden de mensen deze nacht buiten doorbrengen en bloemen plukken om hun deuren en ramen mee te versieren, om het eerste opkomen van de zon te eren. Er zou melk als offergave worden achtergelaten in de holten van bepaalde stenen; op de heuveltoppen zouden vuren worden ontstoken. Ik herinnerde me dat mijn broer Conor thuiskwam met een brandende fakkel, die hij van diep in het bos had aangedragen, om daarmee het haardvuur opnieuw aan te steken. Hier schenen de mensen weinig tijd te hebben voor dat soort rituelen, misschien omdat ze het belang ervan niet begrepen. Toch zag ik tot mijn verrassing dat er linten door de struiken langs het pad waren gevlochten, en ik hoorde de meisjes in de keuken kletsen over een spiraaldans, en met wie van de jonge mannen ze wel het bos in zouden willen na het dansen. Misschien waren de oude gewoonten hier toch nog niet helemaal verdwenen.

Het huis was vol bloemen en groen, en de mensen hadden een glimlach op hun gezicht, want een bruiloft betekende vernieuwing, en stabiliteit, en een volgende generatie die alles zou leren over het zorgvuldig beheer over boom en dier, de verstandige en beschermende zorg voor de brave mensen van de vallei. Thuis zou je nooit Beltaine kiezen als huwelijksdag, tenminste niet als je wilde dat het huwelijk standhield. Ik zat in mijn tuintje te naaien bij het licht van een lamp en stelde me voor hoe Red zijn zoontje zou laten zien hoe je een eikel in de grond stopte; hoe hij zijn doch-

tertje zou laten zien dat de wol van een schaap kon worden afgeschoren, en toch weer aangroeide. Elaine kwam in dit fantasiebeeld niet voor; misschien, dacht ik somber, zou ze zelfs als ze getrouwd was, beziggehouden worden door haar vader, die maar al te veel belangstelling toonde voor de zaken op Harrowfield.
Hij was die ochtend aangekomen, een paar dagen na zijn dochter. Ik zag hem niet veel, maar ik hoorde dat zijn tocht niet volgens plan was verlopen, en dat hij in een slecht humeur was. Het avondmaal was feestelijk. Het huishouden at en dronk en lachte en maakte grappen van het soort dat je kon verwachten, maar alles goed bedoeld. Richard zat achteruit geleund in zijn zetel en keek naar mij vanonder halfgesloten oogleden. Red en Elaine zaten zacht met zijn tweeën te praten. Ben leek stiller dan gewoonlijk. Hij dronk niet veel en keek met gefronst voorhoofd in zijn bokaal. Hij was ver weg met zijn gedachten. Margery kwam niet naar beneden.
Vrouwe Anne had groots uitgepakt; de ene gang volgde na de andere, op zilveren schotels, gebraden vlees en verse, gepocheerde vis, waarvan ik niet kon eten; in kunstige vormen gesneden groenten, soepen, sauzen en zoetigheden. Ik verlangde naar de rust en afzondering van mijn kamer, maar wilde de familie niet voor het hoofd stoten door vroeg van tafel te gaan. En toen werd de hoofdschotel opgediend, gevuld en gegarneerd en geglaceerd tot een warme, glinsterende gouden tint. Een grote gebraden vogel, geflankeerd door wortelen en rapen en uien, waarvan de heerlijke geur in de neusgaten drong en die door de aangezetenen aan de feestdis met gejuich ontvangen werd. Ik reageerde nogal traag, denk ik. Het duurde even voor ik ergens aan dacht. En toen besefte ik wat het was, en mijn maag kwam in opstand en mijn voorhoofd was plotseling kletsnat van het zweet en de hele zaal kantelde en danste voor mijn ogen. Ik stootte mijn stoel omver toen ik halsoverkop naar de deur rende, en botste tegen een dienster met een kan jus op. Ik maakte hen tenminste niet te schande door mijn maaginhoud over de vloer van de grote zaal uit te storten. Ik haalde het nog net naar buiten, en stond daar te schokken, te beven en te kokhalzen tot mijn lichaam elk brokje voedsel dat het binnen had gekregen, eruit had gewerkt, en nog lang daarna. Ik had nog steeds dat verschrikkelijke beeld voor ogen, die afgrijse-

lijke geur in mijn neusgaten, aan mijn kleren, om me heen; en ik hoorde hun stemmen in flarden door de open deur komen.
'Wat heeft zij opeens?'
'Heeft iemand iets in het eten gedaan? Vertel op, wie is de boosdoener? Ik kom zelf ook weleens in de verleiding.'
'Dat zou je nooit ongestraft kunnen doen, nu niet meer. Alles wordt nagekeken. Je vraagt je anders wel af.'
'Weet je wat ik denk?'
Gedempte stemmen. '... zwanger... heb ik gehoord... maar goed dat hij nu... is hij tenminste veilig... keurig getrouwd...'
'... niet de eerste...'
'Vast niet van hem, als het zo is. Eerder van een van die reizigers die 's nachts langskomen. Wie zou anders naar haar kijken?'
Ik had weleens van zo'n gerecht gehoord. Een gebraden zwaan; in de zwaan stopte je een kalkoen, daarin een kip, en zo verder tot een piepklein kwarteltje. Een culinair meesterstukje. Ik zou nooit meer iets eten dat uit die keuken kwam, ik zou deze jurk die ernaar rook nooit meer aantrekken, ik zou nooit...
'Voel je je alweer wat beter?' Het was Ben, met een beker water in zijn ene hand, een schone doek in de andere. 'Je hebt wel een gevoelige maag, hè? Het moment was goed gekozen, vond ik. De bruiloftsgrappen werden steeds flauwer. Kom, drink wat water; je moet iets in je maag hebben. Zo, dat is beter. Je zult wel niet veel zin meer hebben om terug te gaan naar het feest. Zal ik je naar bed brengen? Dat kan ik beter anders zeggen. Het zou me een genoegen zijn om mevrouw naar haar deur te begeleiden. Lach eens, Jenny. Zo erg is het nou ook weer niet.'
Hij was een aardige jongen en hij bedoelde het goed. En hoe konden ze het ook weten? Ik liet me door hem naar mijn deur brengen door de tuin en we gingen een tijdje op de houten bank zitten en keken naar de sterren. Ik vroeg me af waarom hij niet wegging, terug naar het feest. Niet dat ik zijn gezelschap vervelend vond. Alles was beter dan te denken aan die... die...
'Er is me gevraagd een boodschap aan je door te geven.' Ben was plotseling ernstig. 'Hij zei... hij zei dat hij hoopte dat je zou doen wat hij vroeg, zonder al te veel vragen te stellen.'
Wat? Wat voor boodschap?
'Hij zei dat je morgen vroeg op moet staan. Echt vroeg, voor zons-

opgang. Doe een mantel aan en trek stevige laarzen aan, en zorg dat je klaar bent voor een rit te paard. En laat de hond binnen. Dat zei hij.'

Wat? Maar morgen is toch de...?

'Kijk niet zo bezorgd,' zei Ben, maar zijn eigen voorhoofd was ook gefronst. 'Hij zei, zeg tegen haar dat het in orde is. En het is veilig om je... je werk achter te laten.'

Hij stuurde me dus niet naar huis. Hij stuurde me niet weg. Hij zou me toch niet op zijn trouwdag wegsturen, zonder mijn spullen?

'Het komt wel goed,' zei Ben alsof hij probeerde zichzelf te overtuigen. 'En nu moest ik maar liever gaan. Anders missen ze me. En ik heb gehoord dat onze vriend van Northwoods een of ander nieuwtje voor ons heeft. Wat dat is, zou ik niet weten. Maar ik kan er beter bij zijn wanneer hij het onthult. Welterusten, Jenny. Kijk niet zo bezorgd.'

Een van de dingen die de mensen van Harrowfield waardeerden en respecteerden in heer Hugh was zijn betrouwbaarheid. Betrouwbaar, stabiel, voorspelbaar. Geen verrassingen uit die hoek. Als hij zei dat hij iets zou doen, deed hij het. Als hij iets beloofde, hield hij woord. Zo degelijk als een eik, heer Hugh. Je hoefde daar niet lang te wonen om het hen te horen zeggen. Daarom was mijn komst een schok voor hen geweest; het was een breuk in het lange, onveranderlijke patroon. Nou ja, één keer afdwalen, dat ging nog, zeiden de mensen. Eén fout konden ze door de vingers zien. Als hij maar eenmaal getrouwd was, zou alles weer tot rust komen. Prima meisje, die Elaine van Northwood. Maar het gebeurde weer. Het was verbazingwekkend, gezien het soort mens dat hij was, dat hij deed wat hij deed. Hij had nauwelijks een handelwijze kunnen bedenken die een nog dramatischer uitwerking had, die nog meer mensen kwetste, die zijn familie nog erger verontrustte. Toch deed hij het zo. En op de langen duur leek het erop dat hij zelfs hiervoor zijn redenen had.

Het was voor mij niet moeilijk om vroeg wakker te worden, want ik had maar bij vlagen geslapen. Alys was heel tevreden dat ze het bed voor zich alleen had, en protesteerde niet omdat ze werd achtergelaten. Ik wilde de jurk van zelfgeweven stof niet aan, want ik verbeeldde me dat hij nog naar gebraden vlees rook; daarom moest ik de blauwe jurk aantrekken, en mijn stevige laarzen voor buiten. Het was nog zo vroeg dat het fris was, en ik wikkelde een mantel om me heen en ging naar buiten, met een heel vreemd gevoel in mijn maag. Zenuwen? Een voorgevoel? Misschien was het alleen de nawerking van het kokhalzen met een lege maag. Het huis was nog in diepe slaap.

Bij de poort stonden drie paarden, en twee mannen in mantels, met een wapen opzij. Red legde een hand op zijn lippen, om te beduiden dat we stil moesten zijn; bij mij was dat eigenlijk niet nodig. Ben hielp me op de merrie, en we reden zwijgend weg, voornamelijk over gras en aarde waar de paardenhoeven minder geluid zouden maken. Voor de zon opkwam, waren we al over de rand van de vallei en hadden we een dicht bebost terrein bereikt, waar we over paden reden die alleen zichtbaar waren voor iemand die dit bos goed kende. Harrowfield lag ver achter ons, en de dag brak stralend aan. Ik bibberde van frustratie, omdat ik zoveel vragen had die ik niet kon stellen. Ze hielden korte tijd halt om een fles water te laten rondgaan. Ik greep de gelegenheid meteen aan.

Waar gaan we heen? Wat is dit? Vandaag – jij – bruiloft! Vandaag – jij – thuis! Waar?

Er speelde een spoor van een glimlach op Reds gezicht, hoewel hij eruitzag alsof ook hij niet geslapen had.

'Wat een vragen! Het is goed, Jenny. We hebben een tamelijk lange rit voor de boeg, zeker tot halverwege de ochtend. Ik wil je iets laten zien. We zullen zorgen dat je veilig terug komt. En ik heb... ervoor gezorgd... dat je werk goed bewaakt wordt. Die vervaarlijke hond van je zal daar ongetwijfeld aan meehelpen. Kun je nu verder rijden? Niet te moe?'

Ik schudde mijn hoofd, maar ik was nog niet klaar. Hij had eigenlijk nog geen antwoord gegeven op mijn vraag.

Vandaag – jij – bruiloft? De boodschap was ongetwijfeld duidelijk op mijn gezicht te lezen, als de gebaren niet genoeg waren. *Hoe heb je dit kunnen doen? Hoe kun je hun dit aandoen?*

Red haalde zijn schouders op, zonder me aan te kijken. 'Het is niet belangrijk,' zei hij. 'Het is geregeld.' Dat was alles. We reden verder, en ik merkte dat ondanks mijn verwarring en bezorgdheid, ondanks mijn geschoktheid over zijn handelwijze, ik genoot van de vrijheid van deze rit, van de zoete geur van het bos, het bonzen van hoeven op een zacht tapijt van varens en mos, het zwijgende gezelschap van de twee mannen. Het leek bijna… het leek bijna op de keer dat we eerder samen hadden gereisd, Red en ik, toen we onder een appelboom hadden gerust en daar samen een vrucht van hadden gegeten. Toen we in een grot hadden overnacht en meer hadden gezien dan we hadden kunnen denken. Ondanks de angst en de onzekerheid, had er zelfs toen, ook al kende ik hem nauwelijks, een band tussen ons bestaan. Red keek even naar mij en wendde toen zijn ogen weer af, en ik geloofde dat hij hetzelfde dacht als ik.

Toen ik die eerste keer op Harrowfield was aangekomen, had de rit van de zee naar daar bijna een hele dag in beslag genomen. Ik besefte nu dat de kustlijn diep ingesneden, of kronkelend moest zijn, want de weg die wij namen was veel korter, al was hij moeilijker begaanbaar. De paarden schenen de weg te kennen, maar er kwam kennelijk zelden iemand over. Het duurde niet zo heel lang voor we onder de bomen uitkwamen en het wijde, glanzende oppervlak van de zee voor ons zagen liggen, en het donderend breken van de golven hoorden en het krijsen van meeuwen. Er was een pad dat tussen de rotsen naar beneden ging, naar het water. Het was heel steil, te steil voor de paarden. Aan weerskanten staken beboste landpunten uit in zee; deze plaats lag beschut, bijna verborgen. De twee mannen stegen af, en na een ogenblik deed ik dat ook, een beetje stijf, want ik was er niet aan gewend zo lang te paard te zitten. Niemand zei iets, maar ik zag dat Red Ben bij de arm pakte, als om hem te bedanken, en Ben knikte; toen nam hij de teugels van de drie paarden en leidde ze terug tot onder de bomen.

'Deze kant op,' zei Red. Hij begon het smalle, onduidelijk afgebakende pad af te lopen. Ik moest hem wel volgen. Mijn enkel deed nog een beetje pijn, maar ik kon er wel op lopen. Op sommige plaatsen was het pad steil en brokkelig, en hij moest een paar keer mijn hand vastpakken, maar hij liet hem los zodra dat kon. Ik lette er vooral op dat ik niet uitgleed, en keek niet om me heen. Eindelijk hielden we stil op een kleine, vlakke rotspunt, een meter of zes boven het strand.

'Naar die kant moet je kijken,' zei Red. De plek waar we stonden was in het midden van een beschutte baai, waar het zand fijn en wit was, en de rotswand erachter was begroeid met een overvloed aan wilde planten. Aan weerskanten zwakten de hoge landpunten wind en weer af, zodat de baai afgesloten lag van de rest van de wereld. Voor ons lag een stapel verweerde stenen die het strand in tweeën deelde. Ik volgde Reds blik naar de linkerkant, en mijn mond viel open van verbazing en verrukking.

Ik had van dat soort wezens gehoord, maar alleen in verhalen. Ze koesterden zich in de zomerzon, groot, slank en elegant in hun rusthouding; ze richtten hun grote, vochtige ogen op ons alsof ze wilden zeggen: dit is ons terrein. In die ogen lag het mysterie van de oceaan. Er waren misschien tien of twaalf van die beesten, en terwijl ik ernaar keek, kwam er nog een uit het water en bewoog met zware gratie over het strand. Het schudde zijn lange, zware lijf heen en weer, en de regen van zilveren druppeltjes vormde een verblindende stralenkrans om het dier heen. Toen ging het met een zucht naast zijn kameraden liggen. Ik ging heel voorzichtig op de stenen zitten, met langzame bewegingen om ze niet aan het schrikken te maken. Want dit was een van de plekken waar de harmonie van de natuur nog helemaal ongerept is; waar werelden elkaar ontmoeten en tot elkaar spreken; die de mens, man of vrouw, alleen heel voorzichtig mag betreden. Een van de wezens bewoog zijn kop en keek naar mij; toen legde het zijn kop en hals op de rug van een ander, en langzaam gingen zijn ogen dicht. Ik voelde een lach van pure verrukking op mijn gezicht komen. Lange tijd zat ik naar de wezens te kijken, onder de meihemel met zeevogels die boven me rondcirkelden. Ik voelde de kracht van die plek overal om me heen; ik werd ervan doortrokken, mijn ziel werd erdoor getroost en met vreugde vervuld. Het was een gevoel dat zich niet gemakkelijk in woorden laat uitdrukken; hetzelfde gevoel dat soms over me was gekomen in de diepste, meest geheime plekken van het bos, of wanneer ik op Zeven Wateren boven op het dak zat en zonder woorden met Finbar praatte. *Alles is goed. Alles komt goed. Het rad wentelt, en wentelt opnieuw.* Dit was een plaats waar de ziel kon genezen.

Na een poos herinnerde ik me dat ik niet alleen was, en ik draaide me om en keek naar Red. Hij zat op de stenen achter me, en hij had zijn boek, en zijn ganzenveer en inktpot, maar hij werkte niet. Hij zat naar mij te kijken.

'We blijven hier een tijdje,' zei hij zacht. Toen sloeg hij het boek open en ontkurkte de inktpot. 'Ben komt straks weer terug; hij heeft hier in de buurt iets te doen. Je bent hier volkomen veilig.'
Bij die woorden kwamen al mijn vragen opeens weer terug. Hoe kon hij zo kalm zijn; het was om razend van te worden. Zou hij me niets uitleggen? Hoe gebruik je je handen om te vragen *Waarom? Waarom heb je me hierheen meegenomen?*
'Later,' zei hij. 'We hebben de hele dag de tijd. Later zullen we praten, en dan zal ik het je vertellen – kun je begrijpen dat ik die handen één dag in rust wilde zien? Dat ik mijn gevangene even de vrijheid wilde geven? Geniet van je dag, Jenny. Morgen begint het weer.'
Waarom deze dag? En Elaine dan, en je moeder, en... Maar dit kon ik niet in gebaren uitdrukken. Bovendien wist hij heel goed wat ik wilde vragen, maar hij doopte de ganzenveer in de inkt, en sloeg de bladzijden van het boek om, en begon te schrijven, zoals hij daar zat met de open hemel boven hem, en de wijde zee voor hem, en het leek alsof hij alleen ogen had voor zijn ordelijk verslag van hoe alles geweest was, en was, en altijd zou zijn.
Daarom trok ik mijn laarzen uit, en klauterde omlaag naar de andere kant van het strand, dat er ongerept bij lag, afgezien van de lichte sporen van vogelpootjes. Hier lagen geen grote zeedieren te zonnen, maar er lagen tere, fraai gevormde schelpen die door de vloed waren aangespoeld, stukken verbleekt hout en ingewikkelde kluwens zeewier. Het zand voelde prettig aan onder mijn blote voeten, zo prettig dat ik mijn rokken opnam en begon te rennen, al deed mijn enkel ook pijn, met de wind in mijn haar en ten slotte ook het koude gevoel van de zee om mijn voeten, en mijn hart klopte van de opwinding van de vrijheid. Ik holde door de golfjes, en de zoom van de blauwe jurk werd nat en zanderig; ik holde langs het strand en de meeuwen volgden hoog boven mijn hoofd en riepen naar elkaar. Ik rende tot ik duizelig was en buiten adem, tot ik bij het einde van het strand was gekomen, waar de rotsachtige landpunt oprees uit het witte zand. Daar leunde ik met mijn rug tegen de stenen en luisterde naar het bonzen van mijn hart en ademde diep de wilde zeelucht in. Ik had niet beseft, niet geweten hoe pijnlijk de last was die op mijn schouders was gelegd, tot nu, nu ik één enkele dag vrij was.

Ik kon Red zien, een figuur in de verte die nog steeds op de rotsen zat. Zijn haar vormde het enige levendige kleuraccent in een landschap van grijs, groen en wit; een vlam op het water. Hij had het boek weggelegd, en zat heel stil, met een rechte rug, naar mij te kijken. Misschien dacht hij dat ik zou proberen weg te lopen. Maar nee; hij wist dat ik wel terug moest komen, want hij begreep in elk geval dat ik mijn taak moest voltooien, hoewel hij de reden daarvan, als hij die wist, moeilijk zou kunnen geloven. Zulke dingen gingen het begrip van een Brit te boven. Stemmen in je hoofd, vreemde dromen, die kon hij accepteren, al was het met tegenzin. Maar daar lag nog een hele wereld achter, waarvan hij nog nauwelijks de grenzen had aangeraakt.

Ik liep langzamer terug. Halverwege het strand had de zee een ware schatkamer aan schelpen opgehoopt, de een al mooier dan de andere. Ik ging op het zand zitten en nam ze stuk voor stuk in mijn handen; ik verwonderde me over deze kleine, gewonden huisjes die elk een klein wezentje uit de zee hadden gehuisvest. Want ik was de dochter van het woud, en had me in de jaren dat ik opgroeide nooit ver van haar beschermende armen gewaagd; ik had me de pracht, de vreemdheid van de oceaan en het geheime leven erin nooit voor kunnen stellen. De schelp in mijn hand was opengespleten door een zware storm; binnenin bevatte hij rijen kamertjes, elk bekleed met een laagje glanzend paarlemoer, waarmee een koningin zich had kunnen tooien. Het was werkelijk een klein wonder. Ik zat daar lange tijd te kijken en te dromen, en mijn gedachten reisden ver weg, mijn ziel keerde zich naar binnen. En toen... en toen... hoe kan ik dat ogenblik beschrijven? Een stem in mijn hoofd, niet de stem die me kwelde, en ook niet de stem die verstandige dingen zei en me wakker maakte; een stem die ik lang, heel lang niet had gehoord.

Sorcha. Sorcha, ik ben hier. Ik ben hier, kleine uil.

Conor? Ik durfde zijn naam nauwelijks te denken, ik durfde hem nauwelijks te roepen, uit angst dat het ogenblik zou verdwijnen. Ik tuurde in de lucht, daar boven het water. Daar was een vogel te zien, met breed gespreide vleugels, in zweefvlucht.

Conor? Ben je het echt?

Luister goed. Ik kan maar weinig zeggen, dan moet ik weer weg. De anderen – waar zijn ze? Waarom zijn ze niet...

Stil, kleine uil. Luister alleen.
Ik bracht mijn gedachten tot zwijgen, maakte mijn geest leeg en open.
Zo is het goed. Zeg me dit, zal ik je hier vinden, als het midzomernacht is?
Nee. Ik stelde me Harrowfield voor, zo goed als ik kon, en probeerde hem te laten zien waar het lag, over de heuvels, naar het zuidoosten. *Hoe zou een zwaan naar Harrowfield vliegen? Een zwaan volgt geen karrensporen, bruggen en paden onder bomen. Ik zie dat huis. Wie is hij, wie bewaakt je? Waarom ben je hierheen gegaan, over het water? Het is te ver, te ver voor ons.*
Ik voelde tranen in mijn ogen komen, en mijn keel deed pijn. Ik antwoordde niet.
Zijn de hemden af? Zul je klaar zijn, op midzomeravond?
De tranen begonnen te vallen. *Nee. Ik moet er nog een maken, en een gedeelte van een tweede.*
Huil niet, zusje. Ik zal er zijn. Wacht op mij op Meán Samhraidh. Ik zal daarheen komen.
Ik voelde dat hij zijn gedachten voorzichtig terugtrok uit mijn geest. Hij was hierin altijd het meest bedreven geweest van ons allemaal. Ik zag de witte vogel weer, en met een krachtige slag van zijn witte vleugels vloog hij westwaarts. Ik was weer alleen. Maar niet alleen, want ze leefden nog. Ik zou hen terugzien, gauw, heel gauw, want het was al mei. Ik had tot dat moment niet ingezien hoe na ik eraan toe was geweest de taak als vruchteloos te beschouwen.
Dank je, zei ik in stilte. Dank je, heb dank. Maar tegen wie ik sprak, kon ik niet zeggen. Er was een kracht om me heen, zo sterk dat hij bijna tastbaar was, een kracht in de golven en de rotsen en de vreemde zeebeesten met hun zachte ogen. Hierdoor had ik de stem van mijn broer kunnen horen, door de plaats waar ik me bevond. Maar ik was niet vergeten wie me hierheen had gebracht. Later, toen het tij op zijn laagst was, boetseerde ik een zeevrouw in het natte zand, met lang haar van slierten zeewier, en grijze ogen van schelpen, en een sierlijke vissenstaart. Haar borsten waren rond, haar middel smal, en ze had kleine, tere handen. Ze leek op de wezens waarover ik had horen vertellen in de oude verhalen, die naar de voorbijvarende zeelieden riepen, met zulke beto-

verende stemmen dat ze een man krankzinnig konden maken. Ik werd nat en het zand plakte aan me, maar ik ging helemaal op in mijn werk, zodat ik niet zag dat mijn metgezel het strand op was gekomen tot de wind mijn haar in mijn ogen woei en ik mijn hoofd ophief om de verwarde lokken over mijn schouders te gooien. Hij zat niet ver van me af naar me te kijken, en ik betrapte hem op een glimlach, de eerste echte glimlach die ik ooit op zijn gezicht had gezien, een glimlach die de strakke mond boog en verzachtte, en de koele, ijzige ogen verwarmde; een glimlach die het bloed naar mijn gezicht bracht en mijn hart een duikeling liet maken.

Iets diep vanbinnen riep: *Gevaar! Deze bocht in het pad kun je je niet veroorloven te volgen.* Ik wendde mijn blik af, want toen ik de liefheid van die glimlach zag, voelde ik de hand van Simon die de mijne in doodsangst vastklemde, alsof hij een talisman vasthield. Toen ik in Reds ogen keek en de diepe eenzaamheid erin zag, hoorde ik Simons stem, als de stem van een kind: Laat me niet alleen achter. Deze broers, al werd er nauwelijks een woord gesproken, toch vroegen ze om meer dan ik te geven had. Ik ging met mijn rug naar hem toe zitten en keek naar de vogels boven de zee. Meeuwen, en ganzen, en andere vogels waarvan ik de namen niet wist, grote reizende vogels met brede vleugels. Er waren hier geen zwanen, nu. Maar ergens aan de overkant van deze woeste watervlakte wachtten ze. Dat was het enige wat belangrijk was.

'Simon en ik kwamen hier vroeger vaak,' zei Red, achter me. 'Lang geleden. Niemand anders wist van deze plek. De zeehonden komen hier om te rusten, niet lang, ze zijn bijna hun hele leven op zee en laten zich alleen zien wanneer ze daar zin in hebben. We wisten nooit of ze er zouden zijn of niet. Ik wilde het jou laten zien.'

Ik knikte, maar ik wilde niet naar hem kijken.

'Er is een oud verhaal over deze plek,' zei hij. 'Het is een verhaal over een zeemeermin, zoals die je daar hebt gemaakt. Jouw volk is er goed in dat soort verhalen te vertellen. Ik heb niet de gave van het woord. Maar ik denk dat je dit verhaal wel mooi zou vinden.'

Nu verbaasde hij me toch echt. Ik draaide me half om. Hij zat in kleermakerszit op het zand, met zijn rijlaarzen nog aan. Zijn mantel had hij tenminste boven op de rotsen laten liggen, en zijn boek en ganzenveer ook. Ik trok een verwijtend gezicht en liet hem mijn blote voeten zien, en wees vervolgens op de zijne. Woelde met mijn tenen in het knarsende zand. *Zoveel kun je je toch wel permitteren.* Hij kneep zijn ogen halfdicht, maar hij trok de laarzen uit, stond op en liep naar de waterlijn, waar de zeemeermin lag. Hij bekeek haar met een vaag lachje op zijn gezicht, terwijl de golfjes om zijn enkels kabbelden.

'De mensen in deze streken leven van de visvangst,' zei hij. 'Een jongen leert een vangst in het net te krijgen of een kabeljauw te fileren voor hij halfvolwassen is. Maar er was een jongen die er niets voor voelde die roeping te volgen. Het enige wat hij, dag in dag uit, wilde doen, was op de rotsen bij de landpunt op zijn fluit zitten spelen. Dansen, melodieën, vreemde wijsjes die hij zelf bedacht. Zijn vader werd er wanhopig van. Zijn moeder zei dat hij hen te schande zou maken, dat hij niet bereid was om behoorlijk mee te werken in de boten. Maar Toby, want zo heette hij, staarde alleen in de verte over zee, en speelde zijn wijsjes, en na verloop van tijd kwamen de mensen vol ontzag naar hem luisteren, want in zijn muziek weerklonken de vreugde en de verlangens die in hun eigen hart leefden.'

Ik zat stomverbaasd te luisteren. Ik had niet gedacht dat die stijve Hugh van Harrowfield zulke woorden in zich had.

'De jongen werd een jongeman. Soms vroegen ze hem op een bruiloft te spelen, en dan kwam hij met tegenzin, en ging zo snel mogelijk weer weg. Toen kwam het vreemde gedeelte van het verhaal. Vreemd, maar waar, zeggen ze, want een man die netten zat te boeten had het met eigen ogen gezien. Daar zat Toby, in de schemering van een zomerdag alleen op de donkere rotsen, en de klanken van de fluit zweefden om hem heen in de lucht. En plotseling was daar naast hem een mooie jonge vrouw met een huid zo bleek als maneschijn en lang donker haar als verward zeewier dat omlaag golfde om haar naaktheid te bedekken; en vochtige ogen met een uitdrukking van de wijde oceaan erin. Ze kwam uit het water omhoog, en heel even dacht de man dat hij het flitsen van een zilverige staart zag, het glanzen van schubben in de laatste stralen van de ondergaande zon, maar toen hij nog eens keek, zat ze zedig op de rotsen, als betoverd te luisteren naar de muziek, en ze leek een vrouw als alle andere, behalve dat ze mooier en wilder was dan de meisjes uit die streek.'

Red bukte zich, met een sliert zeewier in zijn grote handen. Die legde hij op de hals van de zeemeermin.
'Toby nam haar mee naar huis, en zijn moeder keek afkeurend en zocht een jurk voor haar om zich mee te bedekken, en zijn vader was in tweestrijd tussen bewondering en angstige voorgevoelens toen Toby verklaarde dat hij de volgende dag met haar zou trouwen. Maar zijn grootmoeder zei: je zult haar niet lang houden. Het is altijd hetzelfde met die zeewezens. Je denkt dat je ze hebt, en dan horen ze op een dag de roepstem van de golven, en zijn ze weg.
Het tweetal ging ver van de zee wonen, helemaal in Elvington, waar Toby een bestaan bijeenscharrelde door op kermissen en feesten te spelen. De zeevrouw hield zijn huis op orde en sliep in zijn bed, en na verloop van tijd schonk ze hem twee dochtertjes met donker loofachtig haar en verre ogen. En de mensen durfden in de schemering niet goed langs hun huisje te lopen, want soms hoorde je daar de klank van de fluit, met zijn hoge dansende melodie, en andere keren hoorde je de stem van de vrouw die een jammerklacht uitstootte waarvan je haren overeind gingen staan, zo verlangend klonk het.
Er gingen drie jaren voorbij, en het ging daar niet goed, want Toby's vrouw werd mager en bleek, en haar glanzende haar werd droog en dor. Je hoorde de zoete tonen van de fluit niet meer weerklinken door de schemering. De mensen zeiden dat de vrouw op sterven na dood was, en de man was buiten zichzelf, want zij was de vrouw van zijn ziel, en hij kon er niet aan denken afstand van haar te doen.
Op een morgen verdwenen ze uit Elvington, even geruisloos als ze gekomen waren: Toby, zijn zwakke jonge vrouw, in een sjaal gewikkeld, en de twee dochtertjes naast elkaar achter in een ezelwagen. Ze reisden weer naar de kust, en met elke stap van de ezel in de richting van de bruisende branding en de woeste wijdheid van de oceaan begonnen de ogen van de vrouw meer te stralen, terwijl Toby met elke stap bleker en ouder werd.
Het was weer in de avondschemering toen ze eindelijk weer op de rotsen stonden en uitkeken naar het westen. De kleine meisjes spetterden in het ondiepe water zonder zich te bekommeren om de kou van de zee. Niemand weet wat Toby tegen zijn vrouw zei,

of wat zij tegen hem zei. Maar ze zeggen dat ze samen hand in hand stonden tot het moment dat het laatste streepje zon in het water verdween, en toen pakte Toby zijn fluit en begon een klaagzang te spelen. En toen die melodie afgelopen was, was de zeevrouw weg, teruggegleden in de omhelzing van de golven. Maar daar in het donkere water was de beweging te zien van flitsende staarten, en het geluid van vreemde stemmen herhaalde de afscheidsmuziek.'

En toen? Ik bewoog mijn handen, want ik wilde meer horen. Een verhaal moest een behoorlijk einde hebben.

'Zij was een schepsel van de diepte, en ze moest terug naar de zee, of het was met haar gedaan. Toby begreep dat, maar daar was hij niet erg mee geholpen. Want het enige wat hem van haar restte, was zijn herinnering, waarin hij elk ogenblik, elk afzonderlijk moment bewaarde van de tijd dat ze de zijne was geweest. Dat was het enige wat hij had om de eenzaamheid weg te houden. Zijn dochters groeiden op en trouwden, en hun nakomelingen wonen nog altijd in deze streken. Maar dat is een ander verhaal.'

Red ging zitten, met zijn rug naar me toe, dicht bij me, maar niet al te dichtbij. Er viel een stilte die even duurde, terwijl we het verhaal op onze geest lieten inwerken. Ik dacht: Toby vond een schat, hij vond de vrouw van zijn dromen, ook al verloor hij haar weer. Jij hebt alleen een schriel meisje opgevist op wie een vloek rustte die iedereen schade toebracht die in haar buurt kwam. Je hebt een miskoop gedaan, Hugh van Harrowfield. Je zou beter je verlies kunnen beperken door mij te laten gaan. Maar waar heeft een Brit geleerd zo'n verhaal te vertellen? Het was vandaag werkelijk een bijzonder vreemde dag.

Red had zijn kleine rugzak meegenomen naar het strand. Hij bood me de fles water aan, haalde een haverbrood te voorschijn, dat hij verdeelde, en een punt kaas, waar hij met zijn kleine mes stukken van afsneed. Ik merkte dat ik ondanks alles honger had. Hij keek toe terwijl ik at, maar nam zelf weinig. De ruimte tussen ons was zwaar van onuitgesproken gedachten. Toen ik klaar was met eten, stopte hij de fles en de doek weg, en legde zijn handen om zijn knieën, terwijl hij naar het westen uitkeek.

'Vandaag,' zei hij, 'heb ik de laatste bladzij van mijn kroniek geschreven. Het is tijd om aan een nieuw boek te beginnen. Ze gaan ver terug. Elke eik die ze geplant hebben, elke schuur die ze gebouwd hebben, de foklijnen van schapen en rundvee. De veldslagen die ze hebben geleverd; de branden en overstromingen die ze hebben doorstaan. De geschiedenis van de vallei. Het was alles wat ik ooit wilde, het werk uit te voeren dat zij begonnen waren; ervoor te zorgen dat mijn beesten het goed deden, dat mijn gewassen goed groeiden en dat mijn mensen veilig en tevreden waren. Ik geloofde dat ik daarvoor geboren was.'

Hij zweeg. Ik keek hem van opzij aan. Zijn profiel maakte een heel strenge indruk. *Maar?* gebaarde ik.

'Maar... sinds Simon was weggegaan, sinds... sinds ik jou vond en je naar Harrowfield bracht, is het alsof ik door het donker heb gelopen, alsof ik met spoken dobbelde. Alsof ik verdwaald ben. Of... alsof de weg die voor mij bestemd leek, voor mijn voeten verandert. Vroeger leek het altijd genoeg dat mijn leven deze weg zou volgen, zoals het leven van mijn vader, en dat van zijn vader voor hem. Maar ik ben buiten het patroon getreden, en teruggaan is onmogelijk. Ik ben niet bang; niet voor mezelf; maar ik voel me niet op mijn gemak, want werkelijkheid en het onwerkelijke naderen elkaar steeds meer, en raken verward en verweven zodat ik ze niet uit elkaar kan houden. Ik hoor twee versies van hetzelfde verhaal, en ik kan de waarheid niet van de onwaarheid onderscheiden. Nu zit ik hier verhalen te vertellen, en ik geloof ze half. Want soms denk ik dat jij ook op een dag terug zult gaan, dat je de lokroep van de zee zult horen en onder water zult verdwijnen zoals de zeemeermin van Toby. Of misschien zal ik op een nacht de wacht houden buiten je raam, en een uil naar buiten zien vliegen om in het bos te verdwijnen; en wanneer ik naar je ga zoeken, zal er niet meer over zijn dan een veertje op je hoofdkussen.'

Mijn handen waren niet in staat om voor mij te spreken. Sinds die avond, toen ik had geprobeerd hem te troosten, en hij zo boos was geworden, had ik de hoop opgegeven dat hij ooit weer zo tegen me zou spreken. Ik had gedacht dat de luiken voorgoed gesloten waren. Waarom had hij dit moment gekozen om zoveel van zichzelf te laten zien? Ik had woorden nodig. Dan had ik tegen hem kunnen zeggen: het komt door de betovering. Ze hebben je betoverd zodat je zou zorgen dat ik veilig was. Om de taak te vervullen. Nu is de taak bijna voltooid; dan zullen mijn broers me vinden en dan zul jij ook van je noodlottige betovering worden ontheven. Dan kun je teruggaan naar je vallei en naar je geordende levenspatroon, en ik... ik zal naar huis gaan.

'Je zegt niet veel,' zei Red. Ik deed geen poging om te reageren. Ik dacht: wat ik ook probeer te zeggen of te doen, het zal toch verkeerd zijn, en dan zal het masker weer zakken. Misschien kan ik, als ik hier heel stil blijf zitten, dit ogenblik vasthouden, met de lucht en de zee en de warmte van deze dag, met de stem van mijn broer in mijn hoofd en met Red die naast me zit en praat alsof... alsof...

'Vraag nu maar wat je wilt vragen,' zei hij zacht. 'Ik ben je een verklaring schuldig. Meerdere verklaringen. En ik heb je iets te zeggen, en iets aan je te vragen. Er is geen haast bij. We hebben nog de hele verdere dag.'

Dit verontrustte me. Daarom was mijn eerste vraag: *zon gaat dalen – paardrijden – naar huis?*

'Dat is van geen belang,' zei hij, met een licht fronsen. 'Ik zei toch dat we ervoor zouden zorgen dat je veilig thuiskomt, en dat zullen we doen ook. Op dat punt kun je ons in elk geval vertrouwen.'

Ik trok een geërgerd gezicht. Hij was er heel bedreven in antwoorden te formuleren die geen antwoorden waren. Ik beduidde: *jij – bruiloft – vandaag?*

'Op dit moment,' zei hij terwijl hij naar de stand van de zon keek, hoog aan de hemel, 'zullen Elaine en haar vader op weg zijn naar huis. Er zal geen feest zijn op Harrowfield.'

Ik maakte hem duidelijk dat ik dit antwoord nog niet bepaald voldoende vond.

'Ze zullen geen tijd verspillen aan vragen,' zei hij zorgvuldig. 'Elaine zou het nieuws vanmorgen aan Richard meedelen, en aan mijn moeder. Ze zal niet langer willen blijven dan noodzakelijk is. Ja, Jenny, ze wist het al. Ik ben niet zo harteloos als jij graag wilt geloven.'

Elaine – bedroefd, boos?

Hij toonde een grimmig lachje. 'Nee. Misschien teleurgesteld; het kwam natuurlijk slecht uit. Maar ik was nooit de man die zij wilde hebben. Met Elaine komt het wel goed. Maar haar vader, ja, dat is weer iets anders.'

Hij had de eigenlijke vraag nog altijd niet beantwoord, de enige vraag die belangrijk was. *Waarom?* Hier was geen duidelijk gebaar voor, maar dat had ik eigenlijk ook niet nodig; de vraag stond vermoedelijk in mijn ogen geschreven.

'Ik... ik zal het nog weleens uitleggen. Er zijn redenen voor. Het ligt ingewikkeld. Ik...'

Dat is echt niet genoeg.

'Waarom deze dag? Waarom heb ik het niet gewoon tegen hen gezegd, en daarmee uit? Zul je me geloven als ik zeg: omdat ik jou hierheen wilde meenemen, en je dit wilde laten zien, en jou over het strand wilde zien hollen? Omdat ik dit alleen kon doen als ik deze dag geheimhield voor iedereen, behalve diegenen die ik mijn leven zou toevertrouwen?'

Ik schudde mijn hoofd.

'Toch is dat voor een groot deel de reden, Jenny. Sinds... sinds de dag dat John stierf, heb ik... nee, ik heb er de goede woorden niet voor.'

Ik gebaarde: *neem de tijd. Ik luister.*

'Jij hebt geleden, sinds die dag. Daar ben ik niet blind voor, ik... je moet begrijpen dat die dag, toen het gebeurd was, toen we daar aankwamen, ik dacht... ik dacht dat jullie allebei... en toen, merkte ik dat ik niet kon... het spijt me, dit is... ik ben niet handig met woorden, en ik kan alleen maar hopen dat je me begrijpt. Ik heb je onrechtvaardig behandeld. Ik heb je niet beschermd zoals ik had moeten doen. Wat er gebeurd is, dat was niet jouw schuld. Ieder van ons gaf zichzelf de schuld. Als ik nu maar zus had gedaan, of niet zo had gedaan... maar het was uitsluitend de schuld van de man die er opdracht toe heeft gegeven. Hij heeft het slim gedaan, er was geen bewijs. Maar ik denk dat hij nu een val voor zichzelf heeft opgezet waarin hij gevangen kan worden. Alleen...' hij zweeg weer.

Ik wachtte.

Na een tijdje zei hij: 'Het begint warm te worden. Je moet niet te lang in de zon blijven.'

Ik volgde hem langs het strand, en we gingen weer zitten, onder de landpunt, waar de schaduwen al over het zand kropen. Bij de waterlijn likte de opkomende vloed aan de staart van de zeemeermin, probeerde haar terug te lokken in zee.

'Ik moet je een vraag stellen,' zei Red, terwijl hij een schelpje om en om draaide in zijn handen. 'Je hoeft hem niet te beantwoorden, als dat je verboden is. Maar geef antwoord als je kunt.'
Ik knikte. Het klonk heel ernstig. Maar ik dacht: op een dag als deze is er vast niet veel meer dat me nog kan verrassen.
'Dat dingetje dat hij voor je heeft gemaakt, dat in handen gegeven stuk hout,' zei Red, en heel even had ik geen idee wat hij bedoelde. 'Dat houtsnijwerkje met het wapen van Harrowfield – ik wil weten, heeft mijn broer het aan jou gegeven? Heeft hij het je in handen gegeven, wist je wat hij ermee bedoelde?'
Ik schudde mijn hoofd. Nee, hij had het voor me achtergelaten, hoewel ik hem in de steek had gelaten toen hij me het meest nodig had, en toen ik het kreeg was hij al lang weg. Dat kon ik niet vertellen.
'Kun je me vertellen,' zei hij, en nu keek hij me recht in de ogen, 'dat mijn broer nog leefde, op het moment dat ik je voor het eerst zag?'
Deze vraag was zorgvuldig geformuleerd. Ik schudde mijn hoofd. Ik ben ervan overtuigd dat zijn beenderen ergens in mijn bos liggen. Maar ik heb ze niet gezien. Dat wilde ik hem ook niet vertellen.
'Weet je met zekerheid dat Simon dood is?' Zijn ogen waren heel licht van kleur, onder de zomerzon. Zo licht als getijdepoelen bij het eerste licht. En zo diep als herinneringen waarover niet gesproken kan worden.
Ik schudde weer mijn hoofd.
'Dat weet je dus niet zeker,' zei hij, terwijl hij zijn ogen afwendde. 'Je vraagt je misschien af waarom ik dit moment heb gekozen om het je te vragen. Ik moet je zeggen dat de mogelijkheid bestaat dat... dat er een einde komt aan je gevangenschap. Dat het antwoord dat ik zoek ergens anders te vinden is. Je hebt wel gezien, neem ik aan, dat mijn boodschappers zijn teruggekomen? Want ik heb ook overal mijn verspieders, net als mijn oom; ik praat alleen niet over de mijne.'
Nu was ik een en al aandacht, hoewel ik geen idee had wat er zou komen. Ik voelde dat hij zich nu meer op zijn gemak voelde; hij was bezig een strategie te bedenken, een plan te vormen; dat was veiliger terrein.

'Ik dacht dat er helemaal geen spoor van Simon te vinden was. Dat het spoor koud was, de aanwijzingen door de tijd uitgewist. Mijn oom sprak erover dat hij hem ging zoeken, en dat deed ik af als ijdele praat, alleen geuit om mijn moeder tevreden te stellen. Toch gaf ik mijn boodschappers opdracht hun oren open te houden voor berichten over hem. En kort geleden kwam er eindelijk zo'n bericht.'

Wat? Wat voor bericht? Hoe kon er iets van Simon vernomen worden, nu pas, zo lang na die tijd?

'Mijn verspieder hoorde een verhaal,' zei Red, 'over een jongeman met goudblond haar en helblauwe ogen, een man zo vreemd in jouw land als wie ook; hij leefde in een gemeenschap van monniken op een eilandje voor de westkust van Ierland. Het is een verre reis hiervandaan. Dit was een jongeman die ongedeerd leek, die gezond van geest, en opgewekt leek te zijn. Alleen... het was alleen alsof zijn geheugen weggevaagd was, en hij alleen weet had van het heden. Onschuldig als een pasgeboren kind; maar, zo zeiden ze, achttien of negentien jaar oud.'

Wie dat ook was, het was niet Simon, dacht ik bij mezelf. Ongedeerd? Gezond van geest? Dat kon niet de jongen zijn die ik had verpleegd en wiens geest even gehavend was als zijn arme lichaam. Maar dit kon ik niet zeggen.

'Ik weet bijna zeker dat het mijn broer is,' zei Red, terwijl hij naar me keek. 'En daarom moet ik hem gaan zoeken. En ik moet snel gaan, zodat ik daar eerder aankom dan een ander.'

Nu maakte hij me bang. *Waarom?*

'Omdat,' zei hij, 'dat niet het enige bericht was dat ik kreeg. Nadat jij je gisteravond had teruggetrokken, riep mijn oom ons bij elkaar, en vertelde dat hij bewijzen had dat Simon gedood was, kort nadat de troep die hij begeleidde in het bos was overvallen. Gevangengenomen, gemarteld en gedood. Zijn lichaam was begraven onder de bomen, waar het snel bedekt zou zijn met bosplanten. Hij had een verslag uit de eerste hand, van iemand die er getuige van was geweest, en die zich later tegen zijn eigen meester had gekeerd.'

Die verhalen zijn allebei onwaar, dacht ik. Maar omdat ik het ene niet kon ontkennen, kon ik het andere niet als vals afdoen. Dat ging niet zonder hem de waarheid te vertellen over wat ik wist.

En dat wilde ik niet doen. Niet tot ik woorden kon gebruiken. Zelfs dan zou het nog moeilijk genoeg zijn.

'Richard liegt,' zei Red botweg. 'Om de een of andere reden wil hij niet dat mijn broer gevonden wordt. Daarom moet ik er alleen en in het geheim heen gaan. Zelfs mijn moeder weet hier niets van, want het zou wreed zijn om haar hoop te geven voor ik er zeker van ben. Bovendien is ze nog altijd Richards zuster. Ik heb het alleen aan Ben verteld, en nu aan jou. Er moet een groot oppervlak aan vijandelijk gebied worden doorkruist. Jenny, ik moet het je vertellen: ik moet vannacht vertrekken. Ik zal niet naar Harrowfield terugkeren, tot ik hem gevonden heb.'

Ik werd ogenblikkelijk overvallen door een vreselijk gevoel van paniek. Het was helemaal verkeerd, het kon zijn broer niet zijn, iemand lokte hem in de val, en... ik dacht aan mijn terugkeer naar Harrowfield, en hoe dat zou zijn als hij er niet bij was. Ik dacht er ook aan dat hij misschien helemaal niet terug zou komen. Mijn hand kwam als vanzelf naar voren en pakte een plooi van zijn tuniek beet, boven het hart, en ik beet op mijn lip om tranen van angst terug te dringen. Wat mankeerde me? Was ik niet de sterkste van de zeven, zij wier voeten nauwelijks weifelden op de weg?

'En dit brengt me,' zei Red bijna fluisterend, 'bij het laatste gedeelte van wat ik te zeggen heb. Geloof me, ik heb hier lang en diep over nagedacht; het heeft me vele slapeloze nachten gekost. Ik zou je liever niet alleen laten, want je veiligheid is in gevaar. Maar als mijn broer nog leeft, moet ik hem vinden. Ik... ik heb je zo goed als ik kon bewaakt. Vaak niet goed genoeg. Ik heb soms wel meer willen doen, maar je maakt het niet altijd even gemakkelijk. Ditmaal laat ik Ben achter, enigszins tegen zijn wil. Ik ga alleen; ik denk dat ik het grootste deel van deze reis ongezien kan afleggen. Ben zal over jou waken, en er zijn anderen die je zullen steunen. Misschien duurt het niet erg lang. Kijk niet zo bezorgd, Jenny.'

Ik voelde een traan langs mijn wang druipen. *Het zal te lang duren*. Er was een zwaar voorgevoel in mijn hart, een sterk gevoel van naderend onheil. *Ga niet. Nog niet*. Maar dat wilde ik niet zeggen.

'Ik heb een keer tegen je gezegd dat er een oplossing was, dat wil zeggen voor het probleem van je veiligheid,' vervolgde hij, nu wat haperend, alsof hij zijn weg zocht over glasscherven. Eén verkeerde stap, en er zou onvermijdelijk schade komen. 'Ik heb gezien hoe ze je behandelen, zelfs mijn moeder, hoe ze naar je kijken en achter je rug over je praten. Hoe ze je aanwezigheid in huis wantrouwen. Ze kunnen je niet als vriend accepteren, omdat ze niet begrijpen waarom – dat wil zeggen, je plaats in mijn huis is hun niet duidelijk. Daardoor ben je kwetsbaar voor hun gemeenheden, hun onaardigheid en hun vooroordelen. Of erger. Ik kan dat veranderen, en dat zal ik doen, als jij ermee instemt. Maar ik heb ook gezegd dat deze oplossing je niet zal bevallen.'

Wat?

'Beloof me,' zei hij, 'dat je zult luisteren. Dat je me zult laten uitspreken, dat je niet zult weglopen, of je geest afsluiten, tot je alles hebt gehoord wat ik te zeggen heb.'

Ik staarde hem aan. Mijn hand liet zijn doodsgreep op zijn tuniek los en viel in mijn schoot. Ik knikte zwijgend.

'Als mijn gast,' zei hij zorgvuldig, 'is je status... onderhevig aan de grillen van anderen; je veiligheid kan niet gewaarborgd worden als ik er niet ben om over je te waken. Als mijn echtgenote zou je veilig zijn.'

Mijn hart maakte een duikeling; ik sprong overeind, zodat er zand van mijn rokken in zijn gezicht vloog. Mijn antwoord was waarschijnlijk al duidelijk in mijn ogen te lezen terwijl mijn handen krampachtig bewogen om zijn woorden af te weren.

Nee. Dit kun je niet doen. Nee.

'Je hebt beloofd dat je zou luisteren,' zei hij kalm, en dat was waar. Daarom ging ik weer zitten, heel langzaam, en ik voelde dat ik mijn armen om mijn lichaam had geslagen alsof ik mezelf wilde beschermen.

De zonnige lentedag was plotseling kil, het stralende licht leek gedempt.

'Je bent geschrokken, zoals ik al verwachtte. Jenny, ik weet... ik begrijp dat... dat iemand je pijn heeft gedaan, je wreed behandeld heeft; ik weet dat je nog steeds voor me terugdeinst, al hoop ik ondanks alles dat we vrienden zijn. Dit huwelijk zou... alleen in naam een huwelijk zijn, een verstandshuwelijk zou je het kunnen noemen. Ik bied je de bescherming van mijn naam aan, zodat je in veiligheid je taak kunt voltooien. Niet meer en niet minder.'

Je kunt dit niet doen. Het is verkeerd, helemaal verkeerd. Hoe kun je ook maar denken... o, had ik maar woorden om het hem te kunnen zeggen. De draden van dit verhaal raakten verward, verknoopt tot een warboel. Het patroon doorbreken was tot daar aan toe; het ruw verscheuren was iets anders.

'Denk er tenminste over na,' vervolgde Red, en zijn stem was heel kalm, heel vlak, zoals altijd wanneer hij zich tot het uiterste probeerde te beheersen. Ik wilde hem wel slaan, hem een klap in het gezicht geven, hem dwingen de werkelijkheid te zien. Wist hij niet dat dit geen oplossing was? Kon hij niet zien dat het onmogelijk was? Ik stelde me voor dat ik als vrouw des huizes op Harrowfield woonde. Ik zou het een grappig beeld hebben gevonden, als het niet zo'n pijn deed. 'Denk er tenminste even over na. We hebben nog wat tijd tot Ben terugkomt.'

Toen besefte ik, met groeiende ontzetting, dat het de bedoeling was dat dit nu direct zou gebeuren; dat het vandaag wel degelijk zijn trouwdag zou zijn. Want hij vertrok naar overzee; hij zou niet naar huis teruggaan, en hij wilde dat ik voordat hij ging zo goed mogelijk beschermd zou zijn. Maar...

'Kijk naar me, Jenny,' zei Red, en ik keek. Ik keek naar de krachtige vlakken van het gezicht, de bleekheid van de huid, het vlammende haar, kortgeknipt als de pels van een vos. De diepe, ernstige ogen.

'Ik heb nooit een vrouw genomen tegen haar wil,' zei hij. 'Nooit. En dat ga ik ook nu niet doen. Vooral niet...' Deze gedachte maakte hij niet af. 'Geloof je dit?'

Ik knikte. *Dat is het niet alleen; al is het wel een deel ervan.*

'Helpt het misschien als ik je zeg dat anderen hiervan afweten, dat je terugkeer op Harrowfield al is voorbereid. Je zult dit nieuws niet aan mijn moeder hoeven te vertellen. Dat heeft Elaine gedaan, voor ze naar huis terugging.'

Ik had gedacht dat niets me nog kon schokken; ik vergiste me. *Elaine wist het? Wie nog meer? Weet het hele huishouden het al, voor je het ook maar aan mij hebt gevraagd?* Hij lachte een grimmige glimlach die niet zijn ogen bereikte.

'Ik heb alleen gesproken met mensen die ik kon vertrouwen. Elaine, ja; zij had recht op een verklaring, en die heb ik gegeven. Ze is niet alleen mijn nicht, Jenny, maar een oude vriendin; ik heb haar gekend sinds we kinderen waren. Ze heeft vandaag een last van ons overgenomen, door het aan hen te vertellen; het is een bron van verbazing voor mij dat mijn oom zo'n dochter heeft voortgebracht. Ben weet het ook; zijn aandeel hierin is van levensbelang. Hij zal je naar huis brengen, en hij zal je beschermer zijn terwijl ik weg ben. En... ik heb al lang geleden met John over mijn plannen gesproken.'

Er viel een stilte. Een zware stilte. Na een tijdje stond ik op en liep weer naar de zee, en het zand voelde nog steeds prettig onder mijn blote voeten, en de middagzon was nog aangenaam. Maar alles was veranderd. Destijds had ik Johns laatste woorden niet begrepen, ik had ze afgedaan als het verwarde ijlen van een man die onder vreselijke pijnen stierf. Wat had hij gezegd? *Red, goede keus. Zeg ja.* Zoiets, als je het combineerde. En ik had geknikt, zonder nadenken, omdat ik hoopte het hem gemakkelijker te maken. Ik had toegestemd. Een belofte aan een stervende, die brak je niet. Vooral niet als zijn dood jouw schuld was.

Ik liep weer langs het strand, terwijl de schaduwen langer werden en de zee donkerder kleurde. Beneden, bij het water, was de zeemeermin bijna weg. Het enige dat van haar over was, was een sliert donker, verward haar en een slanke, reikende hand. Ik ging zitten en keek toe terwijl de oceaan haar terugnam, haar meenam naar zijn geheime plekken. Ik maakte mijn geest helder; ik zocht naar antwoorden. Maar dit keer was er geen verstandige innerlijke stem die me te hulp kwam. Er waren alleen harde, koele feiten. Mijn broers zouden terugkomen. Er was nog een hemd dat moest worden afgemaakt, en een tweede dat nog helemaal niet was gemaakt. Iemand had mijn werk verbrand, iemand had mijn vriend vermoord. Red ging weg. En ik had John een belofte gedaan. Er was maar één conclusie. Ik moest erop vertrouwen dat Hugh van Harrowfield weer een verstandig, berekend besluit had genomen. Dat hij, zoals van hem gezegd werd, iemand was die geen verkeerde keus kon maken. Ik moest ja zeggen, al sloeg de kou me om het hart bij die gedachte.

Maar toen we wat later samen op de rotsen stonden en nog een laatste keer naar de grote zeewezens keken toen die langzaam over het strand bewogen en zich in het water lieten glijden, waar ze onmiddellijk veranderden in wonderbaarlijke, sierlijke zwemmers, was er toch nog één vraag die ik moest stellen. Een vraag die hij al kende.

Jij – beloven – ik, huis? Ik, over het water, huis?

'Ik zal mijn belofte niet breken, Jenny,' zei hij. 'Wanneer het tijd is, wanneer je zover bent dat je kunt gaan, zal ik zorgen dat je veilig thuiskomt. Wanneer het tijd is, moet je het me vragen, en...' hij maakte zijn zin niet af. Maar het was genoeg.

Het begon al laat te worden. Het strand lag voor de helft in de schaduw, de hemel werd donkerder. Ik begreep dat ik vannacht niet terug zou gaan naar Harrowfield. Hij drong niet aan op mijn antwoord; hij stond daar alleen, keek naar de zeehonden, wachtte. Hij had veel gewacht. Zijn dagboek lag geopend op de rotsen achter hem, en de opkomende wind deed de bladzijden opwaaien, sloeg ze om zodat de allerlaatste zichtbaar werd, waar hij die ochtend zijn laatste keurige woorden had geschreven terwijl hij daar in de zon zat; die ochtend, die alweer zo lang geleden leek. Maar er stonden geen woorden op deze bladzijde, alleen tekeningen, verfijnde tekeningetjes in zorgvuldige pennenstreken. Ik had naar hem gekeken toen hij aan het werk was, en me erover verbaasd hoe hij er de voorkeur aan kon geven te schrijven, zonder te letten op de pracht van alles hier om hem heen. Maar het leek erop dat hij niet had hoeven kijken om de schoonheid ervan te kennen. Want op deze bladzijde was de open hemel te zien, en de gladde, glanzende oppervlakken van natte stenen, en het krullende kant van de brekende golven. De grote zeehonden stonden erop met hun wetende ogen, en de vlucht van de meeuw tegen kleine snelle wolkjes. Onder aan de bladzijde stond, heel klein, de laatste tekening in het boek. Een hardlopende jonge vrouw, met haar dat achter haar in de wind wapperde als een donkere, wilde wolk, haar jurk die tegen haar lichaam werd aangedrukt door de wind, haar gezicht stralend van vreugde. Red stak zijn hand uit en klapte het boek stevig dicht, en stopte het weg in zijn kleine rugzak. Ik dacht: na al die tijd ken ik deze man nog niet. Ik ken hem helemaal niet.

Er kwam een geluid van boven, van achter de bovenrand van het klif. Het krijsen van een vogel; een vogel die ik al eerder had gehoord. Red zette zijn handen aan zijn mond en herhaalde de roep. 'Het is tijd om te gaan,' zei hij; maar hij bewoog niet. Ik haalde diep adem. Ik had nog nooit zo vurig gewild dat ik niet hoefde te antwoorden. Mijn handen begonnen grimmig te gebaren. Ik wees op mezelf; ik wees op de ringvinger van mijn linkerhand. Knikte kort. Kon niet nalaten mijn schouders op te halen en te fronsen. Ik keek naar hem om zeker te weten dat hij het begreep. Er flitste een snelle reactie, diep in de lichte ogen, die meteen werd onderdrukt. Hij knikte ernstig, met een gezicht zonder uitdrukking erop.

'Mooi. Ik hoopte dat je hiermee in zou stemmen. Laten we dan nu maar gaan. We hebben niet veel tijd meer.'

Het was allemaal uitgedacht, tot en met het laatste detail. Hij was ervan uitgegaan, bedacht ik met enige bitterheid, dat ik ja zou zeggen. Hij had geweten dat ik eigenlijk geen keus had. Ben wachtte al; we reden een kleine afstand en hielden stil op een open plek, naast een stenen gebouwtje waar nog een man stond te wachten. Een hoofd met tonsuur, een habijt van grof geweven stof. Een pater; een kluizenaar zoals mijn vroegere vriend pater Brien. Het was snel gebeurd, zo snel dat er geen tijd was om te denken. Hij sprak de ceremoniële woorden uit; wij antwoordden zoals het moest. Er was een pijnlijk ogenblik toen duidelijk werd dat ik mijn gelofte moest afleggen zonder woorden. De priester met zijn slimme ogen keek naar Red, keek naar mij, en aarzelde. Toch vroeg hij heel vriendelijk aan mij of ik de woorden begreep; of ik wist wat ik deed. En ik knikte, en knikte weer, en even later had ik Hugh van Harrowfield tot mijn echtgenoot genomen, in de heilige huwelijkse staat. Ben stond erbij als getuige, en hij zei weinig en zijn hand bleef op het gevest van zijn zwaard liggen. Het scheen dat we alleen in die betoverde baai veilig waren geweest. Dat we maar één enkele dag veilig waren geweest.

Het werd donker. Ben nam de kluizenaar apart en praatte zacht met hem. En nu? dacht ik. Wachten we hier in het bos tot het weer dag wordt?

'Ik heb iets voor je,' zei Red, die nog naast me stond. Hij zocht met zijn hand in zijn zak. 'Ik wil dat je dit draagt, als je wilt. Een bruid moet niet naar huis terugkeren zonder teken van haar huwelijk, ook al komt ze zonder man terug. Hier, neem dit.'

Iets kleins, lichts, aan een lange lus van dun koord. Het was een ring; maar toen ik hem omhoog hield in het verflauwende licht, zag ik dat het een ring was zoals ik er nog nooit een had gezien. Dit piepkleine voorwerpje was gesneden uit de kern van een grote eik. Het was dun en teer, het werk van een meester-houtsnijder. De binnenkant was zacht als zijde, de buitenkant bewerkt met een ingewikkeld patroon, dat tijdens vele lange avonden met een fijn mesje was uitgesneden: rondom een ring van eikenblaadjes, met hier en daar een klein eikeltje, en één uiltje dat met plechtige ogen tussen het gebladerte zat. Deze ring was niet voor Elaine gemaakt. Ik deed het koord om mijn nek en hing de ring binnen de halsopening van mijn jurk, op de plaats van mijn hart, waar hij naast een andere, oudere talisman kwam te hangen die ooit van mijn moeder was geweest, en daarna van Finbar. Ik keek naar Red. Zijn gezicht verried niets. Ik dacht, dit klopt niet. Hij werkte hier al aan voor John stierf, de hele winter bij het vuur, lang geleden. Maar dat betekende...

'De boot ligt klaar.' Bens stem kwam uit het duister. 'De schipper zegt dat hij je voor zonsopgang aan land kan zetten, er is meer dan genoeg tijd om een schuilplaats te zoeken. Ben je zover?'

'Nee,' zei Red. 'Maar ik moet toch gaan. Vaarwel, Jenny. Wees veilig tot ik terugkom.'

Ik stond verstijfd, kon me niet bewegen. *Ga niet. Nog niet. Het is te vroeg.* Maar mijn handen waren onbeweeglijk en mijn tong zweeg, zoals steeds.

'Ik zal een appel voor je meebrengen,' zei hij, en hij draaide zich om en verdween in de schaduwen. 'De eerste appel van de herfst.' En hij was weg. Ik had geen afscheid genomen, en hij was weg.

Een verhaal kan op vele manieren beginnen. Zo is het vele verhalen tegelijk, en tegelijkertijd is elk van deze verhalen maar één manier om hetzelfde verhaal te vertellen. Er waren eens twee broers. Dit is het verhaal van de oudste broer, de man die alles had. Hij was goed, sterk, verstandig en rijk. Hij was een man die altijd de juiste keus maakte. Hij was een man die tevreden was met wat hij had; meer dan tevreden, want hij was zowel door liefde als door plicht gehouden zorg te dragen voor zijn erfgoed. Tot hij op een dag besefte dat het niet genoeg was. Er waren eens twee broers. Dit is het verhaal van de jongste broer, die intelligent en kundig en wild was, een man met krullend haar in de kleur van de zomerzon op een gerstveld. Er waren mensen die van hem hielden, maar dat zag hij niet. Er was een plek voor hem, maar hij voelde zich daar nooit welkom. Hij zag zichzelf altijd als tweede keus. Zijn broer zou het landgoed erven; hij alleen een klein stuk grond dat niemand wilde hebben. Zijn broer zou een goed huwelijk sluiten, om het landgoed zeker te stellen en zijn macht te verstevigen; maar wie zou een jongere zoon willen hebben, zonder toekomst? Zijn broer deed altijd alles goed. Hij maakte van tijd tot tijd fouten van enorme afmetingen. Dit is ook het verhaal van een jonge vrouw. Wie zij was, wist eigenlijk niemand; men wist alleen dat ze vreemde, groene ogen had en haar zo zwart als de nacht, en ze kwam van overzee. In een ogenblik van voor hem ongewone dwaasheid nam de oudste broer haar als vrouw. Toen verdween hij, zoals ook de jongste was verdwenen; en alles wat ze in hun plaats achterlieten was dit heksenmeisje, dat spon en weefde en naaide aan haar vreemde kleed van spillekruid, en dat geen woord sprak, geen geluid liet horen. Ze zeiden dat ze niet wilde spreken, zelfs niet toen de stenen naast haar neervielen, en er een man stervende was. Ze zeiden dat ze een vrouw was zonder menselijke gevoelens, een tovenares, en dat toen ze heer Hugh onder de neus van zijn verloofde wegsnaaide, zonder permissie te vragen, ze het hart uit de vallei scheurde. Dat was wat de mensen zeiden.

Het was een moeilijke thuiskomst geweest. Reds vertrouwen dat Elaine het huishouden erop had kunnen voorbereiden was niet helemaal gerechtvaardigd geweest. Ze had haar best gedaan; iedereen wist dat de bruiloft niet doorging en dat Hugh in plaats daarvan het ondenkbare had gedaan en mij had gehuwd. Elaine was weg, en Richard ook, en daarvoor was ik haar veel verschuldigd. Wat ze hun niet had verteld, en niet had kunnen vertellen omdat niemand het wist behalve Ben en ik, was dat hun geliefde Hugh niet met zijn nieuwe bruid mee naar huis kwam. Het was pijnlijk om zo thuis te komen, terwijl Ben het zo goed mogelijk uitlegde, zonder precies te zeggen waar Red heen was, en ik stond vermoeid in de zaal, omringd door geschokte gezichten en nieuwsgierige ogen. Vrouwe Anne was een sterke vrouw. Zij herstelde zich als eerste, althans naar buiten toe. Er werden bedienden uitgezonden om bier en mede te halen. Vrouwen mochten gaan, de rondhangende krijgslieden werden weggestuurd. Voor vrouwe Anne was de plicht heilig. Daarom gaf ze me een koele kus op mijn voorhoofd en zei: 'Welkom, dochter,' met een stem die verstikt klonk door ingehouden emotie. Pas op dat moment herinnerde ik me dat het pas een dag geleden was dat Richard haar had verteld dat Simon dood was. Toen mocht ik gaan zitten, en gaf ze me een beker mede in mijn handen; en na een poos riep ze Megan om me te wijzen waar mijn nieuwe vertrekken zouden zijn. Ik had niet zo ver vooruit gedacht. Maar alles was in gereedheid gebracht, in een ruime kamer boven, die vast nooit Reds kamer was geweest, vermoedde ik, want hij was veel te gerieflijk. Er was een breed bed, met dekens van zachte wol, en er brandde een vrolijk vuurtje in de betegelde haard. Er hingen tapijten aan de muren, en er waren kaarsen ontstoken. Slingers van bloemen sierden bed, haard en deurpost; deze waren daar niet voor mij aangebracht, dat was zeker. Maar in de hoek stond mijn kleine, houten kist, en mijn spinrokken en spindel, en mijn mand en bossen sterrenkruid. Alys liep achter Megan aan en had niet veel tijd nodig om dankbaar voor de warmte van de haard te gaan liggen.

Ik sliep die nacht niet veel, en vele nachten daarna ook niet, want de zomer naderde en de dagen tot aan de terugkeer van mijn broers minderden. Ik zat de hele dag te werken en ging alleen naar beneden wanneer het moest, wanneer ik mijn plaats aan tafel moest innemen aan de rechterkant van vrouwe Anne, en onder haar toeziend oog mijn kleine maaltijd moest opeten. Ik wist dat er dingen waren die ze wilde zeggen, dat er vragen waren die haar op de lippen brandden. Maar dat was niets voor haar. Bovendien wist ze dat ze van mij geen antwoorden zou krijgen. Ik vroeg me soms af of ze enig idee had van waar haar zoon heen was gegaan, want Bens verklaringen waren erg vaag geweest. Een oude vriend; een geschil over grond. Waar dan, vroegen ze. Ben wist niet precies waar. Maar het zou niet lang duren; hij zou snel thuiskomen. Maar als dat zo was, vroegen de mensen (toen het seizoen vorderde), waarom was hij dan nog niet terug? En waarom had hij dan niemand verteld wat hij van plan was? Zelfs zijn eigen moeder niet? Het wemelde van de geruchten, en ik speelde een rol in elk daarvan. Daarom hield ik me afzijdig, en wanneer ik terugkwam na de maaltijd, werkte ik door in mijn grote, met kaarsen verlichte kamer met alleen Alys als gezelschap. De tijd begon te dringen.

Slapen lukte me nog steeds niet. 's Nachts ijsbeerde ik door de kamer, met mijn hoofd vol beelden van Red, die door mijn vaders mannen gevangen was en met gloeiend ijzer werd bewerkt. Van de zwanen, die over door stormen opgezweepte wateren vlogen, en steeds meer moeite hadden hun vleugels op en neer te bewegen. Van Red die een of andere verwonding had opgelopen, ver in vijandig gebied zonder iemand om hem te helpen. Alleen in het bos. Er zou geen meisje bij de hand zijn met naald en draad. Ik had zelfs geen tijd gehad een lijsterbeskruis in zijn kleren te naaien voor hij ging. Ik vormde me een beeld van Finbar, zoals ik hem het laatst had gezien, te zwak om te lopen. Te zwak om te vliegen. Ik stelde me Reds gezicht voor, wanneer hij uiteindelijk die jongeman zonder verleden vond. De man van wie hij dacht dat het zijn broer was. Het kon Simon niet zijn. Als ik hem dat had kunnen vertellen, zou hij misschien niet weggegaan zijn; dan had hij me niet alleen gelaten. Toen hoorde ik mijn stemmetje, het verstandige stemmetje weer. *Haast je, Sorcha. Haast je. Hier heb je geen tijd voor. Spin. Weef. Maak je hemden. De tijd dringt, meer dan je denkt.* Toch had ik mijn gedachten minder goed in bedwang dan ik wel had gewild. De kleine ring hing om mijn hals, onder mijn jurk, waar niemand hem kon zien. Als ik alleen was, haalde ik hem soms te voorschijn, en vroeg me af hoe hij de maat had geweten, met alleen mijn gezwollen, knobbelige vingers als maatstaf. Ik vroeg me af of mijn handen ooit weer zo zouden worden als ze vroeger waren, klein, blank en sierlijk. Tegen de tijd dat dat gebeurde, als het ooit gebeurde, zou ik hier allang weg zijn. Dan zou ik echtgenoot en trouwring hebben achtergelaten. Het deed er dus niet veel toe of de maat goed was. Maar wanneer ik dit dacht, merkte ik dat mijn hand zich om de ring sloot alsof hij hem niet wilde laten gaan. Hij is van mij, wilde iets in mij blijkbaar zeggen. Dit gevoel verontrustte me behoorlijk.

Tijdens de afwezigheid van haar zoon nam vrouwe Anne de teugels van het huishouden in handen, zoals ze kennelijk al eerder had gedaan, met een kalm zelfvertrouwen. Maar het was dit keer niet zo gemakkelijk. De dagen volgden het gewone patroon, maar zonder Red was het niet hetzelfde. Het duurde langer om te bemiddelen in geschillen. Een man stak de schuur van een andere man in brand, en een ezel kon op het nippertje worden gered. Een vreemdeling, die over de weg langskwam, hield stil in een van de nederzettingen om bier te drinken en te overnachten. De volgende ochtend werd hij dood gevonden op het erf, met een klein mes dat tussen zijn ribben was omgedraaid. Een paar van de mannen beklaagden zich erover dat ze bevelen van Ben moesten gehoorzamen. Wie dacht hij wel dat hij was? Hij mocht dan een pleegzoon zijn van de oude man, de vader van heer Hugh, maar dat gaf hem nog niet het recht om gewichtig te doen wanneer Hugh zelf afwezig was. De knul liep zo ongeveer naast zijn schoenen. Trouwens, was meester Benedict er niet bij geweest op de dag dat heer Hugh... nou ja, je weet wel. Vrouwe Anne zei dat ze door moesten gaan met hun werk, en ermee moesten ophouden haar en Bens tijd te verspillen; het landgoed bestuurde zichzelf niet. Ze gehoorzaamden mopperend. Maar we voelden het allemaal. De goede tijd was voorbij. Terwijl de lente zomer werd en het land baadde in een stralende, vruchtbare warmte, kwamen wantrouwen en argwaan tot bloei onder de mensen. Ze werden angstig en boos, niet alleen op mij en degenen die mij beschermden, maar ook op elkaar.

Een paar dagen voor midzomer bereikte deze toestand een climax. De vrouw van een dorpeling werd aangerand; een andere dorpeling werd beschuldigd, maar beweerde dat hij onschuldig was. Er vormden zich partijen. Het leek nog slechts een kwestie van tijd voor de een of andere enthousiasteling een ander met hooivork of zeis een lelijke verwonding toebracht. Vrouwe Anne ontbood beide partijen en deed haar best om te bemiddelen. Geholpen door een handvol getrouwen wist Ben hen te weerhouden elkaar naar de strot te vliegen. Maar er werd geen oplossing gevonden, en de stemming werd steeds agressiever. Er was niets van Red vernomen. Daarom liet vrouwe Anne haar broer komen.

Was de sfeer in huis voorheen al gespannen, zodra Richard zijn verzorgde hand om ons sloot, was hij helemaal om te snijden. Zijn methode om het probleem op te lossen was heel doeltreffend. De beklaagde werd op staande voet afgevoerd naar een afgezonderde plek. Hij werd vergezeld door een aantal potige mannen in de roodbruin-zwarte kleuren van Northwoods. Later die dag meldde Richard aan vrouwe Anne dat de man had bekend. Nog wat later werd hij opgeknoopt aan een boom, en daarmee was de kous af. Ze zeiden dat, toen ze hem lossneden, zijn lichaam een aantal verwondingen vertoonde die niet door een touw om zijn nek waren veroorzaakt. Dat zeiden ze, en het was niet zo moeilijk om dat te geloven. Niemand had het aangedurfd deze man te redden, die misschien schuldig was, misschien niet. Er waren hier geen jonge Finbar en Sorcha om in te grijpen, geen gedreven kinderen die zo dapper of zo dwaas waren om de wet in eigen handen te nemen, zoals wij bij Simon hadden gedaan. Het waren de andere dingen die er gezegd werden waar Red zich meer ongerust over zou hebben gemaakt. Dingen zoals: heer Richard begrijpt tenminste hoe de zaken staan. Hij doet er iets aan. Hij laat de mensen weten wat ze kunnen doen en wat niet. De andere partij was het hier natuurlijk volstrekt mee oneens. Die mompelde dingen zoals: een man zou alles bekennen, als ze hem dát aandeden; en was er niet iets te zeggen voor een eerlijk verhoor, en een behoorlijke ondervraging van beide kanten? Waar was heer Hugh nu ze hem nodig hadden? En wie dacht Richard wel dat hij was, om hierover te beslissen? Had niemand dan gehoord wat er met zijn mannen was gebeurd, toen hij ze overzee had gestuurd op een vruchteloze tocht?

Ik bleef in mijn kamer, en waagde me zelden naar buiten, behalve voor de noodzakelijke wasbeurten. Megan begreep het denk ik, en verontschuldigde me een, twee, drie keer bij het avondeten. Een gevoelige maag. Ik kon niets binnenhouden. Vroeger zou vrouwe Anne me hebben geboden te komen. Maar nu was ik haar schoondochter, en ze moest mijn wensen respecteren. Ik was althans in naam vrouw des huizes. Megan kwam terug en zei dat er gefluisterd werd over de oorzaak van mijn plotselinge ziekte. Een beetje snel, misschien, maar... heer Hugh had kennelijk niet stilgezeten; misschien had hij de waren gekeurd voor hij ze kocht. Ik voelde een kille woede toen ik deze geruchten hoorde, maar ik hield mijn boosheid stevig in bedwang. Het is niet belangrijk, hield ik mezelf voor. Niets is belangrijk behalve je werk. Ik werkte alleen in mijn kamer; ik maakte het vijfde hemd af en begon aan het laatste.

HOOFDSTUK TWAALF

Het kwam gewoon ongelukkig uit, denk ik. Het trof bijzonder ongelukkig dat mijn plan om na het donker heimelijk het huis uit te gaan en alleen naar de rivier te lopen, volledig werd gedwarsboomd doordat vrouwe Anne plotseling besloot om met het hele huishouden een avondmaal aan het water te houden. Een met toortsen verlichte picknick onder de bomen om de midzomeravond te vieren. Want ze had oog voor de onrust, de argwaan en het wantrouwen die onder haar mensen leefden. Dit was haar manier om te proberen hen uit zichzelf te halen, om hun stemming te verbeteren, om hen weer aan het praten te krijgen. Het was een goed idee. Een strategisch kunststukje. Maar voor mij was het rampzalig. Ik was bijna de hele dag aan het piekeren over de vraag of ik met hen mee zou gaan, of weer een ziekte zou voorwenden om dan te proberen later onopgemerkt bij de rivier te komen. Ik had geen idee of mijn broers zouden komen, maar ik nam aan dat Conor kon zien hoe het ervoor stond zodat hij hen naar een plek kon brengen waar ze betrekkelijk veilig waren. Als ik voor de schemering bij de rivier was, als ik van de anderen weg kon komen zonder aandacht te trekken, dan konden ze misschien naar een plek vliegen waar ik alleen wachtte, en dan kon ik hen waarschuwen. Misschien. Ik huiverde bij de gedachte dat Richard er ook zou zijn, zo dichtbij. Ben had over me gewaakt als een bezorgde moeder met een ziekelijk kindje. Zelfs Margery had me onlangs treurig toegelachen. Maar ik voelde me nog steeds alleen, heel erg alleen; de weg was werkelijk zwaar, en vol gevaren.

Als Red er was geweest, zou hij zijn oom hebben betrokken in een ingewikkeld debat over grenzen of vazalschappen. Als Red er was geweest, zou hij ervoor hebben gezorgd dat ik omringd was door mensen die hij vertrouwde, beschermd tegen bemoeizuchtige vragen en insinuerende blikken. Maar Red was weg; en zijn oom was niet van me weg te slaan terwijl de mensen van het huishouden door de populierenlaan naar een brede, groene vlakte langs de rivier wandelden, die warme zomermiddag. Het duurde niet lang meer voor de schemering zou invallen. Niet lang. Niet lang genoeg. Vrouwe Anne had me voorzien van kleren die pasten bij mijn nieuwe status als echtgenote van haar zoon. Ik had het eenvoudigste en meest ingetogen van deze gewaden uitgekozen, een donkergroene jurk met een hooggesloten hals en mouwen tot aan de polsen. Toch maakte hij nog een opmerking, met een zijdelingse blik en een veelbetekenend optrekken van zijn wenkbrauwen. Zijn blonde baard was keurig getrimd als een ligusterhaag na de eerste herfstsnoei. Zijn zwarte tuniek was onberispelijk, de halsopening afgezet met een lijntje van zilverdraad.
'Zo, lieve.' Hij bekeek me van top tot teen, en nam er de tijd voor. 'Een echte dame, zie ik. Je hebt ons allemaal verrast. Hugh heeft ons verrast. Ik had nooit gedacht dat hij het type man was dat eerst met de onderbuik denkt en later pas met het hoofd. Zo was onze Hugh niet. Maar ik heb me vreselijk vergist. Toch hoeft het niet van lange duur te zijn.'
Ik liep door en onderdrukte grimmig de neiging om hem een schop te geven. Voor en achter me liepen mensen met dekens en manden te kletsen en te lachen. Vrouwe Anne had dit feilloos aangevoeld. Waar was Ben? Ik dacht dat ik zijn blonde hoofd ergens in de voorste gelederen zag.
'Ik hoor dat je lichtelijk... onwel bent geweest, lieve,' zei Richard op suikerzoete toon. 'Wat naar nou. Ik ben erg blij dat je het gepast hebt gevonden om je vandaag te vertonen. Je moet de schijn ophouden, weet je, nu je bij de familie hoort. Ik ben benieuwd hoe de lui van hier zullen reageren op een halfbloedje als erfgenaam van Harrowfield. Niet al te best, lijkt me zo. Helemaal niet zo best. Geen Brit en geen Ier, maar toch allebei tegelijk. Heb je die gehoord? Vertel eens, hoorde dit allemaal bij je oorspronkelijke plan? Was dat de reden waarom ze je hier naartoe hebben gestuurd?'

Hij ging een tijdje in deze trant door, terwijl ik probeerde me af te sluiten voor zijn woorden; het zou algauw gaan schemeren en ik was bang voor wat er misschien zou gebeuren als ik niet bij de groep weg kon komen en een plek kon vinden waar ik alleen was. Een ontmoeting met mijn broers moest in elk geval kortstondig zijn. Ik zou hen zien, en hen aanraken, en hen waarschuwen; daarna moesten ze zich tot zonsopgang verborgen houden, want hier waren ze niet meer dan barbaren, die midden in vijandelijk terrein verzeild waren geraakt.

'Wat ik nog altijd niet kan begrijpen,' zei Richard, 'is waarom hij zo nodig met je moest trouwen. Wilde hij je zo graag hebben, dat hij zijn toekomst moest opofferen om zijn lust te bevredigen? Een andere man zou domweg hebben genomen wat hij wilde, en overgegaan zijn tot de orde van de dag. Vat dit niet verkeerd op, lieve. Je charmes zijn overduidelijk. Elke man zou voor je vallen. Maar een trouwring? Dat had toch niet nodig hoeven zijn. Hierdoor ga je algauw geloven wat ze zeggen, over heksen en betoveringen en liefdesdranken. Iets heeft de jongen het hoofd op hol gebracht, lang genoeg om de ring aan je vinger te schuiven; en ik zet mijn beste hengst in tegen een kom pap dat dat niet alleen dat lieve jonge lijf van jou is geweest, al is het ook nog zo smakelijk. O, vergeef me mijn opmerking over je vingers. Ik zie dat je moeilijk een ring kunt dragen. Die handen zijn daar niet echt geschikt voor. Niet het aantrekkelijkste gedeelte van je anatomie, lieve, als ik het mag zeggen. Dat is trouwens ook iets dat me intrigeert...'

We waren aangekomen bij de oever van de rivier. Het schemeruur naderde; de mensen spreidden hun dekens op het gras uit, en vrouwe Anne gaf opdracht het vat bier aan te steken. Iemand haalde een fluit te voorschijn en begon danswijsjes te spelen. Ik zag Ben aan de buitenrand van de groep, alsof hij uitkeek naar tekenen van onraad. Een vijftal van zijn mannen was rondom op strategische plaatsen opgesteld. Hij deed zijn werk, en goed ook. Maar dit was nu juist een avond waarop ik liever een minder doeltreffend beschermend net had gehad.

Ik had geen andere keus dan bij Richard en zijn zuster te gaan zitten. Ik was nu familie, wat er ook van me gedacht werd. Ze aten en dronken; ik zat op de grond, met mijn rug recht, en dankte vrouwe Anne stilzwijgend omdat ze met haar broer een gesprek begon over de verkoop van overtollig vee. Om ons heen konden de mensen van het huishouden zich genoeg ontspannen om te genieten van de zoele avond, waarbij hun gevoel van welbevinden ongetwijfeld werd geholpen door het overvloedig vloeien van uitstekend bier. Ik zag Margery met haar zoontje. Hij kon nu zelfstandig zitten, en zijn bruine haar was al zo lang dat je er iets van krul in kon zien. Margery was nog bleek, maar ze wisselde hier en daar een woord met iemand. Ben ontspande zich niet. Hij patrouilleerde met zijn mannen langs de randen van de groep, met hun wapens in de aanslag.

De zon zakte achter de boomtoppen, en de hemel kleurde naar lila en violet en diep grijs. Boven ons zuchtten de wilgen en bewogen niet meer. In de omlijsting van hun neerhangende takken werd het water van de rivier langzaam zwart. De toortsen werden aangestoken en op palen geplaatst rondom de grasvlakte waar we zaten. De fluit kreeg gezelschap van een trommel en een vedel, en sommige van de jongelui stonden op om te dansen. Op de rivier waren tot nu toe geen zwanen te zien.

'Vertel eens, lieve,' Richard richtte zonder waarschuwing zijn aandacht op mij, 'heb je geen idee waar je echtgenoot zo plotseling naartoe is gegaan? Ik kon de officiële verklaring eigenlijk moeilijk geloven. Een tikje te ongeloofwaardig naar mijn smaak. Die jonge Ben houdt iets achter. En jij? Heeft Hugh jou verteld wat hij van plan was, toen hij je zo snel in de steek liet? Slaapkamergeheimpjes, zoiets? Ik denk zo dat je daar wel handig in bent; hij eet uit je hand, hoor ik. Wat heeft hij jou verteld?'

'Richard,' zei vrouwe Anne verwijtend; zijn optreden beviel haar helemaal niet. Ze was duidelijk in tweestrijd welke kant ze moest steunen.

'Ik zou me daar maar niet druk om maken, zus.' Richard trok een komisch gezicht. 'Je vergeet dat een vrouw uit Ierland niet denkt en voelt zoals jij. Ze weet de schijn aardig op te houden, dat geef ik toe, maar onder de oppervlakte zul je je vijand vinden. Een spionne. Een tovenares zelfs. Ik wil daar alles onder verwedden. Je kunt ze niet vertrouwen.'

'Jenny is de vrouw van mijn zoon,' zei vrouwe Anne afgemeten.

'Hm,' zei Richard. 'Dat is zo, zeker. Vertel nu eens, nichtje, want zo moet ik je van mijn zuster noemen, hoewel ik het nauwelijks uit mijn strot krijg, waar is Hugh heen gegaan? Wat ging hij doen? Wat kon er zo dringend zijn, dat hij zijn bruid op haar trouwdag in de steek liet? Wat kon er zo geheim zijn, dat zelfs zijn moeder er niet over werd ingelicht?'

Sorcha. Sorcha, waar ben je?

'Wat is er, Jenny? Ben je niet lekker?' Vrouwe Anne had mijn gezicht zien veranderen, toen mijn geest de stilzwijgende roep van mijn broer opving.

Wacht. Wacht. Ik kom. Blijf waar je bent.

Ik sprong op, terwijl ik probeerde mijn gezicht in de plooi te houden. Ik knikte en gebaarde. *Excuseer me alstublieft. Mijn maag...*

'Neem Megan mee, lieverd,' riep vrouwe Anne me na, terwijl ik zo kalm als ik kon naar de rivier liep, naar de beschutting van de wilgen. Onder het voorwendsel dat ik alleen moest zijn om mijn maag om te keren, kon ik misschien... kon ik misschien...

'Waar ga je heen?' Voor me doemde Ben op; zijn gezicht stond bezorgd in het licht van de toorts. 'Mijn God, vrouw, je hebt de zwakste maag sinds mensenheugenis. Hier, laat mij je helpen. Niet alleen weggaan, dat is tegen de regels, weet je nog wel?'

Maar ik gebaarde, en gebaarde weer. *Alsjeblieft. Heel even maar. Ik zal niet ver weg gaan. Alsjeblieft.* Hij keek me met gefronst voorhoofd aan. Het was waar, voor bepaalde lichamelijke verrichtingen moest iemand alleen zijn. Maar hij hield zich aan zijn opdracht. *Alsjeblieft. Het is best veilig.*

'Goed dan,' zei hij, 'maar ga niet ver weg. Hij zou me vermoorden als hij wist dat ik je uit mijn gezichtsveld liet gaan. Pas goed op. Als je lang wegblijft, kom ik kijken.'

Nu rustig over het gras lopen tot ik uit het gezicht was. Mijn voeten bewogen kalm, mijn geest was koortsachtig en gehaast op zoek. *Waar zijn jullie? Hoe ver stroomopwaarts van het bruggetje? Vlug, ik heb weinig tijd.*

De brug is niet ver naar het zuiden. Een plaats waar een grote wilg is omgevallen. Ik kom wel naar jou toe.

Nee. Dat is gevaarlijk! Wacht daar; ik kom eraan.

Eindelijk was er een bocht in het pad, en was Ben uit het gezicht verdwenen. Ik begon te rennen. Nam mijn rokken op en rende op geluidloze voeten onder de wilgen door naar de plek waar ik me herinnerde dat een reusachtige boom naast het pad lag; de knoestige wortels lagen bloot, en de beschermgeest was sinds lang vertrokken om een ander onderdak te zoeken. Ik zag hen niet.

Waar zijn jullie?

'Ik ben hier, Sorcha.' Mijn broer Conor kwam te voorschijn van achter de verwarde massa van wortels en aarde, een magere, broze figuur in het zwakke maanlicht. Ik zag de extreme bleekheid van zijn gezicht, het lange, verwarde haar, de rafelige flarden kleding die alles waren wat hij nog had. Hij leek even onstoffelijk als een geest.

Niet hardop praten. Er zijn mensen in de buurt. O, Conor! Ik voelde zijn armen die zich om me heen sloten. Hij was uitgemergeld als een man die aan buikloop sterft, en zijn lichaam beefde heftig. Maar het was een heerlijk gevoel, heerlijk om hem in mijn armen te houden.

De anderen. Waar zijn de anderen?

Ze kunnen niet komen. Deze keer niet.

Maar – maar – Ik voelde bittere teleurstelling door me heen stromen.

Er is veel kracht, veel besluitvaardigheid nodig om hen te dwingen; hen te dwingen te volgen terwijl elk instinct dat ze hebben daartegen waarschuwt. Ik kan hen maar één keer hierheen brengen. Roep me wanneer je klaar bent, dan zullen we komen. Huil niet, kleine uil. Het is heel dapper wat je voor ons doet.

Met Meán Geimhridh zijn jullie niet gekomen. Ik heb naar jullie gezocht, en jullie zijn niet gekomen. Dat was een vreselijke nacht geweest. Vreselijk en toch prachtig, want ik was niet vergeten dat Johns zoontje toen geboren was.

We zijn naar de grot gegaan, maar je was weg. We konden je niet vinden. Een geestesbeeld van mijn broers, die radeloos naar me zochten; ik zag dat ze mijn eigendommen vonden, die nog in en rond de grot lagen, mijn kleine weefraam, mijn warme mantel en laarzen; de haard, bedekt met een laag sneeuw. Diarmid die vloekte. Finbar die zwijgend in zijn eentje bij het meer stond.

De anderen – Conor, gaat het goed met ze? Hoe is het met Finbar?

Ze leven nog. Maar je moet je haasten, als je kunt. Zodra je klaar bent, moet je me roepen. We kunnen maar één keer komen.

Hij verzweeg iets; al was hij ook verzwakt, mijn broer beheerste

de vaardigheden van de geest nog uitstekend, en hij verhulde de volle waarheid om mij te beschermen.
Wat is er? Conor, wat is het dat je me niet vertelt?
Stil, Sorcha. Wanneer je roept, zullen we komen. Dat beloof ik je.
Ik huilde met mijn hoofd tegen zijn borst, met mijn armen om zijn middel, de zijne om mijn schouders. Hij was mijn broer. Ik moest hem geloven.
Het was tekenend voor de hevigheid van mijn verdriet, en voor zijn zwakheid, dat we geen van beiden hoorden dat er mannen naderden tot het veel te laat was. Toen knapte er vlakbij een takje onder de hak van een laars, en ik hoorde Bens stem.
'Jenny? Is alles goed met je?'
Ik hief mijn hoofd met een ruk op. Daar was hij, met het zwaard in zijn hand. Het was bijna komisch, zo geschrokken als hij me aanstaarde, met open mond; hij zag me in de armen van mijn broer staan. Ik wilde bijna iets zeggen, maar bedacht me.
'Grijp die man!' Nu waren er fakkels, en het geluid van wapens die getrokken werden, en achter Ben zag ik heer Richard van Northwoods, met een merkwaardige mengeling van triomfantelijke opwinding en oprechte verontwaardiging op zijn gezicht. 'Neem ook het meisje gevangen. Jullie zien hoe ze heer Hughs vertrouwen beloont!'
Ik stond daar nog steeds dom te staren, verdoofd van schrik. Maar Conor bezat vermogens waar geen van deze mensen ooit van had kunnen dromen, en nog voor de mannen van heer Richard over de open plek konden naderen, was hij als een schim uit mijn armen geglipt en in volkomen stilte weer verdwenen tussen de wilgen. Het was alsof hij er nooit was geweest.
'Achter hem aan!' siste Richard. 'Laat hem niet ontsnappen!' Drie mannen renden krakend het onderhout in, om gretig de achtervolging in te zetten. Maar Richard bleef achter, en ik voelde dat zijn hand zich om mijn arm sloot als een ijzeren boei.
'Dat was wel buitengewoon dom van je, lieve. Een hele domper op de familiepicknick. En wat zou onze Hugh wel niet zeggen? Ik zou er heel wat voor geven om zijn gezicht te zien wanneer hij het hoort. Nog geen twee maanden getrouwd, en ze gaat al het bos in als een loopse teef en stort zich in de armen van een andere

man. En niet zomaar een man, maar iemand van haar eigen soort, iemand die belust is op de informatie die ze hem kan geven, en... ja, kom eens hier, jongen. Help me eens even. Laten we deze kleine slet terugbrengen naar mijn zuster en kijken wat ze nu van de nieuwe bruid van haar zoon vindt.'

En het ergste, terwijl Richard me achter zich aan sleepte, was Ben aan te kijken en de uitdrukking van gekwetstheid, verraad en geschokt onbegrip op zijn gezicht te zien. Hoe kon hij anders dan geloven wat hij met eigen ogen had gezien? Hij was achter me aan gekomen, alleen uit bezorgdheid om mijn veiligheid. Hij had me in het donker gevonden, in de omhelzing van een jongeman van mijn eigen volk. Hij wilde het niet geloven, maar het was duidelijk te zien dat ik schuldig was. Ik kon geen verklaring geven. Ik liep terug met hem aan mijn ene kant, en uit alles sprak zijn diepe ontzetting, en met Richard aan de andere kant, wiens greep als een bankschroef me duidelijk zei: jij dacht dat je Richard van Northwoods te slim af kon zijn? Dan heb je je lelijk misrekend, kleine heks.

Richard geloofde in snelrecht. Zo liet je je mensen zien dat je de wind eronder had. Je wees dus de boosdoener aan. Als er geen hard bewijs was, zorgde je dat er een bekentenis kwam. En wel meteen. Vervolgens voerde je de passende bestraffing uit. Voor overspel kon je volstaan met zweepslagen, of een andere vorm van vernedering in het openbaar. Op de omgang met bandieten stond de doodstraf. Het was bijna overbodig om hekserij aan de lijst toe te voegen. Wat de straf betrof, waren er verschillende methoden. Hij zou met genoegen de meest geschikte uitzoeken. Maar in mijn geval bleek het toch niet zo eenvoudig te zijn. Het bleek dat bepaalde leden van het huishouden hardnekkig eisten dat een proces tegen mij strikt volgens de wet zou worden gevoerd, want zo zou heer Hugh het zeker willen. De zaak kon behandeld worden bij de volgende volksvergadering, die binnen twee maanden zou plaatsvinden. Voor die bijeenkomst van alle pachters van Harrowfield kon de heer van het landgoed de standpunten van alle partijen aanhoren, een beslissing nemen en een oordeel uitspreken in overeenstemming met de wet van de koning. Want er was nu maar één koning, sinds Wessex zich meester had gemaakt van het noorden. Maar deze zaak was gecompliceerd, aangezien er een familielid van de landheer bij betrokken was, en er sprake was van drie aanklachten. Misschien moest de zitting worden uitgesteld tot er een graafschapsrechtbank werd gehouden, onder leiding van de schepen van koning Ethelwulf zelf. En de volgende graafschapsrechtbank zou waarschijnlijk pas plaatsvinden als heer Hugh terug was. Het was beter om daarop te wachten, zeiden sommigen.

Maar Richard zag de noodzaak niet om zo lang te wachten. De mensen waren onrustig en konden zich niet goed op hun werk concentreren, en de zaak moest weer in orde worden gebracht vóór heer Hughs terugkeer, en niet daarna. Bovendien was Richard eigenaar van het aangrenzende landgoed. Hij was, als aangetrouwd familielid, tijdens Hughs afwezigheid praktisch meester over Harrowfield. Hij had het recht deze beslissing te nemen. Het leek wel alsof hij het geschokte en verdeelde huishouden met de dag meer in zijn greep kreeg. Ik was opgesloten in een klein bovenkamertje en hoorde dit slechts in flarden, wanneer een man de deur ontgrendelde om mij water en brood te brengen, of de emmer weg te halen die naast een hoop stro en een dunne deken, het meubilair van de cel vormde. Het kamertje had één kleine opening waar licht door viel, hoog in de buitenmuur. Hierdoor kon ik een glimp opvangen van een reepje blauw overdag; 's nachts straalde er één ster tegen het donker. Als ik werkelijk het vermogen had gehad van gedaante te veranderen, dan zou de kleine uil misschien net door deze spleet tussen de stenen hebben kunnen glippen. Naar buiten in het donker, over het water terug naar de diepe, omhelzende armen van haar bos. Mijn hart wilde dolgraag zijn nood klagen bij mijn broers. Maar ik legde mijn innerlijke stem het zwijgen op. Ik mocht hen maar één keer roepen; één keer, wanneer ik mijn werk had voltooid, en dan konden ze de vrijheid krijgen.

Eerst was ik volkomen wanhopig, want ze wierpen me in deze kleine gevangenis met alleen de jurk die ik aanhad; zelfs mijn laarzen werden weggenomen. Ik zag voor me hoe Richards mannen mijn kamer doorzochten, spinrokken en spindel wegwierpen en de inhoud van kist en mand in het vuur gooiden. Die eerste nacht zat ik in de hoek met mijn armen over mijn hoofd en mijn knieën opgetrokken tegen mijn borst, en liet ik de tranen vrijelijk over mijn gezicht stromen. Ik was bang dat Conor gevangengenomen zou worden. Ik was bang dat ik mijn broers nooit zou kunnen redden; maar toch bestond er, zolang ik hier woonde, nog altijd een kans, en daarom kon ik niet spreken om mijn onschuld te betuigen. Maar als ik schuldig werd bevonden, zou ik sterven, en dan kon niemand hen redden. Ik was bang dat ik gemarteld zou worden; ik had gezien wat mijn eigen mensen met Simon hadden gedaan, en wist dat ik daar geen weerstand tegen kon bieden zoals hij. Als een dwaas meisje met een hoofd vol fantasieën, dat droomt van een held op een wit paard, verlangde ik ernaar dat Red zou terugkomen om me te redden. Maar tegelijkertijd vreesde ik zijn terugkeer, want zou hij niet, net als Ben, geloven dat ik hen verraden had? Ik wilde die uitdrukking van pijn en ontsteltenis niet in zijn ogen zien. Het was beter dat hij niet terugkwam tot... Tegen het ochtendgloren hield ik op met heen en weer schommelen en huilen en bleef zitten als een lege huls, met een lege geest. Een vogel vloog langs het raam, en riep iets naar zijn partner. Eindelijk hoorde ik een stem vanbinnen die iets zei. *De ene voet voor de andere. Recht vooruit. Dit is de weg. Recht vooruit, Sorcha. Je wist dat het zwaar zou zijn. Het zal nog zwaarder worden. De ene voet, en dan de andere. En weer. Het donker in.* Toen de mannen weer kwamen, om water en een homp droog brood te brengen, hoorde ik hen praten en wist ik dat ze Conor niet te pakken hadden gekregen. Want ze hadden de rivieroever de hele nacht afgezocht bij toortslicht, maar ze hadden geen spoor van de wilde vreemdeling gevonden. Hij was gewoon in rook opgegaan. Als een spook. Je zou nauwelijks geloven dat hij er geweest was, als je hem niet met eigen ogen had gezien. Een grote, woeste kerel was het; een van die Ierse opperhoofden over wie je wel had gehoord, die je met één handomdraai wurgden als je hun de kans gaf. Persoonlijk waren de meeste mannen blij dat ze hem daar buiten in de nacht niet waren tegengekomen. Maar heer Richard was niet blij. Hij was helemaal niet blij.

Gedurende lange tijd kwam er niemand bij me binnen. De deur ging krakend open en de lege emmer werd weer naar binnen gesmeten, of de gebruikte emmer werd meegenomen. Er werd een karig maal achtergelaten. Dat deerde me niet. Ik was eraan gewend honger te hebben. Erger was het gebrek aan licht, de kale stenen muren die door niets werden doorbroken behalve door dat kleine raam hoog boven mijn hoofd. Nog veel erger was de kwelling van het nietsdoen. Want ik was al zo dicht bij de beëindiging van mijn taak. Vijf hemden af, nog maar één te maken. Dat dit me was ontnomen, dat ik opgesloten was zonder de mogelijkheid mijn werk af te maken, dat was wel heel wreed. De wanhoop nabij nam ik mijn toevlucht tot het vertellen van verhalen, een oud, beproefd middel om de geest bezig te houden en ongewenste gedachten buiten te houden. Culhans zoektocht naar vrouwe Edan. De vier schone kinderen van Lir. Nee, dat verhaal misschien niet. Niamh met het gouden haar. De beker van Isha. In dat verhaal kwam een held voor die heel goed kon wachten. Medb, de strijdende koningin met een voorkeur voor flinke, jonge helden. Om dat verhaal had Simon gelachen. En het verhaal over de man Toby met zijn zeemeermin. Van alle verhalen die ik ooit had verteld, van alle verhalen die ik ooit had gehoord was dat het verhaal dat ik het mooiste vond. Wie had ooit gedacht dat Red zo'n verhaal kon vertellen?

Ik was de tel kwijtgeraakt van het aantal dagen, maar er gingen er vele voorbij en ik zag niemand behalve mijn bewakers. Toen ging op een morgen de deur open en daar was vrouwe Anne, met een paar vrouwen achter haar, die mijn spinrokken en spindel droegen, mijn mand met sterrenkruid, mijn naalden en garen. Iemand had achteloos de vijf voltooide hemden boven op de mand gelegd. Ik kon mezelf er net van weerhouden deze kostbare artikelen weg te graaien en tegen mijn borst te drukken. Ik hield mijn gezicht in de plooi. Vrouwe Anne keek rond in de cel, en een lichte frons plooide haar voorhoofd. De vrouwen namen me tersluiks op. Ik zag er natuurlijk vreselijk uit, smerig, met mijn haar in de war, knipperend tegen het plotselinge licht vanuit de gang. Vrouwe Anne stuurde de vrouwen weg en sloot de deur achter zich.

'Je beseft wel,' zei ze kalm, 'dat dit zijn hart zal breken.'

Het was alsof ze me een klap in het gezicht had gegeven. Ik staarde haar aan terwijl ze een stap naar voren deed, en haar neus optrok. Ik rook waarschijnlijk niet zoals een dame behoorde te ruiken.

'Mijn zoon hield van je,' vervolgde ze, tot mijn grote verbazing. 'Hij hield van je zoals hij nooit van een levend wezen heeft gehouden; meer dan hij van de vallei houdt. Ik deed het af als een voorbijgaande bevlieging, jeugdige hartstocht, meer te wijten aan de behoeften van het lichaam dan aan de gevoelens van het hart. Hij bewees mijn ongelijk door jou zijn naam te geven, al ging dat in tegen alles waarin hij geloofde. Hoe kon je hem dit aandoen? Hoe kon je ons dit aandoen? We hebben je onderdak gegeven, we hebben je redelijk vriendelijk behandeld, in aanmerking genomen wat je bent. Haat je ons volk zo dat je alles moet vernietigen wat ons dierbaar is? Ben je daarvoor hierheen gestuurd?'

Ik schudde langzaam mijn hoofd. *Ik haat jullie niet. Ik heb jullie nooit gehaat. Ik wil alleen mijn taak voltooien. En u vergist zich over uw zoon, echt waar, hij...* Zonder woorden kon ik niets uitleggen.

'Jouw mensen hebben Simon gedood,' zei vrouwe Anne vermoeid. 'Jij hebt Hugh vernietigd. Wat wil je nog meer?'

Hoe kunt u dat zeggen, terwijl u me hier gevangenhoudt? Uw zoon heeft me hierheen gehaald. Als hij er niet was geweest, zou ik nooit op Harrowfield zijn gekomen. Dit was niet mijn keus. Maar ik kon niet spreken. Ze zuchtte.

'Ondanks alles voel ik me verplicht te handelen volgens de wensen van mijn zoon. Hij geloofde sterk in deze vreemde arbeid van jou; hij heeft ons allemaal op het hart gebonden je werk te beschermen en jou daarbij. Je hebt hem werkelijk gevangen in een net waaruit hij niet kan ontsnappen zonder zichzelf, en allen die van hem houden, te beschadigen. Ik heb je spullen meegebracht. Ik heb gedaan wat ik moest doen. Werk door, als je er zin in hebt.'

Ik forceerde een glimlach, en knikte. *Dank u.* Ze besefte niet hoeveel ze voor me gedaan had. Nu scheen ze zich om te draaien om weg te gaan. Ik pakte haar mouw, want ik moest iets vragen. Ze deinsde voor me terug alsof mijn aanraking haar zou vergiftigen.

Ik, deur, uit – wat, wanneer?

'Je toekomst ligt niet in mijn handen, Jenny,' zei ze. 'Ik zou er zelfs niet toe zijn overgegaan je je werk te brengen, als Hugh me niet had laten beloven dat ik het je mogelijk zou maken ermee door te gaan, wat er ook gebeurde. Ik ben hierbij te veel betrokken, ik ben te ongelukkig, om eerlijk over je te kunnen oordelen. Het is aan mijn broer je zaak te behandelen en over je lot te beslissen. Tijdens Hughs afwezigheid is hij het hoofd van deze familie, en hij moet een juist oordeel vellen. Maar ook hij wil niet de indruk wekken dat het proces anders dan billijk verlopen zal. Daarom is hij van plan te wachten op de komst van pater Stephen van Ravenglass, die na het oogstfeest in deze streek moet zijn. In verband met de aanklacht wegens hekserij is het verstandig een geestelijke te raadplegen.' Ze keek nog eens rond in de cel. 'Het zou mijn zoon pijn doen te zien hoe je hier gehuisvest bent. Maar niet zoveel pijn als de waarheid hem zal doen.'

Welke waarheid? dacht ik verbitterd toen de deur achter haar dichtging, en ik het schrapende geluid hoorde van de grendel die ervoor werd geschoven. Had Red niet een keer gezegd dat er zoveel waarheden zijn als sterren aan de hemel, stuk voor stuk weer anders? Misschien was dat de enige werkelijke waarheid.

De ratten vormden mijn enige gezelschap. Ze kwamen 's nachts te voorschijn en knaagden aan het stro waarop ik sliep. Het was de enige keer in mijn leven dat ik dankbaar was dat het sterrenkruid stekels had, want de ratten raakten het niet aan. Ik had niets anders om me mee bezig te houden, en niets om me heen dan de vier stenen muren, en dus werkte ik zolang het licht bleef, en probeerde te slapen wanneer het donker was. Vele dagen gingen voorbij, waarvan elke dag op de vorige leek. Ik merkte dat als ik er maar niet op lette dat mijn handen stijf werden van de pijn, en mijn vingers dwong om te bewegen, ik redelijk op kon schieten. De prijs daarvoor betaalde ik 's nachts, want de felle pijn in mijn handen maakte het onmogelijk om te slapen. Het zesde hemd begon langzaamaan vorm te krijgen. Het zat niet zo goed in elkaar als de andere, want het licht was slecht en ik zag alles soms wazig, maar het kon ermee door. Het moest ermee door kunnen.

Aan het veranderende licht dat door mijn raampje binnenviel, schatte ik dat het ongeveer in de tijd van Lugnasad was, tegen het einde van de zomer, dat ik bezoek begon te krijgen van heer Richard. Hij had een tijd gewacht voor hij zich kwam verkneukelen over mijn toestand, maar toen hij er eenmaal mee begon, werd het iets dat zich telkens herhaalde en waar ik vreselijk tegenop ging zien. Het was misschien dom van me, maar ik had mezelf veroorloofd weer hoop te koesteren toen vrouwe Anne me mijn werk had teruggegeven. Het was mogelijk de taak af te krijgen, en ze had immers gezegd dat ze op de komst van pater Stephen wachtten, zodat ik een eerlijk proces kon krijgen? Toen kwam Richard, en ik zag dat de waarheid heel anders was.

'Zo, lieve.' Het had evengoed een begroeting kunnen zijn bij een gezellige bokaal mede. Zij stem klonk beminnelijk. Zijn blik ging het kamertje rond en kwam weer op mij te rusten. 'Je heerschappij als vrouwe van Harrowfield heeft wel erg kort geduurd. Ik had je voor listiger gehouden; ik had het blijkbaar mis. Het was een domme fout, lieve, heel dom. Je speelde me precies in de kaart.' Hij snoof de lucht eens op. 'Raar luchtje hier. Doet me aan varkensdraf denken.' Hij trok een sneeuwwitte linnen doek uit zijn zak en bette zijn neus. Ik rook een vage geur van bergamotolie. 'Dat stoort jou natuurlijk niet. Ik kan me zo voorstellen dat het bij jou thuis behoorlijk... ruw toeging. Ik heb gehoord dat jouw soort er geen been in ziet zich in zijn eigen vuil te wentelen. Vuiligheid zoekt vuiligheid.'

Ik klemde mijn kiezen op elkaar en keek strak naar mijn werk. *Als Red kon horen dat je dat tegen mij zei, zou hij je vermoorden. Oom of geen oom.*

Hij lachte. 'O, dat vind ik nou leuk, die grimmige trek om je mond, die vonkende ogen. Wat gaat er toch om in dat hoofdje, vraag ik me af? Denk je soms dat Hughie je misschien spoorslags te hulp zal komen? Dat lijkt me niet. Geen schijn van kans. Waar hij ook heen is, het is heel ver weg. Dat kun je wel aan hun gezichten zien. Sommige mensen willen hem erg graag bereiken, hoor ik, maar het schijnt dat niemand precies weet waar hij is. Je hebt hem toch niet ook iets aangedaan?' Zijn ogen vernauwden zich. 'Ik neem aan dat dat niet bij het plan hoort. Ik heb een rol voor Hugh in gedachten en ik zal ervoor zorgen dat hij die volgens mijn wensen vervult. Je hoeft niet op redding uit die hoek te hopen, meisje. Hij komt niet. Niet voor jouw zaak afgehandeld is. Dan ben je dood en begraven, voorgoed weg uit het leven van mijn neef en uit het mijne. Mijn netwerk strekt zich ver uit. Wanneer hij op weg is naar huis, zal ik het weten; en dan krijgt hij misschien... oponthoud. Niets ernstigs, hoor; alleen wat afleiding om hem lang genoeg uit de buurt te houden.'

Mijn handen konden even niet verder; de spoel bleef tussen de scheringdraden steken. *De ene voet na de andere.* Ik ademde weer in, en trok de inslag strak aan.

'Daar had je even niet van terug, hè? Je dacht toch zeker niet... nee, zelfs jij zou niet zo dom kunnen zijn. De doodstraf is de enig mogelijke straf, lieve. Het enige waarover moet worden nagedacht is de manier waarop. Zoveel mogelijkheden om uit te kiezen, de ene al... pikanter dan de andere. Bijvoorbeeld een bepaalde afstand afleggen met een zwaar blok gloeiend ijzer. Lijkt me niets voor jou. Of een steen uit een vat met kokend water vissen. Dat heb ik weleens zien doen; de man moest wel even worden... overreed. Je hebt de snelle methoden, ophanging, verdrinking, allerlei varianten met een mes. Die zijn minder amusant. Ik voel meer voor iets met hitte. Het is een moeilijke beslissing. Daarom wacht ik op hulp van goddelijke zijde. Pater Stephen van Ravenglass is de vertrouweling van de bisschop, een geleerd geestelijke en een oude vriend van me. De eerwaarde pater is heel vaardig in het uitdrijven van demonen, en het reinigen, en hij weet wel raad met hekserij. Ik verlaat me helemaal op zijn oordeel. Ik kan me niet één gelegenheid herinneren dat we het oneens waren. We denken hetzelfde. Zijn steun zal mijn uitspraak... respectabel maken. Dat lijkt me van groot belang wanneer je echtgenoot terugkomt.'

Ik voelde een rilling over mijn rug lopen. Ik zou pater Brien mijn leven hebben toevertrouwd, en ik had wijsheid en goedhartigheid gezien in het gezicht van de man die mijn huwelijk had ingezegend, die nacht in het bos. Maar iets zei me dat er geen begrip zou zijn in de ogen van pater Stephen. Ik begon nu toch eindelijk echt te geloven dat ik zou sterven. Maar mijn vingers gingen door met hun regelmatige bewegingen, in en uit, in en uit, terwijl ik weer een lap weefde voor het zesde hemd.

'Weet je,' merkte Richard op, 'misschien ben je echt een dommerdje. Misschien versta je onze taal in werkelijkheid niet zo goed als Hugh denkt. Ben je niet bang? Zou je niet de kans willen krijgen om jezelf te redden? Elk ander meisje zou me nu op haar knieën smeken. En het zou gemakkelijk zijn. Heel gemakkelijk.' Hij zat bijna te spinnen, als een tevreden kat; maar geen kat zou zich zo walgelijk gedragen.

'Onder die viezigheid ben je nog best een sappig sletje,' zei hij zacht. 'Is het nooit bij je opgekomen dat je waren hebt om handel mee te drijven? Ik ben een man, lieve. Ik kan misschien worden afgekocht. Maak je knopen los, laat me het vlees zien waar

je kleren de blankheid ervan verbergen. Of zal ik het voor je doen?' Ik spuwde, precies raak, op de teen van zijn glimmend gepoetste laars. Hij schaterde van het lachen.
'O, hemeltje! Ze vatte het serieus op! Goed zo, hoertje! Haar waardigheid is in het geding! Je denkt toch niet echt dat ik mijn handen aan jou vuil zou willen maken? Besmeurd met je eigen vuil, en dan die grote, ruwe klauwen? Een tijd geleden had ik het misschien gedaan. Maar mijn nood is niet zo hoog dat ik genoegen moet nemen met wat mijn neef overlaat. Ik heb veel betere vooruitzichten op het oog; die jonge weduwe bijvoorbeeld, hoe heette ze ook weer, Molly, of Mary? Die toont me veel te veel belangstelling voor jouw lot; ik vraag me zelfs af of ze wel geschikt is om een jongen op te voeden. Daar moet ik iets aan doen. Stappen ondernemen. Die heeft een goeie, sterke man in haar leven nodig, om haar weer op poten te zetten, haar wat kunstjes te leren. Goed, lieve. Nu laat ik je weer alleen. Amuseer je. Het zal niet lang meer duren.'
Er was geen tijd voor haat. Geen tijd voor angst. Na enige tijd ontdekte ik dat ik sommige dingen ook in het donker kon doen, en daarna sliep ik niet meer. Er was geen tijd om te rusten. Ik kreeg het voorpand van het laatste hemd af, en begon het rugpand te weven. Buiten was het seizoen vergevorderd, en de eerste herfstbladeren werden langs mijn kleine stukje hemel geblazen. Ik schatte dat het bijna Meán Fómhair was, en dat ik hier al drie maanden gevangenzat. Voor mijn geestesoog zag ik de late rozen in volle bloei, de dikke, glanzende bramen en bessen aan de struiken, de bijen bezig tussen de massa's lavendel. Ik dacht, de appels worden al rijp. Hij zei... maar ik mocht die gedachte van mezelf niet afmaken, want er was geen tijd voor dwaze hoop. *Spin. Weef. Naai. De ene voet voor de andere. En weer. Steeds verder voorwaarts in het donker.*
Richard kwam bijna elke dag. Soms bleef hij maar even, maar vaker was hij in een mededeelzame stemming en wilde hij praten. Nu hij mij, dacht hij, in zijn macht had, werd hij minder voorzichtig. Ik kon immers toch niet herhalen wat ik had gehoord, zelfs als ik de gelegenheid zou krijgen, wat niet waarschijnlijk was. En zo begon ik, beetje bij beetje, alsof er met kleine stappen een puzzel werd opgelost, een andere kant van het verhaal te horen.

'Zo, daar zijn we weer. Ik kan niet zeggen dat je er goed uitziet, lieve, dat zou toch iets te veel vergen van de fantasie. Ze geven je toch wel genoeg te eten? Net genoeg. Ik wil dat je in leven wordt gehouden tot het proces. Het moet er toch op lijken dat er recht wordt gedaan. Jammer dat pater Stephen zo lang is opgehouden. Drukbezette man. Maar hij komt, vrees niet. Trouwens, als het al te lang duurt, doen we het maar zonder hem. Hugh is zwak. Verblind, zogezegd. Het is dus te riskant om te wachten tot hij terug is. Zelfs hierna, zelfs nadat je ervandoor bent gegaan om je door een andere man te laten bevredigen, en onder zijn neus zijn geheimen te verkwanselen, kunnen we er niet van op aan dat de jongen zal doen wat hij hoort te doen. Nee, het moet snel gebeuren, en in het openbaar. Duidelijk. Definitief. Dat is wat de mensen verwachten, en dat is wat ik hun zal geven. Iets spectaculairs met vuur, denk ik. Op die manier komen we van de tovenares en haar toverkunsten af in één duizelingwekkend, oogverblindend spektakel van hitte en licht. Orgastisch. Heerlijk. Wat een genot zal dat zijn.'
Mijn handen waren stug bezig met hun werk; ik dwong mezelf om langzaam te ademen. Toch was er vermoedelijk iets op mijn gezicht te lezen.
'Het was wel verleidelijk,' zei hij, terwijl hij achterover tegen de muur leunde, met de kruk gekanteld op twee poten. 'Heel verleidelijk. Dat handwerkje is erg belangrijk voor je, hè? Wat zou je voor me gedaan hebben om het terug te krijgen? Zou je me...' Wat nu volgde zal ik hier niet herhalen, want het waren uitspraken die nog te erg waren voor het laagste gezelschap dronkenlappen. 'Dat had ik graag geprobeerd. Maar mijn zuster stak er een stokje voor. Op bevel van haar lieve Hugh. Niet te geloven. Nadat ik haar had verteld wat jouw mensen met Simon hebben gedaan. Maar goed, het geeft een soort pervers genot toe te kijken terwijl jij jezelf pijn doet, hoertje. Waarom doe je dat? Word je er opgewonden van? Heb je behoefte aan pijn, om bevredigd te worden? Je bent met de verkeerde man getrouwd, dochter van Ierland. Hij zou nooit genoeg zijn geweest voor jou. Bovendien,' en zijn stem veranderde, 'hij was al verloofd. Dat vergat hij voor het gemak, maar ik vergeet het niet. Ik weet hoe het zou moeten zijn. En hoe het zal zijn, wanneer jij uit de weg bent geruimd.

Hugh zal Elaine huwen. Harrowfield zal Northwoods huwen, en zo zal in één grootscheeps gebaar het grootste en rijkste landgoed in Northumbrië ontstaan. Gemakkelijk, heel gemakkelijk. En bedenk eens wat het voor een man betekent, zoveel macht te bezitten. Met één klap slaat hij alle stukken op het bord. Dat bevredigt hem zoals geen vrouw het kan. Tot wie zullen zijn buren zich wenden om bescherming te krijgen? Wie zullen ze de opleiding van hun krijgers en de aanschaf van hun wapens toevertrouwen? Wie zullen ze betalen om in de gunst te blijven?' Hij grijnsde en rekte zijn armen achter zijn hoofd breed uit. 'Geloof me, meisje, een man die dat soort macht op het spoor is laat zich door niets weerhouden. Door niets.'

Hebben we het nu over Hugh van Harrowfield? Ik kon niet verhinderen dat mijn wenkbrauwen spottend en ongelovig omhoog gingen.

'Hugh is kneedbaar. Hij geeft alleen om zijn bomen en zijn vee en zijn keurige leventje. Elaine lijkt op mij. Alles moet gaan zoals zij wil. Het probleem was dat wat zij wilde niet met mijn plannen strookte, helemaal niet. Er was geen vuiltje aan de lucht tot ze groot begon te worden, dertien, veertien, ze was gewend alles te krijgen wat ze wilde; tot die tijd hoefde ik nooit nee te zeggen. Een nieuwe pony, een grote windhond, juwelen, mooie kleren. Maar ze zondigde tegen de regels. Ze werd verliefd op de verkeerde broer.'

Elaine en Simon? Dat was een mogelijkheid waaraan ik nooit had gedacht. Maar het verklaarde veel. Het verklaarde met name haar houding ten opzichte van Red, want nu begreep ik dat ze hem echt als een broer had behandeld. Arme Elaine. Een van de twee was dood, en de ander was met mij getrouwd. Ze had niet verdiend hen allebei kwijt te raken.

'Toen ze daar eenmaal haar zinnen op had gezet, was ze er niet meer van af te brengen,' vervolgde Richard. 'Ik moest het uiteindelijk tegen haar zeggen. Het gaat niet. Nee. Domweg nee. Ze vond het niet leuk. Maar ik ben haar vader. Hugh is een melkmuil, hij heeft niet dat harde, het meedogenloze dat een man moet hebben om het te redden, om vooruit te komen. Een boerderij leiden, dat kan hij goed, dat moet ik hem nageven. Maar hij is zwak. Volgzaam. Dat begrijp jij waarschijnlijk beter dan wie ook, slet-

je. Jij hebt hem immers ook met gemak naar je hand kunnen zetten? Als hij daar al geen weerstand aan kon bieden, hoe goed denk je dan dat hij zich tegen Richard van Northwoods zou kunnen weren? Hij trouwt dus met mijn dochter, en de hele vallei is van mij. Als ze de jongste broer had genomen, had de zaak heel anders gelegen. Hopeloos. Om te beginnen zou hij niets erven, tenzij... bovendien was hij te wild. Onvoorspelbaar. Onevenwichtig, zou je haast kunnen zeggen. Geen veilige keus. Nee, zo is het beter. Of liever, was het beter, voordat jij op het toneel verscheen...'
Hij ging plotseling naar voren zitten, zodat de poten van de kruk met een klap op de stenen vloer neerkwamen.
'Weet je, ik dacht dat Hugh je had meegenomen om informatie te krijgen. Zo zag het eruit. Jij wist iets dat hij nodig had. Hij wachtte tot je zou gaan praten. Een spel van kat en muis. Dat kon ik begrijpen. Maar mijn neef heeft nooit ook maar de minste belangstelling getoond voor dat soort strategie. Heeft nooit een vinger uitgestoken om te helpen bij de veldtochten, nooit ook maar iets bijgedragen aan ons streven. Het interesseerde hem absoluut niet. Waarom zou hij er nu dan ineens mee bezig zijn, vroeg ik me af? Het moest iets met zijn broer te maken hebben. Met de jonge Simon. Op de een of andere manier was jij daarbij betrokken. Je wist iets dat je hem kon vertellen. Toentertijd had ik de indruk dat je best zou kunnen praten als je wilde. Er mankeerde niets aan je, dacht ik. Soms zag ik dat je op het punt stond om iets te zeggen, dat je je mondje al opendeed, maar dan de woorden inslikte.'
Ik wond de draad op de spindel, voelde de vezels scherp langs mijn vingers gaan, en wist dat mijn handen weer rauw en stinkend werden, door gebrek aan licht, door vuil en verwaarlozing en misbruik.
'Maar toen kwam dat ongeluk. Kan gebeuren. Rotsen storten neer, mensen raken gewond. Een ongelukkig natuurverschijnsel. Ze zeiden dat je geen kik gaf, dat je niet om hulp riep, niet gilde, niets. Ik kan niet geloven dat je niet zou schreeuwen. Zoveel zelfbeheersing heeft geen enkel meisje. Ik moest wel concluderen dat je aandoening echt is. Je kunt echt niet praten. Je bent stom. Je zwijgt als het graf. Het geeft iets pikants aan de huidige situatie. Het betekent dat ik naar hartelust kan babbelen, de geheimen van mijn

ziel blootleggen, en jij kunt niemand iets vertellen. Niets. Toch zal het jammer zijn dat ik je niet zal horen krijsen wanneer het vuur aan je enkels likt, en je jurk vlam vat, en wanneer dat zachte blanke vlees een overgaar stuk gebraad wordt.'

Toen hij weg was, gaf ik mezelf toestemming om te huilen, even maar. Ik gaf mezelf toestemming om naar het raam te staren, waar de regen zijwaarts langs viel, en waar bij vlagen een koude wind door naar binnen woei, en ik stond mezelf toe te denken: als hij hier was, zou hij je vermoorden. Het was dus maar goed dat hij niet hier was. Als hij hier was, zou hij voor een keus staan die hem zou breken. Het was beter dat hij niet terugkwam, tot na...

Maar ik was wel bang. Bang om dood te gaan, bang voor het vuur. Bang dat ik te langzaam werkte, dat ik niet op tijd klaar zou zijn... Ik huilde niet lang. Het stemmetje was er nu voortdurend. *Spin. Weef. Naai.* Ik werkte door, en het half voltooide hemd, het laatste van de zes, was bevlekt met bloed van mijn handen, en met vuil van de kamer, en het was nat van mijn tranen. Hij die dit kledingstuk zou dragen, zou mijn liefde, mijn pijn en mijn angst dragen. Deze dingen zouden hem de vrijheid geven.

Ik herinner me toch een goed moment in die donkere tijd. Ik was gewend geraakt aan mijn bewakers. Ik kende hun namen niet, maar er was een oudere man bij die ik weleens in het gezelschap van Ben had gezien. Hij kwam niet vaak, en wanneer hij kwam was de weerzin over de vuile, donkere cel en de taak die hij moest vervullen duidelijk op zijn gezicht te zien. Er was een dag dat hij de emmer bracht, en zoals gewoonlijk in de hoek smeet, en toen haalde hij een klein pakje uit zijn zak dat hij tersluiks in mijn mand stopte.

'Kop op, meid,' mompelde hij, en toen was hij weer weg, en de zware deur viel dreunend achter hem dicht. In het pakje zat vers, lekker brood met tarwekorrels erin, en een klein rond kaasje, en een handvol bramen. Ik deed er een hele tijd mee, want ik wist dat mijn maag zulke kost misschien niet zou verdragen, nadat ik zo lang honger had geleden. Ik deelde de kruimeltjes brood en kaas met de ratten, want ik vond dat die ook weleens iets lekkers mochten hebben. Daarna zag ik die bewaker niet meer, maar zijn vriendelijke daad gaf me een warm gevoel. En ik herinner me nog steeds hoe heerlijk dat voedsel smaakte, de gele rijpheid van de

kaas, de zure, sappige bramen, het brood met zijn geur van de open velden. Elke hap in mijn mond.
Het hemd groeide. Het was verbluffend hoeveel ik gedaan kon krijgen als ik de pijn vergat, als ik alleen sliep wanneer ik daartoe door totale uitputting werd gedwongen, als ik dag en nacht doorging. Ik zou niet kunnen zeggen wat me het meest voortdreef, liefde of angst. Maar het hemd kreeg vorm terwijl de dagen en de slapeloze nachten elkaar opvolgden, terwijl de windvlagen die door mijn raampje naar binnen woeien de geuren van de herfst begonnen mee te brengen. Brandend loof. Fruit dat gekookt werd in de inmaakpan. De riviernevel die opsteeg in de kilte van de vroege ochtend. En er waren ook geluiden. Mannen die de oogst aan knollen uitlaadden voor opslag in de schuur. Het was oogsttijd, en ik was nu bijna een heel jaar op Harrowfield. Vrouwen die ruziemaakten. Wagenwielen op het grindpad. Op een ochtend, een enkele ruiter die in alle vroegte uitreed. Het deed er niet veel toe. Het leek erop dat het huishouden, nu ik opgesloten was, weer in de vredige sleur van vroeger was teruggevallen. Alsof ik er nooit geweest was. Want ik had niemand gezien, sinds die ene keer dat vrouwe Anne me had bezocht; niemand behalve mijn bewakers en heer Richard. Misschien waren ze me vergeten.
Het wachten kon niet eeuwig duren. Er kwam een dag dat ik het geluid van beslagen hoeven op de binnenplaats hoorde, en rammelende harnassen, en mannenstemmen. En toen Richard die middag kwam, was hij in een triomfantelijke stemming. De vertegenwoordiger van de bisschop was eindelijk aangekomen, en het was tijd om mezelf te verdedigen voor een formele rechtbank. Dat zou morgen plaatsvinden, en dan... Richard was opgetogen, bijna buiten zichzelf van vreugde. Ik dacht: waarom haat hij zijn neef toch zo? Want daar ging het eigenlijk om. Het gevoel van macht wond hem op, dat was zeker, maar er blonk een bepaald licht in zijn ogen wanneer hij Reds naam uitsprak dat volgens mij aan waanzin grensde. Hij maakte die dag een fout. Hij liet zich meeslepen door de aanstaande overwinning en zei te veel.
'Laten we het maar eens over vuur hebben.' Hij keek met toegeknepen ogen toe terwijl ik de rand van het hemd omwoelde met onhandige, rukkerige bewegingen van naald en draad. Soms werden mijn vingers gevoelloos en dan was het moeilijk om ze te la-

ten doen wat ik wilde. 'Als je de goede materialen hebt, kun je met vuur interessante dingen doen. Het zou je verbazen van wie ik dat heb geleerd. En het zou je vader ook verbazen, lieve.'
Heel even verstijfde ik.
'Aha! Daar raakte ik een zenuw, nietwaar? Ons vermoeden was dus juist. Ze dacht al dat jij het was, toen ik je beschreef. Wil je nog meer horen?'
Ik bewoog de naald naar onderen, naar boven, door het weefsel heen. Weer een steek. En nog een.
'Dat ga ik hem natuurlijk niet vertellen. De geleerde pater. Die hoeft het niet te weten, hè? Je schuld is duidelijk; we hoeven geen olie op het vuur te gooien.' Hij lachte giechelend; het was geen prettig geluid. 'Een smakeloos grapje; neem me niet kwalijk. Maar goed; waar was ik. Ik heb een interessante tijd gehad tijdens mijn laatste reis naar jouw vaderland, jonge vrouw. Een paar mannen verloren, dat was jammer. Ik heb niet de buitenpost kunnen vestigen die ik wilde; dat was nog betreurenswaardiger. Maar wanneer ik eenmaal kan beschikken over de middelen van Harrowfield, ben ik niet meer te houden. Dit was een kleine tegenslag. Meer niet. Ik heb het al van me af gezet. De informatie die ik kreeg, dat is weer iets anders.'
Hij boog zich naar voren, met een felle blik in zijn ogen.
'Manieren om een heet vuur te maken. Manieren om een heel speciaal vuur te maken dat een lichaam verteert en alleen kale botten overlaat. Ik heb het zien toepassen. Hij heeft het me laten zien. Een man van jouw soort; maar toch een man naar mijn hart. Schrander. Een echte krijger. Besluitvaardig. Eamonn doet niet aan valse idealen. Hij levert je alles wat je wilt, als het hem zo uitkomt. Mannen, wapens. Informatie. Als jij iets hebt dat hij wil hebben, geeft hij het ervoor.'
Het viel niet mee om door te gaan met werken, en het lukte niet mijn gezicht kalm te houden. Eamonn. Eamonn van de Moerassen? Die onderhandelde met een Brit? Ik kon het nauwelijks geloven. Zowel mijn vader als Seamus Roodbaard hadden Eamonn beschouwd als een van hun trouwste vazallen. Hij was toch met Eilis getrouwd? Wie speelde er nu spelletjes?
'We zijn niet allemaal hetzelfde als Hugh, weet je,' vervolgde Richard, terwijl hij lette op de uitdrukking op mijn gezicht. 'Vol ge-

zwollen idealen en halfzachte naastenliefde. Als we allemaal zo waren, zouden het niet alleen de Eilanden zijn die verloren zouden gaan. Jouw soort zou als een zwerm ongedierte over ons heen walsen, en niets zou veilig zijn; het zou het einde van de beschaafde wereld betekenen. Geloof me, het zijn mannen zoals ik die het land beveiligen, zodat Hugh rustig met zijn kippen bezig kan zijn en zijn kostelijke eiken kan planten.'

Ik staarde hem nu aan, en deed niet eens meer alsof ik werkte.

'Ik heb de beste ruil van mijn leven gedaan, op deze laatste reis. Ik had het toch al over die vrouw, hè, opmerkelijke vrouw, ze zei niet hoe ze heette, maar ze was een vriendin van Eamonn, dikke vrienden, die twee, en ze was speciaal in jou geïnteresseerd, de laatste keer dat we elkaar spraken. Zij vertelde me dat verhaal, over de kinderen van Zeven Wateren en hun geheimzinnige verdwijning.'

Mijn hart bonsde. Vrouw? Welke vrouw? Hij kon Eilis toch zeker niet bedoelen?

'Ik heb toen een aanbod gedaan. Ik zei dat als jij Colums dochter was, ik tegen betaling zou zorgen dat je veilig terugkwam. Betaling in grond, bij voorkeur. Een leuk lapje tussen het bos en de kust. Colum zou dat niet leuk vinden. Maar ze zeiden dat hij half krankzinnig was geworden door het zoeken naar het meisje. Misschien was hij krankzinnig genoeg om mij te geven wat ik wilde. Het was het proberen waard.'

Ik had moeite met ademen.

'Zij bracht de boodschap over aan Colum, die eerste keer. Bijzondere vrouw. Bos kastanjebruin haar, verrukkelijk figuurtje, echt betoverend. Dat vond Eamonn duidelijk ook. Hij besteedde niet veel aandacht aan dat pafferige vrouwtje van hem. Maar goed, ze was o zo vriendelijk. Ze zei dat ze mijn aanbod zou overbrengen en gaf me een paar van haar eigen mannen mee om me te begeleiden op de terugweg naar de kust. Die heb ik nog steeds. Degelijke kerels. Zwijgzaam, en heel bedreven met een mes, of met hun handen. Daarom ging ik er deze keer heen in de verwachting van een gunstig antwoord van Zeven Wateren. Ik was optimistisch gestemd. Niet alleen zou ik van jou af zijn, maar ik zou een onverhoopt voordeel behalen. Colum was altijd de zwaarste hindernis. Wilde nooit onderhandelen, zelfs niet met zijn vazallen.

Een krachtige positie. Iedereen is bang voor hem. Maar dit was anders, redeneerde ik. Zijn enige dochter en zo.' Ik wachtte terwijl hij zijn vingernagels glanzend wreef en zijn hand uitstrekte om ze te bekijken. Hij speelde met me en genoot van elke seconde.
'Waarom zou een Iers clanhoofd zich met zo iemand als mij inlaten, wil je misschien weten? Wat had Eamonn erbij te winnen? Dat vertelde hij er niet bij, niet volledig. Maar hij stelde belang in jou, en in je vader. Vergeet niet dat ik in zijn huis was toen ik het verhaal over Colums zonen voor het eerst hoorde, dat ze op een dag spoorloos verdwenen waren. Het schijnt dat ik niet de enige ben die weleens... over de grens wil kijken. Colums gebied valt ons misschien in de naaste toekomst als een rijpe appel in de schoot. En Eamonn heeft een paar trucs die ik in het veld zou kunnen gebruiken. Ik heb mannen, en met de middelen van Harrowfield kan ik ze beter bewapenen dan welke andere krijgsbende ook, aan beide zijden van het water. Wat zouden wij samen niet kunnen bereiken?'
Je bent een idioot, dacht ik. Een op macht beluste idioot. Eamonn speelt gewoon met je, en vrouwe Oonagh ook. Zodra ze hebben wat ze willen, zullen ze je wegdoen als een uienschil. In dit spel ben je een absolute beginneling. *Maar wat zei mijn vader?*
'Nou ja, dit bezoek werd een hele verrassing,' zei hij openhartig. 'Ik had de mannen achtergelaten om zichzelf te redden, en reisde zoals ik meestal doe, onder dekking, om mijn vazal op zijn eigen terrein een bezoek te brengen. Moerasland. Eindeloze veenmoerassen. Een troosteloos oord. Geen wonder dat hij naar het zuiden wil uitbreiden. Maar het is gemakkelijk te verdedigen, dat wel. Nou goed, ik kwam er veilig aan. Zij was er ook weer op bezoek, die roodharige dame, indrukwekkende vrouw. Maar Colum had mijn aanbod afgewezen. Dochter of geen dochter, hij wilde me geen duimbreed tegemoetkomen. Hij zei dat als zij temidden van buitenlanders wilde wonen, ze zijn dochter niet was. Wat ze gezaaid had, moest ze ook maar oogsten. En als ik dacht dat hij er ook maar over zou denken zijn zwaarbevochten land weg te geven voor zo'n onnozele reden, dan was ik zeker nog dommer dan de rest van mijn volk. Dat doet pijn, hè, kleine heks? Je hoeft geen hand voor je gezicht te houden, want dat aandoenlijke traan-

tje dat over je wang druipt kun je toch niet verbergen. Ja, het ziet ernaar uit dat ze je niet terug willen hebben. Ik kan het ze ook niet kwalijk nemen; je ziet er op dit moment ook niet bepaald aantrekkelijk uit. Maar goed, het was wel een teleurstelling, kan ik je zeggen, dat ik met lege handen terugkwam. Maar toen deed die dame me een tegenaanbod. Ze stelde eerst allerlei vragen over jou. Of je hier medestanders had, hoe je je tijd doorbracht, wat je de mensen over jezelf vertelde. Ik vertelde haar dus over onze Hughie, dat die verkikkerd op je was, maar dat je niet wilde, nog niet; dat je je stem kwijt was, en dus geen geheimen kon verraden; dat je je tijd besteedde met heksenwerk waarmee je je handen vernielde. Ik merkte dat mijn antwoorden haar niet bevielen, maar ze geloofde ze wel.

Toen deed ze me dat aanbod. Ik zou inlichtingen krijgen, heel precies, over Colums bewegingen in de herfst en de winter, genoeg om de inname van die baai zeker te stellen. Genoeg om me de basis te geven die ik nodig had. In ruil daarvoor hoefde ik niet meer te doen dan jou te laten verdwijnen. Ze zei zelfs hoe ik dat moest doen. O, ze vond het best als ik eerst wat met je speelde. Ze begreep dat dat het juist leuk maakt. Maar zorg wel, zei ze, dat het meisje verbrandt en dat haar heksenwerk tegelijk met haar verbrandt. Dat is de enige manier om een tovenares te vernietigen. Met heet vuur. Eamonn had de methode om dat te maken, en die heeft hij me zelf laten zien. Eerst koop je een redelijke hoeveelheid blauwsteen, zogenaamd om stof te verven, snap je? Dat kost wel meer dan een paar stuks prima runderen, maar het is het waard. Meer dan waard. Je maakt het fijn in een vijzel, heel fijn, tot je een poeder krijgt dat er even onschuldig uitziet als stof. Dat vermeng je met een uitstekende kwaliteit olie. Dan kun je het gebruiken. Je hoeft maar een beetje van dat mengsel over de takkenbossen te sprenkelen om een mooie steekvlam te krijgen. En nog kleurig ook; vooral dat groen is mooi. Het brandt geweldig. Het is heet. Het is hongerig. Maar Eamonn is daar nog niet tevreden mee. Hij prepareert het hout van tevoren; hij laat het in het mengsel weken; het hout zuigt het mengsel op tot het ermee verzadigd is. Dan laat hij het drogen. Dat zou je eens moeten zien, wanneer de vlammen eraan likken. Ik heb een interessante lading blokjes essenhout meegebracht, de laatste keer dat ik bij mijn vriend ben geweest. Ik ben voornemens ze in de zeer nabije toekomst te gebruiken. Dat zei die vrouw tenslotte ook. Doe het snel, zei ze. Vernietig dit meisje snel. Je moet het doen voor ze... vertel eens, lieve, hoeveel van die hemden heb je al gemaakt?'

Ik verroerde geen vin. Ik durfde nauwelijks te ademen.

'Laten we maar eens kijken, hè?' Hij stond in één soepele beweging op en legde zijn handen op mijn mand. 'Niet dat ik zelf in magie geloof. Maar ja, ik heb het beloofd. Hoeveel zijn het er, vier, vijf?'

Ik sprong op en mijn handen grepen wanhopig naar de mand, klemden zich vast, maar ik was zwakker geworden dan ik besefte en hij veegde me opzij als een lastig insect.

'Een, twee, drie, vier, vijf. We hebben hard gewerkt, hè? En nog een dat bijna af is. Goed gedaan hoor, kleine tovenares. Maar er is nu niet veel tijd meer. Ik denk niet dat het me veel moeite zal kosten aan het verzoek van de dame te voldoen. Zorg dat je het doet voor het meisje het werk af heeft, zei ze. Neem ze bij elkaar, de kleine tovenares en haar werk. Verbrand ze samen. En kom dan verslag uitbrengen. Ik wil het precies horen.' Hij glimlachte. 'Een keurig einde, nietwaar? Keurig voor ons allemaal. Hugh zou dat goedkeuren. Hij hield altijd van een keurig leven.'

Ga weg. Ga nu, voordat de schok en de angst en de walging me te machtig worden. Ga nu, voordat de woede me ertoe brengt iets doms te proberen. Adem, Sorcha. In, uit. In, uit.

'Keurig in elk opzicht. Nou ja, bijna. Het heksenmeisje sterft; de vallei is gered. Elaine trouwt met Hugh. Richard van Northwoods vestigt zijn buitenpost op de verre kust. Eamonn van de Moerassen voegt een flink stuk bos aan zijn gebied toe. De wens van de geheimzinnige roodharige dame wordt vervuld. En iedereen leeft nog lang en gelukkig. Alleen jammer van Simon. Hij is het stukje dat niet helemaal past. Er had een plaats voor die jongen kunnen zijn onder mijn bevel, als hij geleerd had zich een beetje aan de regels te houden. In het veld was hij heel bekwaam. Iemand heeft hem dat goed geleerd. Maar hij werd te nieuwsgierig, meer dan goed voor hem was. Hij hoorde toevallig iets dat beter verzwegen kon worden. Zag iets dat hij niet had mogen zien. Hij was niet meer te vertrouwen met die kennis. Dat interesseert je wel, hè?'

Ik kon er niet toe komen mijn werk weer op te pakken, maar bleef gehurkt bij de mand zitten, met mijn armen er beschermend over uitgestrekt. *Ga weg*. Zijn aanwezigheid verpestte de lucht die we inademden. En toch moest ik het einde van zijn verhaal horen. Het einde van deze speciale waarheid.

'Het kwam erg ongelukkig uit. Mijn eigen neef en zo. Maar ik kende de jongen; hij zou regelrecht naar zijn broer zijn gegaan, en dan had hij alles verteld. En zelfs Hugh zou dat niet naast zich neer hebben kunnen leggen. Want zoals je weet, gaat ons soort niet met jouw soort om. Gezworen vijanden. Water en vuur. Maar hij had me gezien, en gehoord, in gesprek met de man van Eamonn. Wie weet wat hij gehoord had. Daarom moest ik opdracht geven dat hij moest worden... verwijderd. Tot zwijgen gebracht. Geëlimineerd. Gelukkig heb ik een man die daar veel ervaring mee heeft. Het probleem was dat ik er iets te lang mee had gewacht. Een ernstige fout. De jongen was opeens verdwenen. Hij was in zijn eentje vertrokken, wie weet waarheen en waarom? Ik vermoed dat hij dacht dat hij een soort held zou worden. Zo was Simon altijd, eerst doen, dan pas denken. Natuurlijk ging ik hem zoeken, ik moest de juiste indruk wekken, mijn naaste familie en zo. Met wat hij wist was elk ogenblik dat hij daar ergens rondzwierf er een te veel. Het zoeken leverde niets op; en toen ik terugkwam, waren ze allemaal dood. Tot de laatste man. Afgehakte ledematen, lichamen aan flarden. Beenderen verstrooid in de modder. Tot de laatste man. Het zou jaren duren voor ik mijn speciale legertje weer op dat peil van bekwaamheid zou hebben.'

Zijn stem klonk verbitterd. Ik dacht: dit tekent de man, dat hij zijn mensen alleen waarde toekent als werktuigen in zijn streven naar macht.

'Colum. Dit moesten Colum en zijn zonen zijn. De ongrijpbare, onvindbare krijgsheer, die in staat scheen te zijn de stukken van zijn tegenstander van het bord te vegen wanneer hij maar wilde, en dan even geluidloos te verdwijnen als hij had aangevallen. Colum van Zeven Wateren. Geen wonder dat zoveel mannen hem haten en vrezen. Ik kwam tot de slotsom dat Simon gevangengenomen was, en ons verraden had. Wie anders had de positie van mijn mannen kunnen onthullen? De jongen bleek even zwak als zijn broer, veel bravoure aan de buitenkant, geen ijzer vanbinnen.

Heel bedreven met een zwaard of een boog, of met hun vuisten; maar je kunt niet op hen rekenen wanneer het ernst wordt. Dat zul je toch met me eens zijn. Waar is Hugh nu, nu je hem nodig hebt? Hij is niet bepaald naar huis komen snellen om het vrouwtje te redden, of wel soms? Hij heeft wel wat beters te doen. Wat dat dan ook mag zijn, en ik zou heel graag willen weten wat het is. Maar goed, toen ben ik naar huis gegaan. Heb aan mijn zuster gemeld: je zoon is zoek. Niemand weet waar hij is. Dat was in elk geval waar.

Ik maakte me wel even ongerust toen Hugh hem een tijdje later ging zoeken. Alsof hij niet geloofde wat ik hun had verteld. Ik maakte me ongerust over dat stukje informatie dat misschien naar buiten zou komen, aangenomen dat de jongen nog ergens in leven was. Ik dacht dat jij er misschien iets over wist; waarom zou mijn neef anders zo'n Iers mormel mee naar huis nemen? Ik wilde je dwingen om te praten. Als jij familie was van Zeven Wateren, was het belangrijk je aan het praten te krijgen, voor je je mond voorbijpraatte tegen mijn neef. Dat dacht ik. Maar ik kon niet bij je in de buurt komen, hij bewaakte je als een kostbaar juweel. Ik hield je in de gaten. Na een tijdje begon ik van gedachten te veranderen. Jij zult nooit praten. De jongen maakt zichzelf iets wijs, als hij dat denkt. Je bent een meisje; meisjes schreeuwen als ze zich pijn doen. Ze huilen als ze van streek zijn. Meisjes houden het geen dagen, maanden en jaren vol zonder ooit ook maar een kik te geven. Je zult verbranden zonder geluid te maken. En ik zal met groot genoegen het vuur aansteken, lieve. Een klap in het gezicht van Colum. Goed, hij wil niet betalen voor je terugkeer; dat begrijp ik. Maar het verhaal dat ik hem ter ore zal laten komen, zal hem niet aanstaan; hoe zijn dochter de dood vond in een heel bijzonder soort vuur. Van dat verhaal zal hij 's nachts wakker liggen.'

Hij wreef in zijn handen van voorpret. 'Ja, het is allemaal heel goed afgelopen,' zei hij. 'Eigenlijk is er nog maar één los draadje. Heel anders dan dat handwerkje van jou, lieve; dat ziet er bedroevend slordig uit; concentreer je je wel genoeg op wat je doet? Maar ach, dat maakt misschien ook niets uit. Het vuur zal jou en je zielige hemden verteren, in één grote, bevredigende uitbarsting van hitte. Spindel, spinrokken, weefraam en stof. Jurk, haar, huid, nagels. Eerst langzaam, en dan steeds sneller wanneer de vlammen je omhullen en zich naar binnen vreten. Tegen de tijd dat je echtgenoot terugkomt, zal er op Harrowfield geen spoor van je over zijn. Je zult verdwenen zijn. In rook opgegaan. Hij zal de restanten van zijn leven bijeenrapen en verder gaan. Mannen vergeten. Ze vergeten gemakkelijk. Elaine zal hem gauw genoeg in het gareel weten te krijgen. Dat meisje is heel capabel. Zij zal hier de leiding nemen, en wat mij betreft...'

Hij keek omhoog naar het raam.

'Het wordt al laat. Tijd voor een fles wijn, misschien een paar koteletjes, ik heb altijd wel trek om deze tijd van de dag.' Hij stond op en rekte zich uit. 'Ik moet me haasten, lieve. Erg leuk met je te babbelen. Ik heb langer gepraat dan ik besefte. Nou ja; morgen is er weer een dag, zeggen ze altijd. Zorg dat je klaar bent wanneer ze je komen halen. Ik heb met de dienaar van de bisschop over je zaak gesproken; je verhoor zal waarschijnlijk de hele dag in beslag nemen, en hij wil vroeg beginnen.'

Nog één nacht, dacht ik, met bonzend hart. Nog maar één nacht, dan zou er over mijn lot worden beslist. Ik moest sterk zijn, ik moest niet aan vuur denken, niet aan de dood. Ik dacht na over Richards woorden. Het was maar goed, dacht ik, dat de man zo in zichzelf opging. Als hij tijdens dit verbijsterende relaas beter naar me gekeken had, zou hij meer op mijn gezicht hebben kunnen lezen dan me lief was. Gedurende de rest van de dag en een deel van de nacht was mijn geest bezig de dingen die hij me verteld had, telkens weer te bekijken. Reds oom die samenspande met een clanhoofd van mijn eigen volk, een man die mijn vader als vriend had beschouwd. Bij nader inzien kon ik dat wel geloven. Machtsspelletjes, daar waren ze allemaal erg goed in. Dit was gewoon weer zo'n spelletje. Vrouwe Oonagh die erbij betrokken was; dat moest wel waar zijn, want ik had al vermoed dat zij de hand had in Johns dood, en in het langzaam stijgend tij van angst, argwaan en ontevredenheid dat dreigde de vallei te overspoelen, en de familie op Harrowfield mee te sleuren. En het leek erop dat Red in één opzicht gelijk had gehad. Richard had tegen hen gelogen. Hij had er geen bewijs voor dat Simon dood was. Zijn verhaal was verzonnen, op gissingen gebaseerd. Met het doel de gevoelens te doen bedaren, een streep te zetten onder dat gedeelte

van het verhaal. Dit is een afgesloten hoofdstuk. Jullie hoeven niet verder naar antwoorden te zoeken. Ik was blij dat Richard niet op mijn gezicht had gelet. Hij had niet geraden waar Red heen was gegaan en waarom. Hij mocht het niet weten. Want in mijn hart wist ik dat Richard nergens voor zou terugschrikken om te krijgen wat hij wilde. Hij genoot van het spel zolang als het duurde. Maar uiteindelijk was winnen het enige dat van belang was. Alle stukken konden gemist worden. Het verlies van een hele eenheid krijgers was zwaar, maar Richard zag dit alleen als een tegenslag, die met tijd en een paar zakken zilvergeld verholpen kon worden. Goede mannen konden gekocht en getraind worden. Ik was een bijzonder lastige en onverwachte uitdaging voor hem geweest. Maar ik had hem in de kaart gespeeld, en nu had hij me in zijn macht. Ik twijfelde er niet aan of hij zou zonder scrupules iedereen opofferen die hem in de weg stond. Echt iedereen. Als de ene neef – welk woord had hij gebruikt, geëlimineerd? – kon worden, waarom dan ook de andere niet, als hij de onverkwikkelijke waarheid over zijn oom vernam? En wie stond dan klaar om de macht te grijpen? Die arme Simon; klem gezet tussen de mannen van mijn vader en zijn oom had hij geen schijn van kans gehad.
Het was maar goed dat hij me zoveel stof tot nadenken had gegeven. Ik draaide het om en om in mijn geest, in een poging het te begrijpen, en daardoor kon ik die andere gedachten wegdrukken. Beelden van brandend vlees, van vlammen die aan blote voeten lekten en de geborduurde zoom van een jurk verkoolden. Ik zag een droge mand van wilgentenen vlamvatten, ik zag het vuur de vijf hemden van sterrenkruid verteren, en het zesde hemd, dat nog onvoltooid was; ik was bezig de eerste mouw te weven. De voor- en achterkant waren klaar, en werden bijeengehouden door een paar ruwe steken bij de schouder. Het was slordig gedaan, zoals Richard al had gezegd; mijn jongste broer zou er bekaaid vanaf komen. Maar morgen. Morgen zouden ze me ondervragen. Betekende dat dat ik morgen misschien zou sterven? Hoe kon je je laatste dag op de wereld tegemoet zien, zonder bang te zijn? Ik dacht aan de oude verhalen, aan de manier waarop de geest van de held zijn reis in deze aardse vorm zou voltooien, en op het bestemde tijdstip overgaan naar de volgende.
Een goede dood. *Het rad wentelt, en wentelt weer*. Ik dacht aan

Liams verhaal over onze moeder, die uit de wereld weggleed en kalm afscheid nam van haar zonen. Rustig, ordelijk, onvermijdelijk. Zo voelde ik me helemaal niet. Ik was boos, ik was doodsbang, mijn hart bonkte en ik kon moeilijk ademen. Mijn hoofd deed pijn. Ik was niet klaar om te sterven. Nog niet, nu nog niet. Niet voor ik mijn broers weer in mijn armen hield.
Ik sliep die nacht helemaal niet. Er moest tijd zijn om het af te maken. Die moest er toch zijn? Droeg het Feeënvolk je een taak op, om het vervolgens onmogelijk te maken die te volvoeren? Ik kon niet geloven dat de taak me zo kort voor het einde zou worden ontnomen. Ik moest hem af krijgen. Ik zou hem af krijgen. Ik vertelde mezelf geen verhalen meer, terwijl de nacht voortvloog naar de dageraad. In plaats daarvan werkte ik in het donker en vulde de ruimte om me heen met geestesbeelden, stralende beelden om de schaduwen weg te houden, zoals Finbar ooit ten koste van zichzelf voor mij had gedaan. Om de vlammen weg te houden. Om het wrede nieuws weg te houden dat mijn vader wist waar ik was, en me niet wilde vrijkopen. Daarom richtte ik mijn geest ergens anders op. Ik zag het witte strand, en de grote, ernstige zeehonden met hun zachte ogen. Ik zag Red, die naar me keek met zijn hartverscheurende glimlach en zijn oplichtende haar als een baken tegen het grijs en groen en blauw van de zee. Ik zag heel even een beeld van John die zijn zoontje in zijn armen opnam, met liefde en trots duidelijk op zijn verweerde gezicht geschreven. Margery, die met handige vingers mijn haar vlocht. *Het staat je goed. Je zult ermee moeten ophouden jezelf te verbergen.* In elk geval zag het ernaar uit dat mijn einde in alle openbaarheid zou plaatsvinden. Iedereen zou komen om een tovenares te zien branden. Nee, hou die gedachten weg. Ik zag het bos, het gezeefde zonlicht tussen de bladeren door, hoog, hoog boven mijn hoofd. Ik zag een kind over het pad dansen, blootsvoets over de zachte aarde, met haar haar donker en wild op haar schouders. Ik zag haar broer die naar haar keek met ogen als helder water, die ver, heel ver konden zien. Ik zag een meisje dat over het zand rende; ik zag haar afbeelding, klein en keurig uitgevoerd met zorgvuldige pennenstreken. De laatste tekening in het boek.
Mijn hand ging omhoog om de twee kostbare voorwerpen te grijpen die nog om mijn hals hingen, onder de bevlekte jurk. Vrou-

we Anne had gezegd dat haar zoon van mij hield. Maar het was geen liefde, als je alleen deed wat je deed omdat je wel moest, omdat je een bevel had gekregen dat je niet kon begrijpen. Hij zou terugkomen, en ik zou weg zijn, verdwenen alsof ik nooit had bestaan. Misschien kon hij de afgebroken draden van zijn leven toch nog dooreen weven. En toch wilde ik dat hij nu hier was. Ik had hem hier nodig. In het donker kon ik, als ik heel stil zat, zijn aanwezigheid bij me bijna voelen, heel dichtbij, maar niet te dichtbij. Ik heb je toch beloofd dat ik voor je veiligheid zou zorgen, zou hij zacht zeggen. Ik heb nog nooit een belofte gebroken. Kijk niet zo bezorgd, Jenny. En toch deed hij altijd voorzichtig. Voorzichtig om niet te dichtbij te komen. Om me niet bang te maken. Hij wachtte nog altijd. Ik ben je beschutting. Wees niet bang.

HOOFDSTUK DERTIEN

Toen was het ochtend, en ze kwamen me halen. Het was de eerste keer dat ik buiten mijn kleine gevangenis was sinds midzomer, de dag dat ik Conor in mijn armen had gehouden en hem had horen beloven dat hij mijn broers mee zou brengen, wanneer ik klaar was. Nu zag het ernaar uit dat ik misschien nooit klaar zou zijn. Knipperend tegen het licht dat me zo lang was onthouden, strompelend op benen die me nauwelijks wilden gehoorzamen, werd ik niet al te zachtzinnig naar de zaal beneden gebracht, die ingericht was voor een officiële hoorzitting van de volksvergadering. Dwars aan de ene kant van de zaal stond een lange tafel, met vier eiken stoelen erachter, en daar zat Richard van Northwoods, in zijn zwartfluwelen kleding, en naast hem een dikke man in de eenvoudige, donkere gewaden van een geestelijke. Dit was de vertegenwoordiger van de bisschop, nam ik aan. Er zaten ook twee griffiers, een jongeman met tonsuur en een bleek, ernstig gezicht, en de huisschrijver van Harrowfield. Voor hen op tafel waren inktpotten, ganzenveren en keurige stapels perkament klaargezet, met kleine bakjes fijn zand om over de natte inkt uit te strooien en hem te laten drogen. Bij de deuropeningen waren lantaarns ontstoken, want de zon liet zich niet zien tussen de regenwolken, zodat het heel donker was in de zaal. Een warm vuur brandde in de grote haard. Rondom langs de overige drie zijden van de kamer waren houten banken geplaatst, en daar zaten de pachters van Harrowfield, zoals de wet eiste. Er waren veel mensen aanwezig die ik eerder had gezien, en ook een aantal die vreemd waren. Het was tamelijk rumoerig; oude vrienden wisselden nieuwtjes uit, en er werd in de gauwigheid onderhandeld over varkens of een mooie ooi, nu de gelegenheid zich voordeed. Toen ze mij naar de hoge kruk zagen lopen die precies in het midden van de zaal stond, werd iedereen stil.

Richard kwam langzaam overeind.

'Deze vergadering neemt een aanvang,' sprak hij. 'In afwezigheid van mijn neef, heer Hugh van Harrowfield, de meester van deze landerijen, zal ik deze hoorzitting leiden. Er zijn verscheidene zaken die behandeld moeten worden, en op één na hou ik die allemaal aan tot morgen, of overmorgen. Aan iedereen zal voedsel en drank worden verstrekt, voor zolang als de vergadering duurt.' Goedkeurend gemompel. 'Vandaag is er één ernstige en belangrijke zaak waarover een beslissing moet worden genomen. Deze betreft de jonge vrouw die als Jenny bekend is, en die voor u staat onder beschuldiging van verscheidene misdaden, op elk waarvan de doodstraf staat, indien haar schuld bewezen wordt.' Alle ogen richtten zich op de plaats waar ik, lichtelijk heen en weer zwaaiend, op de kruk zat. Ik voelde me namelijk een beetje vreemd. Of het nu door slaapgebrek of voedselgebrek kwam, of door de voor mij onwennige aanwezigheid van zoveel mensen, zoveel licht en geluid, ik zag alles wazig en mijn hoofd was warrig. Ik moest proberen me te concentreren.

'Zoals u weet, is dit proces verscheidene malen uitgesteld,' vervolgde Richard, 'omdat de zaak zo ernstig is. We hadden gehoopt dat pater Stephen van Ravenglass ons de eer zou aandoen hier aanwezig te zijn, zodat de mening van de Kerk kon worden verkregen, met name over de aanklacht wegens hekserij.' Er ging een zucht van afgrijzen door de zaal toen dit woord werd uitgesproken. 'Ik heb vernomen dat dit nu niet mogelijk is, en de zaak kan niet langer worden uitgesteld. Ik verwelkom pater Dominic van Whitehaven, die in de plaats van pater Stephen hierheen is gereisd als vertegenwoordiger van de bisschop.' Verbeeldde ik het me, of hoorde ik dat Richard niet gelukkig was met deze wijziging? 'De procedure zal als volgt verlopen,' vervolgde hij, en nu wist ik het zeker. Zijn stem had een scherpe klank, net zo'n klank als hij kreeg wanneer hij ergens over debatteerde met Red en het onderspit dolf. Hij zat ergens mee in zijn maag. 'Deze ochtend zullen de getuigenissen tegen het meisje worden gehoord en beoordeeld. Later op de dag zal zij de gelegenheid krijgen datgene aan te voeren wat ze ter verdediging van zichzelf kan zeggen. Ik zal haar ondervragen, en pater Dominic zal haar misschien ook vragen willen stellen. Als een lid van deze vergadering een belang heeft in deze zaak, mag hij op zijn beurt ook spreken. Ik zal nog deze dag uitspraak doen en de straf uitspreken, en dan zal deze onaangename zaak eens en voor altijd afgedaan zijn.'

'Heel goed, heel goed.' Pater Dominic stak een hand uit om een vel perkament en een ganzenveer te pakken. Zijn schrijver, die er kennelijk aan gewend was dat hij dit deed, schoof de inktpot wat dichter naar hem toe. 'Wat zijn precies de aanklachten tegen deze jonge vrouw?'

'Ten eerste spionage, met het doel informatie door te geven aan de vijanden van haar echtgenoot. Ze heeft niet ontkend dat ze afkomstig is uit de omgeving van de Ierse clanhoofden die ons het bezit van de Eilanden betwisten. Ten tweede het contact met een vogelvrije, een man van haar eigen volk die hier niets te zoeken heeft. Ten derde, het gebruik van toverkunsten met het doel het huishouden te ontregelen en te verstoren. Deze misdaden maken alle drie deel uit van dezelfde opzet. Op elk ervan staat de doodstraf.'

'Dat begrijp ik. En welke getuigen zullen worden opgeroepen?'

'Verscheidene, pater. Ikzelf ben de hoofdgetuige in de zaak tegen haar.'

Ik zag pater Dominic knikken; zijn gezicht bleef onbewogen. Boven de kraag van zijn donkere gewaad zaten vetrollen onder zijn kin. Zijn oogjes keken heel schrander.

'Heel goed. U kunt het beste verder gaan.' Hij richtte zich tot mij. 'Luister goed toe, jonge vrouw. Want straks zul je worden uitgenodigd jezelf te verantwoorden.'

Ik staarde hem alleen maar aan, en zijn ogen vernauwden zich.

'Kan dit meisje onze taal verstaan?' Hij wendde zich met een licht gefronst voorhoofd naar Richard. 'Ze schijnt nauwelijks te horen wat er om haar heen wordt gezegd. En ze ziet er niet gezond uit. Ik zou het vermoeden willen uitspreken dat ze iets mankeert. Het is niet te verwachten dat ze zich kan verdedigen als ze de getuigenissen niet kan begrijpen.'

'Ze begrijpt het heel goed,' zei Richard kortaf, en ditmaal was het

heel duidelijk dat hij geïrriteerd was. 'Maar ze ontbeert het spraakvermogen. Een of andere ziekte heeft haar tong aangetast, heb ik vernomen.'
'Als dat het geval is, hoe kan ze zich dan verantwoorden? Hoe kan er sprake zijn van een rechtvaardig proces, als de beklaagde zich niet kan verdedigen? Heeft ze iemand om haar bij te staan?'
'Het zal haar heus wel lukken.' Richards stem klonk bagatelliserend. 'Mag ik doorgaan met de aanklacht?'
'Ik ben allesbehalve voldaan. Maar gaat u vooral door. Laten we geen tijd verspillen.'
Het klonk dodelijk, zoals hij het presenteerde. Zelfs voor mij klonk het overtuigend. Ik dacht dat het een doodvonnis was. Richard gaf een prachtig optreden weg; hij stapte midden in de zaal tussen de volgepakte banken rond en gebruikte alle schakeringen van zijn welluidende stem, van fluistering tot verontwaardigde kreet, terwijl hij het verhaal vertelde; hoe zijn neef met de beste bedoelingen een meisje uit Ierland mee naar huis had genomen; hoe de mensen zodra ze haar zagen, wisten dat ze kwaad in de zin had, hoe ze met gevlei en mooie praatjes het huishouden was binnengedrongen en zich vervolgens tegen haar echtgenoot had gekeerd, zoals iedereen zou verwachten van een wilde vrouw uit de moerassen van Ierland. Hij vertelde hoe ik altijd na de maaltijd naar de gesprekken luisterde, naar het nieuws over grondbezit en handel en veldtochten, dat ik allemaal in me opnam om het later te kunnen gebruiken. Hij beschreef hoe hij me een keer had betrapt, toen ik zonder excuus alleen buiten in de heuvels rondzwierf. Waarom zou ik anders heimelijk het huis verlaten, als het niet was om iemand van mijn eigen volk te ontmoeten en die inlichtingen te verstrekken?
'Dit zijn vermoedens,' zei pater Dominic kalm, terwijl hij iets op zijn vel perkament noteerde. 'Waar blijven de feiten?'
'Daar kom ik zo dadelijk aan toe.' Richards stem klonk scherp. Ik had de indruk dat hij zijn uiterste best deed om zijn ergernis te onderdrukken, want hij moest zowel de mensen van de vergadering overtuigen als de pater, wilde zijn oordeel aanvaard worden. Nu begon hij aan het verhaal over de midzomerpicknick, en hoe ik mezelf aan een ander had gegeven. Hij kwam tot het hoogtepunt van zijn verhaal.

‘Ik zag het meisje Jenny weggaan over het pad langs de rivier. Ik volgde haar wat later, met het idee dat het niet veilig was als ze alleen ging. Een man was me voorgegaan, de jonge kameraad van mijn neef, Benedict, zoon van William van Greystones. De jongeman is hier in huis opgevoed. We zagen haar allebei; ook zagen we allebei de kerel die ze omhelsde. Het was overduidelijk wat ze hadden gedaan. Ahum!’ Hij schraapte zijn keel, met een blik naar zijn zuster om te demonstreren dat hij er hier het zwijgen toe moest doen.
‘Wat bedoelt u?’ vroeg pater Dominic. ‘Druk u duidelijk uit, want dit is een zeer ernstige aanklacht.’
‘Nou ja, ze, eh – ronduit gezegd, de man had heel weinig kleren aan, en het meisje, eh – drukte zich op een bijzonder – intieme – manier tegen hem aan.’
‘Wilt u de aanklachten nog uitbreiden met overspel?’ Pater Dominic doopte zijn pen in de inkt en schreef. ‘En toen?’
‘We spraken de Ier aan, en die vluchtte het bos in. Het meisje werd gegrepen. Een van de mannen van mijn gezelschap zei dat hij hen wat eerder had horen praten, zonder te weten wie ze waren. Ze spraken over manschappen en wapens en versterkingen. Over de verdediging van Harrowfield.’
‘We zullen deze man later horen. En deze Benedict, die u noemde? Is hij hier om zijn verhaal te doen?’
‘Hij heeft er niets aan toe te voegen,’ zei Richard snel. ‘Zijn verhaal is gelijkluidend aan het mijne. Mijn mannen speurden het bos af en vonden de Ier niet. Hij ontkwam met waardevolle informatie. Informatie die dit meisje aan hem had doorgegeven.’
‘Laten we Benedict van Greystones horen,’ zei pater Dominic, zonder op hem te letten. Ik hoorde de mannen die de deur bewaakten Ben roepen bij deze wel erg deftige naam. En nog eens roepen. Na een poos riepen ze hem voor de derde keer. De schrijver van pater Dominic stond op en ging met de wachten overleggen. De tijd verstreek, en er klonk veelbetekenend geroezemoes in de zaal. Ik wreef met mijn hand over mijn ogen. Ik voelde me heel vreemd, alsof de zaal rondom me duikelde en draaide. De lampen bewogen als vuurvliegjes in het rond en Richard van Northwoods had vier ogen. Ik herinnerde me dat ik me al eens eerder zo had gevoeld, op de dag dat ik door de stroom van de rivier was mee-

gevoerd en bijna was verdronken. De dag dat ik Red had ontmoet.
'Hij is niet hier, pater,' zei de jonge geestelijke. 'Ze zijn nu naar hem aan het zoeken. Hij is niet te vinden, zeggen ze.' Richard slaakte een hoorbare zucht. Pater Dominic perste zijn lippen op elkaar.
'Heel goed. Dan zal ik de anderen horen die die avond aanwezig waren. Bevestigen zij dit verhaal?'
Hij ging grondig te werk. Verrassend grondig, in aanmerking genomen dat hij alleen was uitgenodigd om een schijn van respectabiliteit te geven aan een hoorzitting waarvan de afloop nog voor hij begonnen was door Richard zelf was bepaald. We hoorden drie van Richards mannen verklaren hoe ze mij in een compromitterende situatie hadden aangetroffen, en hoe ze de hele nacht vruchteloos naar mijn gezelschap hadden gezocht. Van Ben was nog steeds geen spoor te bekennen. Ik dacht: misschien wil hij omwille van Red niet tegen mij getuigen, wil hij niets zeggen dat tot mijn dood zou leiden. Maar hij zal me ook niet verdedigen. Hij geloofde meteen dat ik schuldig was, net als de rest.
We hoorden een andere man vertellen dat hij had gehoord dat ik geheimen doorvertelde aan de buitenlandse spion, informatie die ik alleen van mijn echtgenoot gehoord had kunnen hebben. Het ging over wapens, buitenposten en de beweging van troepen. Het had geen zin mijn hoofd te schudden of te proberen dit pure verzinsel te weerleggen. Ze zouden me toch niet begrijpen; dat konden maar weinig mensen. Bovendien voelde ik wel dat dit proces maar één afloop kon hebben.
Een voor een kwamen er mensen binnen, zeiden iets en gingen dan weer naar buiten. Pater Dominic maakte aantekeningen in zwarte inkt; hij doopte zijn pen in en schreef, doopte in en schreef. Hij had kleine, diepliggende ogen onder donkere, krachtige wenkbrauwen. Iemand zei dat ik 's nachts gezien was terwijl ik naakt om een vuurtje danste. Iemand zei dat ik verboden planten in mijn tuin had, kruiden die een eerzaam iemand nooit in de buurt van haar keuken zou dulden; dat ik geprobeerd had meesteres Margery te vergiftigen, en dat het een wonder was dat haar kindje het had overleefd. Het stond nog maar te bezien hoe een kind zou opgroeien, dat op de wereld was gehaald door de handen van een

tovenares. Iemand zei dat ik het been van heer Hugh had dichtgenaaid, maar er tevens een klein tovermiddel in had achtergelaten dat langzaam maar zeker naar het hart kroop. Een tovermiddel dat hem verplichtte mijn wil te doen zolang ik leefde. Er waren nog meer beschuldigingen. Ze lieten me één keer opstaan en gaven me een beker water. Ik zag vrouwe Anne achter in de zaal, bleek en zwijgend. Een wacht leidde degenen die me beschuldigden binnen en naar buiten. Ik begon me steeds vreemder te voelen, alsof mijn hoofd niet meer bij mijn lichaam hoorde. Toen werd even alles zwart.

Toen ik bijkwam, lag ik op de vloer en de zaal was bijna leeg. Vrouwe Anne stond vlakbij, en Megan veegde met een natte doek over mijn voorhoofd. Ik probeerde te gaan zitten.

'Langzaam aan,' waarschuwde vrouwe Anne. Ik greep Megans arm en merkte dat het net mogelijk was een zittende houding aan te nemen.

'Oef!' zei Megan. 'Vrouwe, u denkt toch niet...?'

'Er is nog wat tijd.' Vrouwe Anne scheen de onuitgesproken vraag te begrijpen. 'Ze moeten drinken en eten, en ze zullen willen overleggen. Het volk moet te eten krijgen. Molly heeft allerlei dingen voor hen klaargezet in de keukens. We kunnen wel aan warm water komen, en aan een kam en een schone jurk, denk ik.' Megan liep haastig weg, en de twee mannen die bij de deur de wacht hielden deden geen poging haar tegen te houden.

'Je kunt beter wat drinken.' De stem van vrouwe Anne klonk streng terwijl ze me een beker water in handen gaf. Maar ik kon hem niet vasthouden, ik beefde vreselijk, en ze moest hem aan mijn lippen zetten.

'Vanmiddag zul je de gelegenheid krijgen jezelf te verdedigen,' zei ze onomwonden. 'Niet al die beschuldigingen zijn waar. Veel ervan zijn uitsluitend gebaseerd op angst en bijgeloof. Je weet wat er zal gebeuren als je blijft zwijgen.'

Ik knikte. Wat had het voor zin? Nog voor ik een voet in die zaal had gezet was ik al schuldig bevonden, en was mijn straf vastgesteld. Het deed er allemaal niet toe. Het enige wat ertoe deed was lang genoeg in leven te blijven om het laatste hemd af te maken.

Vrouwe Anne fronste haar voorhoofd. 'Ik kan je niet vergeven om wat je gedaan hebt,' zei ze. 'Als zij je schuldig bevinden, lijdt het geen twijfel dat je ter dood gebracht zult worden. Ik moet hun beslissing accepteren en me neerleggen bij hun wijsheid. Toch kan ik niet toestaan dat een gevangene in mijn huis zo slecht gevoed, zo vuil en onverzorgd is. We moeten ons aan bepaalde normen houden, anders zijn we echt niet beter dan jouw eigen volk. Men had me gezegd dat de voorzieningen voor jou voldoende waren. Degene die me dat vertelde hield er kennelijk andere normen op na dan ik.'

Op dat moment was er een lichte opschudding bij de deur en er kwam een bekende gestalte binnenstormen, zonder zich iets aan te trekken van de wachten. Haar zachte gelaatstrekken waren een toonbeeld van boosheid en ontsteltenis. 'Jenny! O, wat zie je eruit! O, vrouwe, hoe...'

'Stil, vrouw.' Vrouwe Anne greep Margery stevig bij de arm en hield haar tegen in haar ren door de zaal. 'Kijk, daar is Megan met een paar dingen die we nodig hebben. Neem Jenny mee naar het zijvertrek daar, en help haar die jurk uit te trekken. Die hoort thuis op de mesthoop. Probeer niet met haar te praten. Je hoort hier niet eens te zijn. Dit is een officieel proces. Je moet weg zijn voor pater Dominic terugkomt.'

Samen trokken Megan en Margery mij een andere jurk aan, wasten mijn gezicht en wasten het ergste vuil met een spons van mijn lichaam. Ze vonden beestjes in mijn haar.

'O, Jenny,' fluisterde Margery, terwijl vrouwe Anne vlakbij stond en deed alsof ze niets hoorde. Ze trok de vuile kleren over mijn hoofd uit, zonder zichtbaar haar neus op te trekken. 'O, kijk nou toch. Je lijkt wel een geestverschijning, zo mager. Het spijt me, het spijt me zo.'

'Schandelijk,' mompelde Megan, terwijl ze een spons in de emmer doopte en daarmee mijn handen en armen bette. Het water werd bruin van bloed en vuil. 'Schandalig.'

Ze doelde niet op mijn misdaden.

'Ik had moeten... ik zou zeker...' fluisterde Margery, die probeerde de kam door mijn haar te halen, terwijl Megan mijn handen en voeten waste. 'Maar ik mis John zo erg... ik dacht alleen aan mezelf, en aan Johnny. Als ik niet zo zelfzuchtig was geweest, had ik je misschien kunnen...' Ze zweeg opeens, en stak voorzichtig haar hand uit om aan de ring te voelen die aan het koord

om mijn hals hing. Er krulde een glimlach om haar mondhoeken toen ze de ring van eikenblaadjes en eikels met de kleine uil zag. Vrouwe Anne keek toe.
'Hij zal je komen halen,' fluisterde Margery. 'Dat moet toch wel?'
Megan liet de schone jurk over mijn hoofd glijden. Ik had wel kunnen huilen, want het was de blauwe jurk, die mijn vriendin met zoveel liefde voor me had gemaakt. Iemand had hem redelijk schoon weten te krijgen, maar op de rok was nog een vloedlijn te zien, waar de zee haar naam had geschreven. Ik wilde niet in deze jurk verbranden.
'Vlug,' zei vrouwe Anne. 'Ruim die spullen op, en denk erom, geen geklets.' Plotseling drong het tot me door dat dit misschien de laatste keer was dat ik mijn vriendin zag. Margery had dezelfde gedachte in haar ogen, en ze stak haar armen uit om me te omhelzen, maar vrouwe Anne kwam tussen ons in staan.
'Maak dit niet moeilijker dan het al is,' zei ze, en haar eigen stem klonk ook wat beverig. 'Het meisje is een gevangene; haar lot staat op het spel. Ze behoort niet langer tot dit huishouden. Jullie hebben gedaan wat nodig was. Ga nu.'
Ze gingen, maar Margery keek om en legde haar vingertoppen op haar lippen, en wuifde met haar hand in mijn richting; en Megan had tranen op haar wangen.
De hoorzitting werd hervat. Geen van mijn ondervragers maakte een opmerking over mijn veranderde verschijning, hoewel heer Richard zijn wenkbrauwen optrok en pater Dominic een soort grommend geluid maakte, diep in zijn keel. Buiten werd het al donkerder. Waren we hier al zo lang?
'Nu,' zei de geestelijke, terwijl hij naar voren boog en me strak aankeek met zijn kleine ogen, 'we hebben alle getuigenissen tegen je gehoord, en het lijkt erg belastend, zo niet doorslaggevend. Het doel van deze hoorzitting is te bepalen of je schuld bewezen is, en een passende straf vast te stellen. Al je misdaden vallen onder het wereldlijke recht, en aangezien heer Richard hier op dat gebied de autoriteit is, komt de uiteindelijke beslissing aan hem toe. Niettemin ben ik hier uitgenodigd om hem bij te staan bij het vormen van zijn beslissing, met het oog op de ernstige aard van de aanklachten, en de nauwe familiebanden tussen de aanklager en de beklaagde. Het is niet nodig om bang te zijn voor de rechtspraak,

meisje. Je hebt nu de gelegenheid om jezelf te verdedigen. Neem er de tijd voor. Ik begrijp dat je je stem niet kunt gebruiken. Maar er is misschien een manier om ons te laten weten wat je wilt zeggen. Laat ons weten of er iets is dat je niet begrijpt.'

Ik staarde hem aan. Zijn wenkbrauwen kwamen in het midden tegen elkaar aan, en zijn ogen waren ingebed in een laag vet. Toch sprak er een grote schranderheid uit. Mijn handen bleven passief in mijn schoot liggen. Het was doodstil in de zaal.

'Weet u zeker dat het juist is als u zegt dat dit meisje onze taal goed kan verstaan?' Hij keek naar Richard, en daarna naar vrouwe Anne, die nog steeds achter in de zaal zat.

'Ja, eerwaarde.' Vrouwe Anne had het uitdrukkingsloze masker op haar gezicht dat ik maar al te goed kende. 'Ze kan ons niet alleen verstaan, maar als ze wil, kan ze zich op een primitieve manier met gebaren uiten.'

'Dat kan ik bijna niet geloven,' zei pater Dominic, en hij schudde zijn hoofd. 'Waarom zou ze er nu dan de voorkeur aan geven niets te zeggen? Wil het meisje dan sterven?'

Richard begon verachtelijk te lachen. 'Misschien bent u nog niet zoveel van deze mensen tegengekomen, pater. Ik ken de mensen uit Ierland goed. Dat soort trots is hun aangeboren, en wordt vanaf de geboorte zorgvuldig gekoesterd. Hun spionnen wordt geleerd te zwijgen tot de dood erop volgt. Het feit dat het meisje weigert te spreken is alleen het zoveelste bewijs voor haar schuld.'

Pater Dominic wierp hem een blik toe; de afkeer was duidelijk op zijn vadsige gelaatstrekken te lezen. Ondanks mijn uitputting en angst was ik verbaasd. Deze man zag de ware aard van Richard van Northwoods. Het laatste wat ik had verwacht was iets dat op een eerlijk proces leek.

'Er leven vele geleerde mannen op die kust,' zei pater Dominic, 'en zelfs enkele van mijn eigen broeders, die bedreven zijn in het debatteren en in de vertelkunst. Ik zou liever niet zo snel oordelen. Bovendien is dit maar een meisje. Ze is jong en kneedbaar; als ze bereid zou zijn zich te verdedigen, en haar oude gedrag te herroepen en af te zweren, dan zou het vonnis verzacht kunnen worden.'

Richard zei niets.

Ik was me ervan bewust dat er meer mensen binnenkwamen door

de deur. Ik keek niet achterom. Buiten begon het te regenen; de regen drupte gestaag langs de ramen. Het werd nog donkerder.
'Jonge vrouw,' zei pater Dominic, 'we hebben hier een probleem. Men zegt me dat je onze taal kent. Kijk me aan, kind. Knik als je me verstaat.'
Het lukte me een soort knikje te geven. Ik mocht me niet laten verlokken de verkeerde vragen te beantwoorden. Ik mocht niets van mijn verhaal vertellen. Maar ik was erg moe, te moe om helder te denken. Het begon hard te regenen, het ratelde op het dak. Ik vroeg me af of Red ergens buiten was, en of hij een droge plek had om te slapen. Ik vroeg me af of er een kans was, een kansje om in één nacht een hele mouw te weven, en die in de ochtend aan het hemd te naaien.
'Mooi. Geef nu antwoord op mijn vraag. Ben je schuldig aan deze aanklachten?'
Ik merkte dat ik het niet kon opbrengen hierop te reageren. Wat had het voor zin? Waarom zou ik het bevestigen of ontkennen, als Richard toch zou beslissen dat ik schuldig was?
'Je wilt niet antwoorden? Zelfs niet door te knikken of je hoofd te schudden? Je weet dat hieruit moet worden afgeleid dat je je schuld toegeeft.'
Ik keek hem zwijgend aan. Zijn bleke voorhoofd was gefronst, en zijn ogen keken verontrust.
'Wat zou ze ook kunnen inbrengen tegen deze beschuldigingen?' vroeg Richard. 'Het is duidelijk dat het meisje zowel overspelig is als een spionne. Ze heeft op dit huishouden geparasiteerd als een kwaadaardig schepsel dat het levensbloed van zijn slachtoffers opzuigt. Ze heeft op de meest weerzinwekkende wijze misbruik gemaakt van het vertrouwen van mijn zuster en mijn neef. Ze...'
'Is die laatste getuige nog altijd niet te vinden?' vroeg pater Dominic nog tamelijk vriendelijk. 'Die Benedict, over wie u sprak? Ik zou graag zijn verhaal horen, voor het uiteindelijke oordeel wordt uitgesproken.'
'Hij is verdwenen, heer.' De mannen bij de deur schuifelden verlegen met hun voeten. 'We hebben er mannen op uit gestuurd, en iedereen is naar hem op zoek geweest, maar nu hoor ik van de staljongens dat hij is weggegaan. Hij is al een paar dagen weg.

Naar huis gegaan om zijn familie op te zoeken, denken ze.'
Ik zag dat Richard zijn ogen half dichtkneep bij dit bericht, en hij riep een van zijn mannen bij zich. Na enig haastig gefluister over en weer ging de man tamelijk snel de zaal uit.
'Werkelijk.' Pater Dominic trok een streep over het blad met aantekeningen. Hij wendde zich tot Richard, en zijn stem klonk uiterst koel. 'Dit was een belangrijke getuige. Hij had gehoord moeten worden. Hebt u niet geprobeerd hem hier te houden? Bent u afhankelijk van uw staljongens om te weten wat er gaande is?'
'Ik was er niet van op de hoogte dat hij weg was, pater.' En dat was waar; ik kon het aan Richards gezicht zien, dat een nauwelijks verholen woede uitstraalde.
'Tja, het is duidelijk dat dit een getuige is die niet gehoord zal worden. Is er verder niemand die een verklaring af wil leggen?' vroeg pater Dominic.
'Ik... ik zou graag een vraag willen stellen, als u het goedvindt.' Vrouwe Anne leek ongewoon besluiteloos. Hoofden draaiden zich naar haar toe toen ze opstond achter in de zaal.
'Heel goed, stelt u uw vraag.' De stem van de priester klonk vermoeid. Het was een lange dag geweest. Een erg lange dag.
'Als Jen... als het meisje schuldig is, wacht haar de doodstraf, dat weet ik. Maar... maar als ze nu zwanger zou zijn? Dat is mogelijk, en zelfs waarschijnlijk. Dit kind zou de erfgenaam van Harrowfield zijn; de zoon van mijn zoon. Ik zou niet willen...'
Ik voelde dat ik vuurrood werd van schaamte en vernedering. Maar tegelijkertijd wist ik, ergens diep vanbinnen, precies hoe ze erover dacht. Dat kind zou het mijne zijn, voor de helft een zoon van Ierland; daardoor zou hij volgens haar wild en fanatiek zijn, en een gezworen vijand van alles wat haar dierbaar was. Maar het kind zou ook van Red zijn; een zoon wiens vader, en wiens voorvaderen het leven in de vallei hadden gekoesterd en beschermd. Ik had haar kunnen vertellen dat er geen kind was. Maar ik zat daar als een blok steen en dwong mijn gezicht kalm te blijven. Ik vergat niet, geen ogenblik, dat ik de dochter van het woud was. En iets dat ik ooit, lang geleden had gehoord, kwam in mijn gedachten en was weer verdwenen voor ik tijd had om het te pakken te krijgen. Iets waaraan ik kort geleden herinnerd was... iemand die niet van Engeland of van Ierland is, maar tegelijkertijd

van beide... uit welk verhaal kwam dat? Mijn geest was warrig, ik kon het me niet herinneren.
'Kijk me aan, meisje.' Pater Dominic was nu opgestaan, met zijn doordringende ogen op mijn gezicht gevestigd. 'Ben je zwanger? Draag je een kind van je echtgenoot?'
Richard snoof verachtelijk. 'Die is goed! Verwacht u daar een eerlijk antwoord op te krijgen? Het wicht zou van willekeurig welke man kunnen zijn. Dit meisje is niet beter dan een goedkope hoer die op de markt te krijgen is. Ze heeft het zelfs bij mij geprobeerd, een paar dagen geleden nog maar. Ze dacht dat ze haar vrijheid kon kopen door haar benen te spreiden. Die kleine slet kent geen schaamte.'
'Genoeg.' Bij het horen van de stem van pater Dominic deed Richard zijn mond met een klap dicht. 'Brave mensen van de volksvergadering, deze fase van de hoorzitting is beëindigd. Heer Richard en ik zullen nu de tijd nemen om ons oordeel te overwegen. We zullen jullie na het avondmaal weer bijeenroepen, en dan zal onze uitspraak worden bekendgemaakt. Als er een straf wordt opgelegd, zal de aard daarvan morgenochtend bekend worden gemaakt.' De mensen begonnen naar buiten te schuifelen, stijf van het lange zitten. Pater Dominic wendde zich weer naar Richard. 'U kunt het meisje voorlopig weer opsluiten. Zorg dat ze iets te eten krijgt; u loopt gevaar haar te verliezen voor er een straf kan worden uitgevoerd. We moeten ons misschien in een afgezonderd vertrek terugtrekken om deze zaken verder te bespreken.'
'Volgens mij is de zaak duidelijk genoeg.' Richards stem klonk wat huilerig.
Ik hoorde verder niets meer, want mijn bewakers grepen me elk bij een arm en ik werd teruggebracht naar de kleine cel. Iemand bracht brood en water, en ik at en dronk, en korte tijd later gaf mijn maag zelfs deze eenvoudige kost terug, bijna alsof ik werkelijk zwanger was. In de koude, vochtige cel graaide ik tastend in het donker naar mijn werk en vond het. Ik wist dat dit de laatste nacht was. Mijn handen grepen het kleine weefraam, tastten naar de spoel en de bol gesponnen vezels, en gingen aan het werk.
Het was natuurlijk hopeloos. Het was uitgesloten dat ik de ene mouw af kon krijgen, en nog een hele tweede mouw kon maken, en dit allemaal in één nacht aan elkaar kon zetten, zonder ook

maar een kaarsje om me bij te lichten. Maar toch werkte ik door. *Jij weet van volhouden, hè?* Misschien zou ik nog iets meer tijd hebben. Richard had het speciale mengsel beschreven dat hij van Eamonn van de Moerassen had gekregen, en dat een zo grote hitte gaf dat alles verbrandde behalve beenderen. Hij zou dus misschien tot de schemering wachten, om een meer spectaculair schouwspel te krijgen. Buiten regende het nog steeds. Dat zou goed zijn voor de jonge eiken. Richard hoopte natuurlijk op goed weer. In de regen kreeg je geen lekker heet vuur. Tegen de ochtend hield de regen op, als om het verbranden mogelijk te maken, en er stak een koele wind op. Ik hoorde een uil roepen, in de laatste stilte voor de dageraad. Toen was ze weg, had ze haar toevlucht gezocht in de beschutting van de bomen. De zon kwam op, en de dagvogels begonnen hun lieflijke gekwetter. Ik probeerde zonder veel succes de gedachten weg te houden die me dreigden te overspoelen. De laatste regen. De laatste uil. De laatste dageraad.

Ze kwamen me vroeg halen, twee grote mannen in de kleuren van Northwoods. Niemand vertelde me wat de uitspraak was geweest, en ik kon het niet vragen. De eerste mouw was ongeveer af en was met een paar steken aan de andere delen van het hemd bevestigd. Aan de tweede was ik nog niet eens begonnen. *Laat het niet nu meteen zijn*, smeekte ik in stilte. *Niet nu, nu nog niet. Alstublieft.*

Ze namen me niet mee naar de grote zaal beneden, om te horen hoe mijn straf werd uitgesproken voor de vergaderde pachters. In plaats daarvan werd ik naar een privé-vertrek boven gebracht, en de enige aanwezige daar was heer Richard van Northwoods. Ik was verdoofd van angst, zodat ik eigenlijk bijna niets meer kon voelen, maar toch kon hij blijkbaar aan mijn gezicht zien dat ik verbaasd was.

'De plannen zijn gewijzigd, vrees ik,' zei hij soepel. Hij stond bij het raam, een onberispelijke verschijning, van zijn blonde krullen tot zijn gepoetste laarzen. Vandaag droeg hij een zachtgroene tuniek, met sneeuwwit linnen eronder. Ik stond voor hem in het midden van de kamer, met mijn handen langs mijn lichaam. De wachten gehoorzaamden een onuitgesproken bevel en trokken zich terug buiten de deur. 'Onze geleerde vriend is onverwacht weggeroepen. Hij is gisteravond kort na het eten vertrokken. Het schijnt dat iemand de priester van de parochie over de heuvel bij Elvington heeft neergestoken. Pater Dominic is dus weg. Hij had zelfs geen tijd meer om mij te helpen de uitspraak aan te kondigen. Ik ben hem liever kwijt dan rijk, moet ik toegeven. Koppige man. Moeilijk te overtuigen. Niet dat hij is vertrokken zonder me zijn mening te geven.' Hij wachtte enkele seconden. Precies lang genoeg.

'Er bestond natuurlijk geen enkele twijfel aan je schuld,' zei Richard, en dit was geen spel meer, maar dodelijke ernst. 'Schuld aan het doorgeven van geheimen aan de vijand. Schuld aan het bedriegen van je echtgenoot en het breken van je huwelijksbeloften. En schuld aan hekserij. Het gewicht van de getuigenissen tegen je was overweldigend. Kom eens dichterbij, Jenny.' Hij gebruikte mijn naam, en daar kreeg ik kippenvel van. 'Kom je niet? Dan moet ik naar jou toe komen.' Hij stapte door de kamer om zich voor me op te stellen. Zijn ogen straalden van voorpret. 'Je kent de straf voor deze misdaden. Je wordt niet domweg verbannen; je wordt niet opgesloten in een klooster waar je in alle rust je verdere dagen kunt slijten. Nee. Je hebt hier schade aangericht. Ernstige schade.' Hij dempte zijn stem. 'Je bent een doorn in mijn vlees geweest, en het zal me een groot genoegen zijn deze doorn eens en voor altijd uit te rukken. Je wordt bestraft met de dood. De wijze waarop weet je al.' Hij stak zijn vinger uit om tamelijk langzaam langs mijn hals omhoog te strijken. De vorige keer dat hij dat had geprobeerd, had Red bijna zijn arm gebroken. Maar Red was hier niet.

'Het mooie is dat we de hele dag hebben om ons erop te verheugen,' zei hij zacht. 'Terwijl ik naar buiten ga en toezicht hou op de constructie van een heel bijzondere brandstapel, zal ik jou toestaan hier te blijven, onder bewaking natuurlijk. Deze kamer is warmer en gerieflijker; bovendien zul je vanuit dat raam naar mij kunnen kijken. We zouden zelfs kunnen zorgen voor wat eten en drinken; een galgenmaal voor de veroordeelde. Nu groet ik je, lieve. Het was... interessant... je te kennen. Vanavond, als het schemert, zullen we elkaar nog eens zien, helaas maar even. Het schemeruur leek me het meest geschikt. Meer sfeer, dacht je niet? Dan krijgen de mensen een echt spektakel te zien, iets waarover ze hun kinderen kunnen vertellen. Gegroet, lieve.'

Mijn hart maakte een duikeling. *Maar... maar...* Ik brak mijn eigen regels en stak mijn handen naar hem uit, pakte zijn mouw beet, maakte wilde gebaren. *Mijn spullen – spinnen, weven – hier? Hier brengen?* Dit kon hij me niet aandoen. Dit mocht hij niet doen. Zijn triomfantelijke lachje drukte haat en voldoening uit.

'Nee, nee, dat lijkt me niet. Ik moet me aan mijn deel van de overeenkomst houden. Het zou erg jammer zijn als het je toch lukte deze taak af te krijgen. Dat mag ik niet riskeren, als ik tenminste wil krijgen wat me beloofd is. Bovendien heb je veel te hard gewerkt, lieve. Neem toch een dagje vrij. Amuseer je eens voor de verandering.' Hij liep zwierig de deur uit, en de twee wachten volgden hem en sloten de deur achter hem.

Van alle dagen in de lange tijd dat ik moest zwijgen, staan me er twee nog tot in details helder voor de geest. De ene is de dag dat ik in mijn blauwe jurk over het zeestrand holde, en het verhaal van Toby en zijn zeemeermin hoorde, en mijn trouwring kreeg. De andere is de dag dat ik op de brandstapel kwam.

Een tijdlang stond ik bij het raam en keek naar de mannen terwijl ze hem opbouwden, een keurige stapel van essenstammen die goed heet zouden branden zonder rook, opgebouwd rondom een paal in het midden. Ze bouwden hem op de binnenplaats, ver genoeg van het huis af om ervoor te zorgen dat het vuur niet zou overslaan; dicht genoeg erbij om van beneden en vanuit de bovenramen een mooi uitzicht op het schouwspel te hebben.

Het was moeilijk om te geloven dat Harrowfield zo diep was gezonken. Ik kon me niet voorstellen dat vrouwe Anne, Megan, Ben of Margery het leuk vonden om zoiets te zien. Van Reds mannen zouden de meesten zo'n barbaars gebeuren de rug toekeren. Maar het vreemde was dat Reds mannen er helemaal niet waren. Naarmate de dag vorderde, liep een rij werklieden van Richard af en aan, en de brandstapel kreeg vorm en was bijna klaar. Je kon zien hoe het hout van onderaf kon worden aangestoken, want daar waren veel droge takjes tussen de grote stammen gestoken die vlam zouden vatten; de vlammen zouden eerst langzaam omhooglekken, dan sneller, en... Richard was druk bezig, gaf hier een werkman aanwijzingen, legde daar een takkenbos recht; en toen hij tevreden was over het resultaat, liet hij twee van zijn mannen een kleine kist naar buiten dragen, die hij voorzichtig ontsloot. Ze hadden naast het vuur een platform gebouwd, een geïmproviseerd bouwsel dat zelf ook zou verbranden zodra de vlammen een bepaalde hoogte bereikten. Misschien was het de bedoeling dat het verbrandde, om het schouwspel een extra accent te geven. Nu beklom Richard het trapje naar dit platform, en liet de kist door de mannen naast zich zetten, en hij stak zijn hand erin en haalde er zo te zien gewone stukken hout uit. Hij stapte handig over op de brandstapel en begon deze stukken hout zorgvuldig op de bovenste laag te leggen, hier een en daar een, tot hij helemaal rond was. Hij nam er de tijd voor en bleef telkens staan om zijn werk te bewonderen. Dit, vermoedde ik, waren de houtblokken waarover hij me had verteld, zich verkneukelend, de blokken die hij van Eamonn van de Moerassen, een verrader van ons eigen volk, had gekregen. Die geprepareerd waren door ze te laten weken in een zorgvuldig uitgerekend mengsel van speciale grondstoffen. Wanneer die vlamvatten, kreeg je pas echt iets te zien.

Het werd me duidelijk dat ik mijn werk niet terug zou krijgen. Niet op tijd. Ik wist dat het in de avondschemering samen met mij verbrand zou worden. Ik had geen keus. Wanneer ik weg was, hadden mijn broers helemaal geen kans meer. De Vrouwe van het Woud was heel duidelijk geweest. De zes hemden moesten van begin tot eind eigenhandig door mij gemaakt zijn. En wanneer ze allemaal af waren, moest ik ze zelf om de halzen van de zwanen doen. Alle zes op dezelfde plek, een voor een. Alleen dan zou de betovering verbroken worden, als ik tenminste het stilzwijgen had bewaard. Ik zou niet toelaten dat ze me doodden zonder het te hebben geprobeerd. Ik moest het proberen, ook al leek het hopeloos, want dit zou de allerlaatste kans voor mijn broers zijn. Ik kon het zesde hemd niet afmaken. Maar ik moest hen toch roepen. Misschien, heel misschien zou dit voldoende zijn.

Ik ging van het raam weg, en ging zo op de vloer zitten dat ik recht naar de hemel buiten kon kijken, in westelijke richting. En zo dat ik de mannen en wat ze bouwden niet kon zien. Ik vertraagde mijn ademhaling, en maakte mijn geest helder tot hij stil en kalm was als een steen midden in het bos. Toen richtte ik mijn energieën op mijn broer Conor, ergens aan de overkant van de zee. Elke gedachtenflard. Elke wilsvezel. Ik vormde me een beeld van hem. Lang, bleek, een oeroude geest in het lichaam van een jongeman. Met een mager gezicht, verwarde haren, gekleed in vodden. *Conor. Jullie moeten nu komen. Het is vandaag, bij avondschemer*. Het bleef doodstil, afgezien van het zwakke geluid van gehamer.

Conor. Hoor me alsjeblieft. Kom naar me toe op de binnenplaats van het grote huis. Ik heb je laten zien waar het is. Je moet hier met de avondschemering zijn. Breng ze mee. Geen antwoord. Misschien was het toch te ver weg. *Breng ze mee. Dit is de laatste kans. Je moet hen meebrengen*. Er stak een zacht briesje op buiten het raam, en er riep een vogel. Dat was alles. Misschien kon hij me niet horen. Maar hij had gezegd: roep, dan komen we.

Mannen schenen veel beloften te doen. Finbar had een keer gezegd: ik zal er altijd voor je zijn, en ik had hem geloofd. Red had gezegd: ik zal terugkomen.

Ik huiverde. Stel dat Richards mannen hem de pas hadden afgesneden, of dat...? Zonder Red zou Harrowfield kil en levenloos worden. Het begon nu al te veranderen.

Later op de dag namen ze me mee naar buiten om gebruik te maken van het stilletje, en daarna brachten ze me weer terug. Onderweg hoorde ik beneden vrouwenstemmen ruzieën. Ik hoorde iemand de naam pater Dominic uitspreken, maar ik kon de rest niet verstaan. Ik zag niemand. Toen brachten ze me eten, maar ik kon het niet aanraken. Uiteindelijk rolde ik me in een hoek op de vloer op, half slapend, half wakend. Het hameren buiten was opgehouden en alles was stil. Door de ramen viel schuin zacht licht naar binnen, het viel op stofjes die een warme nevel vormden.

Het kan een droom zijn geweest, of iets anders. Ik dacht dat ik mijn ogen open had. Maar ik zag het helder en stralend als een geschilderde plaat in een groot boek. Eerst dacht ik dat ik me iets herinnerde van lang geleden, uit de tijd dat ik met mijn broers op de gladde stenen aan de oever van het meer zat en naar de zilverig glanzende lichamen van de vissen keek die in het water voorbijgleden. Maar deze kinderen waren niet de kinderen van Zeven Wateren. Er was een meisje, lang en stevig gebouwd, met blozende wangen en een massa lang, stralend haar als een vlammengordijn. Er was een donkerharige jongen die op zijn rug op de stenen lag en omhoogkeek, opkeek naar de hemel met ogen als helder water, die ver, heel ver konden zien. 'De zwanen komen, Niamh,' zei hij, zonder zich te bewegen. 'Ze komen vandaag.' Het meisje ging naast hem liggen, op haar buik, en liet haar vingers door het ijskoude water gaan. 'Hoe weet je dat zo zeker?' zei ze. 'Je weet altijd alles zo zeker.' Ik had de indruk dat er nog een kind was, aan de rand van het beeld, maar die figuur kreeg ik niet duidelijk te zien. Toen werd het beeld wazig en verdween. *Je kinderen*, zei het stemmetje. En het zweeg.

Mijn kinderen, die ik had kunnen hebben, dacht ik, terwijl mijn hand omhoog schoof om de ring te voelen die om mijn hals hing, en de doorboorde steen met de runetekens. Mijn zoon, mijn dochter. In de kleine steen was het geheime teken Nuin gekerfd, dat stond voor de es, de boom. Maar het was ook de N van Niamh, de naam van mijn moeder. Niamh, mijn dochter, met haar als een lichtend baken, een vlam over het water. Toen kon ik de tranen niet meer tegenhouden, en ik huilde en huilde tot mijn gezicht gezwollen was en ik hoofdpijn had, en het licht door de hoge ramen begon af te nemen. Het werd donkerder. De dag was bijna voorbij.

Tegen de tijd dat ze me kwamen halen, had ik geen tranen meer. En zo liep ik met een onbewogen gezicht tussen de bewakers de binnenplaats op, terwijl iemand langzaam op een trommel sloeg, en een voor een vlamden aan weerskanten toortsen op palen op, tot ik bij de brandstapel was. Er had zich een grote menigte verzameld, en in het voorbijgaan ving ik flarden op van hun woorden... *houdt haar hoofd geheven... niet helemaal menselijk, zeggen ze... ik persoonlijk zou het uitschreeuwen... wacht maar tot het vuur haar bereikt... dan zul je haar heus wel horen piepen...* Een keer keek ik achterom, en zag een man die mijn mand droeg en een ander die spinrokken, spindel en weefraam droeg en alle andere dingen die van mij waren geweest. Zelfs mijn oude wandelschoenen waren erbij. Het scheen dat alles moest worden verbrand. Er zou geen spoor van me over zijn om het huishouden van Harrowfield te vergiftigen. *Alsjeblieft*, smeekte ik in stilte. *Leg de hemden alsjeblieft zo neer dat ik erbij kan. Bind alsjeblieft mijn handen niet vast*. Het gezicht van de wachten stond grimmig. Ik kreeg het gevoel dat ze hun plicht niet met plezier deden, maar dat ze nu eenmaal moesten gehoorzamen. Het waren brave mannen, nam ik aan; na het vuur zouden ze naar huis gaan naar hun vrouw, ze zouden hun kinderen goedenacht kussen en misschien nog even nadenken over wat ze gedaan hadden. Het was kenmerkend voor de macht die Richard uitoefende, dat iedereen zonder vragen te stellen zijn bevelen gehoorzaamde.

De hemel veranderde van kleur; de eerste paarse tint van de schemering begon over het namiddagblauw te komen. We waren aangekomen bij de stapel van essenhout, en bij het platform met het keurige trapje. En daar was Richard, schitterend uitgedost in een nieuwe fluwelen tuniek, met zilver glinsterend bij zijn keel. Hij droeg een ring in de vorm van de kop van een torenvalk, met blinkende robijnen als ogen. De trommel zweeg. De menigte werd stil. Ik zag weinig bekende gezichten. Vrouwe Anne was er niet, Ben ook niet. Ik zag Margery niet. Maar Megan was er wel; haar ronde gezichtje zag bleek in het licht van de toortsen, haar sproeten tekenden zich af tegen het wit. Ze had donkere kringen onder haar ogen.

Ze leidden me het platform op waar Richard stond. Onder aan de brandstapel brandde een kleine toorts in een houder. Ik begreep wel welk doel die diende. Mijn hart bonsde in een eigen snel ritme; ik had geen tromgeroffel nodig. De hemel verduisterde naar een paarsachtig grijs; in het westen gaf de ondergaande zon de wolken de kleur van een blozende appel.

'Jullie zijn hier bijeen om getuige te zijn van een straf die volgens de wet zal worden uitgevoerd,' kondigde Richard plechtig aan. De menigte schuifelde met de voeten. 'De zaak tegen dit meisje, dat bekend is als Jenny, is gisteren behandeld. Er zijn getuigen opgeroepen, en er zijn verklaringen afgelegd die belastend en onweerlegbaar zijn. Jullie weten de uitspraak al. Het meisje staat voor jullie; ze is schuldig aan het ontvangen van een vogelvrije, aan spionage en aan de uitoefening van duivelskunsten, en bovendien aan overspelig gedrag. De straf voor haar vergrijpen is de dood. Op dit punt waren pater Dominic en ik het volledig eens. Doordat het meisje weigerde zich te verdedigen gaf ze duidelijk toe dat ze schuldig was. Beste mensen, door haar levend te verbranden verwijderen we het kwaadaardige gezwel dat Harrowfield tot in zijn kern heeft aangevreten. Met haar dood kunnen vrede en welvaart in dit huishouden en in de vallei terugkeren. Ik roep u op hiervan getuige te zijn.' Hier en daar werd geapplaudisseerd en iemand riep: 'Schiet dan eens een beetje op!'

Maar de menigte leek onrustig. Er werd gemompeld en gemopperd, alsof, nu ze tenslotte voor elkaar hadden wat iedereen altijd al had gezegd, ze er toch niet zo zeker van waren. En een stem die ik goed kende riep: 'Schande! Schande! Jenny heeft mijn leven gered, en dat van mijn kind! U kunt dit niet doen!' Margery was er dus, ergens, en zij was tenminste moedig genoeg om voor me op te komen. Toen riep iemand anders: 'En heer Hugh? Wat vindt hij hiervan?' Richard maakte een kleine beweging met zijn hand en opeens stond er een rij mannen, voor de menigte, die de opdringende lijven in bedwang hield. De protesterende stemmen werden overstemd door geroep van 'Verbrand de heks!', 'Dood aan die vuile spionne!' en 'We willen haar zien branden!'

Het lawaai zwol aan terwijl ik over het platform werd gesleept en op de smalle richel rond de paal in het midden werd gezet. De brandstapel was keurig opgestapeld rondom dit punt, en de bovenste laag lag vlak onder de richel. Hier en daar kon ik de blokjes hout zien die Richard zelf zo zorgvuldig had aangebracht. Ze glommen olieachtig. De bewaker haalde een dik touw te voorschijn en bond me stevig aan de paal vast. Het touw ging een, twee, drie keer om mijn middel en werd vastgeknoopt aan de achterkant waar ik er niet bij kon. Maar hij liet mijn handen vrij.

Beneden groeide de opwinding. Sommigen floten, anderen riepen scheldwoorden, en iemand gooide een rot stuk fruit dat me niet bereikte en dat met een plof tussen de houtblokken viel. Mensen maakten ruzie. De wachten deden hun best de menigte tegen te houden. Ik kon Margery nu zien, vlak achter Megan; de tranen liepen over haar gezicht. Ze riep iets, maar ik kon de woorden niet horen. De trommel begon weer, en ik dacht dom: nu een fluit, en een vedel, en dan dansen. De bewakers die mijn spullen vasthielden stonden aan de voet van de brandstapel. Een van hen gooide de spindel, het spinrokken en het weefraam op de houtstapel. Ik hoorde ze krakend neerkomen en versplinteren. De bewaker

met de mand aarzelde en keek naar mij. Het was dezelfde man die me bramen was komen brengen in mijn kleine cel, toen ik juist dacht dat ik op de hele wereld geen vriend meer had.
'Schiet op, man,' zei Richard kribbig.
Zijn handen, dacht ik, jeuken om die toorts te pakken. In het westen hadden de wolken nog een piepklein randje roze. Er stak een windje op, zodat er ritselend bladeren over de binnenplaats rolden. De mensen begonnen hun mantel aan te trekken.
Alstublieft. Geef ze me alstublieft in mijn handen. O, alstublieft.
De bewaker kon me niet horen; ik probeerde met mijn ogen te spreken, met mijn hart. Hij tilde de mand op. *Nog iets dichterbij, zo kan ik er niet bij. Alstublieft, toe.*
'Dat is niet nodig,' zei Richard scherp. 'Gooi ze gewoon met de rest op het vuur. Alles moet verbranden.'
Maar de man stapte op de stammen van essenhout, en hoger, en tilde de mand op de richel naast mijn voeten, en ik pakte hem als een reddingslijn met beide handen aan.
'Wat doe je nou, man?' snauwde Richard. 'Kom eraf, tenzij je zelf ook wilt verbranden.' De man keek naar hem en naar mij, en in zijn eerlijke ogen zag ik zowel medelijden als afschuw.
'De laatste keer dat ik zoiets doe,' mompelde hij. 'Ze is nog bijna een kind.'
Hij nam er de tijd voor om weer naar beneden te klauteren, terwijl Richards vingers trilden van ongeduld. Het laatste reepje zon gleed onder de horizon. De wind woei in korte vlagen, zodat de toortsen opvlamden en bijna uitdoofden, opvlamden en bijna uitdoofden. Aangewakkerd door die wind zou het vuur goed branden.
Kom nu. Kom nu. Waar zijn jullie?
Ik kon niets horen, alleen het huilen van de toenemende wind, die vreemd woei, nu eens deze kant, dan die kant op. Hij trok aan de mand in mijn handen. Richard kwam de trap af. De wind rukte aan zijn tuniek en maakte zijn keurig gekamde haar in de war. De toortsen brandden fel.
Plotseling viel er een stilte over de menigte. Ik sloot mijn ogen. *Nu. Het moet nu gebeuren. Vlug.* De mensen wachtten, wachtten terwijl Richard naar de voet van de brandstapel liep, waar de kleine toorts brandde in zijn houder. Ze zwegen. Toen riep helder,

duidelijk en onschuldig een kinderstem door het schemerduister: 'Kijk, moeder! Kijk daar boven!'
Als spoken, als grote, vliegende geesten bewogen ze langs de hemel, in formatie uitgespreid achter hun leider, met lange halzen, brede vleugels, wit als de schuimkop van een golf, en hun vleugels sloegen in een plechtstatig ritme. Ze cirkelden door de binnenplaats waar we stonden, en de ogen van de menigte volgden hun vlucht. Een, twee, drie, vier, vijf. Finbar was altijd de laatkomer geweest.
Kom naar beneden. Kom naar mij toe. Ze cirkelden nog eens rond, en ik zag dat Richard zijn hand uitstak naar de toorts. Toen kwamen ze in glijvlucht omlaag en landden op het platform naast me. Ze stonden op een kluitje; hun ogen stonden wild en verward, hun zwempoten stapten op en neer over de ruwe planken.
Nu, Sorcha. Doe het nu.
Geen tijd om vragen te stellen. Geen tijd om naar de verduisterende hemel boven me te kijken of er nog een aankwam. Ik stak mijn hand in de mand, greep een hemd en wierp het over de gebogen nek van de eerste grote vogel. In de menigte werd gemompeld en gefluisterd.
Vlug, Sorcha. Waar was hij, waar was Finbar? Vloog hij nog boven het water? Was hij achtergelaten, was hij te zwak om zo ver te vliegen? Waar was hij? Ik haalde het volgende hemd te voorschijn, en het derde.
'Wat is dit voor boze toverkunst?' Richards stem klonk snauwend en ik hoorde de toorts met een schurend geluid uit de houder komen toen hij hem in zijn hand nam. 'Welke geesten roept ze daar te hulp? Allemaal moeten ze verbranden! Allemaal!' En hij bracht het vuur in contact met de onderste laag, waar berken- en wilgentakjes tussen de essenstammetjes kronkelden. Er ontstond een zacht geknetter, en toen laaide het vuur op. De menigte slaakte een grote zucht.
Het vierde hemd. Het vijfde. En ik hield het laatste hemd in mijn hand, het allerlaatste, dat maar één mouw had, en bevlekt was met vuil en bloed en tranen. *Vlug, Finbar. Vlug.*
De zwanen stonden als een onhandig groepje te schuifelen en rekten hun lange, kwetsbare halzen naar de hemel. De hemden van sterrenkruid hingen losjes om hun grote, witte lijven. *Nu, Finbar!*

Mijn ogen gingen heen en weer, zochten de hemel af, zochten de menigte af. Ik wilde niet naar beneden kijken, beneden onder mijn voeten waar het vuur gloeide, en zich verspreidde, langs het ene takje liep en een volgend takje aanstak, aangeblazen door de grillige wind. Ik voelde de hitte aan mijn voeten en benen, de opstijgende luchtstroom van het vuur deed mijn rokken bewegen. Het was nog geen pijn; nog niet. De zwanen bewogen opzij, de vlammen weerspiegelden zich steeds krachtiger in hun angstige ogen. De lucht was donker; ik kon daar geen vogels zien. Achter in de menigte verdrongen de mensen zich, er werd geschreeuwd. Ik keek die kant op. En keek recht in een paar ogen dat de kleur had van schaduwen op ijs; in een gezicht dat ik daarvoor in zovele nachten in mijn dromen had gezien. Hij zag er uitgeput uit, zijn gezicht stond woest van angst en woede. Hij had een lang, nieuw litteken op zijn linkerwang, en blauwe plekken om zijn oog. Hij baande zich woest met zijn ellebogen een weg door de menigte, zonder zich erom te bekommeren wie hij opzij stootte. Achter hem kwamen nog twee mannen, van wie er één vlasblond haar had en een tuniek droeg met het embleem van Harrowfield. De tweede was jong, lang en goed gebouwd. Een man met haar als een gerstveld in de zomerzon, en maagdenpalm-blauwe ogen.
'Heer Hugh,' riepen de mensen. 'Heer Hugh is teruggekomen.' En ze zeiden: 'Simon. Kijk, het is de jonge heer Simon!' De vlammen begonnen aan de tweede laag stammen te lekken. Ik probeerde eerst mijn ene voet, toen de andere, buiten hun bereik te zetten. Het deed nu echt pijn. Boven me draaide en tolde de wind, een vreemde, lastige wind zoals ik nog nooit had gezien. En op de windstromingen kwam nog een zwaan aanvliegen, langzaam, heel langzaam, alsof hij nauwelijks de kracht had om met zijn grote vleugels te slaan. De mensen wezen naar boven.
'Laat me erdoor!' schreeuwde Red. 'Laat me erlangs!' Maar de weg werd hem versperd door de drom lichamen van de mensen die allen hun nek rekten om de zwaan te zien, of het vuur te zien, en zijn stem ging verloren in het rumoer van het opgewonden gepraat en geroep. De hitte steeg op van de essenstammen; de eenzame vogel zweefde omlaag naar de plaats waar ik stond met het laatste sterrenkruidhemd in mijn handen. Onder mijn blote voeten begon het hout te roken. *Snel, Finbar, snel.* Hij cirkelde rond

alsof hij niet wist waar hij moest landen. *Vlug.* De mensen begonnen opzij te gaan om Red door te laten, misschien omdat hij schreeuwde, misschien vanwege het kleine scherpe mes dat in zijn hand was verschenen. Aan de voet van de brandstapel stond Richard bewegingloos naar me te kijken; hij was blind voor alles behalve zijn grote overwinning. De vlammen werden hoger; ze kwamen steeds dichterbij. Ze hadden bijna de eerste speciale mutsaard bereikt. Heet vuur, dat brandt en gloeit en alleen beenderen overlaat.

'Jenny,' schreeuwde Red terwijl hij twee van Richards mannen opzij duwde. 'Jenny!' Zijn gezicht was doodsbleek. En ik zag iets blinken, iets dat het licht van het vuur weerspiegelde, hoog boven de hoofden van de menigte. In een raam van het huis dat uitzicht gaf op de binnenplaats stond een boogschutter met zijn boog gespannen en zijn vinger aan de pees. Hij mikte niet op mij en ook niet op de zesde zwaan die nu nogmaals een lage cirkel beschreef boven de hoofden van de menigte. Hij mikte niet op Ben, en ook niet op de goudgelokte man die zijn broer volgde door de menigte mensen die met grote ogen en open mond stonden te kijken. Hij mikte op Hugh van Harrowfield, de man die met kop en schouders boven de omringende mensen uitkwam, die met zijn felgekleurde haar als een soort strijdvaandel een duidelijk en gemakkelijk doelwit vormde. Toen hij me in mijn cel toesprak, had Richard gezegd dat hij me uit de weg wilde hebben voor Red terug was. Hij had gezegd dat hij voor vertraging kon zorgen. Afleiding, had hij het genoemd. Dit was meer dan afleiding.

Niemand had het gezien. Niemand behalve ik. Ik voelde eerder dan dat ik zag dat de hand aan de boogpees trok, dat de pijl een hoek maakte, dat er met vaste hand werd gemikt. Mijn ogen gingen weer naar Red, die worstelde tegen de zee van samengepakte lichamen. Mijn voeten deden helse pijn, de zoom van mijn jurk begon te smeulen. Toen kwam er een windvlaag uit het niets, en rukte het zesde sterrenkruidhemd uit mijn handen zodat het hoog, hoog de lucht in vloog, buiten mijn bereik. Red zat vast tussen twee wachten; hun stevige gestalten maakten het onmogelijk voor hem om te bewegen. De boogschutter nam een roerloze houding aan.

Ik gilde: 'Red, kijk uit! Achter je!' Mijn stem kwam schor en gebroken naar buiten, verzwakt door jaren zwijgen. Maar hij hoorde me, en draaide zich om, en de pijl trof hem met een akelig doffe klap in zijn schouder.

De stommiteit van wat ik gedaan had, trof me als een steek recht in het hart. Na al die tijd, na alles wat er gebeurd was, had ik gesproken. Ik had mezelf niet kunnen tegenhouden. Ik had het zwijgen verbroken. Overal waren vlammen; het platform naast de brandstapel begon zwart te worden. Uit de bovenste laag hout kwamen sissende, ploffende geluidjes. Ik keek als verdoofd toe terwijl Red zijn hand achter zich stak en de schacht van de pijl afbrak alsof het een dun twijgje was; en het resterende gedeelte eruit wrikte, met zijn tanden ontbloot in een pijnlijke grimas. Hij drong zich nog steeds naar voren. En nu ging de menigte snel uiteen om hem door te laten, en hij bereikte de voet van de brandstapel. Richard stak zijn arm uit om hem tegen te houden; zijn gezicht was vertrokken van woede, maar hij kreeg een klap in zijn gezicht die hem ruggelings in de menigte deed belanden. Toen sprong Red omhoog, met een grote sprong door de vlammen en de hitte bereikte hij de tweede laag boomstammen, zette zijn gelaarsde voeten vlug op het smeulende hout, stapte op de bovenste laag en haalde het mesje een, twee keer over de touwen waarmee ik daar vastgebonden stond. Zijn gezicht was doodsbleek. De vlammen lekten aan de hoogste boomstammetjes. Hij pakte me om mijn middel, zwaaide me over zijn schouder als een zak groenten en sprong weer, minder handig ditmaal, zodat we samen in een hoop midden op het smeulende houten platform naast de brandstapel neerkwamen. Een ogenblik later was er een oplaaien, een suizen, en het vuur begon een griezelig groene tint aan te nemen. Een vreemd schijnsel verlichtte de hele binnenplaats, het speelde over open monden en verschrikte ogen, het blonk op de gestalte van een boogschutter die zich behoedzaam terugtrok van een open raam, het verlichtte het starre gezicht van Richard van Northwoods, waarop nu woede streed met angst.

Ik voelde hoe Reds arm zich om me heen sloot als een schild tegen de rest van de wereld. Zijn mond lag tegen mijn haar, en zijn hart bonsde heftig onder mijn wang. Ik sloot mijn ogen, greep met beide handen zijn hemd vast en begon te huilen. Nu was ik hen kwijt, ik had hen allemaal verloren. Hoe kon ik? Hoe had ik zoiets kunnen doen? Hoe kon ik spreken, na zo lang te hebben gezwegen, na al die tijd, hoe had ik woorden kunnen laten ontsnappen vóór de betovering verbroken was? Maar toch wist ik diep in mijn hart dat ik niet had kunnen blijven zwijgen, want op dat moment was het enige belangrijke dat Red bleef leven. Ik had hem gered; maar ik had mijn broers verloren.

HOOFDSTUK VEERTIEN

Het vuur brandde groen en goudkleurig, en het knapte en knetterde van kleine ontploffinkjes. Ik rook een geur van verschroeide veren. De menigte slaakte een zucht van verbazing, en nog een zucht, en brak toen los in luid geroezemoes. Onder mijn wang was Reds hemd nat van bloed en tranen. 'Alles is goed,' zei hij telkens weer. 'Alles is goed, Jenny, rustig maar.' Geen van ons beiden scheen in staat te zijn zich te bewegen. Toen voelde ik plotseling zijn arm verstijven om mijn schouders.

'Als je haar met een vinger aanraakt,' zei hij heel zacht, 'vermoord ik je.'

'Ik ben haar broer, idioot,' zei iemand in een taal die Red niet kon verstaan. Ik kon me niet omdraaien, zo stijf drukte hij me tegen zich aan.

'Hij kan je niet verstaan, Diarmid.'

Ik kon het niet geloven, maar dat was Conors stem, en hij ging door en vertaalde het rustig. 'Wij zijn haar broers, en we zijn gekomen om Sorcha mee naar huis te nemen. We zullen niemand kwaad doen, als we een vrijgeleide kunnen krijgen om uit uw gebied te komen. Onze zuster heeft uw bescherming niet meer nodig.' Heel even sloot de arm nog iets strakker om me heen; toen liet hij me los. Ik draaide me om en werd als een kind opgenomen in Conors armen, en even later stonden ze allemaal om me heen. Liam riep, Diarmid vloekte, Cormack en Padriac hadden zich al bewapend met korte zwaarden die ze hadden ontfutseld aan een paar mannen die nu kreunend onder aan het trapje lagen.

Diarmid nam de menigte in ogenschouw, om de tegenstand te schatten en de afstand te bepalen die moest worden afgelegd. Ik begon te beseffen dat we erg in het oog liepen, hier boven op het platform, en dat de planken al begonnen te branden, niet ver van de plaats waar we stonden.

'Was je van plan dood te bloeden of wacht je op het vuur?' Ben verscheen als vanuit het niets; zijn haar glansde als goud in het licht van de vlammen. Hij bukte zich en trok Red overeind, met een grimas op zijn gezicht. 'Je had het misschien nog niet gezien, maar dit geval staat in brand. Kom.' Hij stak een arm onder Reds goede schouder en begon zijn vriend zo'n beetje het trapje af te slepen. Red keek nog één keer om. Hij was nog bleker geworden dan daarstraks, al had ik dat niet voor mogelijk gehouden; en hij had elke uitdrukking van zijn gezicht gebannen. De linkerkant van zijn hemd was doorweekt met bloed.

'Kom mee, Red,' zei Ben. 'Je moeder is hier, en je broer. Het is niet nodig dat je hier blijft. Bovendien, niemand heeft iets aan een dode held. En jullie,' hij keek achterom in de richting van mijn broers, 'ik zou jullie raden hier zo spoedig mogelijk te verdwijnen. Ga eerst naar het huis. Daar is het voorlopig veilig. Ik zou jullie er zelf wel heenbrengen, maar zoals je ziet...' En weg waren ze.

Cormack daalde de treden af met het zwaard in zijn hand, Conor volgde hem met mij in zijn armen, en de anderen vormden de achterhoede.

'Waar is Finbar?' fluisterde ik, maar niemand hoorde me. Het was een krankzinnig lawaai. Geschreeuw van stemmen, hier en daar gekletter van zwaarden, het knetteren en loeien van het grote vuur, dat essenstammen, en gezaagd timmerhout en alles wat binnen zijn bereik was verteerde. De vlammen waren nu monsterachtig, torenhoog, doorvlochten met groene en oranje vonken. De rand waarop ik had gestaan was allang verdwenen, de paal was doorgebrand. Om ons heen drong de menigte naar voren, en er waren mannen met messen en zwaarden, en angst in hun ogen. Er was geen doorkomen aan, de weg naar de veiligheid van het huis was afgesneden. Mijn broers hadden een kring om me heen gevormd, maar de menigte drong van alle kanten op en de stemming werd kwaadaardig. Er waren mensen bij die gekomen waren om een heks te zien verbranden, en die voelden zich beetgenomen. Er waren ook mensen bij die alleen zagen dat de vijand plotseling in hun midden was verschenen, gewapend en gevaarlijk. En dan waren er nog Richards mannen, die bepaalde bevelen dienden uit te voeren.

'Ik kan niet geloven dat we gered zijn, enkel en alleen om nu afgemaakt te worden door Brits gepeupel,' gromde Cormack, terwijl hij zonder veel succes probeerde een weg vrij te maken tussen de schreeuwende, boze menigte. Een man schold hem uit, en Cormack hief het zwaard. Conors armen drukten me steviger tegen zich aan.

'Het ziet er niet best uit,' beaamde Liam, terwijl hij een man met een armzwaai tegen de grond sloeg. Door zijn val verloren anderen ook hun evenwicht. Een groep wachten in de kleuren van Northwoods kwam op ons af.

'Beste mensen van Harrowfield!' schalde een stem, die nadrukkelijk gezag uitstraalde. 'Jullie zijn vanavond getuige geweest van een groot wonder. Een mirakel, mogen we wel zeggen.' Langzaam werd de menigte stil, en iedereen draaide zich om. Gezeten op een groot, bont paard, met kaarsrechte rug in zijn zwarte soutane, overzag pater Dominic van Whitehaven de mensen met een strenge blik. Het werd doodstil. Vanuit de veiligheid van Conors armen keek ik op. Waarom was pater Dominic hier? Waarom was hij teruggekomen?

'Dit meisje is de dood nabij geweest. Maar jullie hebben deze gedaanteverwisseling gezien; jullie hebben gezien hoe deze jonge mannen de menselijke gestalte hebben teruggekregen door haar geloof en hoop, en het werk van haar handen. Die boosaardige betovering was vast en zeker het werk van de duivel, en door Gods wil zijn ze nu gered.'

Er werd gemompeld; sommigen schudden het hoofd, anderen knikten. Ik was moe. Ik was heel erg moe. Waar was Finbar? Waar was...

'De hand van de Heer rust op deze jonge vrouw,' vervolgde pater Dominic met zijn evenwichtige stem die de hele binnenplaats bereikte. 'Jullie mogen jezelf gelukkig prijzen dat jullie dit hebben gezien. En jullie mogen dankbaar zijn dat er op tijd hulp is gekomen, want hier was bijna een groot onrecht geschied. Het meisje was niet ter dood veroordeeld. De aanklachten tegen haar zijn niet bewezen; wie zou trouwens een kind veroordelen dat niet over het spraakvermogen beschikt om haar onschuld te betuigen? Ik meende dat het in het belang van het recht noodzakelijk was de zaak aan te houden tot haar echtgenoot terugkwam en voor haar het woord kon doen. Dat heb ik ook aan heer Richard meegedeeld, voor ik werd weggeroepen. Waarom hij er de voorkeur aan gaf de volksvergadering een andere uitspraak mee te delen, en de straf zo snel ten uitvoer te leggen, ben ik van plan te gelegener tijd zelf te achterhalen. Als vrouwe Anne er niet geweest was, die in eigen persoon is uitgereden om mij vandaag te bereiken en te ondervragen, zou ik niets van deze verbranding hebben geweten tot het te laat was. En dan zou Gods genade deze ongelukkige jongelieden niet zijn gegund.'

Ik zag nu dat vrouwe Anne naast hem op haar kleine merrie zat, in rijkleding. Ze zag er erg moe uit.

'Waar is de man die hiertoe opdracht heeft gegeven?' vroeg pater Dominic, en ik zag dat Richards mannen zich ongemerkt in de drom mensen mengden en verdwenen. Aan de randen van de menigte, in het halfduister, was wat drukte ontstaan.

'En hij dan?' riep een stem ergens in de menigte. 'Die kerel, de vent die haar vasthoudt. Dat is die man uit het bos, die vluchteling, de Ierse schoft die we die nacht bijna gevangen hadden. Je maakt mij niet wijs dat hij hier alleen maar gezellig op bezoek komt. Gaat die ook vrijuit?'

Conor keek op en over de mensenzee, en er viel een plotselinge stilte.

'Ik ben haar broer,' zei hij kalm in de taal die ze verstonden. 'We zijn allemaal broers van haar. Haar stilzwijgen heeft ons voor de duisternis behoed. Haar arbeid heeft ons bevrijd.'

'Beste mensen.' Vrouwe Anne sprak, en in haar stem klonk een wanhopige vermoeidheid. 'We hebben hier vanavond op Harrowfield waarlijk heerlijke en verschrikkelijke dingen gezien. Er moeten veel vragen worden gesteld, en veel antwoorden worden gegeven. Jullie zien dat... dat mijn zonen terug zijn gekomen; mijn beide zonen, en mijn hart is te vol van dankbaarheid om te willen dat er vanavond iemand bezeerd, of gestraft wordt, of anders dan hoffelijk behandeld wordt.' Ze probeerde niet te huilen en hield haar stem strak in bedwang. 'Deze jonge mannen zijn voorlopig gasten in mijn huis. Ik geloof dat Jenny onschuldig is, dat ze niets heeft misdaan. De hand van God geeft zijn zegen niet aan mensen die schuld in hun hart dragen. Er zal morgenochtend tijd genoeg zijn voor verklaringen en afrekeningen. Berg nu jullie wapens weg, ga naar huis en naar bed, en wees blij dat er geen onschuldig bloed vergoten is in het hart van de vallei. Verheug jullie met mij over het feit dat mijn zonen weer thuis zijn!'

Er volgde een weifelend gejuich, en de mensen begonnen zich ietwat aarzelend te verspreiden. Velen keken onze kant op; maar de woeste, vermagerde gezichten van mijn broers met hun felle ogen waren genoeg om iedereen af te schrikken. Toen kwamen er mannen van het huishouden als geleide om ons naar binnen te brengen, naar de kleine salon van vrouwe Anne die ze gebruikte als er gasten waren. Er brandde een vuur, en er waren lampen ontstoken. Conor zette me voorzichtig neer op een met zachte kussens bedekte bank bij de haard. Ze waren er allemaal; Liam luisterde met strakke lippen naar vrouwe Anne, terwijl Conor vertaalde wat ze zei; Padriac had een halfverbrand stuk hout van de brandstapel dat hij om en om draaide in zijn handen, terwijl hij het laagje dat erop zat bevoelde en bekeek; Diarmid en Cormack stonden vlak bij me, met het blanke zwaard nog in hun handen en hun blik gevestigd op de deur. En daar bij het raam stond Finbar met zijn rug naar ons toe naar buiten te kijken. Zijn rechterhand, die vlak gespreid tegen de stenen muur drukte, was mager en doorschijnend, alsof hij uit ijs was gebeeldhouwd. En nu kon ik zien wat dat laatste hemd, het hemd met slechts één mouw, had opgeleverd. Want in plaats van zijn linker arm had mijn broer nog steeds de krachtige, glanzende vleugel van een grote zwaan. Hij was de laatste geweest die terugkwam, en nu zou hij zijn leven lang deze last dragen, de vloek van het onvoltooide kledingstuk dat met liefde, met tranen en met bloed was gemaakt. Hij maakte geen geluid; hij wilde zich niet omdraaien naar mij, waar ik lag in de kring van mijn broers. En om zijn geest was een krachtig schild geplaatst.

Ik probeerde mijn stem weer. Na al die tijd was het niet gemakkelijk om hem te laten klinken.

'Hoe is... ik dacht...?'
Conor kwam naar me toe en knielde naast me neer.
'Tja. Je hebt het klaargespeeld. Nog net op het nippertje, blijkbaar.' Op zijn gezicht lag een scheef lachje, maar zijn ogen stonden heel ernstig. 'Deze vrouwe zegt dat we hier veilig zijn; hoe lang, dat staat nog te bezien. Eerst moet je rusten. Het is eindelijk voorbij.'
'Maar... maar ik heb gesproken, ik heb gesproken vóór de hemden... ik heb niet gezwegen! Hoe kan het dat jullie hier zijn, en dat de betovering verbroken is?' Ik kon nog steeds niet geloven dat ze toch gered waren. De vervloekingen van het Feeënvolk zijn immers tot in de kleinste wrede details vastgesteld, zodat de minste overtreding, de kleinste afwijking van de regels tot gevolg heeft dat alles om de ongelukkige slachtoffers in elkaar stort? Hoe kon het dat de betovering ongedaan was gemaakt, terwijl ik iets geroepen had voor het laatste hemd over Finbars hals was geschoven?
'Jij kon het niet zien,' zei Conor zacht. 'Maar deze dingen gaan vaak vanzelf, wanneer de tijd rijp is. Ben je de wind vergeten, de plotselinge windvlaag die dat laatste hemd uit je handen rukte en meenam in de lucht? Wie zal zeggen of die windvlaag dit kledingstuk niet over Finbars hals heeft laten vallen, een seconde voor jij die kreet slaakte? De betovering is heus verbroken, Sorcha; op één ding na...'
We draaiden ons allebei om en keken naar Finbar. Ik dacht: dit verhaal zal lang blijven bestaan, en het zal met de jaren veranderen, wanneer het verteld en herverteld wordt. Maar hij zal altijd het bewijs meedragen dat het waar is. Hij zal nooit terugkomen, niet volledig. Hij zal altijd in tweestrijd zijn tussen die wereld en deze, en nooit volledig tot de ene of de andere behoren. Het zal zijn vloek en zijn zegen zijn.
'Jenny, hoe is het met je? Maar misschien moet ik je bij je echte naam noemen, Sorcha, geloof ik?' Vrouwe Anne was naderbij gekomen. 'Ik kan nauwelijks geloven wat ik heb gezien; toch moet ik het geloven. Pater Dominic heeft gelijk; het is een wonder, en wij zijn gezegend dat we er getuige van mochten zijn. En nu heb je, door Gods wil, ook je stem terug. Lief kind, je hebt dit huishouden vandaag wel op zijn kop gezet.'
'Ik... het spijt me.' Ik keek naar haar op. Ze leek veranderd; ach-

ter haar kalme woorden lag een nauwelijks bedwongen opwinding, en haar ogen straalden van vreugde.
'Ik ben degene die moet zeggen dat het me spijt, want ik heb je op een vreselijke manier verkeerd beoordeeld. Ik had nooit gedacht dat ik zoiets verbluffends te zien zou krijgen. Het leek bijna een kunstgreep met vlammen en rook; die plotselinge verandering, toen veren vlees werden, en de lange nekken en wilde ogen van die vogels zich omvormden tot zes jonge mannen. Ik moet zeggen dat het voor de mensen van mijn huishouden zowel angstaanjagend als verwarrend was, en dat ze tijd nodig hebben om zich ervan te herstellen. De plotselinge verschijning van die broers van je, zomaar temidden van hen, een troep Ieren, zo woest als je ze je maar kunt voorstellen, en nauwelijks gekleed in wat vodden – dat was erg schokkend voor hen. Eén ding kunnen we verhelpen. Ik heb een man uitgestuurd om geschikte kleren te halen, en eten en drinken. Ik kan dit zelf nauwelijks bevatten; voor mijn mensen zal het een nacht zijn die hun nog lang zal heugen.'
'Er zit bloed op je jurk,' zei Cormack met gefronst voorhoofd. 'Ben je gewond, Sorcha? Heb je ergens pijn?'
Ik schudde vermoeid mijn hoofd en keek omlaag naar de blauwe jurk. Behalve de streep van de zee was hij nu geschroeid aan de zoom, en op de voorkant van het lijfje zaten donkere vlekken. Maar het was niet mijn bloed.
'Ik dacht dat het de bedoeling was dat hij voor je zou zorgen,' zei Conor botweg, terwijl hij naar me toe kwam. 'Was hij niet uitgekozen om jouw beschermer te zijn?'
Ik keek hem aan. *Wat kun jij daarvan weten?*
'Ik zag hoe hij naar je keek toen je over het zand holde. Ik zag hoe hij je uit het vuur wegtrok. Ik kan ernaar raden, net zo goed als een ander. Misschien beter,' zei hij. 'Waarom zou zo'n man ervoor kiezen voor jou op te komen, als hij niet onder de betovering van het Feeënvolk was? Ik wil wedden dat de Vrouwe van het Woud, toen ze jou deze weg op stuurde, hem een plaats naast je heeft gegeven.'
'Hij heeft het er anders maar povertjes afgebracht als beschermer,' zei Diarmid. 'Hij had haar bijna verloren. Wie denkt hij trouwens wel dat hij is?'
'Hij is haar echtgenoot,' gromde Liam.

De anderen keken hem met grote ogen aan.
'Wat?'
'De priester zei het. Conor vertelde het me. Ze wachtte tot haar echtgenoot terugkwam om voor haar het woord te doen. Dat is hij, vast en zeker.'
Ik was omringd door afkeurende ogen.
'Sorcha?'
'Kan dit waar zijn? Dat je met een Brit bent getrouwd?'
'Onzin. Ze is nog een kind.' Dit was Diarmid; de verontwaardiging straalde van hem af.
Hoewel ik mijn stem terug had, leek het nog erg moeilijk om te spreken. In plaats daarvan sloot ik mijn vuist om de ring die om mijn hals hing, en legde mijn andere arm om mijn knieën, en wendde mijn gezicht af. Bij het raam stond Finbar nog steeds met zijn rug naar de kamer, volkomen roerloos.
'Ahum.' Ik geloof dat ze vergeten waren dat vrouwe Anne nog in de kamer was. Ze had hun woorden niet verstaan, maar ze zag dat ik me niet prettig voelde. 'Jullie zuster heeft behoefte aan rust, en aan een slok bier, en stilte. Jullie maken haar van streek.' Ze legde haar arm om mijn schouders, en hield de beker vast zodat ik kon drinken. 'Toe maar, lief kind. Langzaam aan.' Toen keek ze weer naar Conor. 'Jen... Sorcha heeft een moeilijke tijd achter de rug; de vreemde gebeurtenissen van vanavond hebben ons allemaal aangegrepen. Ik zal jullie zuster meenemen om haar een bad te laten nemen en haar andere kleren te geven. Ik zal ook zorgen dat jullie ieder het nodige krijgen, warme kleren, eten en drinken. Wanneer ik terugkom, zal er tijd zijn voor verklaringen, voor het beantwoorden van vragen. Pater Dominic zal met jullie willen spreken, en mijn zoon ook.'
'We laten Sorcha niet alleen gaan,' zei Conor botweg. 'Denkt u dat na wat we hier vanavond hebben zien gebeuren, we haar ook maar een ogenblik uit het oog willen verliezen? Brengt u de benodigde dingen maar hier.' Daarna sprak hij snel met gedempte stem om het aan de anderen uit te leggen.
'Zeg tegen haar,' zei Liam grimmig, 'dat we geen tijd te verliezen hebben. Elk ogenblik telt; elk uitstel verlengt onze tijd op deze vervloekte kust. Ik wil dat Sorcha hier morgenochtend vroeg weg is, veilig op een schip, en wij gaan met haar mee.'

Conor bracht dit woord voor woord over. Vrouwe Anne trok haar wenkbrauwen op.
'Sorcha,' vroeg ze aan mij, 'is het mogelijk om uit te leggen... kun jij...'
Ik vond mijn stem, met enige moeite.
'Het is in orde,' kraste ik. 'Vrouwe Anne heeft het goed met me voor. En... en ik zou het heel prettig vinden om weer schoon en warm te zijn. Alsjeblieft.'
'Het is niet de vrouwe die me zorgen baart,' zei Conor. 'Hoe kunnen we van je veiligheid op aan, zodra je die deur uitgaat? Hoe kunnen we deze mensen vertrouwen, na wat je vanavond is aangedaan?'
'Conor.' Ik stond beverig op, en greep me vast aan de arm van vrouwe Anne. 'Ik ben moe en vuil, en ik beloof dat ik gauw terugkom. Ik heb hier bijna een jaar gewoond; dat is een hele tijd. Dit is zo goed als een thuis voor me geweest sinds we van Zeven Wateren zijn weggegaan, en ik moet afscheid nemen van de mensen hier. Ik weet dat jullie dit moeilijk kunnen geloven, maar deze mensen zijn op hun manier... lief voor me geweest. En jullie zeiden het zelf: ik heb een krachtige beschermer gehad, die nog steeds hier is. Mij zal niets overkomen.'
'Dan zal Liam met je meegaan, en de wacht houden.'
'Nee. Deze mensen kennen mij. Jullie moeten in deze kamer blijven; ze zijn nog altijd boos en in de war. Alsjeblieft, Conor.'
'Na wat Sorcha voor ons heeft gedaan, past het ons nauwelijks om haar iets te weigeren,' merkte Padriac op.
Dus ging ik met vrouwe Anne mee, door een gang vol nieuwsgierige ogen, tot we bij een vierkante, schone kamer kwamen waar Megan al in de weer was met warm water, rozemarijnolie en schone handdoeken. Ze was nu een beetje verlegen, alsof de wonderbaarlijke gebeurtenissen van die avond een ongemakkelijke afstand tussen ons hadden geschapen. Ze nam de tijd om mijn haar te wassen, en later, toen ik probeerde de knopen eruit te kammen, hield ze de blauwe jurk ontzet omhoog.
'Hemeltje! Ik ben bang dat deze jurk niet meer te herstellen is. Die zul je nooit meer aan kunnen.' Ze maakte er een prop van, alsof ze hem op een hoop vodden, of zelfs op de mesthoop wilde gooien.

'Nee!' fluisterde ik. 'Nee...'
Megan draaide haar hoofd naar me toe, zodat haar krullen dansten.
'Deze jurk is van mij,' wist ik uit te brengen. Een lieve glimlach kwam op haar gezicht.
'Nu kun je spreken,' zei ze verbaasd. 'Je stem klinkt precies zoals ik dacht dat hij zou klinken. Maar deze jurk moet in elk geval grondig worden gereinigd. Ik neem hem wel mee; dan doe ik wat ik kan, en geef hem later aan je terug.'
'Nee,' hield ik aan. 'Daar is geen tijd voor.'
'Wat bedoel je?' vroeg vrouwe Anne, die linnengoed aan het sorteren was op een wandtafel.
'Mijn broers,' zei ik; ik vertrok mijn gezicht pijnlijk toen mijn kam weer in een knoop bleef haken.
'Hier, laat mij dat maar doen.' Megan nam de kam uit mijn hand en begon deskundig de slierten van mijn verwaarloosde haar uit te kammen. De olie had gelukkig de kleine kruipende beestjes verwijderd.
'Ze willen natuurlijk bij het ochtendkrieken vertrekken,' zei ik. 'Dan moet ik klaar zijn. Ik zal mijn laarzen nodig hebben, en ik zal in elk geval deze jurk meenemen wanneer ik ga.' Ik had niet veel bezittingen. Het maakte me niet uit wat ik achterliet, behalve de blauwe jurk die getekend was door water, vuur en bloed. Drie dingen waren van waarde voor me: deze jurk, Finbars amulet en mijn trouwring.
De verwarring op Megans gezicht was compleet.
'Maar... maar heer Hugh dan?' zei ze uit de grond van haar hart, zonder zich te bekommeren om vrouwe Anne. 'Dat die jonge mannen, je broers, weg willen, dat kan ik wel begrijpen; je hoeft alleen maar te luisteren naar wat ze hier in huis allemaal zeggen. Die kunnen hier beter verdwijnen. Maar jij? Jij kunt niet zomaar weggaan. Wat moet hij dan?' Toen bloosde ze, en sloeg haar ogen neer. 'Het is niet aan mij om dat te zeggen, dat weet ik. Het spijt me.'
'Zo is het.' Je kon aan de stem van vrouwe Anne niet horen hoe zij erover dacht. 'Jenny, ik moet je even alleen laten. Mijn zoon – mijn jongste zoon – is teruggekomen; ik heb hem nog niet alleen gesproken. Een paar ogenblikken. Ik kom dadelijk bij je terug. Wacht hier op me, alsjeblieft.'

'Heb je het gezien?' vroeg Megan toen de deur achter haar meesteres dichtging. 'Simon, de broer van heer Hugh… hij is hier, in levenden lijve, terwijl ze allemaal zwoeren dat hij dood was, vermoord door de… nou ja, dat zeiden ze, en toch is hij terug. Hij schijnt zijn geheugen kwijt te zijn; hij kan zich niets herinneren sinds het moment dat hij hier met Richards troepen is weggegaan. Heer Hugh heeft hem gevonden in een of ander klooster, ergens in een verre uithoek, op een eiland zeiden ze geloof ik. Vrouwe Anne popelde om met Simon te praten, maar ze kon niet eerder weg dan nadat ze voor jou had gezorgd. En nou is heer Hugh ook nog gewond, en ze…'

'Megan…' Ik raakte haar arm aan; het viel niet mee er weer aan te wennen dat ik woorden kon gebruiken. 'Hoe erg is… hoe is hij eraan toe? Hebben ze het bloeden kunnen stelpen, hebben ze…'

'Hij is nog helemaal heel,' zei ze terwijl ze me van opzij aankeek. 'Maar ze zijn meteen daarna weer uitgereden, hij en Ben en nog een paar anderen. Heer Hugh had zijn arm in een slingerverband, en zijn schouder was verbonden. Hij ging op zoek naar zijn oom. Hij bleef net lang genoeg om zich te laten verbinden, langer niet. Jongeheer Simon wilde dolgraag mee, maar dat mocht niet van heer Hugh. Hij zei tegen Simon dat hij nu hier leiding moest geven. Op die manier kreeg zijn moeder hem tenminste te zien voor hij er weer vandoor ging. Weet je wel zeker dat je naar huis wilt?'

Deze vraag overviel me.

'Het is beter dat ik wegga,' zei ik. 'Ik ben niet een van jullie, en dat kan ik nooit worden.' *Maar als die wond nou weer gaat bloeden? En stel je voor dat hij Richard vindt en… Waarom heeft niemand hem tegengehouden?* 'Ik heb hier niets dan narigheid gebracht. Nu is het voorbij. Het is tijd om terug te gaan naar de bossen.'

'Heb je aan heer Hugh gevraagd hoe hij daarover denkt?' Megans blik was scherp terwijl ze mijn schone jurk om mijn polsen vastmaakte.

En als hij nou te zwak is om op een paard te rijden, en als zijn vijanden hem opwachten? Stel je voor dat hij niet terugkomt voordat het voor mij tijd is om weg te gaan?

'Heb je het hem gevraagd?' Ze kamde mijn haar strak naar achteren en bond er een lint om dat bij de jurk paste, het zacht blozende roze van een herfstroos. Een onpraktische kleur.

'Heer Hugh zou het zo willen,' zei ik. 'Ik hoor hier niet thuis, en mijn broers hebben me nodig.' *En hij zal me vergeten. Zodra de betovering van hem is weggenomen; misschien nu al. Misschien al vanaf het moment dat hij zijn arm wegnam die me zo veilig had beschut, en zijn gezicht weer een masker werd.*
Megan keek me met opgetrokken wenkbrauwen aan terwijl ze flessen, kommen en doeken begon op te ruimen. 'Misschien moet je het toch aan heer Hugh vragen wanneer hij terugkomt,' zei ze. 'Ik zou niet graag in de schoenen van Richard van Northwoods staan vannacht, voor geen prijs.'
Toen we terugkwamen in de salon, was de situatie veranderd. Er was wijn gebracht, van het beste soort, en tarwebrood, met koud gebraden vlees, en vrouwe Anne sneed eigenhandig punten kaas af. Ik keek vlug de kamer rond, maar er was geen spoor te bekennen van Red, of van Ben. Mijn broers zagen er iets behoorlijker uit, hoewel hun lange verwarde haren en woeste ogen vreemd stonden bij de keurige, eenvoudige kleren die ze nu aanhadden. Pater Dominic had hen om zich heen verzameld, bij het raam, en praatte zacht met hen. Finbar stond achteraan in het groepje en zei niets. Met Conor als tolk en een reeks gebaren leken de anderen zich aardig verstaanbaar te kunnen maken. Ik zag messen in de gordels van mijn broers. Dat was riskant, dacht ik, hun toe te staan wapens te dragen. Wie zou dat bedacht hebben? Misschien had niemand het durven weigeren.
Tegen de haard geleund stond nog een man; de lange man met goudblond haar die niet Simon kon zijn, maar die toch, het was niet te geloven, Simon moest zijn, want aan zijn voeten stond Alys te bibberen van blijdschap, en zo heftig met haar staart te kwispelen dat het leek of de voorste en achterste helft van haar lichaam in tegengestelde richting bewogen. Een hond vergist zich niet, zeker niet wanneer ze zo lang op de terugkeer van haar baas heeft gewacht.
Hoe moet je iemands gezicht interpreteren wanneer zijn verleden is uitgewist? Simon was ouder; in de drie jaren sinds ik hem voor het laatst had gezien, was hij uitgegroeid van een jongen tot een man. Hij had dezelfde rechte neus en krachtige kaak als zijn broer, maar de mond was guller, de ogen minder terughoudend. Ik zag geen littekens op zijn hals, zijn oor, of de gespierde arm die uit de

tot de elleboog opgerolde mouw stak. Maar hoe kon dat? Herinnerde hij zich niets? Ik keek even naar mijn broers. Ze luisterden aandachtig naar de woorden van de priester en leken hem niet te herkennen. Gelukkig maar. Simons heldere ogen keken zo onschuldig en vrolijk als de ogen van een kind; zijn gezicht had een volstrekt argeloze uitdrukking.

'Simon,' zei vrouwe Anne, 'dit is Sorcha, over wie ik je vertelde. Sorcha is...'

'De vrouw van Red,' zei Simon; hij keek langs zijn moeder recht in mijn ogen. Ik zag zijn gezicht veranderen. Hij had ook een masker op gehad, en gedurende het ogenblik dat hij het liet zakken, wist ik dat, wat hij ook vergeten was, hij mij niet vergeten was.

'Sorcha. Die naam past goed bij u,' zei hij kalm. 'Ik had nooit gedacht dat mijn broer een vrouw uit Ierland zou huwen.'

'Het was niet... hij heeft niet...' Mijn hart bonsde. Hij kende me, ik was er zeker van. En als hij zich mij herinnerde, herinnerde hij zich mijn broers ook, en... maar hoe kon hij daar dan staan, glimlachend, terwijl ze vlak bij hem stonden? Waar was de wanhopige, gekwetste jongen die ik met zoveel moeite had verpleegd, om hem weer een beetje tot zichzelf te laten komen? De jongen zonder hoop, die zich aan mijn verhalen vastklampte om de nachtmerrie van pijn en schaamte te kunnen doorstaan? En waarom had deze man geen littekens?

'U hebt vanavond een opmerkelijke prestatie geleverd,' vervolgde Simon. 'Het is voor ons volk bijna onbegrijpelijk dat een dergelijke gedaanteverwisseling mogelijk is. Vooralsnog staan ze stil bij het wonderbaarlijke ervan; maar morgen zullen sommigen het afdoen als gezichtsbedrog, terwijl anderen het ver weg zullen stoppen in hun geheugen, om alleen als verhaal voor hun kleinkinderen te voorschijn te worden gehaald. En ik vrees dat er ook een paar zijn die weer aan hekserij zullen gaan denken.'

'Je hoeft niet bang te zijn voor je broer,' zei ik met enige moeite. 'Ik zal hier niet blijven om hem tot last te zijn. We hadden... we hadden een afspraak...'

'Interessant,' zei hij zacht. 'Wat voor afspraak?'

Ik hoefde gelukkig niet te antwoorden; ik werd gered door pater Dominic die nu opstond en naar me toe kwam om me te begroeten. Vrouwe Anne, die gloeide van blijdschap over de terugkeer

van haar zoon, had eigenlijk niet naar onze woorden geluisterd.
'Jonge vrouw,' zei de priester, 'je broers hebben me iets verteld van je vreemde verhaal. Kom, ga zitten en neem wat wijn. Je ziet nog steeds bleek; je bent nog niet bekomen van je beproeving.'
Ik ging zitten, en meteen kwamen mijn broers om me heen staan, zodat de beschermende kring weer was gevormd. Diarmid keek naar Simon, en de uitdrukking op zijn gezicht zei: de enige goede Brit is een dode Brit.
'Richard van Northwoods,' zei pater Dominic. 'De man heeft hier vandaag onjuist gehandeld – nou ja, eigenlijk gisteren, want het is na middernacht. Ik heb hem heel duidelijk gezegd dat het... niet verstandig... zou zijn om een uitspraak te doen in de zaak van deze jonge vrouw zonder alle getuigen te hebben gehoord. En toen we daar samen onder vier ogen over spraken, was hij het met me eens. Het kwam erg ongelukkig uit dat ik werd weggeroepen voor ik tijd had gehad om aan de mensen van de volksvergadering uit te leggen wat we van plan waren. Dat heer Richard zowel uit mijn naam als uit zijn eigen naam een schuldigverklaring heeft uitgesproken was niet alleen een leugen, maar een ernstig misbruik van het gezag waarmee hij is bekleed. Dat hij de straf zo snel ten uitvoer wilde leggen riekt naar iets nog boosaardigers. Hij moet tenminste daarvoor ter verantwoording worden geroepen; en misschien ook voor andere zaken.
'In alle opwinding schijnt hij door het net geglipt te zijn,' zei Simon, een opmerking die erg aan zijn broer deed denken. 'Maar hij zal niet ver komen. Ook ik heb het een en ander met mijn oom te bespreken. Hoewel veel van mijn verleden me ontschoten lijkt te zijn, herinner ik me bepaalde dingen nog wel. Hij zal veel vragen moeten beantwoorden.'
'Mijn oudste zoon is vannacht met zijn mannen vertrokken om mijn broer terug te halen,' zei vrouwe Anne. 'Deze zaak is voor mij een bron van zorg geweest, zoals u zich wellicht kunt voorstellen. Toen ik vandaag uitreed om u te gaan halen, wist ik dat dit het gevolg zou kunnen zijn. Maar ik mag niet verwachten dat mijn eigen mensen zich integer en moedig gedragen als ik niet het goede voorbeeld geef.'
'Heel juist gesproken,' zei pater Dominic, en de blik die hij op haar richtte, drukte medeleven uit. 'Ik ben zeer benieuwd naar Ri-

chards antwoorden. Zeg tegen heer Hugh dat hij mij laat roepen wanneer zijn oom gevonden is. Het was een schok voor me dat een man die zo'n vooraanstaande positie inneemt, zich zo kan gedragen; een dergelijk machtsmisbruik verdient een snelle en krachtige reactie.'

'Zo is het,' zei Conor. 'Ook wij hebben verhalen gehoord, en we horen steeds meer. Als deze man verantwoordelijk is voor de aanklachten tegen onze zuster, en voor de wrede behandeling die ze heeft gekregen, heeft hij er vandaag doodsvijanden bij gekregen. Bot gezegd lijkt zijn toekomstverwachting me zowel beperkt als onaangenaam.'

'De normale procedure moet worden gevolgd,' zei pater Dominic vergevingsgezind terwijl hij rondkeek in de kring krijgers met hun grimmige gezichten en strakke monden. 'In de tussentijd mogen jullie je liever verheugen over jullie verlossing, en over het altruïsme van jullie zuster.' Hij wendde zich glimlachend naar mij. 'Lief kind, jouw verhaal is er een van grote moed. Als je niet reeds gehuwd was, zou iemand die in zo hoge mate beschikt over de deugden geduld en vertrouwen, zeer welkom zijn in onze gemeenschap van heilige zusters. Je zou een lichtend voorbeeld zijn geweest, een licht temidden van lichten.'

Daar wist ik echt niets op te zeggen. Ik nam een teugje wijn, en probeerde niet te letten op de manier waarop Simon naar me keek.

'Je broers zijn boos,' vervolgde de priester. 'Ze willen zich wreken voor wat jou is aangedaan. Voor wat je bijna is aangedaan. Maar dat is niet de manier. Het is het beste als ze hier weggaan, en snel ook. Er mag geen bloed meer worden vergoten, er mag hier geen haat blijven leven.'

Ik knikte. Het werd met de minuut duidelijker dat er, ook nu weer, maar één weg voor me open zou staan, dat er maar één keuze mogelijk was.

'Je lijkt bedroefd. Je hebt iets prachtigs gedaan, kind. Verheug je, want je behoort tot de gezegenden van de Heer. En rust uit. Je hebt je rust wel verdiend.' Hij stond op. 'Ook ik ben niet weinig vermoeid. Vrouwe Anne, ik zal vannacht gebruik maken van uw gastvrijheid, als het mag. Ik ben helaas te ver gevorderd in jaren, en te groot van omvang, om zo ver en zo snel op een paard te rijden zonder daar de wrange vruchten van te moeten plukken. We moeten allemaal rusten, en ons bezinnen op de wonderen die de Heer geeft. Ja, wonderen. Morgenochtend zal ik de mensen van Harrowfield toespreken, en hun nog wat meer vertellen van dit verhaal van lijden en verlossing. Er valt veel uit te leren.'

Het was Simon die de brave pater begeleidde naar zijn slaapplaats, terwijl Alys keffend om hun enkels rondsprong. Ik sloot even mijn ogen. Mijn broers bewogen om me heen, ze praatten met kalme, doelbewuste stemmen, ze maakten plannen, bereidden zich voor. Ze gingen vannacht niet slapen, nu er zoveel te doen was. Ze praatten dus over paarden, over wapens, over boten. En ze praatten over mijn vader en vrouwe Oonagh. Ze praatten over wraak. Het leek allemaal erg onwezenlijk, alsof het een andere wereld was. Misschien, als ik hier heel stil bleef zitten, bijna zonder te ademen, zouden ze me gewoon vergeten, en dan zou ik geen afscheid hoeven te nemen.

'Onze zuster,' zei Conor. 'Heeft ze veel bezittingen die moeten worden ingepakt en gereedgemaakt?'

'Daar zal ik voor zorgen.' Vrouwe Anne zei het heel zacht. 'Ze heeft niet veel. Mijn kamenier zal haar dingen inpakken en hier brengen. Sorcha is erg moe.' Ik hoorde een duidelijk afkeurende klank.

'Niettemin,' zei Conor, 'moeten we bij zonsopgang vertrekken, zowel omwille van dit huishouden als voor onze veiligheid. Uw brave priester is net op tijd tussenbeide gekomen, vrees ik. Zoals uw zoon al zei, kan de stemming van uw volk binnen de kortste keren weer omslaan, zodat ons leven in gevaar komt. Wanneer wij weg zijn kunt u, geholpen door uw zonen, de zaken hier weer in orde brengen. Het zijn voor ons allemaal vreemde tijden geweest.'

Er viel een korte stilte. 'Jullie weten misschien,' zei vrouwe Anne bedeesd, 'dat jullie zuster sinds kort met mijn zoon is getrouwd?' Conor vertaalde dit voor de anderen, en er volgde een waterval van boze reacties. Het was maar goed dat vrouwe Anne de taal die mijn broers spraken niet kon verstaan.

'Het is dus waar,' gromde Diarmid.

Padriac wilde het niet geloven. 'Waarom begint ze daar nu over? Ze bedoelt toch niet...'

'Een huwelijk?' Cormack spuwde het woord uit. 'Wat voor huwelijk zou dat zijn, tussen een hulpeloos meisje en de een of andere grote onbehouwen Brit?'

'Het lijkt waarschijnlijk,' zei Liam koel, 'dat dit huwelijk nooit geconsumeerd is.' Ze praatten alsof ik er niet bij was, alsof dit moest worden afgehandeld in het kader van een strategisch plan. Ik voelde mijn wangen gloeien van schaamte, maar ik was ook boos. Ze moesten Red hierbuiten laten. Niets van dit alles was zijn schuld, helemaal niets. Maar niemand vroeg naar mijn mening.

'Ons zusje is jong,' vervolgde Liam, 'en de kerel is afwezig geweest, op zoek naar een verdwenen broer. Bovendien kan ik niet geloven dat Sorcha uit vrije wil met zoiets zou instemmen. Het is een verbintenis die gemakkelijk ongedaan kan worden gemaakt, denk ik.'

Conor vertaalde dit voor vrouwe Anne.

'Ik kan niet voor Hugh spreken,' zei ze afgemeten. 'Jullie zullen het aan hem moeten vragen.'

'Dat zullen we zeker doen,' zei Conor met een grimmige trek op zijn gezicht.

Na een tijdje verontschuldigde vrouwe Anne zich, terwijl ze een geeuw onderdrukte, en we werden alleen achtergelaten, afgezien van de twee mannen die buiten op wacht stonden bij de deur. Ik liet me door Padriac nog wat wijn inschenken, en ik nam een stuk brood aan, hoewel ik eigenlijk geen trek had in wijn of brood. De kamer voelde vreemd, alsof hij in een soort droom om me heen zweefde. Ik wist dat als ik niet at of dronk, ik niet in staat zou zijn bij zonsopgang op een paard weg te rijden. Finbar zat op de bank bij het raam naar buiten te kijken, en ik nam mijn maaltje mee en ging naast hem zitten. Buiten was de wind helemaal gaan liggen. Je kon in het donker nog net de vage gloed zien van de as van het vuur, dat nog smeulde op de binnenplaats. Als ze vannacht nog terugkwamen, zou ik hen van hieraf kunnen zien.

Ik weet hoe het voelt, lief zusje. Alsof je hart in tweeën is gescheurd. Ik voel je pijn.

Ik haalde diep adem. En nog eens.

Finbar?

Ik weet hoe het voelt. Alsof je nooit meer heel zult zijn.

Ik stak mijn hand onder mijn jurk, waar ik twee koorden om mijn

hals droeg. Aan het ene koord hing mijn trouwring; aan het andere de amulet die vroeger van mijn moeder was geweest. Ik liet het ene zitten, en deed het andere af. *Dit is van jou. Neem het terug. Neem het terug, ze heeft het aan jou gegeven.*
Ik schoof het koord over zijn hoofd, en de kleine steen met het erin uitgebeitelde teken van de es lag op zijn borst. Hij was akelig mager geworden.
Laat me de andere eens zien. De andere talisman die je draagt.
Langzaam haalde ik de gesneden ring te voorschijn, en legde hem op mijn handpalm om hem aan mijn broer te laten zien.
Dit heeft hij voor jou gemaakt? Hij met het gouden haar, en de ogen die verslinden?
Niet hij. Een ander. Er drongen beelden op in mijn geest; Red met zijn arm om me heen als een schild; Red die een appel in vieren sneed; Red die een man het zwaard uit de hand schopte en het met zijn eigen hand opving; Red blootsvoets op het zand met de zee om zijn enkels.
Je zette veel op het spel, door zo'n man je liefde te geven.
Ik keek hem verbaasd aan. *Liefde?*
Wist je het niet, tot nu, nu je afscheid moet nemen? Toen liet hij me in zijn geest kijken. Beelden, geen woorden. Er was een met riet begroeide oever, een beschutte, kalme plek. Er was een wit strandje, een stuk van het meer in de luwte. Op het water zwom een prachtige zwaan, haar hals trots gebogen, haar ogen helder en glanzend. Naast haar, twee halfwas donsjongen, die zich dompelden en spatten in het water. *Ik heb ook afscheid moeten nemen.* Het beeld vervaagde. Op het gezicht van mijn broer zag ik niets dan afstandelijke, verre droefheid. *Ik heb even tijd gehad. Meer dan jij hebt gehad. Maar ik heb angst voor de kou, en de wolf, en de lange eenzaamheid. Ik heb angst om hen, meer dan ik kan zeggen.*
Ook hij had een verschrikkelijke keuze gemaakt. Een zwaan is zijn partner levenslang trouw. Ik stak mijn hand uit en pakte de zijne. Uiteindelijk was er geen keus. Wij zevenen waren één; en elk maakte deel uit van de zeven. Wij moesten er altijd voor elkaar zijn.

De tijd kan ons gemeen parten spelen. Die nacht leek het alsof hij heel langzaam voorbijging, terwijl ik bij het raam stond uit te kijken naar zijn terugkomst, met Finbar zwijgend naast me. Eenmaal eerder had hij me een eindeloze nacht doorgeholpen met troost en bijstand; had hij daarbij al zijn kracht verbruikt. Nu hield hij me alleen gezelschap. Voor mijn geestesoog zag ik Red, bloedend, gewond, uitgeput, door haat gedreven; op zoek naar zijn oom door bossen, over beken, op en neer door de donkere heuvels van Harrowfield. Meer dan wat ook verlangde ik naar het moment dat ik hem veilig de binnenplaats op zou zien rijden. En daarom bleef ik staan wachten, terwijl ik keek naar de laatste sintels van het grote vuur, die wegkwijnden en uitdoofden. En ik dacht: zou Finbar gelijk kunnen hebben? Kan dit liefde zijn, dit gevoel dat het hart zo verwringt en verscheurt? Heeft liefde niets te bieden dan het vermogen elkaar te kwetsen? Komt het hierdoor dat de minste aanraking in gelijke mate verlangen en schrik teweegbrengt? Wat dit ook is, het voelt aan als een dodelijke verwonding. En plotseling leek het alsof de nacht juist snel voorbijging, vreselijk snel. Want spoedig zou de dag aanbreken, en wij zouden ons over geheime paden uit de voeten maken, weg van Harrowfield, en over het water naar huis. Het zou spoedig tijd zijn om afscheid te nemen. Ik kon niet uitmaken welk gevoel sterker was, de angst dat hij niet op tijd terug zou komen, of de vrees dat hij wel op tijd zou zijn.

Toen ze dan eindelijk terugkwamen, was het zonder veel vertoon. Er waren geen vlammende toortsen, geen slaande trommels. Alleen vijf mannen die op hun paarden achter elkaar uit het donker kwamen aanrijden. De eerste was Ben, met een zwarte kap waaronder zijn sluike blonde haar niet helemaal schuilging. Daarna een ander, ook in donkere kleding gehuld om ongezien te blijven in de nacht. Deze man voerde een paard mee waarop in ongemakkelijke houding een gevangene reed, met zijn handen op zijn rug gebonden. Hij hield zijn hoofd niettemin uitdagend opzij, zijn schouders hadden een uitdagende houding. Zijn gezicht was zwaar gehavend, bloed stroomde ongehinderd uit een gapende wond boven zijn wenkbrauw. Ze hadden heer Richard gevonden.

'Van die man zijn de dagen geteld,' zei Cormack, terwijl mijn broers achter me kwamen staan. 'Hij zal zich zes keer moeten verantwoorden.'

'Nog wel vaker, denk ik zo,' zei Liam, terwijl hij naar de naderende ruiters keek. Er hingen lampen bij de ingang beneden, en het licht daarvan viel op de gezichten van de vier mannen die de gevangene begeleidden. Mijn adem ontsnapte me in een lange zucht. Want daar was hij, op het achterste paard, met zijn rechterhand los aan de teugels, zijn linkerarm in een slingerverband. Zijn gezicht was even bleek als de doek die om zijn arm en schouder gebonden was; zijn mond was een grimmige streep. Hij zat kaarsrecht in het zadel. Toen ze onder ons raam langsreden, keek hij op, daarna keek hij weer voor zich. Toen waren ze uit het gezicht verdwenen.

Ik voelde me misselijk, en had het idee dat ik elk ogenblik in tranen kon uitbarsten; tegelijkertijd voelde ik me leeg, alsof ik nooit meer zou kunnen huilen. Verward, en angstig, en... en waarom bonsde mijn hart zo snel, alsof ik een wedstrijd had gelopen? Ik wist wat ik moest doen, en zeggen. Ik moest het afhandelen, en dan gaan. Dat was alles. Dat zou toch niet zo moeilijk moeten zijn.

De deur ging open, en daar was Ben, die met grote stappen op me toe liep, zonder te vragen of het mocht. Ik hoorde een scherp metaalachtig geluid, en plotseling wees een aantal wapens in zijn richting.

'Al goed, al goed,' zei hij, terwijl hij zijn handen ophief in een spottend gebaar van overgave. 'Ik blijf niet lang.'

'Op deze manier komen we niet ver,' zei ik kwaad. 'Hij is een vriend van me.' Cormack trok een verachtelijk gezicht, maar Liam maakte een handgebaar, en ze gingen een klein stukje naar achteren.

'Jenny,' zei Ben, terwijl hij me aandachtig opnam. 'Gaat het wel met je?'

Het lukte me om te knikken. Waarom was het zo moeilijk om iets te zeggen? Er zat een nieuw verband om zijn pols, en zijn kaak zag bont en blauw.

'Wat...?'

Hij gaf een scheef lachje. 'In dit gezelschap zou het misschien niet verstandig zijn alles uit te leggen. Laten we zeggen dat het maar goed is dat ik hem ben gaan zoeken. Ik kon me nuttig maken in een benarde situatie. Niet dat hij me ervoor heeft bedankt, natuurlijk. Hij vermoordde me zowat omdat ik jou hier alleen had achtergelaten, dat was het enige bedankje dat ik kreeg. Het gaat toch wel goed met je?'

'Ik dacht... ik dacht dat je...'

'Ik, aan jou twijfelen? Geen ogenblik. Nou ja, misschien toch een ogenblik. Toen gebruikte ik mijn hoofd. Zoals jij en Red naar elkaar kijken; daar was toch geen plaats voor een ander? Er moest een andere verklaring zijn. Maar Richard gaf me geen kans, niemand kon bij je in de buurt komen, overal waren mannen van Northwoods. Ten slotte ben ik achter Red aangegaan.'

'Vertel ons,' zei Conor, 'wat zal er met die man, Richard van Northwoods, gebeuren?'

Ben nam hem taxerend op.

'Mijn broer Conor,' zei ik. 'Hij spreekt jullie taal vloeiend.'

'Dat merk ik. Heer Richard zit in hechtenis. Levend, en in redelijk goede gezondheid. Ik heb je man er met enige moeite van kunnen overtuigen dat de normale procedure moet worden gevolgd. Het alternatief was wel erg verleidelijk, toen we zijn oom eindelijk te pakken hadden. Maar er staan nog allerlei vragen open. Red zegt dat Simon veel heeft gepraat tijdens de lange rit naar huis vanuit het klooster waar hij werd aangetroffen. Hij is niet helemaal alles vergeten. Het schijnt dat Richard bij allerlei zaken betrokken is geweest. Uiteindelijk kon Red worden overreed dat we moesten wachten, om zijn antwoorden te horen. Maar ik heb hem nog nooit eerder zo boos gezien, zelfs niet op de dag dat John stierf; ik heb nog nooit meegemaakt dat hij zijn redelijke oordeelvermogen zo uit het oog verloor.'

'Zijn boosheid zal overgaan,' zei ik. 'Wanneer ik weg ben, zal hij alles hier weer in orde brengen; hij kan de antwoorden horen en een oordeel uitspreken, zonder bang te hoeven zijn dat hij een fout maakt.'

'Weg?' zei Ben. 'Hoe bedoel je, weg?'

'We hebben een vrijgeleide naar de kust bedongen; we vertrekken bij zonsopgang,' zei Conor. 'Jullie kunnen onmogelijk wensen dat we hier blijven rondhangen terwijl onze aanwezigheid dreigt jullie huishouden te verstoren. We zijn gezworen vijanden; nu verwonderen jullie mensen zich nog over onze plotselinge verschijning, maar die verwondering zal snel omslaan in haat en angst.

Ik had begrepen dat jullie er ook zo over dachten en dat er voor een escorte zou worden gezorgd.'
Ben keek de kring boze gezichten rond; toen keek hij naar mij. 'Ja, dat is wel zo,' zei hij. 'Dat is waar. Maar...'
'Hij zal toch niet denken,' gromde Diarmid, die de strekking van dit gesprek wel zo'n beetje had kunnen volgen, 'dat we erover zouden piekeren ons zusje achter te laten?' Het leek plotseling kouder in de kamer, toen Conor deze boodschap overbracht.
'Ik... nou ja, ik trap misschien een open deur in,' zei Ben, 'maar hij is tenslotte haar echtgenoot.'
'Echtgenoot?' Conors stem klonk snijdend als een mes. 'Wat voor echtgenoot is dat, dat hij zich niet heeft laten zien, sinds Sorcha bijna levend is verbrand? Durft hij zich niet te vertonen, nu hij het als beschermer van ons zusje zo totaal heeft laten afweten? Hoe kan zo iemand aanspraak maken op de titel van echtgenoot?'
Ben liet zich niet zo gemakkelijk intimideren. 'Hij heeft daar zijn redenen voor,' zei hij kalm. 'Toen we uw zuster voor het eerst zagen, was ze ziek, uitgehongerd, en doodsbang. Heer Hugh heeft haar leven gered. Niemand heeft Jenny gedwongen om hier te komen.'
'Jenny?'
'Toen we uw zuster vonden, kon ze niet spreken. Ze kon ons haar naam niet zeggen. Dit is de naam die haar gegeven is.'
'Met de naam Harrowfield op de koop toe, blijkbaar. Maar goed, ze zal geen van de beide namen lang behouden,' zei Conor. 'Is ons escorte gereed? Het zal snel dag worden.'
'Alles zal klaar zijn,' zei Ben. 'Er ligt een boot afgemeerd op een veilige plek, en er is een man die jullie erheen zal brengen. De rit zal een halve ochtend duren; voor jullie misschien langer. Simon zorgt voor alles, en hij zal jullie daarheen begeleiden.'
'Nee, ik zal hen brengen,' zei een stem.
Allen draaiden zich om en keken naar de man in de deuropening. Hij kon met moeite rechtop staan; zijn gezicht zag grauwbleek van uitputting. Er zat vers bloed op het verband, bij de schouder.
'Dat is gekkenwerk,' zei Ben tamelijk fel. Hij liep naar Red toe en probeerde zijn arm te pakken, maar werd met geweld afgeschud. Rondom me bewogen mijn broers. Cormack haalde zijn vinger langs het lemmet van een mes. Liam vouwde zijn armen over elkaar. Diarmid had een dreigende trek op zijn gezicht.

'Met alle respect, heer,' zei Ben, die kennelijk aanvoelde hoe gevoelig de situatie was. 'Het zou beter zijn als uw broer dit afhandelde. Ik zal ook meegaan, als u denkt dat u hem nog niet kunt vertrouwen. Hoe kunt u heen en terug rijden naar de kust, terwijl u al minstens drie dagen nauwelijks geslapen hebt?'
'Ik ben haar echtgenoot. Ik zal hen brengen.'
Ik kon niet naar hem kijken. De stem was al erg genoeg; afstandelijk, formeel. Ik kreeg het er koud van.
'Echtgenoot,' zei Conor nadrukkelijk. 'Ja, dat hebben we gehoord. Daar heb je niet veel van terecht gebracht; met al je heldendaden was je wel wat aan de late kant.'
Red zweeg.
'Ben je bij haar gekomen,' vervolgde Conor, 'toen ze honger had, en in vuil en kou moest leven? Heb je naar haar gekeken toen ze zwijgend voor haar aanklagers stond, en moest luisteren naar de smerige dingen die over haar werden gezegd, de leugens die werden verteld? Ben je haar komen opzoeken toen ze huilde in het donker, toen ze wachtte en toekeek terwijl je oom haar brandstapel oprichtte? Nou? Wat was je toen voor een echtgenoot?'
Het bleef even stil.
'Ben je klaar?' vroeg Red kalm.
'Vraag hem,' vroeg Liam dringend in onze taal, 'vraag hem naar de aard van dit huwelijk; of hij onze zuster heeft aangeraakt met zijn smerige barbarenhanden. Vraag het hem!'
Maar Conor was niet voor niets degene die hij was. Hij had zijn tegenstander zeker niet onderschat.
'Zeg me alleen,' zei hij, 'of mijn zuster vrij is om te gaan. Is het je bedoeling haar te houden aan een belofte, een toezegging die ze je heeft gedaan?'
'Hou je een wild dier vast wanneer het genezen is, en klaar om naar huis te gaan?' vroeg Red. 'Jenny bepaalt haar eigen keuzes. Ze weet dat ze vrij is om te gaan. Ze weet dat ze het alleen maar tegen me hoeft te zeggen, wanneer het zover is.'
Conor sprak zacht in onze eigen taal met zijn broers.
'En ons vrijgeleide?' vroeg Liam, terwijl Conor vertaalde. 'Ik wil dat we hier met zonsopgang weg zijn, of daarvoor nog. Er is weinig tijd meer.'

Reds antwoord was nog zachter. Ik had deze toon al eens eerder gehoord.
'Eerst zal ik alleen met mijn vrouw spreken. Dan vertrekken we, met alles wat jullie hebben gevraagd. Het zal niet lang duren.'
Conor gaf dit aan de anderen door.
'Geen sprake van!' snauwde Diarmid.
'Alleen? Dat lijkt me niet,' zei Liam grimmig.
'Wie denkt deze man wel dat hij is?' wilde Cormack weten. 'Hij kan geen aanspraak maken op Sorcha, dat weet hij heel goed. Zeg dat hij paarden brengt, dan vinden we het zelf wel. We gaan hier niet over onderhandelen.'
'We kunnen dit niet toestaan,' zei Conor op ernstige toon. 'Je begrijpt dat we, na wat er gebeurd is, bezorgd zijn om het welzijn van ons zusje. We zullen haar niet uit het oog verliezen tot we dit land verlaten hebben. Er zijn drie volle jaren verstreken sinds we voor het laatst onze menselijke vorm hadden. Voor haar drie jaren van zwijgen en lijden. Nu is ze ons teruggegeven, en wij zullen niet van haar scheiden, of haar veiligheid op het spel zetten, al is het ook maar een ogenblik.'
Reds mond vertrok tot een strakke streep, op een manier die ik maar al te goed kende, en ik zag de hand van Ben in de buurt van de greep van zijn dolkmes zweven.
'Dit is mijn huishouden,' zei Red. 'Jullie willen immers ongedeerd vertrekken? Met paarden en onder enige mate van bescherming? Daar zal ik voor zorgen; maar eerst wil ik alleen met Jenny spreken.'
'Je arrogantie verbaast me,' zei Conor koel. 'Het waren jouw mensen die mijn zuster ter dood zouden hebben gebracht; jouw mensen die gewoon hun gang gingen terwijl zij in het donker was opgesloten, terwijl de luizen in haar haar kropen en de ratten zich 's nachts te goed kwamen doen aan de vuiligheid in haar cel, terwijl zij huilde en werkte en op het einde wachtte. Hoe durf je eisen aan ons te stellen?'
Red was doodsbleek, maar hij wilde toch beslist antwoorden. 'Voor wie werkte ze, voor wie heeft ze die drie jaren gezwegen, voor wie hield ze haar lach in, en haar tranen, en haar kreten van pijn? Jullie accepteerden de dingen die ze voor jullie deed. Jullie zijn even schuldig als ik, jullie allemaal.' Hij had steun gezocht

aan Bens arm; de hand waarmee hij zich vastgreep, was wit bij de knokkels.
Het was net of ze vergeten waren dat ik erbij was.
'Conor,' zei ik.
'Wat!?' snauwde mijn broer met een stem die ik nog nooit van hem had gehoord.
'Dit is mijn beslissing,' zei ik kalm. 'Ik zal volkomen veilig zijn. Ik zal niet ver gaan; net buiten de deur.'
En ik liep de kamer uit, zonder op of om te kijken. Niemand probeerde me tegen te houden. Buiten de kamer stonden nog steeds twee mannen op wacht. De deur ging achter me dicht.
'Jullie kunnen gaan,' zei Red tegen de wachten. Ben was binnen gebleven; een gebaar dat wel enige moed vereiste, onder deze omstandigheden.
We waren alleen. Ik bleef waar ik was, naast de deur. Hij stond vlakbij, tegen de muur geleund. Ik had al mijn kracht nodig om op te kijken in zijn ogen. Ze waren winters koud, en op zijn gezicht was even weinig te lezen als op een leeg vel perkament.
'Het schijnt dat ik mijn nut heb gehad,' zei hij. 'Het is duidelijk dat je mijn bescherming niet meer nodig hebt.'
'Het is beter zo.' Ik dwong mezelf de woorden uit te brengen. 'Beter voor jou, en voor je huishouden. Beter voor iedereen.' En ik dacht: als de betovering van het Feeënvolk nog niet van je is afgenomen, hoef je alleen maar te wachten tot ik hier weg ben. De boot zal me voorbij de negende golf brengen, en dan zul je beginnen me te vergeten.
'Ik heb ooit tegen je gezegd,' zei Red, 'dat ik je stem wilde horen. Ik dacht niet dat dit de eerste woorden zouden zijn die ik zou horen.'
Het is waar, dacht ik. We zijn er heel bedreven in geworden elkaar pijn te doen. Is dit alles wat we in een heel jaar geleerd hebben, na alles wat er gebeurd is?
'Dat waren niet de eerste woorden,' fluisterde ik, vechtend tegen de tranen. Ik wilde beslist niet huilen.
'Nee,' beaamde hij. 'Dat waren ze niet. Je hebt me gered; en ik heb jou gered. Misschien was het daar allemaal voor. Misschien was dat de reden. En nu het voorbij is, wil je terug naar huis.' Reds stem klonk beleefd. Hij had op dezelfde manier kunnen spre-

ken tegen een willekeurige gast die vertrok. 'Ik zal voor je veiligheid zorgen tot aan de kust. Ik twijfel er niet aan of je broers zullen je tijdens de reis naar huis goed bewaken.'

Ik slikte. Er was weinig licht; in een nis stond één lamp die zwakjes brandde, en diepe schaduwen wierp. Maar buiten was het al bijna dag. Er was zoveel te zeggen; en niets wat ik kon zeggen.

'Ik heb gezegd dat ik je zou vertellen over je broer,' begon ik aarzelend. 'Over Simon.'

'O, ja. Dat hadden we afgesproken. Een vrijgeleide naar huis, in ruil voor informatie. Dat was ik haast vergeten.' Hij probeerde achteloos te doen, maar ik zag dat zijn hand beefde toen hij hem ophief om het verband te verschikken.

'Het bloedt weer,' zei ik. 'Laat mij dat doen.'

'Néé.' Nu was hij degene die terugdeinsde voor mijn aanraking. 'Laat maar. Het is niet belangrijk. Je vroeg naar mijn broer. Het geheugen is een vreemd iets. Simon herinnert zich weinig van al die tijd dat hij weg was. Gebeurtenissen van later datum herinnert hij zich beter; het kwam stukje bij beetje terug tijdens onze langdurige reis naar huis. Genoeg om mijn oom vele malen aan te klagen.'

'Dat weet ik,' zei ik. 'Toen ik... gevangenzat, heeft je oom vrijuit tegen me gepraat, tamelijk uitvoerig. Hij heeft me veel dingen verteld; daar heeft hij nu waarschijnlijk spijt van. Hij dacht... hij dacht dat ik het niet aan jou zou vertellen, hij dacht dat ik nooit...'

Ik kon Reds beheerste ademhaling horen, in, uit, in, uit, alsof hij zich niet durfde te laten gaan.

'Mijn oom... heeft hij je aangeraakt, toen... heeft hij je met een vinger aangeraakt, Jenny? Ik werd tegengehouden toen ik hem... hem wilde... Ben weerhield me, maar als...'

'Er is niets gebeurd,' zei ik met moeite. 'Ik ben ongedeerd. Hij zei tegen me: ik wil niet wat mijn neef overlaat. Hij heeft me geen kwaad gedaan.'

'Ik vermoord hem,' zei Red zacht, terwijl hij zijn gezicht afwendde.

'Je bent een rechtvaardig man, je bent eerlijk,' zei ik. 'Deze mensen zijn van jou afhankelijk; jij bent het middelpunt van hun wereld. Zet je boosheid opzij, en vel dan je oordeel. Ze nemen een voorbeeld aan jou. Het zal gemakkelijker zijn wanneer ik weg ben.'

Hij draaide zijn hoofd naar me toe; liet me een ogenblik de diepe eenzaamheid in zijn ogen zien, de schaduwen en scherpe lijnen op de bleke huid. Hoe kon een man die zoveel had, zo alleen zijn?
'Mijn broer,' zei hij op sombere toon, 'heeft weinig herinneringen aan die verloren jaren. Dat zegt hij. Maar welke plaats jij daar ook in hebt ingenomen, hij wil geen kwaad woord over jou horen. Ik hoorde hem vanavond, toen we terugkwamen, met mijn moeder praten. Hij sprak over jou als... als over een engel. Hij zei: haar handen zijn de zachtste handen op de hele wereld, en ze kan verhalen vertellen, verhalen die je nooit zou geloven, maar wanneer je haar hoort spreken, weet je dat elk woord waar is. Hij is de rest misschien vergeten, maar jou herinnert hij zich.'
'Ik...'
'Sst,' zei hij, en hij stak zijn hand uit en legde zijn vingers heel zacht op mijn lippen om mij het zwijgen op te leggen. 'Vertel het me maar niet.' Hij raakte me maar een ogenblik aan; maar toch moest ik vechten tegen de neiging om mijn hand op de zijne te leggen, om mijn lippen op zijn handpalm te drukken. Ik dwong mezelf om niet te bewegen. Toen nam hij zijn hand weg, en ik deed een stap achteruit. Onuitgesproken woorden lagen als een loden gewicht tussen ons in. Onuitgesproken woorden, en ongemaakte gebaren. Van een willekeurige ander zou ik afscheid hebben genomen met een omhelzing, een zoen; ik zou met mijn vingers over een wang hebben gestreken, ik zou een hand in mijn hand hebben gedrukt. Bij Red kon ik niets doen.
'Je hebt een kring,' zei hij, 'die je om je heen trekt; John, Ben, die woeste broers van je. Simon beschermt je al met evenveel felheid als die anderen, hoewel hij toch weinig reden heeft om van jouw soort te houden. Maar zodra je ons beroert, is ons hart niet meer van ons.'
Mijn lip trilde, en ik beet erop, zo hard dat het pijn deed. *Ik ga niet huilen, Ik heb genoeg gehuild.* Ik bracht mijn hand omhoog en trok het koord over mijn nek.
'Dit wil je natuurlijk terug hebben,' zei ik, hevig met mijn ogen knipperend. De ring lag op mijn vlakke handpalm, licht en warm. Ik had al mijn wilskracht nodig om mijn vingers er niet om te sluiten. Ik zag dat Reds hand zich balde tot een vuist met witte knokkels.

'Als dat ding zo weinig voor je betekent,' zei hij na een ogenblik, 'gooi het dan maar in het vuur, of op de mesthoop. Ik kan het niet gebruiken.' Toen draaide hij zich om en liep de gang in, en ik moest denken aan de nacht van de aardverschuiving, toen hij had gelopen alsof hij blind was, hoewel hij zijn ogen open had.

De kleine merrie droeg me even gewillig als op de dag dat we de tocht naar de zeehondenbaai hadden gemaakt. Mijn broers waren zwijgzaam, alsof het wonder dat ze de wereld bij daglicht door hun eigen ogen konden zien, na al die tijd, bijna te veel was om te verdragen. Red reed aan de kop van de stoet, zijn haar fel van kleur net als de plataanbladeren die rondom ons neerdwarrelden, beschenen door de herfstzon. Ben reed achteraan en lette op.

Het viel niet mee om de herinneringen te onderdrukken aan de vorige keer dat we hier hadden gereden, over het verscholen pad onder de bomen, over de heuvels en weg van de vallei. Ik had niet verwacht dat Simon met ons mee zou komen, maar het scheen dat hij voor zichzelf had gepleit en zijn broer had overtuigd. Hij reed dicht bij mij, en ik vertelde hem wat Richard tegen mij had gezegd over Eamonn van de Moerassen, en over zijn onderhandelingen en afspraken, en over wat er die nacht was gebeurd toen Simon uit het kamp verdwenen was. Hij luisterde, en knikte en liet me praten. Ik vertelde niet helemaal alles. Sommige stukken lagen te dicht bij ons eigen verhaal, te dicht bij het gedeelte waar Red zo lang op had gewacht, maar dat hij uiteindelijk toch niet had willen horen.

'Mijn oom heeft een risico genomen door je dit te vertellen,' zei Simon nadenkend. 'Een groot risico. Wanneer dit bekend wordt, zal hij het beetje invloed dat hij nog heeft, verspeeld hebben; de banden met zijn familie en met zijn vazallen zullen verbroken worden; ik heb geen idee hoe zijn toekomst er dan uit zal zien. Ik maak me zorgen over Elaine. Hij heeft haar met zijn optreden in een buitengewoon kwetsbare positie gebracht. En hij heeft geen zonen. Er zullen heel wat familieleden staan te dringen om zijn plaats op Northwoods in te nemen.'

Elaine was een goede vriendin geweest voor Red, dacht ik. Misschien zou ze nu krijgen wat ze verdiende. Misschien mocht ze nu de keuze van haar hart volgen, en hoefde ze niet meer te doen wat haar vader haar beval. Simon was een voortreffelijke jongeman, en ik wenste hun veel geluk met elkaar.

'Richard dacht dat ik zou sterven,' zei ik. 'Hij geloofde dat ik nooit meer zou spreken. Hoe kon hij verliezen? Zo'n man houdt ervan zijn overwinning breed uit te meten en zich erover te verkneukelen. Als Red... als je broer niet op tijd was teruggekomen, zou het zo gegaan zijn als hij bedoeld had.'

'Mijn broer zorgde er wel voor dat hij er op tijd was,' zei hij droogjes. 'Ik heb nog nooit iemand zo zien rijden, alsof hij door demonen op de hielen werd gezeten. Die beste, betrouwbare Hugh. Zo kalm, zo bekwaam. En zo enorm voorspelbaar. Maar jij hebt hem veranderd.'

Er hing een zilte geur in de lucht, en ik dacht dat ik een meeuw hoorde. Op Padriacs gezicht was een vaag glimlachje verschenen, terwijl we nog steeds in westelijke richting reden. Huiswaarts. Hij was jong. Van ons allen leek hij het minst gedeerd. Ik dacht dat hij zijn leven wel weer zou kunnen oppakken, en er een goed leven van zou kunnen maken. Wat de rest betrof, wist ik het nog niet zo zeker. Liam moest datgene tegemoet treden wat op Zeven Wateren voor hem lag; hij moest proberen tot een vergelijk te komen met onze vader en met diens vrouw, en de verbrijzelde delen van een voorheen sterke vesting aaneen te lijmen. Diarmid leek verteerd door verbittering, en Cormack leek elk ogenblik te kunnen ontploffen. Wat Conor betreft, de diepe, wijze, geheimzinnige Conor, zelfs hij had me vandaag laten zien dat hij zich kon laten verblinden door zijn eigen overtuigingen. Want hij had Red niet gezien zoals hij werkelijk was. En Finbar, die nu op zijn paard zat als iemand in een droom en zich nauwelijks bewust scheen van wat er om hem heen gebeurde, Finbar zou een leven hebben dat ver verwijderd was van wat het had kunnen zijn. Ik had hen teruggehaald; maar elk van hen had een deel van zichzelf verloren tijdens de lange tijd dat ze weg waren geweest.

We schoten goed op en reden nu een helling op tussen hoge bomen; er was ruimte tussen de paarden door het zware terrein. Simon en ik reden enigszins gescheiden van de anderen.

'Je gaat naar huis,' zei hij. 'Maar je hebt de ring van mijn broer nog.'

Ik was onthutst, en wist niets te zeggen.

Toen zei hij: 'Waarom heb je niet op me gewacht, Sorcha?'
Ik staarde hem aan. Toen zei ik behoedzaam: 'Ik kon niet blijven. Dat heb ik je gezegd. Ik wilde je niet achterlaten, maar ik moest mee van mijn broers. Ik was toen nog maar een kind.'
'Ik herinner me een verhaal dat je me vertelde,' zei hij. 'Over een toverbeker, waaruit alleen iemand met een zuiver hart kon drinken. Er was een man die wachtte en wachtte, tot hij oud was, en toen werd zijn geduld eindelijk beloond. Ik heb nog veel langer gewacht. Ik ben heel lang weggeweest, Sorcha. Meer dan een mensenleven voor een sterfelijk mens. Negen maal negen jaren, op die plaats waarover je in je verhalen vertelde. Langer dan mijn broer zich zou kunnen voorstellen.'
Ik staarde hem nog steeds aan, terwijl we de top van de heuvel bereikten en onze paarden naast elkaar over een open plek en het bos in liepen. Hun hoeven stapten zacht op het tapijt van gevallen bladeren. Ik wilde eigenlijk niet geloven wat hij me vertelde, maar toch wist ik, zoals een verhalenverteller moet weten, dat dit de waarheid was.
'In het verhaal wachtte zijn liefje op hem,' zei Simon, en hij richtte zijn helderblauwe ogen op mij met een beangstigend intense blik. 'Zij wachtte tot ze allebei oud waren. Jaren en jaren. Voor jou waren het er maar drie. Wáárom ben je met mijn broer getrouwd? Waarom heb je niet op mij gewacht?'
'Ik... ik... hoe kon ik dat weten?' fluisterde ik geschrokken. 'Dat wist ik niet. Ik heb nooit ook maar gedacht...'
Hij zweeg.
'Je was gewond,' zei ik. 'Brandwonden. Hoe...'
'Er zijn er die zulke littekens kunnen uitwissen, alsof ze er nooit geweest waren. Er zijn er die zulke zoete prikkels kunnen geven, dat een man deze wereld voorgoed zou kunnen vergeten, en wanneer hij weer naar boven wordt gestoten, wanneer ze hem niet meer kunnen gebruiken, dan wordt hij volkomen verteerd door zijn verlangen naar wat hij in het land onder de heuvels achterliet. Ze hebben me daar lange tijd gehouden. Ik heb geen littekens meer, niet aan de buitenkant. De verwondingen die me door jouw soort zijn toegebracht, behoorden tot een ander leven. Lang, lang geleden. Maar ik heb mijn verstand niet verloren, Sorcha. Ik heb mijn geest helder gehouden, gericht op een doel, gedurende al die

lange jaren. In al die tijd van wachten dacht ik alleen maar aan teruggaan om jou weer te vinden. Ik bad alleen dat de tijd zo vriendelijk zou zijn om in deze wereld langzamer te verlopen. Toen ze me eindelijk uitstootten, herinnerde ik me weinig van mijn oude leven; de herinneringen die ik had waren als spoken, nevelig en vervliegend. Maar één herinnering stond me helder en klaar voor de geest.' Hij bracht zijn hand omhoog en nam een koord van zijn eigen hals; hij gaf me het kleine zakje van soepel leer dat eraan hing. 'Maak het open en kijk naar wat erin zit.'

Ik maakte de sluiting los en voelde erin. Iets fijns en zachts, als een streng zijde. De kleine merrie liep rustig door, ze hoefde niet aangedreven te worden. Voor ons reden Cormack en Conor samen; achter ons was Padriac met Ben een geanimeerd gesprek begonnen over de beginselen van het vliegen, en of je een machine zou kunnen bouwen die een mens door de lucht zou kunnen dragen. Finbar was daar ook ergens, zwijgend achter hen. Ik kon Red, Liam en Diarmid niet zien. Ik haalde iets kleins uit het zakje. In mijn hand lag een lok donker haar. De krul die hij op die dag lang geleden met zijn scherpe mesje van mijn hoofd had gesneden. *Laat me niet alleen.* Wat voor wreed spel hadden ze met ons allemaal gespeeld? Wat voor kronkelig pad hadden we gevolgd, als geblinddoekte marionetten in een woeste dans? Hadden we geen vrije wil? Hadden we geen keus?

'Het Feeënvolk heeft je dus meegenomen,' zuchtte ik. 'Je meegenomen uit het bos...'

'Je weet hoe ze doen,' zei hij. 'Je weet hoe ze je kunnen vleien, en bekoren, en verrukken. Hoe ze je kunnen treiteren, en foppen, en bang maken. Als ik deze talisman niet had gehad, zou ik zeker krankzinnig zijn geworden. Ik zou mezelf keer op keer zijn kwijtgeraakt. Ik zou alles hebben vergeten. Maar ik wilde het me niet laten afpakken; en uiteindelijk gaven ze het op en lieten ze me los, en stuurden me terug. Je had op me moeten wachten, Sorcha. Je had nog net iets langer moeten wachten.'

Wat kon ik zeggen? Hij nam de haarlok uit mijn trillende vingers, en stopte hem weer weg, en hing het koord om zijn nek zodat het zakje tegen zijn hart rustte.

'Ik heb je ooit een verhaal verteld,' zei hij. 'Herinner je je dat nog?'

Ik knikte. 'Ik herinner het me. Een verhaal over twee broers.'

'Je zei dat ik het kon laten eindigen hoe ik maar wilde. Deze weg of die. Ik ging je geloven. Maar je had het mis. Ik heb gewacht, gewacht tot ik je weer heb gevonden. Maar je bent met mijn broer getrouwd. Ook dit heeft hij me afgenomen.'

Er was niets wat ik kon zeggen. Toch stuntelde ik verder met woorden. 'Ik wist het niet... hoe kon ik het weten?... Herinner je je alles? Waarom heb je dan...'

'Wie zou de waarheid geloven?' vroeg hij, en de blauwe ogen waren een ogenblik even diep en streng en eenzaam als die van zijn broer. 'Op deze manier is het gemakkelijker. Wie zou het geloven, behalve jij?'

We reden zwijgend verder. Voor ons kon ik Red zien; hij reed alleen voorop, en achter hem vier van mijn broers, Liam en Diarmid, Cormack en Conor; hun paarden volgden het zijne over het pad, dat smaller was geworden naarmate het terrein steiler werd. We reden verder door het bos, tot we op het punt kwamen waar de bomen ophielden, en je het wijde vlak van de zee voor je zag liggen. Aan de overkant van dat glanzende water, in het westen, was ons huis. En het bos. Mijn bos.

'We kwamen hier heel vroeger weleens,' zei Simon. 'Er zijn soms zeehonden.'

'Ja, dat weet ik,' zei ik.

Zijn blik kreeg iets scherps. 'Hij heeft je hier mee naartoe genomen?'

'Ik heb de baai gezien,' zei ik, terwijl ik dacht: *ik kan niet teruggaan naar die plek. Laat me daar geen afscheid hoeven nemen. Ik ben misschien sterk, maar daarvoor ben ik niet sterk genoeg.*

'Er wist verder niemand van,' zei Simon heel zacht. 'We hebben nooit iemand over deze plek verteld. Zelfs aan Elaine hebben we het nooit verteld.'

Ik zei niets. Iets verder op het pad wachtten de anderen ons op. Achter ons kwamen Ben en Padriac tussen de bomen uit, en kwamen in galop naar ons toe. Ik zag een brede grijns van verrukking op Padriacs gezicht komen toen hij het wijde, glinsterende watervlak in het oog kreeg dat mij zo had verrast toen ik het voor het eerst zag. Terwijl wij daar stonden en naar het westen keken, kwam Finbar langzaam van achter ons aanrijden. In zijn ogen was niets te lezen, en zijn gezicht was uitdrukkingsloos.

'Het is daar, iets verderop naar het noorden,' zei Red. 'We hebben een boot liggen in de volgende baai, niet ver hiervandaan. Onze schipper is waarschijnlijk al klaar. Het is een goede dag voor jullie reis; een gunstige wind.'
'Denk een beetje om de maag van jullie zus,' merkte Ben op. 'Zij is niet zo dol op zeereizen.'
Veel te vlug, leek het, waren we bijeen op de oever, en in de zee was een zure schipper die ik al eens had ontmoet bezig zijn scheepje in gereedheid te brengen. Padriac, die zich tot nu toe had moeten beperken tot de kalmere wateren van het meer, kwam hem te hulp en was even later druk in de weer met schoten en riemen. De paarden stonden wat verder op de helling te grazen; ze waren te goed gedrild, of te moe, om ver weg te gaan. Red was van ons weggelopen en stond alleen op de rotsen over de zee uit te kijken. Ik nam afscheid van Ben, terwijl Liam mijn armzalige bundeltje met bezittingen naar de boot bracht, en de anderen hun verstijfde ledematen strekten en naar het westen tuurden, over de buitelende golven, over het wijde water, in de hoop een glimp te zien van het land dat daar lag. Ben omhelsde me en zei: 'Vergeet ons niet,' en ik zei dat ik zo'n mooie kop met haar toch nooit zou kunnen vergeten, en dat ik al zijn grappen aan mijn broers zou doorvertellen. Hij draaide zich om en had het ineens erg druk met een lastig stukje tuig.
'Vaarwel, Simon,' zei ik. Hij had het zakje weer onzichtbaar onder zijn hemd gestopt. Beiden droegen we de herinnering bij ons aan wat had kunnen zijn.
Toen ik me afwendde, zei hij: 'Hoe kan hij dit doen? Als je mijn vrouw was, zou ik vechten om je te houden. Ik zou liever sterven dan je te laten gaan.' Toen riep Liam van bij het water: 'Schiet op, Sorcha! We zijn bijna zover.'
Het ogenblik was eindelijk gekomen. Red wachtte, een onbeweeglijke gestalte op de rotsen, met zijn blik gevestigd op de verre horizon. De meeuwen krijsten boven ons hoofd. Dit was een andere baai, maar de herinnering was er nog, aan die andere dag. Op de een of andere manier stond ik opeens voor hem, en we keken elkaar aan. We keken elkaar aan, en er had geen wereld kunnen bestaan behalve ons beiden. Ik kon geen woorden vinden. Niet één woord. Het Feeënvolk had me gewaarschuwd dat mijn

weg zwaar zou zijn. Maar niets had me kunnen voorbereiden op iets dat zo zwaar was als dit. Ook Red zei niets. Het was gemakkelijker geweest om elkaar te begrijpen toen ik geen stem had. Nu ik naar hem keek, kon ik zien hoe zijn gezicht zou kunnen zijn wanneer hij oud werd. Een gezicht, getekend door groeven en lijnen, waar zijn tranen hadden kunnen vloeien als hij zichzelf had toegestaan te huilen. Zijn ogen waren leeg.

'Kom, Sorcha!' schreeuwde Diarmid.

Ik kan niet gaan. Ik moet gaan. Ik knipperde tranen weg; ik was niet in staat van mijn plaats te komen.

'Dat vergat ik bijna,' zei Red. Zijn stem klonk heel vreemd, alsof hij van heel ver kwam. Hij stak zijn hand in zijn zak. 'Ik heb iets voor je.'

Hij legde het in mijn hand. Een ronde, glanzende, volmaakte appel, groen als jong gras met een vage blos van rooskleurig roze. En nu waren zijn ogen veranderd, zodat ik zag wat daarin lag, diep verscholen, zo diep dat alleen de meest dapperen of dwazen ernaar zouden zoeken.

Hij had me zonder woorden altijd beter begrepen. Daarom legde ik mijn hand op mijn hart, liet hem daar even rusten en bewoog hem toen naar hem toe, om mijn handpalm op zijn borst te leggen. *Mijn hart. Jouw hart.*

'Kom nou, Sorcha, we hebben niet de hele dag de tijd!' riep Padriac.

Ik wendde me af, net voordat de tranen in mijn ogen begonnen op te wellen en over mijn wangen begonnen te lopen, en ik rende naar de boot en werd over de zijkant naar binnen getrokken. Ze duwden hem naar voren, en de wind en de golven namen ons op en begonnen ons naar het westen te dragen, naar het westen over de zee en naar huis, naar Zeven Wateren. En ik zat met de appel in mijn handen, en mijn ogen gericht op het strand, waar hij stond als een uit steen gehouwen man. Het beeld was wazig door de tranen, maar ik bleef achteruit kijken, tot ik niet meer van hem kon zien dan de kleine lichte vlam van zijn haar tegen het grijs, groen en wit van de kustlijn. *Het enige wat hem van haar restte, was zijn herinnering, waarin hij elk ogenblik, elk afzonderlijk moment bewaarde van de tijd dat ze de zijne was geweest. Dat was het enige wat hij had om de eenzaamheid weg te hou-*

den. Maar Red zou vergeten. Nu ik weg was, kon hij beginnen te vergeten. Wat mijn eigen hart betrof, dat was in tweeën gescheurd, en ik dacht niet dat zelfs de beste genezer ter wereld het weer heel kon maken.

HOOFDSTUK VIJFTIEN

We zeilden de hele dag en tot in de avond door, en toen we aan land gingen, was het op de kust van ons eigen land, en in het donker. Toen we eenmaal op zee waren, was het al snel duidelijk geworden dat het Liam zou zijn die van nu af aan de leiding had, en uiteindelijk was hij degene die de schipper door middel van duidelijke gebaren naar een woeste kuststrook loodste waarop alleen door de wind geteisterde vegetatie en verspreide keien te zien waren. Cormack tilde me uit de boot en Conor pakte mijn tas, en daar stonden we met zijn zevenen, in de nachtelijke koelte, eindelijk weer op Ierse grond. Het scheepje verdween zacht plassend in het duister.

Mijn broers waren niet zeeziek geweest. Ze hadden bijna van de reis genoten. Tussen het braken door had ik tijd gehad om de gloed van opwinding op Padriacs gezicht te zien toen hij even het roer mocht vasthouden, toen hij de zeilen of de riemen mocht bedienen. Niet dat mijn broers onbekend waren met scheepjes; een gezin dat uit jongens bestaat kan niet vlak bij een groot meer wonen zonder het een en ander over de zeilkunst te leren. Maar dit was anders. Ik kon op Padriacs gezicht een visioen zien van nog grotere zeeën, een verlangen naar het wilde avontuur en geheimzinnige streken die niet op landkaarten voorkwamen. In zijn ogen las ik een weerspiegeling van wat ik lang geleden had gezien, toen hij de uil van zijn handschoen liet opvliegen en zij spiraalsgewijs opsteeg naar de eindeloze hemel. En ik hoorde Finbars innerlijke stem. *Het zal niet lang meer duren voor ook hij zal wegvliegen.*

Mijn broer zat zwijgend in de boot; zijn donkere mantel kon de massa witte veren niet helemaal verhullen. *Wees blij met Padriacs vreugde. Want deze thuiskomst kan niet triomferend zijn.*
We waren goed bevoorraad door de mensen van Harrowfield, en zodra we de beschutting van een stuk bos bereikten, sloegen mijn broers een kamp op, rustig en doelmatig; ze hadden hier veel ervaring in. Er werd een kleine lantaarn aangestoken en afgeschermd zodat het licht zich niet buiten het bosje verspreidde waarin we zaten.
'Geen vuur,' zei Liam. 'Vanavond niet. En we gaan niet op zoek naar paarden, al wil ik graag snel thuis zijn. Het is beter als we onaangekondigd, en te voet, aankomen.'
'Sorcha is vast moe.' Conor hield me goed in het oog; hij zag erop toe dat ik het gerstebrood en de bonenbrij die hij me had gegeven tot de laatste hap opat. 'Het is nog ver; vier of vijf dagreizen, zelfs voor ons.'
Liam fronste zijn voorhoofd. 'Die Britten zullen boeten voor wat ze ons zusje hebben aangedaan. Maar dat kan wachten. We hebben eerst dringender zaken af te handelen.'
'Mijn handen jeuken om die heks de strot dicht te knijpen.' Diarmid balde zijn handen tot vuisten en opende ze weer. 'Kunnen we er niet openlijk heenrijden, en snel recht doen? Ik wil ons verhaal graag aan iedereen bekendmaken, en zorgen dat vrouwe Oonagh haar straf ondergaat waar iedereen het kan zien.'
'Je loopt te hard van stapel,' zei Cormack, terwijl hij een stuk van zijn brood afbrak en er bedachtzaam op kauwde. 'We weten nog helemaal niets van wat er op Zeven Wateren is gebeurd. Liam heeft gelijk. We kunnen daar niet zomaar met geheven zwaard binnenstormen. Die benadering leidt meestal tot een slachtpartij, en daarbij wordt niet alleen de vijand getroffen.'
Conor keek zijn tweelingbroer vlak aan. 'Je hebt wel iets geleerd tijdens je lange afwezigheid,' merkte hij met een lachje op. Cormack gooide een broodkorst naar hem toe, en miste.
Padriac knikte instemmend. 'Het verrassingselement zou ons kunnen helpen,' zei hij. 'Het is beter als vrouwe Oonagh niet van te voren voor onze komst is gewaarschuwd.'
We zwegen een tijdlang. De herinneringen waren pijnlijk, en de angst was nog niet helemaal verdwenen.

'Maar toch,' zei Diarmid, 'lijkt het te lang om te wachten.'
Hoe lang ook, het kan nooit lang genoeg zijn. Lang genoeg om door het bos te lopen, en thuis te komen. Lang genoeg om weer onszelf te worden.
Ik had Finbars stem gehoord, al hadden de anderen hem misschien niet gehoord. 'We moeten doen wat Liam zegt,' zei ik kalm. 'Na zo'n lange reis moeten we op de goede manier naar huis gaan. Ik kan best zo ver lopen. Ik ben eigenlijk heel sterk.'
'Hm.' Conor nam me van top tot teen op. 'Misschien moeten we je laten beloven dat je vijf keer per dag behoorlijk eet, tot we er zijn. Maar ze heeft wel gelijk, Diarmid. Dit is de enige manier.'
Dus gingen we te voet op weg over land, en mijn broers pasten hun tempo aan mij aan. Dit was een andere weg dan de weg die ik had genomen toen ik uit het bos wegging, toen de rivier me zo snel van huis had weggevoerd en me in de handen van een langskomende Brit had afgeleverd. Deze weg voerde ons over open terrein; we trokken van de ene rotsformatie naar de volgende en zochten zo mogelijk dekking in afzonderlijk gelegen groepjes door de wind gekromde bomen; we kampeerden 's nachts en trokken kort na zonsopgang verder. We vermeden menselijke paden en bewogen als zeven zwijgende schimmen, die alleen werden gadegeslagen door kliffen, rotsen en bomen. En de derde dag bereikten we de rand van het bos.
We pauzeerden op de top van een heuvel terwijl de zon door de wolken brak, en zagen een eenzame torenvalk die zich in de lucht in evenwicht hield op zijn vleugels, hoog boven het vergezicht in grijs, groen en herfstig goudgeel dat zich voor ons uitstrekte zo ver als het oog reikte.
'We zijn thuis,' zei Conor. Ik ademde diep in en voelde een mantel van kalmte over mijn geest neerdalen. Toen begonnen we te lopen, omlaag tussen de bemoste stenen en onder de deken van de bomen, en we vonden de weg naar huis over paden die zonder kaart of gids voor ons kenbaar waren, hoewel geen vreemde ze had kunnen volgen. De bomen huiverden in de koude herfstwind, en stemmen volgden me. *Sorcha, o Sorcha. Thuis. Eindelijk ben je thuis.* De wind wakkerde aan, en rondom ons vielen de bladeren neer als een kleurige regen van rood en goud. *Zusje, waarom ben je nog bedroefd? Want je bent toch thuisgekomen.* Als je om-

hoogkeek, kon je ze bijna zien. Ze bewogen in het koele zonlicht, op de wind tussen de kale geraamten van berk en es, altijd net aan de rand van je gezichtsveld. Als je die kant opkeek, waren ze plotseling verdwenen.

'De uitkijktorens zijn onbemand,' merkte Liam fronsend op. 'Dat is erg dom.' En naarmate we dichter bij Zeven Wateren kwamen, kregen de gezichten van mijn broers een steeds zorgelijker uitdrukking.

We brachten drie nachten in het bos door, en mijn broers zorgden ervoor dat ik een lekker bedje van varens kreeg, en dat ik opat wat ze me te eten gaven. We vorderden maar langzaam, want ik was niet de enige die door honger en slaapgebrek verzwakt was, en de tocht was niet gemakkelijk. Hier konden we wel een klein vuur maken, en een soort thee zetten van de kruiden die we toevallig aantroffen. Hiermee warmden we ons lichaam, zo niet ons moreel. Hier in het bos was het volkomen veilig, en mijn broers konden 's nachts goed slapen. Behalve Finbar. Voor hem was er geen rust. Overdag liep hij als in een droom. 's Nachts zat hij in kleermakerszit op de grond in de verte te kijken met ogen die niets leken te zien. Hij had niets gegeten; hij had geen woord gesproken. Het was alsof hij er niet echt was, alsof zijn lichaam een lege huls was waarvan de geest in een wereld woonde die wij niet konden bereiken. Wat mij betreft, ik lag daar met open ogen in het donker te wachten tot de slaap zou komen. Ik had toch blij moeten zijn. Ik was immers terug waar ik thuishoorde, op de plaats waar mijn ziel woonde, met al mijn broers veilig om me heen, klaar om opnieuw met hun leven te beginnen? Ik had hen immers gered en de onmogelijk lijkende taak volbracht? Maar mijn hart was verschrompeld en koud, en mijn geest was niet in staat een andere toekomst te zien dan een vol eenzaamheid, van een half bestaan, van onvervulde dromen.

Hoe verder de tijd me wegvoerde van die verre kust, hoe duidelijker ik inzag hoeveel ik had opgegeven. Ik hield mezelf voor niet zo dom te zijn. Niet zo zelfzuchtig te zijn. Wat verwachtte ik dan, dat Red me gesmeekt had te blijven? Zelfs in het onwaarschijnlijke geval dat hij dat gedaan had, zou ik verplicht zijn geweest te weigeren. Hoe had ik daar kunnen blijven? Ik had hem omlaaggehaald, ik was hem tot last geweest als echtgenote, als iemand die door al zijn mensen gehaat en gewantrouwd werd. Wat ik wilde, deed er niet toe. Als ik was gebleven, had ik hem kapot gemaakt. Maar waarom voelde ik me dan zo ellendig? Wat mankeerde me? Iedereen zou gedacht hebben... *iedereen zou gedacht hebben dat je niet meer bang was voor mannen.*

Dat was het stemmetje van het gezonde verstand, als een plens koud water. *Maar dat ben ik wel. Ik ben nog altijd bang*, zei ik tegen mezelf, want ik herinnerde me nog altijd heel gedetailleerd hoe die mannen me pijn hadden gedaan, me hadden beschaamd, de afschuwelijke dingen die ze hadden gezegd. De herinnering maakte mijn lichaam nog altijd koud van weerzin. Dat zou nooit weggaan. Dat was de ene kant van de vergelijking. Wat de andere kant betrof, want er was nu ook een andere kant, dacht ik dat ik bijna alles zou geven om dat ene ogenblik weer te beleven, dat ogenblik toen ik Reds arm om me heen had gevoeld als een schild tegen de wereld, en zijn lippen op mijn haar, en zijn hart bonzend onder mijn wang. In dat ogenblik had hij me niet willen loslaten. *Alles is goed. Rustig maar, Jenny*, had hij gezegd. Maar alles was niet goed. Ik lag in het donker onder de bomen en vervloekte stilzwijgend het Feeënvolk om de manier waarop ze ons gebruikten en afdankten in hun vreemde spelletjes, zonder zich te bekommeren om de schade die ze aanrichtten.

Het was de zevende dag, en we kwamen in de buurt van de burchttoren van Zeven Wateren. Tussen de kale takken van de wilgen glinsterde het water van het meer helder, en eenden plasten rond in het water. Het was heel stil.

'Er zijn geen verkenners,' zei Liam somber. 'Geen voorposten. Iedereen zou hier ongehinderd door kunnen rijden. Wat stelt hij zich voor?'

We kwamen achter de nederzetting tussen de bomen uit en mijn hart sloeg over van schrik. Buiten de door een wal omgeven velden en de huisjes, achter de stenen muren van de burcht, op de heuvel die vroeger gesierd was met sierlijke berken, sterke essen en edele eiken, was het landschap geschonden met een lelijk litteken, waar een opstand van de oudste bomen geveld en verbrand was. Er was geen sprietje leven overgelaten, geen dappere hulst of bossige meidoorn om de wond te verzachten. Achter me begon Conor zacht te prevelen, een jammerklacht waarvan ik de woor-

den niet kon verstaan, maar waarvan de boodschap recht naar de ziel ging.
'Moedwillige vernieling,' zei Liam. 'Een puur uit boosaardigheid ingegeven handelwijze, met als enige doel kwaad te doen. Ze hebben het hout niet eens benut, maar het ter plekke verbrand.'
We liepen door het dorp, waar in het karrenspoor diepe moddergaten waren uitgesleten, en de mensen zagen er slecht en vermoeid uit. Maar dit waren onze eigen mensen, mensen die op de hoogte waren van de vage grens tussen deze wereld en de andere. Iedereen had weleens een neef gezien die door het volk onder de heuvel was meegenomen, of wist van een vreemd kind dat onder een bos brandnetels was gevonden, of had gesproken met iemand die zich te ver in een grot had gewaagd, of bij maanlicht door een heksenkring was gelopen. Hier waren geen nieuwsgierige vragen, halfdicht geknepen ogen of wantrouwende blikken. In plaats daarvan kwamen ze naar buiten met een glimlach op het gezicht, en verwelkomend uitgestoken handen. Alleen wanneer ze naar Finbar keken, zwegen ze, en dat was een eerbiedig stilzwijgen.
'Meester Liam! Meester Conor! Jullie zijn thuisgekomen!' Niall de molenaar kwam naar voren om Liam een klap op zijn rug te geven.
En Paddy de varkenshoeder gaf achtereenvolgens alle broers een hand en riep: 'Nou en of, eindelijk zijn jullie teruggekomen! Ik heb toch altijd gezegd dat ze terug zouden komen, hè Mary?'
En voor ik drie stappen op het karrenspoor had gezet, pakte de kleindochter van de oude Tom me bij mijn arm, en nam me mee naar zijn hutje om naar de piepende ademhaling van de oude man te luisteren. Ik beloofde hun een aftreksel van balsem en pepermunt om zijn ademhaling gemakkelijker te maken.
'En een vuurtje,' zei ik nog. 'Het is hier ijskoud. Jullie moeten een vuur aansteken.'
Maar er was geen droog hout, en geen mannen van verderop om haar te helpen het te hakken en op te slaan. De oogst was dit jaar niet goed geweest; door de zware herfstregens was het gewas gaan rotten. Er was weinig opgeslagen voor het lange koude seizoen dat eraan kwam. De schaapskudde was getroffen door veepest, en er waren zware verliezen geweest.

'En onze vader?' vroeg Conor, met zijn donkere wenkbrauwen gefronst. 'Heeft hij de afgelopen winters geen voorzieningen getroffen voor jullie welzijn? Is er geen rentmeester om toezicht te houden op de oogst, geen hofmeester om degenen die gebrek lijden voedsel te brengen?'

Ze stonden bedremmeld met hun voeten te schuifelen.

'Nou?' vroeg Liam, op een toon die me aan onze vader deed denken.

'Heer Colum... die is zichzelf niet geweest, al sinds jullie weggingen niet meer,' zei de molenaar aarzelend. 'Alles is hier veranderd voor ons allemaal.'

'Wat bedoel je?' vroeg Cormack met gefronst voorhoofd.

Maar niemand voelde ervoor een antwoord te formuleren.

Nadat we hun hadden verzekerd dat er hulp zou komen, nadat we hadden beloofd voor herstelwerkzaamheden en voedsel te zullen zorgen, vertrokken we uit het dorp en liepen het karrenspoor op dat naar ons vroegere huis leidde. En daar, bij de meidoornhagen, werden we voor het eerst aangeroepen.

'Wie gaat daar? Wie ben je en wat kom je doen!' We konden de man niet zien, maar de stem klonk bekend.

'Wees gerust,' antwoordde mijn oudste broer. 'Ik ben Liam van Zeven Wateren, en ik keer naar huis terug met mijn broers en mijn zuster.'

'We zijn teruggekomen om op te eisen wat ons toebehoort,' vulde Diarmid aan met een dreigende blik in zijn ogen.

De man kwam te voorschijn, met zijn zwaard op ons gericht. Hij was gekleed in een leren jak en broek, met een versleten tuniek eroverheen waarvan de borst versierd was met twee verstrengelde ringen; het wapen van Zeven Wateren. De mond van de man viel open, en hij liet het zwaard zakken.

'Liam!' Er kwam een brede grijns op het verweerde gezicht.

'Donal!' Want het was inderdaad de oude wapenmeester, die door onze vader verbannen was op aandringen van zijn vrouw. 'Ik dacht dat jij hier al jaren weg was! Ik dacht dat er helemaal geen bewaking meer was. Hier heerst tenminste nog een beetje verstand.'

'Een bitter klein beetje,' gromde Donal, terwijl hij zijn arm om Liams schouders sloeg en verbaasd zijn hoofd schudde. 'Bij alles wat heilig is, het is goed je te zien, jongen. Kom mee, kom mee, ik breng jullie naar het huis.'

Maar toen we dichter bij de binnenplaats kwamen, had hij niet meer zoveel haast om naar binnen te gaan. In plaats daarvan hielden we stil op het pad waar ik hem ooit afscheid had horen nemen van mijn vader, en daar legde Conor hem uit wat er met ons gebeurd was, en waar we geweest waren.

'Mm,' zei de oude krijger peinzend toen het vreemde verhaal uit was. 'Er deden natuurlijk heel wat verhalen de ronde, en de mensen wisten dat zij er de hand in had gehad. Je hoefde haar maar één keer te zien om te weten dat ze niet veel goeds in de zin had. Sommigen zeiden dat jullie voorgoed weg waren, maar ik wist dat jullie met zijn zevenen voor jezelf konden zorgen. Het was maar een kwestie van wachten tot jullie terug zouden komen.' Hij wierp een blik op Finbar, en schudde even zijn hoofd. 'Maar ik zie dat jullie broer helaas erg veranderd is.'

Niemand zei hier iets op, en Finbar had het misschien niet gehoord, zo weinig was er op zijn gezicht te lezen. Donal schudde weer zijn hoofd.

'Jullie zullen merken dat alles hier veranderd is,' waarschuwde hij. 'Erg veranderd. Voor mij was het een hele schok, dat kan ik jullie wel vertellen. Ik ben zelf nog niet zo lang geleden teruggekomen, met de gedachte dat het verleden misschien vergeten was, en dat hij een plaats voor me zou hebben. Ik ben te oud om mijn zwaard aan de hoogste bieder te verkopen. Dat heb ik drie jaar gedaan en dat was meer dan genoeg. Zo rond midzomer kwam me ter ore dat Colum in moeilijkheden was. Dat gerucht was reden om terug te komen, en ik ben hier gebleven. Iemand moet de wacht houden.'

'Moeilijkheden? Wat voor moeilijkheden?' vroeg Liam.

'Ze zeiden dat hij de zaken niet meer in zijn macht had. Dat zijn manschappen bij bosjes wegliepen, dat de posten onbemand bleven, dat er niemand meer op de vergaderingen kwam. Het afschot in de herfst werd niet uitgevoerd, en het grootste deel van de kudde is afgelopen winter verhongerd. Er is land opengelegd zonder duidelijk doel. Ze zeiden dat het hem allemaal niet meer kon schelen. Ze had hem onder de duim, en hij kon zich niet losmaken.'

Diarmid liep onrustig heen en weer, met een boze uitdrukking op zijn gezicht. Zijn hand betastte het gevest van zijn zwaard.

'Waar is zij?' vroeg hij ongeduldig. 'Waar zullen we vrouwe Oonagh vinden?'
Er volgde een korte stilte.
'Ze is weg,' zei Donal.
'Wat!?' Diarmids woede en teleurstelling leken te knetteren in de lucht. 'Weg? Hoe kan ze nou weg zijn?'
'Ze heeft haar boeltje gepakt en is overhaast vertrokken, ongeveer een week geleden, bij de avondschemering. Ze heeft de jongen en haar eigen mannen meegenomen in de nacht. Nou, opgeruimd staat netjes, als je het mij vraagt.'
'Heeft ze ons broertje meegenomen?' Conor vroeg het met een klank van diepe bezorgdheid in zijn stem. 'Ciarán is dus ook weg?'
'Dat was de genadeslag voor jullie vader,' zei Donal nuchter. 'Jullie zullen wel merken dat hij erg veranderd is.'
'Ik vind je woorden verontrustend,' zei Conor met gefronst voorhoofd. 'Wat is er van hem geworden, nu zij hier weg is?'
'Colum is altijd sterk geweest,' zei Donal. 'Maar jullie te verliezen heeft hem diep getroffen. Een paar mensen van het oude huishouden zijn hier gebleven, en van hen heb ik gehoord hoe het was. Hij gaf zichzelf de schuld van jullie verdwijning, en misschien terecht. Naarmate de tijd verstreek werd hij verteerd door wroeging. Hij zou wel iets ondernomen hebben, maar hij kon zich niet van haar losmaken. Hij had zijn wil verloren. Zijn pogingen om jullie te zoeken werden gedwarsboomd. Nu jullie eindelijk hier zijn, zou ik niet weten of jullie met vreugde begroet zullen worden, of dat hij er alleen maar door in verwarring zal raken.'
'Je zei dat hij heeft geprobeerd ons te zoeken,' hoorde ik mezelf zeggen. 'Ik heb gehoord... ik heb gehoord dat hem een aanbod is gedaan: mijn veilige terugkeer in ruil voor land of goud. En dat hij dat heeft afgewezen.'
'Wat!?' Diarmids stem was verontwaardigd. Cormack vloekte.
'Vraag het hem zelf maar,' zei Donal somber. 'Ik zou zeggen dat dat niet kan. Er was niets dat hij vuriger wenste dan jouw terugkeer. Ik geloof dat hij daarvoor alles had willen geven. Degene die je dat vertelde, heeft waarschijnlijk gelogen.'
'We zullen wel zien,' zei Liam met een onaangedaan gezicht.
Als dit een verhaal was dat ik vertelde, als het niet mijn eigen verhaal was, zou ik het een mooi en bevredigend einde geven. De kin-

deren kwamen thuis, en hun vader begroette hen met open armen en was dolblij. De boze stiefmoeder werd gestraft voor het kwaad dat ze had gedaan, en werd uit hun huis weggejaagd. De vader en zijn zonen maakten alles weer in orde, en iedereen leefde nog lang en gelukkig. In zulke verhalen komt alles netjes terecht. Er blijven geen rafelige randjes en losse draadjes over. Dochters verliezen hun hart niet aan de vijand. De slechteriken verdwijnen niet zomaar, met medeneming van de voldoening gevende mogelijkheid om wraak te nemen. Jonge mannen blijven niet verscheurd tussen twee werelden achter. Vaders kennen hun kinderen nog.

Maar dit was mijn eigen verhaal. En het vreemde was dat ik de eerste was die onze vader terugzag, want toen mijn broers achter Donal aan naar binnen liepen, glipte ik langs de zijkant naar mijn oude tuintje, dat Oonagh uit kwaadaardigheid had vernietigd. Bij die gelegenheid dacht ik dat mijn hart gebroken was. Wat wist ik toen nog weinig van verdriet.

Mijn tuin was nog altijd een rommeltje van verspreide stenen en hopen aarde, maar de seizoenen hadden sinds mijn vertrek hun goede werken gedaan. Het opgebroken pad en de verweerde stenen muur waren bekleed met mos. Bosrank woekerde over de restanten van een rek; in de lente zou hier een gordijn van witte bloesem hangen. Er stonden dappere piekjes van lavendel tussen het onkruid als een vage wolk blauwgrijs, en ik kon de geneeskrachtige geur van tijm ruiken. De deur naar de distilleerkamer stond op een kier. De oude houten bank ging bijna helemaal schuil onder het zachte veerachtige blad van boerenwormkruid en kamille, en daar zat mijn vader, met een donkere mantel om zich heen gewikkeld, met lege ogen voor zich uit te staren. Zijn eens zo strenge, krachtige gezicht leek op de een of andere manier wazig geworden, alsof iemand met een natte penseel over de trekken van een geschilderde koning was gegaan. Van zijn twee wolfshonden, die hem vroeger overal op de voet volgden, was geen spoor te bekennen.

Ik liep door de tuin naar hem toe, voorzichtig over de opgebroken verharding. Hij draaide zijn hoofd langzaam naar me toe toen hij me hoorde, en zijn diepliggende ogen kregen een uitdrukking van grote verbazing. Ik kwam dichterbij.

'*Niamh*?' fluisterde hij ongelovig.
'Nee, vader,' zei ik, heftig slikkend. 'Ik ben het, Sorcha, uw dochter. Ik ben thuisgekomen. We zijn allemaal weer veilig bij u teruggekomen.'
Ik ging naast hem op de bank zitten. Het bleef lang stil. Na een tijd nam ik zijn hand in mijn beide handen. De hand trilde.
Ik wist nauwelijks wat ik moest zeggen. Ik was nog een kind toen ik wegging, hij was een strenge, verre figuur die ik nauwelijks kende. Nu was het alsof ik de ouder was, en hij het kind.
'Vader?' zei ik voorzichtig. 'Kent u me nog?'
Het duurde lang voor hij antwoord gaf.
'Mijn dochter was een klein meisje,' zei hij ten slotte.
'Het is... dat is al lang geleden.'
'Ik ben hen kwijtgeraakt, weet je. Allemaal. Tot en met de kleinste.'
Rondom ons was het stil in de tuin.
'Vader. We kunnen misschien beter naar binnen gaan. Mijn broers zijn er ook, allemaal. Alles is nu weer goed.' Maar ik wist dat dat niet waar was.
Hij zuchtte. 'Nee, nog niet. Ik blijf hier nog even. Ga jij maar naar binnen.' Hij verviel weer in stilzwijgen, en zijn ogen staarden weer in het niets. Ik stond ten slotte maar op en liep naar de deur, terwijl mijn rokken over de omgevallen kamille en kruipende tijm veegden, zodat er een zoete geur in de koele ochtendlucht opsteeg. Terwijl ik mijn hand uitstak naar de deur hoorde ik hem weer iets zeggen, achter me.
'Het spijt me, Niamh,' zei hij. 'Het spijt me heel erg.'
Maar toen ik mijn hoofd omdraaide, keek hij niet naar mij. Je had kunnen denken dat zijn blik gericht was op de stenen muur, maar ik voelde dat hij iets zag dat ver, ver weg was, zo ver als een herinnering uit een ver verleden, maar dat nog zoet en krachtig was als de klank van een harp, en pijnlijk als een zwaard dat diep in de vitale organen gestoken is. Ik ging naar binnen om mijn broers te zoeken.
Het zou tijd kosten. Dat zei Conor, toen we allemaal een deel op ons namen van het werk dat gedaan moest worden, de beslissingen die genomen moesten worden. Vader had tijd nodig om zijn wilskracht terug te krijgen, om zijn verloren verstand te herstellen, om

weer tot het besef te komen van waar hij was, en van wie hij was. Finbar had tijd nodig om uit zijn zwijgende toestand te komen, om die wilde glinstering in zijn oog, die afgrijselijke bleekheid van zijn huid kwijt te raken. Intussen was er werk te doen, en degenen die de kracht en de wil hadden, moesten het aanpakken. Het was maar goed dat mijn vader geen neven had, die tijdens de afwezigheid van zijn zonen zijn bezittingen hadden kunnen opeisen. Maar we hadden machtige buren, die er geen gras over zouden laten groeien om te profiteren van de zwakheid van heer Colum. Ik hoorde dat Liam dit op een avond met Donal besprak bij een rustige beker mede.

'Het is een wonder dat Eamonn nog niet heeft toegeslagen,' zei Donal.

'Seamus Roodbaard is nog altijd een vazal van ons, ook al heeft hij Eilis aan die verrader uitgehuwelijkt,' zei Liam. 'Ik heb Eamonn door, en wanneer de tijd rijp is zal ik ingrijpen.' Ik had mijn oudste broer allang het verhaal verteld over Eamonns dubbelhartigheid en de overeenkomst die hij met Richard van Northwoods had gesloten. Liam had ernstig geluisterd, zijn woede bedwingend. We hadden Diarmid niet op de hoogte gebracht van de relatie tussen deze mannen en vrouwe Oonagh, want, zei Liam, het was een situatie die een fijngevoelig optreden vereiste, en waarbij het juiste tijdstip van groot belang was. Te zijner tijd zouden Seamus en hij het afhandelen. Diarmid, die zowat barstte van wraaklust, kon beter uit de weg blijven tot dit gebeurd was. 'Het idee van snelle wraak is verleidelijk, dat weet ik,' vervolgde Liam. 'Maar ik heb de bedoeling subtielere methoden te gebruiken, want de man heeft informatie die voor ons van waarde is, en die wil ik horen voor ik hem afmaak.'

'Seamus heeft nu een kleinzoon,' merkte Donal op. 'Ben je niet bevreesd voor die relatie? Wie zal zeggen of de oude man niet voor de andere kant zal kiezen?'

Liam glimlachte even, maar de lach bereikte zijn ogen niet. 'De zoon van Eamonn zal niet worden grootgebracht als vijand van Zeven Wateren,' zei hij.

Het bericht van onze terugkeer verspreidde zich snel, zoals dat gaat met zulk nieuws. Hetzelfde gold voor het verhaal van wat vrouwe Oonagh ons had aangedaan, en over de taak die ik had volbracht om mijn broers van haar betovering te verlossen. Zoals ik al zei accepteerden onze mensen dit zonder zich al te zeer te verbazen, maar in de loop van de tijd groeide het verhaal uit en werd het verfraaid, en nam het zijn plaats in tussen de grootse heldenverhalen die de mensen elkaar op koude winteravonden na het eten vertelden, bij een kroes bier. Er werd in het verhaal nauwelijks gerept over de Britten en hoe ze mij hadden geholpen, maar wel over heer Richard en de brandstapel. Een mooie schurk valt altijd in de smaak.

Liam nam de plaats van onze vader in; hij had altijd geweten dat hij dat ooit zou moeten doen. Ten tijde van onze terugkeer waren er nog maar weinig mensen van het huishouden over. Donal, en een zestal van de mannen van mijn vader, degenen die hem door dik en dun trouw waren gebleven, degenen die te sterk of te koppig waren om zich door vrouwe Oonagh te laten verjagen. Dikke Janis, hologig geworden en mager als een windhond, werkte nog altijd in een keuken waar niets te vinden was behalve de resten van een late en wanhopige oogst. Er waren een paar jongens die in de stallen sliepen en voor de beesten zorgden. Dat was alles. Maar het duurde niet lang of ze begonnen terug te komen, nu eens een groepje mannen, dan weer een stelletje giechelende dienstmeisjes. Allen werden door Liam bestraffend toegesproken omdat ze ervandoor waren gegaan. Vervolgens kregen ze een plek in het huishouden en werk om te doen. Er begonnen weer bezoekers van verder weg te komen, om avondenlang ernstige gesprekken met mijn broer te voeren. Ik was ervan overtuigd dat Eamonn van de Moerassen op een ochtend wakker zou worden om te merken dat er heel subtiel een net om hem heen was gespannen, waaruit geen ontsnapping mogelijk was. Ik vroeg niet naar bijzonderheden. Overdag hoorde ik Donals stem over het erf schallen, en was het vertrouwde geluid van kletterend metaal en roffelende hoeven te horen. In de keuken blafte Janis bevelen en er werd hout gehakt en vuur gestookt, er werd linnengoed gewassen en te drogen gehangen. Het huis van Zeven Wateren begon langzaam weer te ademen.

Het leek op de een of andere manier juist om terug te gaan naar de berk van onze moeder op een dag dat de lucht fris en koel was en de kale bomen onbeweeglijk om het kleine grasveld bij het meer stonden. We hadden het niet van te voren bedacht. Het leek gewoon zo te gebeuren dat ik op die bepaalde ochtend Finbar bij zijn mouw pakte en hem achter me aan door het bos trok, en dat de anderen ook alleen of met zijn tweeën naar die oever kwamen tot we er alle zeven waren. Dit keer waren er geen rituele voorwerpen, en er had geen plechtigheid plaats. We stonden alleen in een kring om de zilverige stam van de boom, en lieten de stilte diep in onze ziel doordringen. Een stem vanbinnen zei: *Je bent hier. Je bent thuis, mijn dochter, en de wond is genezen. Ga niet weer van ons weg*. Maar of dat de stem van mijn moeder was, of de stem van het bos zelf, kon ik niet uitmaken.

Ik keek naar de gezichten van mijn broers die daar zwijgend stonden. De betovering was ongedaan gemaakt, en we waren thuis. Dat was in elk geval waar. Het uiteengevallen huishouden, de verbroken vazalschappen konden met hard werken hersteld worden. Maar er was hier nog diepere schade aangericht waaraan nog niets was gedaan, en ook schade die misschien helemaal niet te helen was. Ik zond een stilzwijgende smeekbede naar het Feeënvolk dat mijn broers weer zichzelf mochten worden, allemaal. En dat ik op de een of andere manier verlost mocht worden van de vreselijke pijn in mijn hart, die nooit helemaal weg scheen te gaan.

'Het is bijna winter,' zei Conor zacht. 'Uit het duister van de winter komt het licht van de lente. Uit de slaap van de winter wordt het nieuwe leven van de lente geboren. We kunnen niet zonder hoop zijn, wanneer deze waarheid ons elk jaar weer getoond wordt.'

Maar de anderen zeiden niets, en na een tijdje drukten we allemaal onze hand op de witte bast van de boom, en liepen zwijgend terug naar huis.

Niet iedereen was er tevreden mee gewoon de scherven op te rapen en opnieuw te beginnen. Diarmid kon het niet verdragen dat onze stiefmoeder ongehinderd en kennelijk ongedeerd uit het bos was gevlucht, met medeneming van haar kind. Ze moest gestraft worden, ze moest boeten voor wat ze gedaan had. Zonder gepaste wraak was het verhaal niet uit, het patroon niet af. Liam en Conor probeerden met hem te praten. Wat gedaan was, kon niet ongedaan worden gemaakt, zei Conor. Hij moest zijn boosheid loslaten en een nieuw begin maken. Hij kon zijn energie ook op een andere manier kwijt. Maar Diarmid hield halsstarrig voet bij stuk. Ze moest boeten. De tovenares moest boeten. Waarom trokken ze er niet op uit om haar te zoeken en haar te dwingen de prijs te betalen?

De woede bleef, en hij leefde haar uit op zijn tegenstanders op het oefenveld. Hij vocht met een beangstigende heftigheid, schijnbaar zonder rekening te houden met zijn eigen veiligheid. Altijd wanneer Diarmid aan een oefening meedeed, kon je Donal in de buurt zien rondhangen; hij lette op elke beweging, en dat was maar goed ook.

Finbar vertoonde zich niet vaak in de nederzetting, want de mensen volgden hem en probeerden de zachte veren van die grote, glanzende vleugel aan te raken, alsof het een talisman was; en hij deinsde terug voor elke aanraking, alsof diep vanbinnen nog iets van het wilde dier in hem leefde. Ik was bezorgd om hem, en wist niet hoe ik hem kon helpen.

Conor maakte een inventaris op van de schamele voorraden. Hij bekeek het overgebleven vee, de toestand van de boerderijen, het verval van hutten en schuren. Hij reed naar de andere nederzettingen om zich te verzekeren van de trouw van de pachters daar, om de toestand van de kuddes runderen en schapen te controleren, en om uit naam van Liam te zorgen dat de buitenste wachtposten weer werden bemand. Maar hij was ongewoon afwezig, en stond vaak bij het raam uit te kijken over het bos, alsof hij ergens op wachtte. Op sommige dagen verdween hij gewoon, om pas 's avonds laat terug te komen zonder iets uit te leggen. En hij ontving ook bezoek; oude figuren in lange gewaden, en jonge mannen met oude ogen. Hij sprak alleen met hen, buitenshuis, en na afloop was hij vaak erg stil, alsof zijn gedachten ergens ver weg waren, ver van Zeven Wateren.

Intussen begonnen de dorpelingen last te krijgen van een winterkoorts die diep in de borst ging zitten, een reutelende en piepende ademhaling veroorzaakte en waarvan het lichaam beurtelings warm en koud werd. Ik haalde Cormack van het oefenveld, waar hij de rol van rechterhand van Donal op zich had genomen alsof hij nooit anders had gedaan. Ik vond Padriac in de stal, waar hij een kreupel paard verzorgde, terwijl de twee staljongens aan zijn lippen hingen. Ik zorgde voor een wagenlading brandhout, en toen maakten we met ons drieën en de twee jongens een ronde door het dorp om te zorgen dat elk huishouden een voorraadje kreeg. Ik had soep meegebracht die Janis had weten te maken van rapen en zuring en een paar stukken van een taaie, oude kip. Ik had werk genoeg te doen. De oude Tom was ernstig ziek; ik wist dat zijn hoest niet te genezen was, al gaf ik hem nog zo veel balsem en pepermunt. Het vuur hielp hem zich wat beter te voelen. Maar er waren anderen die misschien gered konden worden, als ze de juiste zorg kregen. Thuis droeg ik een van de meisjes op de paar kruiden die nog rond huis en tuin groeiden, te verzamelen en gereed te maken voor gebruik, en we begonnen de planken in de distilleerkamer weer te vullen. Dit was mijn werk; dit was mijn plek. Ik was de dochter van het woud, een kind dat was opgegroeid midden in de mystieke groei van de bossen, altijd anders en toch altijd hetzelfde. Maar ik kon de beelden die diep uit mijn hart opwelden niet weg houden. Ik verlangde zo naar hem; ik verlangde hem hier bij me te hebben, zijn armen om me heen te voelen, zijn stem te horen, heel rustig, zoals hij werd wanneer hij moeite deed om zijn gevoelens te beheersen. *Alles is goed, Jenny, rustig maar.* Ik deed mijn dagelijks werk, maar hoe ik mijn best ook deed, elk ogenblik vroeg ik me af waar hij was en wat hij deed. Ik zag hem voor me in de grote zaal op Harrowfield waar hij de geschillen van zijn huishouden oploste door ernstig te luisteren en zijn verstandige oordeel te geven. Ik dacht aan de winterochtenden, aan Ben en hem terwijl ze op een speelse manier hun strijdtechniek oefenden. Hun lichamen in gespannen worsteling, het ene hoofd vlasblond, het andere vuurrood. De meisjes die zich verdrongen in de deuropening, vol bewondering. Wanneer het gevecht afgelopen was, gaven de twee mannen elkaar grijnzend een klap op de schouder. Ben vertelde een flauwe mop. De volgende dag waren ze misschien bezig een dak te herstellen, of een muurtje van stenen te bouwen, of het ijs te breken in de watervaten. De dorpelingen van Harrowfield hoefden geen honger te lijden, ze bleven niet onverzorgd als ze de koorts kregen. Ik had geen afscheid genomen van Margery. Dat maakte me bedroefd. Misschien zou Johnny nu zijn eerste stapjes doen. Dat zou ik niet zien. Ik moest accepteren dat ik Red nooit meer zou zien. Ik moest loslaten, en een nieuwe weg inslaan. Maar net als Diarmid merkte ik dat ik niet kon loslaten.

Ze zeggen dat de tijd het hart geneest, en dat dit soort gevoelens vervagen bij afwezigheid. Bij mij gebeurde dat niet. Overdag putte ik mezelf uit door te werken, maar zijn beeld was altijd in gedachten bij me. 's Nachts sliep ik weinig, en wanneer ik sliep, droomde ik van wat ik verloren had. Mijn broers maakten er grappen over en deden het af als de kalverliefde van een jong meisje, iets waar ik binnenkort wel overheen zou groeien. Ondanks alles zagen ze me nog steeds als niet veel meer dan een kind, en ze verwachtten van me dat ik op Zeven Wateren rustig mijn vroegere plaats weer zou innemen alsof er niets veranderd was. Ze konden zich niet voorstellen dat ik van een Brit hield, dat ik mijn hart aan een man had kunnen geven in wiens huis ik bijna ter dood was gebracht. Alleen Finbar had begrepen hoe diep mijn band met Red was.

Vader praatte niet veel. Hij vond het prettig in mijn tuintje te zitten, ongeacht wat voor weer het was. Als het zacht regende, legde hij een oude zak over zijn hoofd en schouders, en liet de regen vallen. Als er een koude wind stond, wikkelde hij zich in een mantel. Wanneer ik niet in het dorp bezig was, werkte ik dicht bij hem in de buurt; ik spitte, wiedde en schoffelde terwijl mijn kleine helpster in de distilleerkamer aan het werk was.
Het kwam veel voor dat Finbar ook in de tuin te vinden was, een bleke, stille figuur wiens gezicht nog hol en uitgeteerd was; in wiens ogen nog altijd een wilde kennis stond, die onvatbaar was voor het menselijk begripsvermogen. Sinds die laatste avond op Harrowfield had hij zijn gedachten voor me afgeschermd, en zijn innerlijke stem zweeg nagenoeg. Ik kwam er niet achter hoe hij zich voelde, maar ik wist dat hij met zijn vader sprak, van geest tot geest.
Misschien antwoordde vader hem op dezelfde manier. Ik herinnerde me wat pater Brien ons lang geleden had verteld. Dat de ouden Colum, als hij bereid was geweest hun geheime vaardigheden aan te leren en de oeroude kennis van hun orde uit zijn hoofd te leren, geaccepteerd zouden hebben om op den duur toe te treden als lid van hun mystieke broederschap. Maar Colum had Niamh aanschouwd, met haar donkere krullen en haar huid als verse melk en haar grote groene ogen, en hij had zijn hart verlo-

ren. Daarna stond er voor hem nog maar één weg open. En daarom was Conor gekozen in zijn plaats. Pater Brien had over liefde gesproken, en over onze familie. Wat had hij gezegd? *Jij kent nog niet het soort liefde dat als een bliksemflits inslaat; dat zich meester maakt van je hart, even onherroepelijk als de dood; dat de leidster wordt waarnaar je de rest van je leven richt... het ligt in de aard van jullie familie om op deze manier lief te hebben.*
Nu wist ik, met pijn, hoe het voelde om op die manier lief te hebben, zoals mijn vader mijn moeder had liefgehad. Ik begreep dat Finbar probeerde zijn vader terug te brengen naar zelfkennis; hem terug te halen naar een plek waar hij contact kon hebben met deze wereld zonder vernietigd te worden door zijn schuldgevoel, zijn spijt en zijn verdriet. Daarom zaten ze daar, in stilte, en bewoog ik om hen heen terwijl ik rozemarijn en lavendel knipte, en er niet in slaagde het verlangen van mijn eigen hart te bezweren.
Het werd koud, en nog kouder. Het hield op met regenen; er kwamen heldere, zonnige dagen, en nachten waarin het vroor. De laatste bladeren vielen van es en berk, en van de grote eiken, waarvan de gespreide wortels nu bedekt waren met een deken van goudbruine resten van hun zomermantel. Vrouwe Oonagh had nog een gruwelijke nalatenschap achtergelaten. Oude Tom stierf, en daarna ontwikkelde zijn kleindochter een reutelende hoest en een koortsige schittering in de ogen. Ik verzorgde kinderen wier lichaampjes klam waren van het zweten, die om koud water riepen terwijl er een dikke laag sneeuw tegen de deuren van hun hutjes lag. Ik zag sterke mannen die zo zwak werden als kleine kinderen, en mijn hand beetpakten alsof ze bang waren voor het donker. In die winter verloren we tien goede mensen uit ons dorp. Als ze niet zo verzwakt waren geweest door verwaarlozing, hadden ze misschien terug kunnen vechten.
Ik werd er moe en boos van, en kon het dus goed begrijpen toen Diarmid op een dag plotseling aankondigde dat hij wegging om de tovenares te zoeken om haar voor het gerecht te brengen, en als er niemand met hem mee wilde, was dat niet zijn probleem. Er moest iemand zijn die de kat de bel aanbond, en de moed had om te doen wat gedaan moest worden. Hij nam zijn zwaard, en zijn boog, en reed alleen weg op zijn paard. Korte tijd later zadelde Cormack, met een strakke mond, zijn paard en ging achter hem

aan, want, zo zei hij, Diarmid was als een pijl die ongericht rondvloog, en het goede of het verkeerde doel kon treffen; daarom kon hij er beter voor zorgen dat er niet meer kwaad werd aangericht dan al was gebeurd.

'Ik zal hem veilig terugbrengen,' zei Cormack terwijl zijn paard stond te wiebelen en te stampen, omdat het weg wilde. 'Er is ook een kind in het spel. Ons broertje. Dat vergeet Diarmid in zijn woede. Ik zal bij hem blijven tot hij weer tot bezinning komt. We zullen tegen het voorjaar terug zijn.' Conor, die naast het paard stond, drukte zijn tweelingbroer de hand.

'Ik wens je een behouden reis, broer,' zei hij zacht.

'Ik jou ook,' antwoordde Cormack met een scheef lachje. 'Ik denk dat jij de langste reis zult maken.'

Seamus Roodbaard kwam Liam bezoeken. Ze waren twee dagen in overleg, en kwamen overeen samen te werken en mannen en wapens te delen bij de verdediging van hun grenzen. Ze spraken over Eamonn van de Moerassen, die met Eilis was getrouwd. Hun gezichten stonden somber en hun optreden was doelgericht. Seamus liet een kleine groep van zijn eigen mannen achter, met de verzekering dat hij hulp zou bieden. Maar voor hij vertrok, kwam Seamus een hele middag bij heer Colum zitten; hij praatte zacht tegen hem, en ik meende een vonk van herkenning in de ogen van mijn vader te zien.

Nu Diarmid en Cormack weg waren, was de rest van ons meer op elkaar aangewezen. Het was een strenge winter, en het werd moeilijker om het dorp van voedsel te voorzien en de buitenposten te bemannen. We werkten dag aan dag tot we neervielen van uitputting. 's Avonds was er weinig ceremonieel. Het hele huishouden, heer, bedienden en krijgsknechten, kwam bijeen in de keukens waar altijd een vuur brandde. Janis zette op tafel wat ze kon, meestal een soep met donkere broden. We aten samen zoals we ook samen werkten. De grote zaal was verlaten; hij was te groot om warm te houden met onze zorgvuldig gerantsoeneerde hoeveelheden droog brandhout. Wanneer de eenvoudige maaltijd afgelopen was, werden er door deze en gene verhalen verteld, terwijl Janis bekers warme wijn ronddeelde, die ze getrokken had van een steeds kleiner wordende voorraad specerijen en gedroogde vruchten.

En langzamerhand, terwijl de donkere, roerloze nachten elkaar opvolgden, begonnen de ogen van mijn vader hun doodse, starre uitdrukking te verliezen, en op te leven bij de verhalen over heroïsche gevechten of ongelukkige geliefden. Ik zag hem glimlachen toen ik het verhaal vertelde over de koningin-strijdster die geweldig veel trek had in jonge mannen. Hij knikte ernstig toen Padriac de oude sage vertelde over Culhan die drie reuzen versloeg, elk weer groter dan de vorige. Zelfs Donal liet zich op een avond, tegensputterend, overhalen om mee te doen en te vertellen over de grote reis van Maeldun en de wonderbaarlijke dingen die hij ontdekte, zoals een eiland waar de mieren zo groot waren als paarden, of een boomgaard van appelbomen die het hele jaar vrucht droegen, of een fontein die verse melk spoot. Toen dit verhaal eenmaal begonnen was, had iedereen er wel iets aan toe te voegen, zodat het vele avonden duurde eer alles verteld was. Mijn vader zat dicht bij Finbar toen hij naar dit verhaal luisterde, en soms boog hij zich naar zijn zoon toe om iets op te merken, en dan knikte Finbar haast onmerkbaar. Toen kwam er een dag waarop vader in plaats van naar de tuin te gaan en daar zwijgend te gaan zitten, op zoek ging naar Liam, die toezicht hield op de mannen die hun paarden africhtten. Hij bleef daar de hele middag, en ik vroeg niet wat ze tegen elkaar zeiden. Maar die avond lag er een nieuwe warmte in zijn ogen.

Langzamerhand begon hij te praten en te reageren alsof hij ons kende. Toch was alles niet zoals het vroeger was geweest. Onze vader leek nu een veel oudere man. De last van wat hij zichzelf, en ons, op de hals had gehaald was voor hem bijna niet te dragen, en ik had het idee dat hij soms op het randje van de waanzin balanceerde. Nu lette Finbar op hem, zwijgend, altijd aan zijn zijde aanwezig in de schaduwen, alsof zijn geest de geest van onze vader in bedwang hield en een beschermend net weefde om de ziel die langzaam herstelde. Op die manier gingen vader en zoon elkaar begrijpen, en was er weer een wond genezen. Maar deze overwinning was zwaarbevochten. Finbar werd steeds magerder; hij at weinig en sprak geen woord. Niemand kon zoveel van zichzelf geven zonder daarvoor een verschrikkelijke prijs te betalen.

Vader sprak niet veel tegen mij. Ik hield mezelf voor dat dat niets nieuws was. Vroeger scheen hij nooit te weten wat hij met zijn dochtertje, dat zo op haar moeder leek, aan moest. Nu leek ik nog meer op Niamh; zo sterk leek ik op haar dat hij me eerst had aangezien voor haar die hij had liefgehad en verloren. Mijn broers hadden hem mijn verhaal verteld. Hij wist dat ik gehuwd was met een Brit, een lid van dat volk dat hij zo bitter verfoeide. Een van degenen die de Eilanden hadden veroverd, waar de geheimste van de heilige plaatsen van ons volk gelegen was, en dat alleen om een basis te hebben om er in boosheid en hebzucht vanuit te vertrekken, om ons land te verwoesten. Dat vertelden ze hem. Maar, zo stelde Liam hem snel gerust, het was geen echt huwelijk geweest. De verbintenis kon nietig worden verklaard, zei Conor, en later zou er een geschikte echtgenoot voor mij gezocht kunnen worden. Later. Het had geen haast. Mijn vader luisterde, en zei niets.

HOOFDSTUK ZESTIEN

Midwinter kwam en ging voorbij, en daarmee mijn zestiende verjaardag. Het bleef snijdend koud weer. Ik ging vroeg naar het dorp, met roggebrood dat Janis en ik hadden gebakken, en een aftreksel van valeriaanwortel voor Toms kleindochter die het ergste van haar ziekte had gehad. De rijp knerpte onder mijn schoenen. Ik ging van huis tot huis, en ik was al klaar met mijn bezigheden toen de zon nog omhoogkroop achter het winterse filigrein van de berken. Ik hoorde de klaaglijke roep van een uil, diep in het bos, en een tweede die antwoordde. In plaats van direct naar huis te gaan, nam ik het pad tegen de heuvel op onder de kale bomen, en mijn adem vormde een dampende wolk in de koude lucht. Op de top van de lage heuvel ging ik op een platte steen zitten en keek over de verstrengelde takken uit naar het stille water van het meer. Er zat een steentje in mijn schoen. Ik trok mijn handschoenen uit en bukte me om mijn veters los te maken. Pas toen keek ik naar mijn handen en besefte dat de zwelling eindelijk helemaal weg was; mijn vingers waren klein en slank zoals ze vroeger waren geweest, de huid was bleek en zacht. Bijna alsof ze nooit een spinrokken of naald hadden vastgehouden, alsof ze nooit van sterrenkruid hadden gehoord. Er waren schrammen en vlekken van mijn werk in keuken en tuin, maar dat was niets. Misschien was er magie uit het bos aan het werk geweest, want in al de tijd dat ik genezeres was had ik nooit gezien dat zo'n schade zich zo snel herstelde.

Zonder erbij na te denken trok ik het koord van mijn hals en sneed het netjes door met het scherpe mesje dat ik in mijn tas bewaarde bij mijn balsems en zalven. Het ringetje van eikenhout viel op mijn handpalm, warm en glad doordat het tegen mijn hart had gelegen. Ik schoof de ring zacht aan de ringvinger van mijn linkerhand. Hij paste om mijn vinger alsof hij ervoor gemaakt was; en dat was natuurlijk ook zo.

Ik werd overvallen door tranen die als een onstuitbare stroom over mijn wangen stroomden, en er was niemand die stil naast me zat om me een schone zakdoek aan te bieden nu ik die nodig had. Niemand die dicht bij me zat, maar niet té dichtbij, die me liet huilen, maar klaar stond om te helpen wanneer ik er aan toe was om het te vragen. Ik bedekte mijn gezicht met mijn handen en dacht dat ik dit verdriet niet veel langer zou kunnen verdragen. Ik was pas zestien. Moest ik de rest van mijn leven zo doorbrengen, half wakend, half levend, nooit helemaal volledig? *Wat had ik verkeerd gedaan, dat er zo'n vloek op me rustte?*

'Niets,' zei een stem vlakbij.

Ik keek op tussen mijn betraande vingers door. Ze stond voor me en keek me ernstig aan; haar nachtblauwe mantel was de enige felkleurige plek tussen de winterse bomen. 'Je hebt het goed gedaan, dochter van het woud. Je werk voor ons is bijna voltooid. Je bent sterk geweest. Bijna te sterk.'

Ik snoof. Ze had wel lang gewacht met terugkomen. 'Bijna voltooid?' stamelde ik. 'Ik dacht dat het klaar was. Mijn broers zijn teruggekomen. Ik heb de taak volvoerd. Wat is er dan nog meer?'

De Vrouwe van het Woud glimlachte. 'Dat was alles wat van je gevraagd is, om te doen, en je hebt je inderdaad dapper en trouw van je taak gekweten, Sorcha. Er is alleen nog één ding. Je zult het weten, wanneer het tijd is.'

Ze begon alweer te vervagen onder de bomen.

'Wacht!' zei ik dringend, alsof een wezen zoals zij zich zou storen aan de smeekbede van een sterveling. 'Wacht alstublieft! U moet me vertellen... u moet me uitleggen...'

'Wat, kind?' Ze trok haar wenkbrauwen op alsof ze me grappig vond.

'U hebt hem pijn gedaan. U hebt ons allebei pijn gedaan. U zei – die keer, in de grot – dat ik goed gekozen had. Was dat alles waar hij voor diende, een soort lijfwacht die u een tijdlang aan mij verbond, zodat ik de taak veilig kon volvoeren? Was dat uw enige doel toen u hem naar mij toe trok? Waarom moest u hem met die betovering treffen, zodat we allebei in het hart werden gewond? U wist dat we elkaar los moesten laten, zodra de taak volvoerd was.'

De Vrouwe fronste verbaasd haar voorhoofd. 'Welke betovering bedoel je, dochter?'

'De betovering, de ban die u over heer Hugh heeft gelegd, om hem aan mij te binden, zodat hij me moest beschermen en bewaken, zelfs ten koste van alles waaraan hij gehecht was. Het was een wrede betovering. Ik had voor mezelf kunnen zorgen, ik had liever niet gehad...' Mijn vingers draaiden aan de ring, om en om.

Ze lachte, een hoge, vrolijke lach als het klateren van een waterval.

'Hij had daarvoor geen aansporing nodig,' zei ze. 'Geloof me, er is geen toverkunst aan te pas gekomen. Is het voor jou zo moeilijk te bevatten dat een man als hij jou zou kunnen liefhebben zonder hulp van de magische kunsten? Heb je weleens in je spiegel gekeken? Heb je je eigen karaktersterkte niet gezien, en je trouw, en je liefheid? Voor hem was er maar de tijd van één hartslag nodig om dit alles te zien. Als je niet zo sterk was geweest, zou je hem misschien niet hebben losgelaten. Dan zou jouw verhaal misschien een ander einde hebben gehad.'

'Maar...' zei ik dommig. 'Maar waarom heeft hij dan nooit iets gezegd? Waarom heeft hij het niet tegen me gezegd?'

'Hij heeft het geprobeerd,' zei ze. Toen glimlachte ze, hoofdschuddend, alsof ze niet kon begrijpen hoe dom mensen konden zijn, en ze vervaagde tot niets.

En terwijl ik de heuvel afliep naar huis, besefte ik dat hij inderdaad had geprobeerd het tegen me te zeggen; en dat ik het was die niet had geleerd te luisteren. Het was aanwezig geweest in de zachtheid van zijn handen en in zijn vluchtige, lieve glimlach. Het was te merken geweest in zijn woede, die keer dat ik er alleen op uit was gegeaan en Richard was tegengekomen in het bos. Het was te merken geweest in de manier waarop hij ineen was gekrompen toen ik hem aanraakte, in de nacht dat John gestorven was. *Ik wil je medelijden niet*, had hij gezegd. Het was te horen geweest in het verhaal dat hij me op het strand had verteld. *Zij was de vrouw van zijn ziel, en hij kon er niet aan denken afstand van haar te doen.* Maar hij had afstand van mij gedaan, zonder protest. Ik besefte, en het besef drukte als een steen op mijn hart, dat hij dit had gedaan omdat hij geloofde dat het enige wat ik wilde, was met mijn broers terug te gaan naar huis. Hoe kon hij weten dat ik van hem hield, terwijl ik het zelf nauwelijks wist? Ik had geprobeerd hem zijn ring terug te geven, en ik had hem gekwetst. Daarom had hij zijn belofte gehouden, en me laten gaan. En ik zou nooit teruggaan. Hoe kon ik uit het bos weggaan, want net als de zeemeermin zou ik niet lang in leven blijven ver van de plaats waar mijn ziel thuishoorde. Dat had Red begrepen. Ik liep naar huis, zonder iets te zien, verdiept in mijn gedachten. Ondanks alles, ondanks het hartverscheurende besef hiervan, voelde ik diep vanbinnen een warm gloeiend plekje. Als ik wist dat hij van me had gehouden, een tijdlang tenminste, maakte dat het iets gemakkelijker het verdriet te verdragen.

Toen we diezelfde avond in de warme keuken bijeenkwamen voor het avondeten, had ik mijn blauwe jurk aan. Ik had hem zorgvuldig gewassen, en de vlekken op lijfje en mouw waren bijna niet te zien op de verbleekte stof. Door deze behandeling zat de jurk nu zacht en gemakkelijk, maar ik had hem hier nog niet eerder aangetrokken, want hij riep herinneringen op aan vreugde én verdriet. Die avond voelde ik me genoodzaakt om hem te dragen, en de trouwring aan mijn vinger was een teken van trots. Mijn broers zagen het allebei wel, maar zeiden er niets over, misschien omdat ze gevoelig waren voor de sporen op mijn gezicht, van langdurig huilen.

De soep was lekker, met uien en gerst, en het duurde niet lang of Janis' reusachtige kookpot was leeg. We bleven zitten met onze bekers wijn in onze handen, en de gloed van het vuur op onze vermoeide gezichten, en Liam zei: 'Wie vertelt ons een winteravondverhaal?' Maar er hing een stilte in huis, en niemand bood zich aan. Deze midwinter hadden er geen takken hulst boven de deur gehangen en er waren geen slingers van kruiden om de raamkozijnen bevestigd om voorbijtrekkende geesten welkom te heten. Er kon geen droog hout gemist worden voor vreugdevuren, en niemand had energie of zin om het voorbijgaan van de seizoenen te vieren. Toch was er een vriendschappelijkheid, een gevoel van samen hetzelfde doel na te streven, dat ons allen verbond. Ik meende dat zelfs mijn vader dit voelde, terwijl hij naast Liam zat en naar zijn zoon keek, die al leiding gaf aan mannen. En naar Conor, wiens kalme blik afwezig was, alsof zijn gedachten naar binnen gericht waren. Deze zoon was wijzer dan zijn jonge leeftijd wettigde; binnenkort zou het voor hem tijd zijn om verder te gaan, en in de ogen van mijn vader lag de verwachting weer iemand kwijt te zullen raken. Dan was er Finbar; hij stond achter de stoel van zijn vader en zag veel, maar zei niets. Dit was de zoon die zijn vader vroeger zo woedend had gemaakt met zijn vaste blik en zijn openhartige woorden, met zijn koppige weigering de spelletjes van heer Colum mee te spelen. Nu was het deze zoon die de gewonde ziel van zijn vader had genezen. En Padriac, altijd de lieveling. Padriac, die nu geen kind meer was. Hij flirtte met de dienstmeisjes, en grijnsde naar zijn vader, en Colum gaf een vaag glimlachje terug.

Zo zaten we een tijdje, pratend over koetjes en kalfjes; niemand had veel zin om uit de behaaglijke keuken weg te gaan en zijn koude slaapvertrek op te zoeken. Het vuur brandde lager, en Donal gooide er nog een kostbaar blok hout op. Ze hadden meer hout gehakt en opgestapeld, maar het zou nog lang moeten drogen, en er waren vele haarden die gestookt moesten worden. De dorpelingen kregen eerst hun voorraad, en wij namen wat er over was.

Toen hoorden we geluiden buiten, en plotseling was iedereen klaarwakker. De deur werd ruw opengeduwd, en Liam stond al, reikte naar zijn zwaard en duwde mij naar achteren. Aan mijn andere kant verscheen Donal, met zijn mes in de hand. Conor schermde zijn vader af. Begeleid door een koude windvlaag stormden twee van Liams wachten naar binnen met een gevangene tussen hen in, een gevangene met een blinddoek voor zijn ogen en zijn handen op de rug gebonden. In een flits herinnerde ik me Simon die de grote zaal werd ingesleept op de avond van Liams verloving met Eilis, als een briesende, woeste gevangene. Deze gevangene was lang en krachtig van bouw, en hij verzette zich niet, maar stond roerloos tussen de mannen die hem gevangen hadden genomen, alsof het van meet af aan zijn bedoeling was geweest, hier te worden binnengebracht. Deze gevangene had haar dat zo kort mogelijk was afgeknipt, haar dat de kleur had

van de herfstzon op beukenblad, een heldere vlam in de winternacht.
Ik deed mijn mond open, en Liams hand kwam en legde zich over mijn lippen om mij het zwijgen op te leggen. Donal greep mijn arm, en verhinderde me naar voren te komen. Nu het me op die manier onmogelijk was gemaakt iets te doen of te zeggen, kon ik alleen toekijken terwijl ze Red voor de mannen van mijn familie opstelden. De wachten lieten zijn armen los en deden een stap terug. Het werd doodstil in het vertrek. Dit zou, dacht iedereen, weleens veel boeiender kunnen worden dan een verhaal dat verteld werd.
'Ik ken deze man,' zei Liam. Hij keek mij met gefronst voorhoofd aan en nam zijn hand weg, maar gebaarde dat ik moest blijven zwijgen. Hij wees me een stoel om te gaan zitten, en vooralsnog gehoorzaamde ik. 'Ik dacht dat de grenzen goed bewaakt waren. Hoe kan het dat hij onopgemerkt zo ver is gekomen?'
'Dat is zeker vreemd, heer,' zei een van de mannen, die lichtelijk buiten adem leek. 'Hij moet verstand hebben van bossen, want hij is aan de noordkant de heuvel opgekomen en door het essenbos naar beneden, bijna tot bij de buitenste haag, zonder dat onze mannen iets hebben gehoord. Ik heb geen idee hoe hij dat heeft klaargespeeld. En daar komt hij opeens te voorschijn, zodat we hem konden zien, en laat zich gevangennemen. Hij hield zich heel rustig voor zo'n grote vent.'
'Hij heeft ze misschien niet allemaal op een rij,' opperde de andere wacht.
'Jullie spreek ik morgenochtend nader,' gromde Donal woest, zodat zijn mannen beiden angstig ineenkrompen. 'Er mag niemand doorheen komen, horen jullie? Niemand.'
'Wat kom je hier doen, Hugh van Harrowfield?' vroeg Conor streng in de vreemde taal. 'Jullie soort is allesbehalve welkom op Zeven Wateren. Heb je mijn familie nog niet genoeg aangedaan? Het verbaast me dat je het aandurft hier aan te komen.'
Red schraapte zijn keel. 'Ik ben hier om met mijn vrouw te spreken,' zei hij van onder zijn blinddoek. 'Waar is Jenny?'
Mijn hart bonsde. Conor vertaalde het voor de anderen, met een strak gezicht. Liam keek me woest aan en legde zijn vinger op zijn lippen om me tot stilte te manen. Maar ik moest het hem zeggen, ik wilde hem zeggen dat...

Wacht, Sorcha. Laat hem eerst spreken.
Ik keek woedend naar Finbar, die in de schaduw stond. Hij had nooit een bevel gegeven zonder een goede reden. *Waarom? Waarom moet ik mijn mond houden?*
Als je de woorden van zijn hart wilt horen, moet je wachten en zwijgen.
'Wie is deze man?' vroeg mijn vader; zijn stem klonk bijna net als vroeger. 'Welke vrouw?'
'Dit is de Brit over wie we hebben gesproken,' zei Liam. Zijn stem klonk ijzig. 'In wiens huis onze zus bijna de dood heeft gevonden. Hij heeft ons geholpen uit dat land weg te komen, maar we zijn hem geen gunsten verschuldigd.'
'Het verbaast me dat zo iemand het in zijn hoofd haalt zich hier te vertonen,' zei Donal, terwijl hij zijn vingers langs zijn dolk liet gaan. 'Wat kan zijn bedoeling zijn?'
De blinddoek was dik en stevig. Red kon niets zien. Zijn gezicht was bleek onder de donkere doek. Hij was van ver gekomen. Hij leek ongewapend, al vermoedde ik dat er ergens op zijn lichaam een klein, scherp mes te vinden zou zijn.
'Het enige wat ik wil, is mijn vrouw spreken,' zei hij weer, ietwat vermoeid. 'Ik heb geen kwaad in de zin. Is ze hier?'
'Je hebt geen vrouw, Brit,' zei Liam, toen dit aan hem was overgebracht. 'Onze zuster is goed beschermd, en leeft tevreden temidden van haar eigen mensen. Er is in haar leven geen plaats voor jou.' De vertaling die Conor gaf was akelig precies.
'Laat haar dat dan met haar eigen lippen tegen me zeggen,' zei Red kalm. 'Laat zij het tegen me zeggen, dan zal ik weggaan.' Ik opende mijn mond, maar sloot hem weer.
Toen begon mijn vader te spreken, tot verrassing van ons allemaal.
'We hebben vanavond weinig vermaak gehad, omdat we allemaal moe zijn. Misschien heeft deze kerel een goed verhaal voor een winteravond. Misschien kan hij zijn zaak door middel van een verhaal bepleiten. Breng de Brit een zetel, en geef hem ruimte. Laat hem spreken, en laten wij stil zijn en hem aanhoren. Conor zal zijn woorden vertalen. Het zal een redelijke opdracht zijn. Ik voel hier een mysterie, dat verder gaat dan wat mijn ogen me zeggen; ik wil geen overhaast oordeel geven.' Er werd een kruk gehaald,

en Red ging erop zitten, met zijn lange benen over elkaar geslagen en de doek nog steeds voor zijn ogen, zodat hij niets kon zien. Zijn handen bleven gebonden.
Hij zat kaarsrecht op de kruk, en het licht van het vuur speelde over zijn haar en gaf het gouden, rode, koperkleurige glanzen. Ik hield mijn adem in. Rondom me stonden of zaten Janis en Donal en de mannen en vrouwen van het huishouden met hun beker in hun hand en een verwachtingsvolle uitdrukking op hun gezicht. Ik wist niet wat ik moest voelen. Ik beefde van vreugde omdat ik hem weer kon zien. Ik keek verontwaardigd naar de mannen van mijn huishouden, die altijd maar spelletjes schenen te moeten spelen; die geen vreemdeling konden accepteren zonder hem op de een of andere manier op de proef te stellen. Je kon aan Red vragen met een zwaard, of met een klein mes, of desnoods met blote handen te vechten, en hij zou iedereen met gemak aankunnen. Dat had ik zelf gezien. Je had hem kunnen vragen een ingestorte muur op te bouwen, of een ziek dier te helpen, of een verstoorde verbintenis te herstellen, en hij zou het doen. Maar hij was geen verhalenverteller; niet voor een gezelschap vreemden zoals dit. Hij was geen toneelspeler. Hij had mij een keer een verhaal verteld; maar toen bestond het publiek uit één persoon, en zijn eigen moeder had immers tegen me gezegd dat hij tegen mij praatte alsof hij tegen zichzelf sprak? De opdracht die mijn vader hem gaf was de zwaarste die hij had kunnen kiezen. Voor zo'n man, die zijn gevoelens diep vanbinnen wegstopte en zorgvuldig beheerste, aan wiens koele ogen en strakke mond niets te zien was, wiens woorden hem vooral in de steek lieten wanneer hij zijn hart liet spreken, was dit een wrede uitdaging. *Je kunt het*, zei ik stilzwijgend tegen hem. *Vertel je verhaal maar aan mij. De ene voet voor de andere, recht vooruit.*
'Er was... er was eens een man,' begon hij aarzelend, 'die alles had. Hooggeboren, met veel talenten begiftigd, gezond van lichaam en geest, groeide hij op als de oudste zoon, erfgenaam van een groot landgoed, dat in het westen begrensd werd door de zee en in het oosten door de heuvels, waar de velden vruchtbaar waren en waar de vis in de rivieren maar voor het ophalen was.'
Conors stem vormde een ernstige tegenmelodie toen hij de woorden in onze taal overbracht. Finbar zat bij het raam; zijn ogen

staarden in het niets. Hij begrijpt het, dacht ik. Niet alleen de woorden, maar de betekenis erachter. Finbar en ik, wij zijn de enigen die het weten. Maar Finbars ernstige gelaatsuitdrukking en ongerichte blik verrieden niets.

'Hij groeide op,' vervolgde Red, 'en zijn vader stierf, en het landgoed was voor hem, behalve een klein gedeelte dat aan zijn jongere broer toeviel. Zijn leven was uitgestippeld tot in de kleinste bijzonderheden. Hij zou een voordelig huwelijk sluiten, hij zou zijn gebied uitbreiden, hij zou voor zijn gezin en voor zijn brave mensen zorgen en het werk van zijn voorvaderen voortzetten. Zo is de levensweg van vele goede mannen, en hun leven volgt dit patroon, en ze zijn blij dat ze hun zonen een erfenis van vrede en voorspoed mogen doorgeven.' Hij ging even verzitten. Zijn handen, die nog op zijn rug gebonden waren, leken strakker in elkaar te grijpen.

'Toen... toen veranderde er iets. Zijn familie werd getroffen door een boze invloed, die zijn jongere broer weglokte, en in gevaar bracht. Na verloop van tijd werd het duidelijk dat hij erop uit moest trekken om hem te vinden, dood of levend. Maar hij hield van zijn huis, en zijn grond, en hij dacht dat het uitgesloten was dat zijn broer nog leefde. Hij geloofde dat hij voorgoed verloren was. Daarom wachtte hij, en wachtte, tot hij geen andere keus had dan de zee over te steken, en op zoek te gaan naar de waarheid, als hij die kon vinden.'

Er viel een stilte. Misschien was ik de enige die wist hoe hij die stilte gebruikte om zijn gedachten te ordenen, om zijn ademhaling te dwingen langzaam en regelmatig te blijven, om zijn wilskracht te gebruiken zodat zijn stem zelfvertrouwen uitstraalde. Voor de anderen was het nog steeds gewoon een verhaal, een verhaal zoals alle verhalen die we avond aan avond vertelden, grappige en vreemde verhalen, indrukwekkende heldenverhalen, de verhalen die het weefsel van onze ziel hadden gevormd.

'De man reisde ver, en op zijn reizen zag en hoorde hij veel vreemde dingen. Hij kwam erachter dat... dat de vriend en de vijand niets zijn dan twee gezichten van dezelfde persoon. Dat de weg waarvan je denkt dat hij lang geleden is bepaald, vast en onveranderlijk, recht en breed, in een oogwenk kan veranderen. Dat hij zich kan splitsen, en kan kronkelen, en de reiziger op plaatsen kan brengen die hij zich in zijn stoutste dromen niet had kunnen voorstellen. Dat er mysteriën zijn die de bevatting van de sterfelijke mens te boven gaan, en dat je maar half bewust leeft als je hun bestaan ontkent.'

Op dit punt zag ik mijn vader ernstig knikken. Maar Liam en Conor luisterden beiden met gefronst voorhoofd en strakke mond, en Donal met een boze trek op zijn gezicht.

'Op een nacht veranderde alles. Hij... hij zag zich genoodzaakt een jonge vrouw te redden van de verdrinkingsdood; en vanaf het moment dat hij haar uit het water plukte, een halfvolwassen, half verhongerd, half wild wezentje, wist hij het. Vanaf dat moment zou elke stap die hij zette, elke beslissing die hij nam, anders zijn, vanwege haar. Ze was weinig meer dan een kind, verdwaald, gekwetst en bang. Maar sterk. O, ze was de sterkste persoonlijkheid die hij ooit had ontmoet. Hij kwam dit te weten, tijdens de moeilijke reis naar huis, want ze stond hem bij; ze genas hem, hoewel hij haar vijand was. Ze liet hem dingen zien die zijn begrip bijna te boven gingen, zo vreemd en wonderbaarlijk kwamen ze hem voor. Daarover zal ik niet meer vertellen, want sommige dingen kunnen het beste ongezegd blijven.'

Hij boog zijn hoofd een weinig en haalde diep adem.

'In zijn huis was ze als een wild dier dat plotseling op een boerenerf wordt neergezet, als een jonge uil in een kippenren. Met haar zwijgen, met de vreemde taak die ze moest verrichten, door in pijn en eenzaamheid te werken onder de niet-begrijpende ogen van zijn familie vulde ze hem met een verwarring zoals hij nooit eerder had gekend. Hij kon niet veel anders doen dan haar beschermen; het leek van het grootste belang te zorgen dat ze veilig was. Hij begreep niet wat ze deed, maar hij wist op de een of andere manier dat hij haar moest helpen de taak te volbrengen, wilde hij ooit haar stem horen, wilde hij ooit in staat zijn tegen haar te zeggen... tegen haar te zeggen...'

Ik deed mijn mond open om iets te zeggen, maar slikte de woorden in. Toch moet ik een geluidje hebben gemaakt, want Red bleef even doodstil zitten, met zijn hoofd gedraaid. De dikke blinddoek maakte het onmogelijk iets te zien; maar nu wist hij dat ik er was.

'In zijn huis groeide en veranderde ze, maar ze was nog altijd onmiskenbaar zichzelf. Sterk, lief en trouw. Zonder woorden sprak ze tegen hem zoals geen ander het kon, recht tot het hart, met haar sierlijke, misvormde handen en haar grote, groene ogen. Hoewel hij vaak geen woorden kon vinden, begreep ze hem zoals geen ander hem ooit had begrepen. Hij zag haar soms huilen om haar handen, die gezwollen en hard waren geworden door haar werk, en hij hoorde dat anderen ze lelijk noemden. Hij zag wat anderen niet konden zien, hij zag de kracht, de zachtheid en de schoonheid van die handen, en hij lag 's nachts wakker en verlangde naar het gevoel ervan op zijn lichaam. Maar zij was bezeerd, en bang, en ze schrok voor hem terug. Hij kon haar de woorden van zijn hart niet zeggen. Hij durfde het risico niet aan haar zo bang te maken dat ze zou vluchten, want als hij haar verloor, verloor hij alles. Dat werd hem elke dag duidelijker, terwijl hij de dingen deed die voor zijn huis en zijn landgoed gedaan moesten worden. Zonder haar zou hij niet kunnen leven.'

Er was een duidelijke weerzin in Conors stem toen hij dit vertaalde, maar hij moest het wel precies doen, want er waren ten minste drie mensen aanwezig die de taal van de Britten verstonden. Toen zei Conor: 'Dit verhaal begint me tegen te staan.' Zijn stem leek op een messteek. 'Als deze man dergelijke gevoelens koesterde, waarom liet hij het meisje dan over aan de genade van zijn familielid, die zowel een verrader als een gek was?'

'Als u mij toestaat,' zei Red, en zijn stem was zo zacht geworden dat de mensen elkaar tot stilte maanden om hem te kunnen horen, 'mijn verhaal is nog niet uit; u moet me het laten uitvertellen. En ik ben gekomen om haar antwoord te horen, niet het uwe.'

'Laat de man zijn verhaal afmaken,' zei mijn vader. 'Voor een Brit weet hij aardig weg met woorden. Hem aan te horen verplicht ons tot niets.'

'Mijn vader zegt: ga door.' Conors stem klonk kortaf toen hij zich weer tot Red richtte.

'Dank u voor uw hoffelijkheid, heer,' zei Red ongeveer in de richting waar mijn vader zat. Hij wendde zich weer naar Conor. 'U hebt gelijk,' vervolgde hij. 'Deze man heeft, zoals u zegt, inderdaad een beoordelingsfout gemaakt. Een fout die er nog steeds voor zorgt dat hij 's nachts wakker schrikt, in het besef dat hij haar bijna aan het vuur had verloren. Het besef dat zijn slordigheid het meisje bijna haar leven had gekost, en daarbij haar kans om de vreselijke taak die zoveel voor haar betekende, af te maken. Hij dacht dat ze veilig was, beschermd door zijn naam en zijn trouwring, veilig temidden van zijn familie. Hij nam het risico op reis te gaan om zijn verdwenen broer te zoeken, die ook in groot gevaar verkeerde; hij kwam nog net op tijd terug om haar te redden. Nooit had hij zo'n angst gekend als in die nacht; nooit had hij een geluid gehoord dat hem zo in het hart trof als haar stem die zijn naam riep om hem te waarschuwen voor gevaar, op het moment dat ze zelf in het grootste gevaar verkeerde. Heel even dacht hij... stond hij zichzelf toe te denken... een ogenblik maar hield hij haar in zijn armen, en zijn hart was weer heel. Toen liet hij haar gaan, was ze was omringd door sterke mannen, door geduchte beschermers die tot haar eigen familie behoorden. Ze was weer veilig, en de reden voor de lange, wrede tijd van spinnen en weven was eindelijk duidelijk. Ze had haar jeugd opgeofferd om haar broers te redden; ze had haar familie lief boven alles, en haar ziel verlangde ernaar weer terug te gaan naar huis, naar het wilde bos en het land van de mystieke verhalen en oeroude geesten waaruit hij haar had meegenomen. Dat was de plaats van haar hart, en als hij van haar hield, moest hij haar laten gaan.'

De stemming in de kamer veranderde haast onmerkbaar. Ze waardeerden een goed verhaal; en dit verhaal werd met gevoel verteld, al haperde het af en toe. Janis keek vooral naar de verteller. Ik hoorde haar tegen een van de keukenmeisjes fluisteren: 'Dat is nou eens een echte man. Als zij hem niet wil, zal ik de eerste zijn die hem een warm bed voor de nacht aanbiedt.'

En toen voelde ik de innerlijke stem van Finbar, terwijl ik had gedacht dat hij nauwelijks luisterde, zo ver weg leek hij uiterlijk te zijn. *Dit is een goede man, Sorcha.*

Dat weet ik.

Sterk genoeg om ten overstaan van ons allemaal te zeggen dat hij een fout heeft gemaakt. Heel sterk.

Dat weet ik.

Red was nog niet uitgesproken.

'Hij kon geen woorden vinden voor het afscheid. Hij haperde. Hij had haar gekwetst, door vanuit de pijn van zijn ziel te spreken. Hij had gezworen dat hij haar geen pijn zou doen, maar hij had haar toch pijn gedaan. Hij had haar willen zeggen... hij had willen zeggen: het maakt niet uit of je hier bent of daar, want ik zie je altijd voor me. Ik zie je in het licht op het water, in het wuiven van de jonge bomen in de lentewind. Ik zie je in de schaduwen van de grote eiken, ik hoor je stem in de nachtelijke roep van de uil. Je bent het bloed in mijn aderen, en het kloppen van mijn hart. Je bent mijn eerste gedachte als ik wakker word, en mijn laatste zucht voor ik in slaap val. Je bent... je bent been van mijn gebeente, en adem van mijn adem.'

Zijn stem was nog maar een fluistering. Mijn gezicht was nat van de tranen.

'Zeg hem,' zei Liam, 'zeg hem dat als hij denkt dat hij met zijn mooie woorden van liefde onze zuster als echtgenote kan veroveren, hij zich deerlijk vergist. Sorcha zal nooit daarheen terugkeren; ze is de dochter van Zeven Wateren, en ze hoort hier thuis.'

Conor vertaalde dit en voegde eraan toe: 'Je had het er beter bij kunnen laten, toen. Je had je de moeite kunnen besparen helemaal hierheen te komen. Sorcha is nog maar net zestien jaar oud, en ze is onderworpen aan het gezag van haar vader. Je denkt toch zeker niet dat hij het, zelfs als ze het zou willen, goed zou vinden dat ze de zee oversteekt en zich aan een Brit verbindt.'

Red haalde diep adem. 'Zeker niet, een dergelijke gedachte is niet bij me opgekomen. Ik zou niet gekomen zijn, behalve om... alleen omdat... als ze niet afscheid van me had genomen zoals ze heeft gedaan, dan zou ik niet gekomen zijn. Maar... maar ze had een manier om... ik bedoel, ik geloofde dat er een sprankje hoop, een uiterst klein sprankje hoop was dat ze misschien toch... ik bedoel...'

'Is je verhaal nu uit?' Conor was onvermurwbaar. 'Heb je verder nog iets te zeggen? Het wordt laat, en koud.'

'Ik moet jullie nog iets duidelijk maken,' zei Red, en zijn stem was weer vaster. 'Ik begrijp dat jullie zuster niet terug kan gaan overzee. Dat heb ik ook nooit verwacht. Dat is de reden waarom het zo lang heeft geduurd voor ik hierheen ben gekomen om haar te zoeken. Lang genoeg om de zaken op Harrowfield in orde te brengen, lang genoeg om erop toe te zien dat mijn oom naar behoren gestraft werd voor zijn misdaden, en om de verantwoordelijkheid voor mijn huis en mijn landerijen over te dragen aan mijn broer. Ik zal niet teruggaan daarheen. Of Jenny me wil hebben of niet, ik heb dat leven vaarwel gezegd.'

Er viel een diepe stilte. De omvang van een dergelijke beslissing was iedereen duidelijk. Zelfs Conor had niets te zeggen, nadat hij deze woorden had vertaald. Wat mij betreft, mijn geest kon nauwelijks geloof hechten aan wat Red had gezegd. En toch wist ik dat het de waarheid moest zijn. Zijn heerlijke landerijen, zijn glinsterende rivier, zijn kudden schapen en rundvee, en de brave mensen die van hem hielden. De vallei met haar zachte mantel van eiken en beuken, berken en wilgen. Het generaties lang zorgvuldig bijgehouden verslag. Op de laatste bladzijde van dat journaal had hij mij getekend. De laatste bladzijde van het laatste boek. Nooit zou hij zijn jonge eiken zien opgroeien om een schuilplaats te bieden aan de wilde dieren van Harrowfield. Dat alles had hij opgegeven, voor mij.

'Je bent van plan hier te blijven,' zei Liam ongelovig, toen de stilte eindelijk doorbroken werd. 'Een Brit, in ons huishouden, getrouwd met onze zus, die ons dierbaarder is dan het leven zelf. Je bent een verblinde idioot.'

Ik wilde woedend tegen mijn broer uitvallen.

Wacht nog heel even, kwam Finbars stilzwijgende waarschuwing, en ik slikte mijn boze woorden in.

Toen stond mijn vader langzaam op.

'Maak zijn handen los, Sorcha,' zei hij ernstig. 'Neem zijn blinddoek af. Dit is jouw beslissing, jouw keuze. Je bent nu een vrouw, en het offer dat je voor je broers hebt gebracht, heeft je het recht gegeven om je eigen weg te bepalen, ook al komt die ons niet gelegen.'

Liam wilde iets gaan zeggen, maar zag ervan af. Heer Colum was tenslotte nog altijd meester van dit huis. Er hing een angstige spanning in de kamer. Red had niets van mijn vaders woorden verstaan.

Ik liep naar de plaats waar hij zat, en ik reikte om hem heen om de knoop los te maken die de blinddoek op zijn plaats hield. Ik deed dit met mijn rechterhand; maar mijn linkerhand, waaraan ik zijn ring droeg, ging naar zijn nek, waar de blanke huid zichtbaar was tussen de tuniek en het kortgeknipte haar, en legde zich daar zo zacht als hij kon neer. Red ademde scherp in.

'Maak mijn handen los,' zei hij met een heftigheid die me deed beven. Ik bukte me en nam het mesje weg van de plaats waar ik had geweten dat het zou zijn, verborgen in de windsels van de linkerlaars, en ik ging achter hem staan en haalde het mes een, twee keer over de strakke touwen waarmee zijn handen gebonden waren. Hij stond op en draaide zich om, en zijn armen kwamen om me heen, sloten zich om me heen alsof ze me nooit meer los zouden laten. Ik voelde zijn lippen op mijn voorhoofd, heel ingetogen, want zelfs nu nog had hij het gevoel dat hij zich moest inhouden. Zelfs nu scheen hij nog niet zeker van mij te zijn. Maar zijn ogen waren niet meer zo koel als ijs, ze waren niet langer gereserveerd. In plaats daarvan straalden ze zo blauw als een zomerhemel, en de boodschap erin was duidelijk te lezen, en eenvoudig te beantwoorden. Ik ging op mijn tenen staan, en nam zijn gezicht tussen mijn handpalmen, en trok zijn hoofd omlaag zodat ik zijn strakke, koppige, weerspannige mond kon kussen. Ik had me nooit geoefend in deze kunst, maar ik bracht het er aardig vanaf; Padriac vertelde me later dat ik Liam had laten blozen, en dat was een hele prestatie. Het was een kus zoals ik nooit had gedacht te kunnen geven; een kus die hem rechtstreeks vertelde wat mijn antwoord was. Hij trok zich even terug, en fluisterde: 'Ik ben zo'n geschenk niet waard, Jenny.' Maar ik legde mijn vingers op zijn lippen om hem het zwijgen op te leggen. 'Lief hart,' fluisterde ik terug, 'ik zou het aan geen ander willen geven dan aan jou.' Toen drukte zijn mond zich op de mijne, en hij liet me de diepte van zijn hartstocht voelen terwijl onze lippen aan elkaar kleefden en elkaar proefden, en uiteengingen om hijgend adem te halen, en weer aan elkaar kleefden en proefden. En het waren niet alleen mijn eigen zoute tranen die neervielen terwijl zijn handen mijn haar streelden en mijn lichaam dicht tegen het zijne aan trokken, zodat ik voelde hoe sterk hij naar me verlangde. Dit was het einde van een lange en moeilijke reis voor ons beiden, en de zoete opwinding die elke vezel van mijn lichaam doorstroomde, vertelde me dat het tevens het begin van een nieuwe weg was.

'Ahum.' Mijn vader schraapte zijn keel, zodat we gedwongen waren ons weer bewust te worden van de plaats waar we waren. We draaiden ons om en keken verdwaasd om ons heen. De kamer was bijna leeg; we hadden niet gehoord dat alle huisgenoten vertrokken waren, behalve vader en de zwijgende Finbar.

'Neem je man mee, dochter,' zei mijn vader met een lachje, hoewel in zijn ogen pijnlijke herinneringen leefden. 'Zoek een warme slaapplaats voor hem. Morgenochtend is er nog alle tijd om verder te praten.' Daarop sloeg hij zijn mantel om zich heen en ging naar buiten, gevolgd door Finbar. Mijn broer bleef staan in de deuropening; het witte dons van zijn ene vleugel was rozeachtig goud gekleurd in het kaarslicht; en ditmaal sprak hij hardop.

'Het verhaal is eindelijk uit,' zei hij, in de taal die we allemaal konden verstaan. 'Wees gelukkig. Jullie hebben elkaar verdiend. Een dergelijke liefde is een geschenk dat voor weinigen is weggelegd. Jullie moeten iedere dag laten tellen.'

Red drukte zijn lippen tegen mijn haar. Ik zag hoe Finbar als een schaduw de deur uitglipte. Toen nam ik mijn echtgenoot bij de hand en leidde hem naar mijn eigen slaapvertrek, waar iemand een vuur had aangestoken in de kleine haard, en kaarsen en wijn en bokalen had neergezet, en een bosje gedroogde lavendel op het kussen had gelegd. Ik kon horen dat Red moeite had zijn ademhaling te beheersen, en zelf bracht ik er ook niet veel van terecht.

'Ik... ik ben bang dat ik je pijn zal doen,' zei hij. 'Maar... maar ik heb je nodig, Jenny; ik hunker naar je, ik geloof niet dat ik me kan...'

'Sst,' zei ik. 'Het is goed. Het zal wel goed komen.'

Het leven gaat in werkelijkheid niet helemaal zoals het in sprookjes gaat. In de oude verhalen gebeuren er nare dingen, en wanneer het verhaal zich heeft ontvouwd en zijn triomfantelijke slot heeft bereikt, is het alsof de nare dingen nooit bestaan hebben. Het leven is niet zo eenvoudig, niet helemaal. Het zou prettig zijn geweest om zonder meer te vergeten wat mijn lichaam en geest die dag in het bos was aangedaan, door mannen die me gedachteloos gebruikten. Maar zulke dingen worden nooit helemaal vergeten, al vervaagt de herinnering in de loop van de tijd. Daarom kwam er, toen we die eerste keer samen waren, een ogenblik dat ik hijgde van herinnerde angst, en mijn lichaam verstijfde en trilde. Maar Red hield me in zijn armen, en streelde mijn haar, en praatte zacht tegen me, met kleine gefluisterde woordjes, en hij wachtte op me. En uiteindelijk opende mijn lichaam zich voor het zijne als een bloem, en we bewogen samen, langzaam en toen sneller, en we zuchtten en schreeuwden en vonden verlossing in elkaars armen. Hij maakte me duidelijk dat de vereniging van man en vrouw werkelijk iets is om je over te verwonderen, en om van te genieten, en om bij te lachen. Ik besefte dat ik hem tot die nacht nooit had horen lachen. En de dingen die de roddelkousen van Harrowfield giebelend over hem hadden gezegd, die waren allemaal waar, maar ze deden hem lang geen recht.

Het eerste wat Red deed nadat we de volgende morgen in een soort zalige roes waren opgestaan, met een zotte glimlach op ons gezicht, want we konden nauwelijks onze handen van elkaar afhouden, was met me meegaan naar het dorp, en terwijl ik deze en gene verzorgde, ging hij aan de slag om de namen van elke man, elke vrouw en elk kind daar te leren en om ze beleefd te groeten in hun eigen taal. Eerst keken ze nog wat vreemd tegen hem aan. Maar zijn moeizame pogingen om zich verstaanbaar te maken leidden tot glimlachjes en grappen, en ze zagen hoe het tussen ons beiden was. Mij kenden ze, van mij hielden ze, en als hij mijn man was, moest hij een goeie kerel zijn, of hij nou een Brit was of niet. Het duurde niet lang of ze hielden hem staande om hem een mooie zeug te laten bewonderen, of hij stond door middel van ingewikkelde handgebaren uit te leggen hoe ze een stuk vermolmd hout in een koeienstal moesten vervangen, of hielp hen een paal rechtop te houden terwijl er rondom steunbalken in werden geslagen. Na korte tijd was iedereen voor hem gewonnen.

Thuis ging het iets minder vlot. Die eerste dag werd hij uitvoerig aan de tand gevoeld door Donal en door Liam, want hoewel ze accepteerden dat ik mijn keuze had gemaakt, betekende dat nog niet dat ze er blij mee waren.

Conor had tot mijn verbazing weinig te zeggen. Ik ving zijn ernstige blik op; hij keek naar me met een soort laconieke toegeeflijkheid, en toen ik hem later apart nam, zei hij: 'Je vond dat gemeen, hè? Om een man te dwingen zich zo voor ons bloot te geven?'

'Je hebt hem hard aangepakt,' zei ik. 'Ik had gedacht dat jij tenminste toch wel kon zien wat voor man hij is, zonder hem zo op de proef te stellen.'

Conor glimlachte. 'Als we hem niet zo op de proef hadden gesteld, zou hij misschien nooit tegen jou hebben gezegd wat hij voelde. Zelf wist ik wat voor man hij was. Ik wist dat het zo zou zijn tussen jullie beiden. Ik kan niet zien wat komen gaat, zoals Finbar; maar dit samenkomen van zielen was even onvermijdelijk als de baan van de zon en de maan door de hemel. Ik wist het al enige tijd; maar het zou een fout zijn geweest het hem te gemakkelijk te maken. Jullie moesten beiden leren hoe sterk het verdriet om het verlies was, voor jullie tot inzicht konden komen. Zeg eens, heeft zij je nog bezocht, dat wezen van de andere wereld dat jouw weg heeft begeleid? Heb je haar weergezien sinds je thuis bent gekomen?'

'Hoe weet je dat allemaal?' Ik was verbaasd, en ik zou het vervelend hebben gevonden als de gloed van de vreugde niet zo sterk in me was dat hij al het andere buitensloot.

'Ik moet de vaardigheden die ik bezit van tijd tot tijd uitproberen,' zei Conor. 'Het zijn er niet veel; tot nu toe waren ze voldoende, maar ik zal er niet veel langer mee toe kunnen. Ik moet deze plaats binnenkort verlaten, om weer op reis te gaan, en het kan lang duren voor ik je weerzie. Ik voel me geruster, nu ik zie dat je zo gelukkig bent na alles wat je hebt doorstaan. Ik ben ervan overtuigd dat het zo was beschikt.'

'Je wilt toch niet zeggen... je zegt toch niet wat ik denk dat je zegt? Dat de hele geschiedenis... alles wat er gebeurd is... allemaal met dit doel is gebeurd? Opdat hij en ik... nee, dat kan ik niet geloven.' Zijn woorden brachten me in verwarring. Hij moest zich toch zeker vergissen. We waren geen marionetten, maar mannen en vrouwen die zelf onze keus bepaalden.

'Eén ding is zeker,' zei hij. 'Je zult het antwoord nooit van het Feeënvolk vernemen. Maar ze spelen een spel van zeer lange duur, en onze verhalen zijn maar uiterst kleine stukken in het grote patroon daarvan. Denk er maar eens over na. Jullie zijn beiden aan vele beproevingen onderworpen; elk van beiden bleken jullie sterk te zijn, sterk genoeg voor hun doel. Zo sterk zelfs dat jullie hun plan nog bijna hebben gedwarsboomd, want beiden kozen jullie ervoor op te geven wat jullie het liefste was, in de hoop dat de ander gelukkig zou worden. Het Feeënvolk verwacht niet dat mensen zo onzelfzuchtig zijn.'

'Maar... maar het is op een wrede manier gedaan. Voor ons is het goed afgelopen, maar voor vader? En voor Finbar? En er was een man van... van de mensen van mijn echtgenoot, een goede man, die gestorven is terwijl hij mij beschermde. En hoe moet het aflopen met het kind dat Oonagh heeft meegenomen? Diarmid en Cormack zijn weg, en jij zegt dat je ook weggaat; binnenkort zal er geen familie meer zijn op Zeven Wateren. Ik zou bijna gaan geloven wat vrouwe Oonagh die dag zei, dat zij en de Vrouwe van het Woud een en dezelfde waren, want de lijn tussen licht en duister lijkt werkelijk erg dun. Welk doel kan al die verliezen waard zijn?'

'Het laat hun onverschillig wie ze verwerpen,' zei Conor. 'Maar in dit spel is er, zoals ik al zei, een veel groter doel dan wij kunnen bevatten. Misschien heb ik het mis. De tijd zal het leren. Jouw rol erin is voorbij, dat weet ik welhaast zeker, en je weg ligt nu recht en duidelijk voor je. Er zal hier een gezin zijn, en er zullen goede jaren komen. Maar één ding moet je onthouden, al vergeet je verder alles. Er is geen goed of kwaad, behalve in de wijze waarop je de wereld ziet. Er is geen donker of licht, behalve in je eigen waarneming. Alles verandert in een oogwenk; toch blijft alles hetzelfde. Als je wilt weten wat er zal komen, moet je het aan Finbar vragen. Nu, genoeg ernst. Je moest heer Hugh maar eens gaan redden uit de greep van Liam, voor hij nog meer te verduren krijgt. Vooruit, weg jij.'

Red had hun vooralsnog bevredigende antwoorden gegeven. Dat hij hier zou blijven, en over mij zou waken, en zich nuttig zou maken. Dat hij over vaardigheden beschikte die ze zouden kunnen gebruiken, in verband met de veeteelt en de landbouw. Hij kon vechten als dat nodig zou zijn; het enige wat hij nooit zou doen was de wapens opnemen tegen zijn eigen volk. Het moest duidelijk zijn dat hij dit niet zou doen, onder geen voorwaarde. Vader knikte; hij had er vrede mee. Donal bromde dat hij niets aan mooie woorden had; in een stevige knokpartij op het oefenveld zouden ze wel zien wat ze aan hem hadden. Red nam, zoals ik had geweten dat hij zou doen, deze uitdaging onmiddellijk aan. Hij opperde dat het misschien diezelfde middag zou kunnen. Donals ogen begonnen te glanzen. Liam hield zijn kaken stijf op elkaar en zei bijna niets. Toen kwam ik naar voren in de zaal waar ze stonden, en een lieve glimlach krulde Reds mond toen hij me zag, en er kwam een warm licht in zijn ogen, dat waarschijnlijk het licht in mijn ogen weerspiegelde. Ik ging naast hem staan, en we

legden beiden een arm om de ander, want het was niet mogelijk zo dicht bij elkaar te zijn zonder elkaar aan te raken.
'Heel goed,' zei Liam. 'Als het je uitkomt, mag je ons vandaag laten zien wat je kunt. Weet je zeker dat je in vorm bent?'
'Ik denk het wel,' antwoordde Red ernstig.
Het was misschien niet goed voor zijn vorm om eerst met mij naar boven te gaan, maar het was niet tegen te houden, want onze lichamen spraken met elkaar op een manier die niet te ontkennen viel. We waren verloren tijd aan het inhalen, vermoed ik. Later lag ik op het bed, met alleen een laken over me heen, en keek naar hem terwijl hij zich met lichte tegenzin aankleedde.
'Zul je niet te moe zijn?' vroeg ik met een glimlach. 'Mijn broers zijn heel bedreven in de strijdtechnieken en ze willen zich natuurlijk bewijzen. Weet je zeker dat je het aankunt?'
Hij liet zijn tuniek over zijn hoofd glijden. 'Vandaag zou ik het tegen drie reuzen kunnen opnemen, de een nog groter en lelijker dan de andere, zonder me er druk over te maken,' zei hij. Hij begon al te praten als een man van ons volk. 'Blijf hier, ik ben terug voor je het weet,' en hij drukte zijn lippen op de mijne, en maakte ze met enige moeite weer los, en ging naar buiten terwijl hij een geleende zwaardgordel omgespte.
Ik bleef niet in bed liggen, maar ging naar een bovenraam van waaruit ik naar hen kon kijken. Het was een boeiend gevecht. Liam en Red waren volgens mij ongeveer aan elkaar gewaagd; het voordeel dat Liams ervaring hem gaf, werd in evenwicht gebracht door Reds grotere lengte en zwaardere lichaamsbouw, en door zijn verrassende lichtvoetigheid. Wat aanvankelijk een felle krachtmeting was, liep uit op een demonstratie en tenslotte een les, eerst van de een en toen van de ander, in de technieken van het gewapend en ongewapend gevecht van man tot man. Donal ging ook meedoen, en later een groep anderen. Ik zag dat Red hun leerde hoe je met de linkervoet gestrekt een vliegende trap uitdeelde; vervolgens werden er paarden naar buiten gebracht en ik zag dat Liam hem de kunst leerde je in het zadel onderuit te laten glijden om een slag te ontwijken en dan weer omhoog te komen in één vloeiende beweging. Beiden liepen een paar klappen op. Ik hoorde de mannen lachen. Diarmid zou het ook leuk hebben gevonden te laten zien wat hij met een speer kon doen, dacht

ik. En Cormack zou zich niet onbetuigd hebben gelaten; hij zou hebben rondgetold met zijn staaf in zijn hand. We hadden geen bericht gekregen van die twee; hun plaatsen aan tafel bleven leeg. Toen hield ik het verder voor gezien en liep de stenen trap op, helemaal naar boven, naar de plek waar je op de leien van het dak kon zitten en ver uitkijken over de grijzig blauwe waas van het winterse bos. Ik had geweten dat ik Finbar hier zou vinden. Ik ging naast hem zitten, licht huiverend, want de wind was koud.

Praat tegen me, lieve broer. Met zoveel vreugde in mijn hart valt het me zwaar jouw eenzaamheid aan te zien.

Je zult het niet lang meer hoeven aan te zien.

'Wat?' Ik zei het hardop, want ik schrok van zijn woorden. 'Wat bedoel je?'

Het zal niet lang meer duren. Ik heb hier niets meer te doen.

Waar ga je heen?

Weg. Hij was erg voorzichtig; zijn geest was afgeschermd; hij wilde me alleen deze korte boodschap geven.

Waarom wil je niet meer tegen me praten? Wat is er aan de hand?

Hij ging even verzitten op de koude leien, en de vleugel ontvouwde zich een stukje om hem in evenwicht te houden.

Vraag je dat nog?

We zwegen. Ik kon niet zien wat zijn toekomst zou kunnen zijn; ik wist alleen dat hij vroeger had gebrand van verlangen de wereld goed te maken, te zorgen dat er recht geschiedde en dat de waarheid aan het licht kwam. Die hartstochtelijke jongen was verdwenen, en de man die zijn plaats had ingenomen, kende ik niet.

Was er iets dat je wilde weten?

Ik schudde mijn hoofd. Ik had besloten hem niet te vragen wat de toekomst voor mij inhield. Ik hoopte dat hij goed en gelukkig zou zijn, en dat ik altijd mijn man aan mijn zijde zou hebben.

Maar ik wilde er niet naar vragen.

Terwijl we daar zwijgend zaten, verscheen er een beeld in mijn geest. Eerst dacht ik dat het een beeld was dat hij me al eerder had laten zien, waarin een kleine Sorcha huppelde en holde onder de grote bomen, met licht- en schaduwplekken om haar heen. Maar dit was anders, want dit kind had koperrood haar dat recht langs haar rug neerviel als een glanzend gordijn, en er rende een tweede kind achter haar aan, een donkerharige jongen, en hij riep:

'Niamh! Wacht op mij!' Het waren dezelfde kinderen die ik in mijn geest had gezien op de dag van de brandstapel. En ergens aan de rand van mijn gezichtsveld was nog een kind, dat met hongerige ogen toekeek; maar dat figuurtje kon ik niet duidelijk zien. Het meisje strekte haar armen uit en begon rond te draaien, haar blote voeten raakten de zachte aarde licht, en haar jurk wervelde wijd om haar heen; en een straal zonlicht drong door het bladerdak van de bomen en veranderde haar kastanjebruine haar in zuiver goud. Toen vervaagde het licht, en het beeld was weg, want mijn broer trok de luiken weer stevig dicht. *Dit is alles wat ik zie. Het is genoeg.* Ik huiverde weer. Ik had vergeten een mantel om te doen.

Wij zullen allen gaan, de een na de ander. Er zullen geen zonen zijn. De kinderen van jou en hem zullen Zeven Wateren erven.

'Zeg dat niet!' Ik zei het hardop, op scherpe toon. 'Je mag het noodlot niet tarten! Je kunt niet alles weten.'

Sommige dingen weet ik. Hij trok zich weer terug in stilzwijgen, met zijn ogen afgewend, tot ver over het meer, ver naar het westen.

Enige tijd later kwamen ze Conor halen. Twee heel oude mannen die te voet reisden. Hun haar was gevlochten tot vele vlechtjes, en ze droegen zilveren banden om hun nek en gewaden die soepel bewogen om hun magere lichaam. Dit was de oproep waarop hij had gewacht. Ik kon aanvankelijk moeilijk geloven dat hij ons huis zo gemakkelijk kon verlaten, want hij was er altijd geweest, de stem van evenwicht en redelijkheid, de broer die het vermogen bezat te bemiddelen tussen de anderen, degene die had beschikt over de wilskracht om zijn broers mee te krijgen naar Harrowfield, over de grote zee, om eindelijk weer zichzelf te worden. Maar het was zijn roeping. Want het was niet mogelijk de oude kennis en de mystieke vaardigheden te leren en tegelijkertijd voor familie en túath te zorgen. Hij moest weggaan, in de bossen en de diepe grotten, buiten het bereik en de kennis van gewone mensen. Er zouden vele jaren van studie en oefening nodig zijn, voor hij tot de broederschap zou worden toegelaten.

Ik had de indruk dat de ogen van deze twee ouden mijn broer met diepe eerbied bezagen, al was hij ook een novice. Had hij niet bijna drie jaren geleefd als een wezen van de wilde natuur, maar toch al die tijd zijn menselijk bewustzijn behouden? Bezat hij niet reeds aanzienlijke vaardigheden als manipulator van de elementen, als opwekker van ondoorzichtige nevels en grillige winden? Het was misschien laat, maar niet te laat om aan zijn leerjaren te beginnen. Hij zou sterk worden; een van de sterksten van zijn soort. Ik hield hem daarom in ere, maar dat deed niets af aan de pijn van het verlies.

Hij nam afscheid in de zaal en omhelsde eerst vader en daarna Liam; hij gaf Donal een klap op de rug en woelde door Padriacs haar. Hij pakte Red bij de schouder.

'Waak over mijn zuster,' zei hij. 'Zorg voor haar veiligheid.'

Maar Finbar en ik liepen met hem mee tot aan de rand van het bos, en bleven daar staan om hem na te kijken. De twee oude mannen wachtten zwijgend. Conor raakte Finbar niet aan, maar hij sprak tot hem en ik hoorde zijn woorden. *Wees sterk, broer. Ook jij bent nog maar amper aan je reis begonnen.*

Finbar keek hem recht in de ogen. *Soms is de weg verduisterd. Er is een innerlijk licht.* Conor stak zijn hand uit en raakte heel even het voorhoofd van zijn broer aan. Toen draaide hij zich om en sloeg zijn armen om me heen; hij drukte me zo stijf tegen zich aan dat ik bijna niet kon ademen. *Vaarwel, kleine uil.*

Ik onderdrukte mijn tranen, want ik wist dat dit zijn weg was en dat hij die moest volgen. Hij trok de kap over zijn hoofd, nam zijn staf van berkenhout op, en het drietal liep het bospad in, en er trok een wolkje voor de zon langs; in de tijd die dat in beslag nam, waren ze verdwenen.

Op een avond, na het avondeten, waren de mannen diep in gesprek. Liam was zojuist teruggekomen van een bezoek aan Seamus Roodbaard. Hij had een stel wolfshondpups meegebracht, en nieuws. Nu zaten ze een soort expeditie voor te bereiden, maar ze vonden het niet nodig mij uit te leggen waar het om ging. Ze hadden zelfs Red erbij betrokken, en ik hoorde zo ongeveer wat ze zeiden terwijl ik bij het vuur zat te geeuwen bij een beker mede.

'Seamus is niet jong meer,' zei Donal botweg. 'Heeft hij wel de wilskracht hiervoor, en kan hij het lang genoeg volhouden?'

'Hij zal het niet zonder hulp hoeven doen.' Liams stem klonk ernstig. 'Daar zullen wij voor zorgen. Ik wens niet dat Eilis' zoon wordt grootgebracht in een huishouden dat het mijne vijandig gezind is.'

'Deze grondgebieden liggen ver uit elkaar,' merkte Red op, met een blik op de kaart die uitgerold voor hen op de tafel lag. 'Ben je niet bevreesd dat Seamus, als hij het andere gebied beheert naast het zijne, zich tegen je zou kunnen keren en proberen alles voor zichzelf op te eisen?'

'Seamus is altijd een trouwe vazal geweest, en hij kent onze sterkte,' antwoordde Liam. 'Het is in zijn eigen belang toezicht te houden op het gebied van Eamonn tot de jongen de volwassenheid bereikt, en om Zeven Wateren als bondgenoot te houden. Hij is de grootvader van het kind; er valt voor anderen weinig tegen zijn aanspraken in te brengen.'

Ik dacht eigenlijk niet dat ik nog meer wilde horen. Ik wist met name dat ik niet precies wilde horen wat ze met Eamonn zelf voorhadden, want in het beeld dat ze schilderden, scheen hij geen plaats te hebben. Daarom stond ik op en ging een kaars aansteken, met de bedoeling maar naar bed te gaan, en toen ik naar de hoofdingang aan de andere kant keek, ving ik Finbars blik op, net voor hij onopgemerkt naar buiten sloop. Het was heel laat, en hij had geen mantel om. En in zijn ogen lag die vreemde, wilde blik. Maar misschien wilde hij niets anders dan alleen zijn, zoals we allemaal af en toe willen. Misschien zou hij gauw terug zijn. Ik wachtte, en bleef op de deur letten. De tijd verstreek, en de mannen praatten door, en Finbar kwam niet terug. Uiteindelijk kon ik niet langer wachten. Ik zei zachtjes iets tegen Red, want ik wilde mijn vader niet nodeloos ongerust maken. We pakten allebei onze mantel en laarzen en een lantaarn, en gingen naar buiten om de weg te volgen die Finbar had genomen.

Het had geregend, maar nu was de lucht helder en vochtig. Zijn voetsporen waren gemakkelijk te zien in de zachte aarde, helemaal tot de geheime baai, waar de kleine berk op de noordelijke oever stond. Maar mijn broer was nergens te bekennen. We liepen een tijdlang op en neer langs de oever, speurend bij het licht van de lantaarn tot de maan te voorschijn kwam van achter haar wolkensluier en een koel schijnsel over het bos wierp. Aan de uiterste rand van het meer, waar de laatste voetafdruk de grens van wit zand en helder water markeerde, kreeg ik iets in het oog. Red hield de lantaarn vast en we bukten ons om het beter te kunnen zien. Daar lag de amulet van mijn moeder, met het koord nog intact; en een paar flarden geweven vezels, misschien van sterrenkruid; en een enkele witte veer. Maar van Finbar was geen spoor te bekennen, die nacht niet, en de volgende nacht ook niet; van Imbolc tot Lugnasad bleef hij onvindbaar. Hij was verdwenen, zo spoorloos alsof hij weer was veranderd. Maar teruggaan kon niet, dat wist ik. Ik geloofde niet, zoals veel anderen, dat hij domweg het meer was ingelopen, en verdronken was. Zijn verhaal zou nog het allervreemdst zijn, dat voelde ik. Ik hoopte alleen dat de ware toedracht me ooit getoond zou worden.

Ze gingen allemaal weg. Alles veranderde. Er was nog steeds geen bericht van Diarmid en Cormack, geen nieuws over hun zoektocht, en evenmin over vrouwe Oonagh of haar kind, hoewel ik wist dat Liam boodschappers had uitgestuurd en navraag had laten doen van Tara tot Tirconnell. In mijn hart had ik angst om hen, en ik dacht dat ik dezelfde angst weerspiegeld zag op het gezicht van mijn vader. En nu was Padriac bezig een boot te bouwen, bij het meer. We zagen hem zelden, evenals de jongens die hem hielpen. Het was erg jammer, zei hij, dat hij niet kon vliegen, niet dat hij zich dat echt herinnerde, maar nu wist hij dat er grotere landen, en verdere zeeën waren om te exploreren, en dat ging hij doen, wanneer zijn schip af was. Hij bekeek kaarten, en maakte schema's, en bestudeerde oude boeken. Ik herinnerde me wat Finbar een keer had gezegd over zijn jongste broer. *Hij zal ver komen. Verder dan de anderen.* Ik had niet gedacht dat hij het zo had bedoeld. En hij was nog zo jong; te jong, zei ik tegen hem, om erover te denken weg te varen en ons te verlaten.

'Ik ben ouder dan jij,' merkte Padriac op. 'En jij krijgt een kind. Dan ben ik een oom. Ik moet dus oud genoeg zijn.'

Want ik verwachtte inderdaad een kind. Het zou geboren worden tegen de tijd van het feest van Meán Fómhair, de dag in de herfst dat dag en nacht even lang duurden; en ik wist dat haar haar de helle koperkleur van de beukenbladeren zou hebben. Red was bezorgd; hij had de neiging me te betuttelen alsof ik een teer plantje was dat tegen alle kwaad beschut moest worden. Ik lachte hem uit, maar ik deed toch wat hij vroeg. Het werd lente en het werd zacht weer, en nog steeds was er geen nieuws. Toen ging mijn vader op een dag zelf op reis.

'Mijn jongens zijn niet teruggekomen,' zei hij. 'Het is nu aan mij hen te gaan zoeken en hen hier veilig terug te brengen, alle drie. Dit is mijn zoektocht,' voegde hij eraan toe toen eerst de een en toen een ander aanbood met hem mee te gaan. 'Door hen thuis te brengen is het misschien mogelijk iets goed te maken van het leed dat ik mijn gezin heb aangedaan. Ik laat je in goede handen achter, mijn dochter,' zei hij, terwijl hij me een zoen op mijn wang gaf en Reds arm stevig en krachtig vastgreep. 'Mijn huishouden wordt goed geleid, en mijn mensen zijn beschermd. Voor mij is het tijd om afscheid te nemen.' Hij drukte zijn wang tegen die van Liam en drukte hem de hand, en hij omhelsde Padriac, en toen was hij weg, verdwenen over het pad in de eenvoudige werkmanskleding die hij had gekozen, en ik hoopte dat het spoor van het kleine zoontje dat was meegenomen, nog niet helemaal was afgekoeld.

En zo gingen mijn broers een voor een weg van Zeven Wateren. We hadden altijd gezegd dat we er voor elkaar zouden zijn, zolang we leefden. We hadden altijd gezegd dat we, net als de zeven stromen waaraan ons huis zijn naam dankte, allemaal een deel waren van hetzelfde geheel, en dat onze levens altijd met elkaar verbonden zouden zijn. En toch zouden binnenkort alleen Liam en ik hier nog zijn. Liam had zich fel en gedreven tot taak gesteld datgene te herstellen wat mijn vader bijna door zijn vingers had laten glippen. Liam die nooit lachte, die onvermoeibaar, als bezeten werkte, eiste en kreeg onwankelbare trouw van al zijn mensen. Hij had nu reden om, met tegenzin, dankbaar te zijn voor de aanwezigheid van heer Hugh in zijn huishouden. Want Red was degene die de geschillen tussen de ene nederzetting en de andere oploste, terwijl Liam zich met Seamus Roodbaard afzonderde om de finesses van hun strategie te bespreken. Red zorgde ervoor dat het land dat vrouwe Oonagh had verwoest, opnieuw in cultuur werd gebracht; hij legde de mensen uit dat je moest zaaien voordat je kon oogsten, en welke bomen het snelst zouden groeien, om in toekomstige jaren een goede voorraad bruikbaar timmerhout te hebben. Red behartigde de belangen van de bewoners van de dorpen, hij zorgde voor nieuw vee, en leerde de mensen hoe ze stenen muren en rieten daken het beste konden repareren. Tegen het voorjaar gaf Liam met tegenzin toe dat hij niet wist hoe we het zonder hem hadden moeten klaarspelen.

Met Meán Earraigh, wanneer de dag even lang is als de nacht, en de aarde zich in haar lentetooi hult na de lange winterkou, nam ik Red mee naar het meer, en omhoog door het bos naar een plek waar ik lang niet was geweest. Hier had pater Brien, de kluizenaar, zijn eenzame, geordende leven geleid. Hier hadden de kinderen van Zeven Wateren vreemde talen en geheime symbolen geleerd. Hier had ik Simon verzorgd, en was het zaad van een deel van mijn verhaal gezaaid. Ik had Red uitgelegd dat dit een plek was waar ik heen moest om gemoedsrust te vinden. Een plek waar ooit een oude vriend had gewoond.

Red vond het maar een matig idee dat ik wilde paardrijden, want hij was bang dat het slecht zou zijn voor mij of voor mijn ongeboren kind, en hij wilde alleen mee als hij me voor zich op zijn eigen paard mocht nemen, want daar kon hij me in de gaten houden, zei hij. En zo reden we op ons gemak naar boven tussen de grote eiken, en hij werd stil bij hun torenhoge kracht, en de gouden bossen die aan hun bovenste takken hingen, waar het heilige kruid zich in hun beschutting had gevestigd. Het was een mooie, warme dag, met een fris briesje dat wolkjes door de hemel blies. De grot was leeg, er stond niets op de kastplanken, en het huisje was verlaten. Als er ooit een geur van ziekte en angst in dit kleine huis had gehangen, was die nu weg, en het schuin invallende zonlicht gaf grot en kluizenaarscel een warme roerloosheid die de indruk wekte dat ze wachtten, gewoon wachtten tot er weer iemand zou komen om hier een kalm, zwijgend bestaan te beginnen. We gingen zitten op de stenen onder de lijsterbesstruiken, en deelden het water en het brood en het gedroogde fruit dat we hadden meegebracht. Het paard graasde tevreden in het groene lentegras.

Woorden waren niet nodig tussen ons. Toen we klaar waren met eten, kwam Red achter me zitten; hij legde zijn benen om de mijne, en deed zijn armen om mijn middel, zodat ik tegen hem aan kon leunen, en hij legde zijn grote handen heel voorzichtig op mijn buik, waar de zwelling van het groeiende kindje nog maar nauwelijks te zien was.

'Deze plek roept herinneringen bij je op,' zei hij ten slotte. 'Wat hier is gebeurd, raakt je diep.'
Ik knikte. We hadden nooit over Simon gesproken, sinds de tijd dat ik zelf was weggegaan van Harrowfield. Maar ik dacht vaak aan hem. In zijn verhaal zat een vreselijke ironie, want ik vreesde dat de broer die altijd het land en het gezag had gewild, die het altijd zo ellendig had gevonden dat hij op de tweede plaats kwam, had ontdekt, nu hij zo onverwacht Harrowfield in de schoot geworpen had gekregen, dat wat hij eigenlijk wilde juist iets heel anders was. Want het was zijn noodlot, altijd dat te willen wat hij niet kon krijgen. Maar Elaine had een sterk en verstandig meisje geleken, en zij hield van hem. Misschien zou dat genoeg zijn.
'Wil je erover praten?' vroeg Red.
'Niet echt,' zei ik. Sommige dingen kunnen het beste onuitgesproken blijven, zelfs tegen de mensen van wie je het meest houdt. We zwegen weer een tijdje en hoorden de roep van een leeuwerik, hoog boven ons hoofd.
'Heb je er geen spijt van, dat je het allemaal hebt opgegeven?' vroeg ik. 'Verlang je er soms niet naar, terug te gaan?'
Zijn handen bewogen zacht tegen mijn buik. Ik dacht: dit kind krijgt zoveel liefde; haar weg door het leven zal vast en zeker betoverd zijn, breed en recht, en vol van licht.
'Hoe zou ik anders dan tevreden kunnen zijn met wat ik heb?' zei Red zacht. 'Want ik heb zoveel.' En later gingen we langzaam terug naar huis onder de grote, overhangende takken van het bos, en langs het rimpelende water van het meer, en naar boven tussen de meidoornhagen. Het paard liep voorzichtig, alsof het besefte dat het een kostbare last droeg; en de armen van mijn echtgenoot waren sterk en zacht om mij en zijn kind heen. Het kan zijn dat het Feeënvolk naar ons keek, en nadacht over het volgende hoofdstuk van hun lange verhaal, maar wij hoorden daar nog geen fluistering van, terwijl we terugreden naar Zeven Wateren, ons huis.